JN144057

アスレティックケア

リハビリテーションとコンディショニング

日本大学教授
小山貴之【編著】

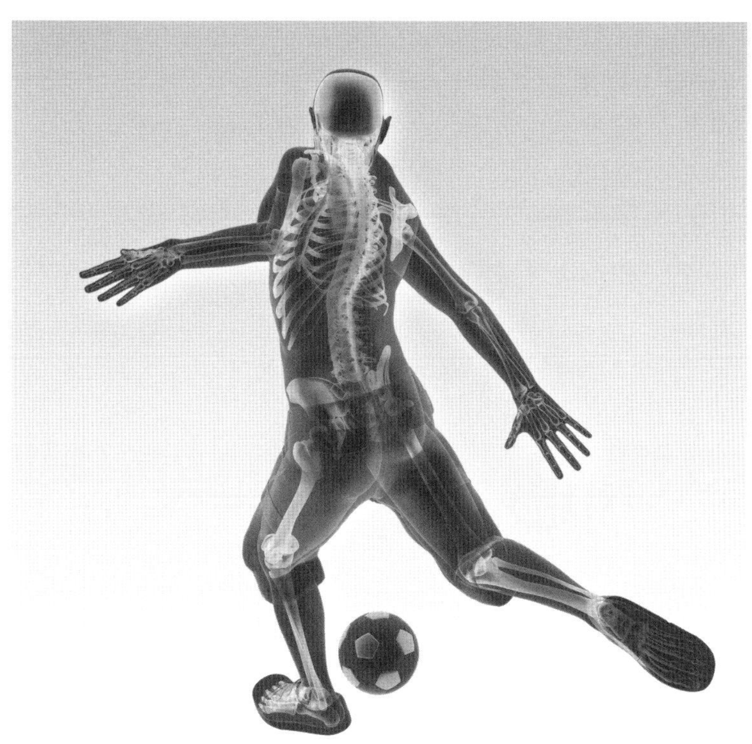

ATHLETIC CARE

Rehabilitation and Conditioning

■執筆者一覧

平山　邦明	早稲田大学スポーツ科学学術院
広瀬　統一	早稲田大学スポーツ科学学術院
小山　貴之	日本大学文理学部体育学科
松本　　恵	日本大学文理学部体育学科
陣内　　峻	NPO法人スポーツセーフティージャパン
中丸　宏二	株式会社NECライベックス カラダケア事業推進室
成田　崇矢	桐蔭横浜大学スポーツ科学研究科
穐山　大輝	八王子スポーツ整形外科リハビリテーション部門
佐藤　正裕	八王子スポーツ整形外科リハビリテーション部門
坂田　　淳	トヨタ記念病院リハビリテーション科
大路　駿介	東京医科歯科大学スポーツ医歯学診療センター
相澤　純也	順天堂大学保健医療学部理学療法学科
中田　周兵	横浜市スポーツ医科学センター
鈴川　仁人	横浜市スポーツ医科学センター
玉置　龍也	横浜市スポーツ医科学センター
泉　　重樹	法政大学スポーツ健康学部スポーツ健康学科
笠原　政志	国際武道大学体育学部体育学科
倉持梨恵子	中京大学スポーツ科学部トレーナー学科

（執筆順，敬称略）

第２版　序　文

本書第１版を2016年に刊行してから約７年が経ちました。その間，スポーツ医科学サポートは発展を続け，現在ではアスリートの診療からリハビリテーション，アスレティックトレーニング，ストレングス＆コンディショニングまでを，各専門職が専門知識・技術をシームレスに提供するトータルコンディショニングサポートが提唱されています。これは，アスリートを取り巻く専門職間での連携が重要であることを示しており，自身の役割に関する知識・技術の向上だけでなく，各領域の理解も必要となります。そこで本書の改訂にあたり，トータルコンディショニングサポートに必要な知識・技術を新たに追加しました。

具体的な改訂内容として，第１版でスポーツ外傷・障害の基礎知識として紹介した運動学や力学，解剖，運動発達といった内容は，今版では省略しました。この内容については，多くの他書がありますので参照いただきたいと思います。代わりに，追加の新章として「スポーツ栄養の基礎知識」を松本恵先生に，「リカバリーの実際」を笠原政志先生に執筆いただきました。両先生ともに，他章の先生と同様にその領域において先進的に研究や実践をされており，それぞれ最新の内容を体系的にまとめていただいています。その他，大きな変更点として，「救急対応」の章に「外傷の処置」と「脳振盪の評価と管理」の項目を追加いただきました。また，「機能的スクリーニングとコレクティブエクササイズ」の章に，コレクティブエクササイズの例を多く追加いただきました。その他の章も，さらにブラッシュアップした内容に改訂いただいています。

本書はアスリートサポートに必要な知識・技術を網羅的にわかりやすく整理しており，初学者にとっての入門書としてだけでなく，読み進めると現役専門職の方にとっても実践的な内容が多く含まれています。本書が読者の方々のスキルアップの一助となるだけでなく，最終的に読者が関わるアスリートに多くの内容が還元されることを期待しています。

2023年３月

日本大学教授　小山　貴之

第1版 序 文

現在では多くの選手がスポーツ医科学のサポートを利用することができ，アクセス可能なスポーツ整形外科も増えて，適切なケアを提供できる体制が整ってきています。スポーツ現場においてもアスレティックトレーナーの需要が高まり，雇用するチームが増えています。一方で，学校教育の現場におけるサポートは現状ではけっして十分とはいえず，本来専門家ではない指導者がその役割を果たすこともあります。理学療法士やアスレティックトレーナーだけでなく，保健体育の教員やスポーツ指導者も含めて，スポーツ選手に対するケアを勉強していく必要があります。

スポーツ選手にかかわる方がリハビリテーションやコンディショニングの知識を学習する場合，これまで出版された多くの専門書が助けになることと思います。本書はそのなかでも，初学者にとって有益な知識を提供します。スポーツ医科学や体育学，理学療法などの医療技術を学ぶ学生に限らず，若手の理学療法士やアスレティックトレーナー，その他スポーツ選手をサポートする方にとって包括的な入門書となるように構成しました。

本書はまず，スポーツ外傷・障害とコンディショニング，リハビリテーションの基礎知識と応急処置について解説し，次に部位別の代表的なスポーツ外傷・障害とリハビリテーションについて，機能解剖を踏まえてそれぞれ解説しています。後半はコンディショニングの手法のうち，テーピングとストレッチング，マッサージについて基本的な技術を紹介しています。最後に，近年最も進歩したといってもよい領域である，機能的動作のスクリーニングとコレクティブエクササイズについて解説しています。各章とも，その領域において先進的に臨床や研究を行い，第一線で活躍されている理学療法士やアスレティックトレーナーの方々に執筆を依頼しました。

本書は，入門書としてわかりやすく内容をまとめましたが，深く読み進めると，経験を積んだ方にとっても有益な情報や臨床における工夫が散りばめられています。本書が読者の方々のスキルアップの一助となるだけでなく，最終的に読者が普段接するスポーツ選手に多くの内容が還元されることを期待しています。

発刊にあたり，編集にご尽力いただいたナップの亀田由紀子さんに深謝いたします。

2016年5月

日本大学准教授　小山　貴之

目　次

1 コンディショニングの基礎知識

平山 邦明，広瀬 統一（早稲田大学スポーツ科学学術院）

1-1　コンディショニングの定義とコンディションに影響する要因

コンディショニングとは「パフォーマンス発揮に必要なすべての要因を，ある目的に向かって望ましい状態に整えること」と定義される。ここで示す「ある目的」とは，必ずしもトップアスリートの主要大会での勝利だけではなく，健康増進を目的とした一般アスリートが怪我なく運動を実施することなど，幅広い目的を含む。このことからも，コンディショニングはアスリートや一般人も含めた幅広い人々のものであることがわかる。

コンディショニングが多様な目的に対して行うものであるのと同様に，コンディショニングで調整対象となる「すべての要因」も数多くあるため，多角的に評価・分析しなければならない。コンディションに影響する要因には内的要因と外的要因の 2 つの主要因がある。内的要因にはフィジカル，メディカル，スキル，メンタルの 4 要因が含まれ，外的要因には環境，用具が含まれる。またトレーニング要因は外的要因に含まれる場合もあれば，独立した要因として検討が必要な場合もある（表 1-1）。選手のパフォーマンスに対しては内的要因が直接的に影響し，外的要因は間接的に影響する。コンディショニングを実施する際にはこれらの要因がどのように選手のパフォーマンスに影響するかを分析し，その要因の改善策を立案して指導や環境整備を行う必要がある。

表 1-1　コンディショニングにおける調整対象要因と要素の例

主要因	要　因		要素の例
内的要因	フィジカル		基礎体力，専門体力
	形態	体格	体重，体脂肪，萎縮，脚長差
		アライメント	姿勢，静的アライメント
	機能	関節機能	可動域，弛緩性
		筋機能	筋力，筋持久力，筋タイトネス
		神経系機能	バランス，認知機能
		呼吸循環器系機能	全身持久力
	スキル		フォーム（動的アライメント）
	メンタル		緊張，モチベーション
	メディカル		既往歴，現病歴
外的要因	環境		サーフェス，天候
	用具		シューズ，防具，装具
	トレーニング		トレーニングの量・強度・質・タイミング，リハビリテーション，ウォーミングアップ・クーリングダウン

1-2　コンディショニングにおけるプログラムデザイン

1-2-1　ピリオダイゼーション

アスリートのパフォーマンス向上の停滞やオーバートレーニングを予防するために，ピリオダイゼーション（periodization）という手法が用いられる。ピリオダイゼーションとは，トレーニング期間を期分けし，トレーニングの手法・強度・量を計画的かつ系統的に変化させるものである。

伝統的なピリオダイゼーションモデル（図 1-1a）では，トレーニング期間をマクロサイクル（数ヵ月〜数年単位），メゾサイクル（数週間〜数ヵ月単位），ミクロサイクル（1 週間単位）に分割する。マクロサイクルは，主に「準備期（プレシーズン）」および「試合期（インシーズン）」と，この２つの期をつなぐ「移行期」に分けられる。なお，移行期には２つあり，図 1-1a 中の最初の「移行期」は準備期から試合期に移行する際に設ける短い休止期間であり，２つ目の「移行期」はオフシーズンとも呼ばれ，試合期終了後から次のマクロサイクルの開始までの休止期間である。

「準備期」は，より高強度なトレーニングに耐えられるようにコンディションのレベルを徐々に引き上げることを目的としている。「試合期」は，トレーニング強度を増大あるいは維持させながらトレーニング量を減少させること（テーパリング）でコンディションをピークに高めること（ピーキング）を目的としている。リーグ戦形式で毎週試合がある場合には，試合での疲労を回復させながらコンディションを維持・向上させる。

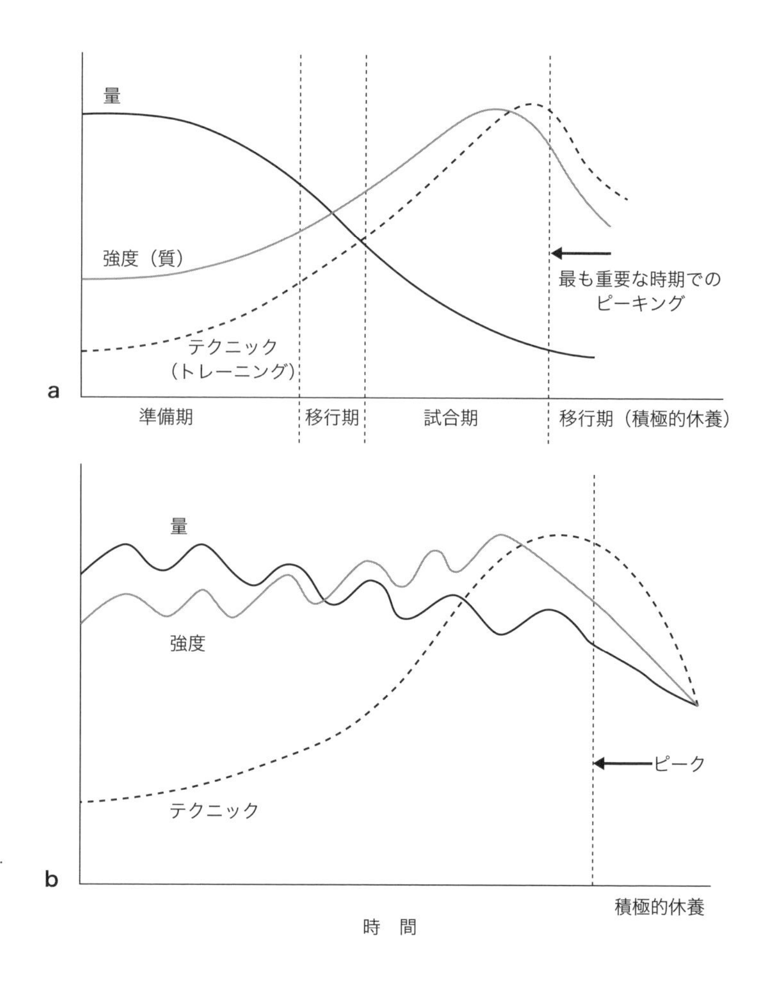

図 1-1　伝統的（線形）ピリオダイゼーション（a）と非線形ピリオダイゼーション（b）（文献１より改変）

ピリオダイゼーションには，上述した線形モデル(伝統的ピリオダイゼーション)だけでなく，非線形(波状)モデル（図 1-1b）などいくつかのタイプがある。非線形モデルは，トレーニングの強度と量をミクロサイクル内（週内）で大きく変動させるモデルである。例えば，週に 3 回レジスタンストレーニングを行う場合，週の初日は 6 RM(6 回挙上できる重さ)× 4 セット，次のトレーニング日は 10 RM × 3 セット，最後のトレーニング日は 3 RM × 5 セットといった形で実施する。非線形モデルは，試合期が長く，1 つの試合に向けてピーキングを行うことがないような競技で用いられることが多い。ただし，日々のトレーニング負荷が高く設定されるため，上級アスリート向けともいわれる。

1-2-2　超回復理論とフィットネス–疲労理論

「試合期」におけるテーパリングとピーキングの具体的な方法論は，コンディショニングプログラムを立案する者が持つ理論的背景により異なる。超回復理論は，トレーニングをするとまず疲労によって身体の準備状態（ここではコンディションと同義とする）が低下するものの，時間が経つにつれそれが回復し，一時的に前のレベルよりも高くなるという考え方である（図 1-2a）。この理論に基づくと，重要な試合の数日～数週間前に高負荷のトレーニングを実施し，その後のトレーニングセッションの数を減少させ，しっかりとした回復期をとることでコンディションのピーキングを図ることになる。

超回復理論が 1 要因でコンディションを考えるのに対し，フィットネス–疲労理論では 2 要因（フィットネスと疲労）からコンディションの変化を考える（図 1-2b）。トレーニングをすると，フィットネス（体力）が向上するが，同時に疲労も蓄積される。フィットネス向上のポジティブな変化と疲労蓄積のネガティブな変化が合わさってコンディションが決まるというのが，フィットネス–疲労理論の考え方である。通常のトレーニング直後は，疲労の蓄積によるネガティブな効果がフィットネスの向上によるポジティブな効果を上回るため，一時的にコンディションが低下する。その後時間が経つとフィットネスは低下するものの，それよりも疲労の回復の方が早く生じるため，コンディションはプラスに転じることになる。この理論では，トレーニングのやり方次第で，フィットネスを維持しつつ，疲労の影響を抑えることが可能である。試合前のピーキングをフィットネス–疲労理論に基づいて行う場合，トレーニングのセッション数を減少させるのではなく，各セッションのトレーニング強度を維持し，量を減らしてコンディションのピーキングを図ることになる。なお，2 つの理論はあくまで身体の適応過程を単純化しているものであり，すべての生理学的指標の変化がこれらと一致するわけではない。

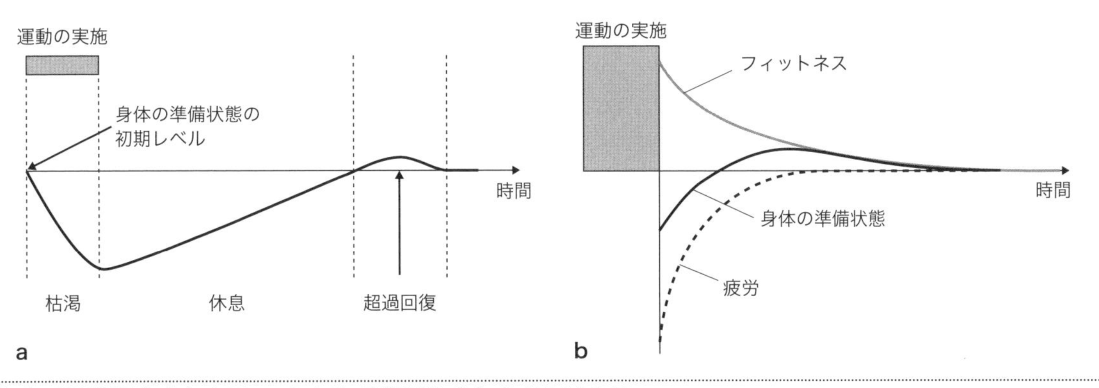

図 1-2　超回復理論（a）とフィットネス–疲労理論（b）（文献 2 より改変）

1-2-3　ディトレーニング

トレーニングが一定期間中断されることをディトレーニング（detraining）という。ピリオダイゼーションのなかの「移行期」のように意図してトレーニングを中断する場合と，傷害発生により意図せずトレーニングが中断される場合がある。いずれの場合も，各種の身体機能が，どのくらいの期間で，どの程度低下するか把握しておく必要がある。特にアスリートの場合は，一般人よりもディトレーニングの影響を受けやすいので注意が必要である。

筋力は，運動休止が 8 〜 9 週間に及ぶと低下するものの [3]，2 週間程度の短期ではそれほど低下しない [4]。一方，持久的能力は 2 週間で 9% [5]，5 週間で 20% [6] 低下することが報告されている。また，持久的能力は低下した能力を取り戻すために，運動休止期間よりも長い時間を要すこともある [7]。したがって，持久的能力については，その低下を最小限に留めることが特に求められる。意図してトレーニングを中断する場合は，完全な運動休止はごく短期間とし，その後は休息と持久的能力の低下のバランスをとりながら徐々にトレーニング負荷を上げるなど，計画的に休息を図る必要がある [8]。傷害発生により生じたディトレーニングでは，患部外の部位を用いて持久的能力の低下を抑制する必要がある [8]。

1-3　フィジカル・コンディショニング手法

1-3-1　体力・運動能力

図 1-3 は代表的な体力の分類である。「身体的要素」のなかの「行動体力」の「機能」に分類される要素には，それぞれに対応したトレーニングが存在する。コンディショニングにおいては,「精神的要素」や「防衛体力」を含め，すべての要素をトータルに考える必要があるが，本章では身体運動を生み出す際に不可欠な「筋力」「持久性」「スピード」の 3 つの要素について概説する。

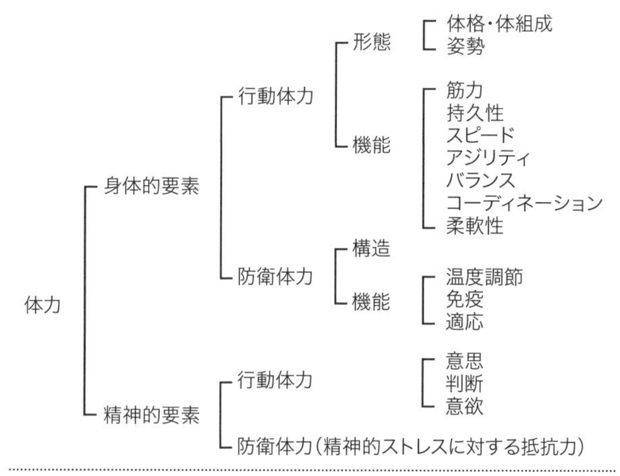

図 1-3　体力の分類（文献 9 より改変）

表 1-2　トレーニングの 3 原理・5 原則

過負荷の原理	アスリートが日常受けている刺激よりも高い負荷の刺激を課すことで適応が起こるという原理
特異性の原理	身体は課せられた刺激に応じて適応するという原理。SAID（specific adaptation to imposed demands：課せられた刺激に対する特異的適応）の原理と同義的に用いられる
可塑性の原理	トレーニングによって生じた適応は，トレーニングを中止すると元の状態に戻るという原理
漸進性の原則	トレーニング負荷を，順を追って徐々に高くするというルール。過負荷の原理を適用する際に同時に意識すべきことであり，2 つを合わせて漸進的過負荷と呼ぶこともある
継続性の原則	トレーニングは継続的に行うというルール。体力には可塑性があり，トレーニングを中断するとそれまでに獲得した能力が低下してしまう
意識性の原則	目的や効果を理解したうえでトレーニングを実施するというルール。アスリートが目的や効果を理解したうえでトレーニングを行った方が，より高いトレーニング効果が得られる可能性がある
個別性の原則	アスリートの個人差を考慮してトレーニングを行うというルール。これを無視した場合，トレーニング効果に差が生じるだけでなく，傷害やオーバートレーニングを引き起こす可能性もある
全面性の原則	種々の体力要素や身体部位をバランスよく全面的にトレーニングするというルール

1-3-2　トレーニングの原理・原則

トレーニングプログラムを立案・実行するうえで，知っておくべき原理と考慮すべき原則がある（表1-2)。原理･原則について考慮が欠けると，期待したトレーニング効果を得られないだけでなく，傷害やオーバートレーニングを引き起こすリスクが増すことになる。

1-3-3　PDCA サイクル

トレーニングプログラムを計画・実行するうえでは，PDCA サイクルを回すことも必要である。PDCA サイクルとは，以下に示す４つの段階を繰り返し，業務や事業を継続的に改善し続ける手法である。この手法は，コンディショニングに限らず日々のトレーナー活動の多くの場面に応用可能であり，短期・中期・長期で繰り返すことが重要である。

Plan（計画）：現在ある情報（競技特性やアスリートの身体特性）をもとに目標を立て，その目標を達成するためのプログラム（これを行えば目標が達成できるだろうという「仮説」）を作成する。ここでは，競技特性を知るための文献読解能力，身体特性を把握するための測定・評価の能力，各種コンディショニングのプログラミング能力などが求められる。

Do（実行）：作成したコンディショニング計画を実行する。このとき，計画通りに実行するためには，指導能力や管理能力が求められる。

Check（評価）：計画通りにコンディショニングが進んでいるか, 測定･評価を通じて確認（「仮説」を検証）する。

Action（改善）：計画通りに進んでいない部分を調べ，改善策を講じる。

1-3-4　レジスタンストレーニング

1-3-4-1　概　要

レジスタンストレーニングとは，局所あるいは全身の筋に負荷（抵抗）をかけることで，筋肥大や筋力・筋パワー・筋持久力といった筋機能の向上を引き出すことを目的に行われるトレーニングのことである。

1-3-4-2　基礎知識

筋力と筋断面積には比例関係があり[10]，筋肥大は筋力向上の１つの方策である。一方，同じ筋断面積でも神経系の適応によってより大きな筋力を発揮することも可能になる。一般人を対象とした研究では, トレーニング初期には神経系の適応によって筋力が向上し，筋肥大は６～８週間後に顕著になることが報告されている[11]。しかし，さらに長期的にトレーニングを積むアスリートにおいては，神経系の適応を再度引き出す努力が必要になる。そのため，伝統的（線形）ピリオダイゼーションにおいては，①筋持久力・筋肥大→②最大筋力→③筋パワーの順にトレーニングの主目的を変化させる。

1-3-4-3　レジスタンストレーニングの実際

レジスタンストレーニングのプログラムデザインをするには, 競技特性の分析や対象アスリートの体力的･技術的特性の分析を行ったうえで，トレーニング頻度やエクササイズの順序に加え，以下に示す項目について検討する必要がある。

1）エクササイズの選択

レジスタンストレーニングで用いられるエクササイズは非常に多くあるが，いくつかの観点から分類し，その特徴を捉えることができる。

表 1-3　目的に応じたレジスタンストレーニングの条件設定

目　的	強　度（% 1 RM）	反復回数	セット数	休息時間
筋　力	≧ 85（コアエクササイズ）	≦ 6	2 ～ 6	2 ～ 5 分
	≧ 80（補助エクササイズ）	≦ 8	1 ～ 3	－
筋パワー	80 ～ 90（単発）	1 ～ 2	3 ～ 5	2 ～ 5 分
	75 ～ 85（反復）	3 ～ 5	3 ～ 5	2 ～ 5 分
筋 肥 大	67 ～ 80	6 ～ 12	3 ～ 6	30 秒～ 1.5 分
筋持久力	≦ 67	≧ 12	2 ～ 3	≦ 30 秒

1 RM：1 repetition maximum の略で，最大努力で 1 回挙上できる重量を指す。強度は 1 RM に対する比率で決定することが多い。（文献 14 より引用）

a）負荷（抵抗）のかけ方

負荷(抵抗)のかけ方には，フリーウエイト(バーベルやダンベル)やトレーニングマシンなどがある。フリーウエイトは，おもりや重心の動きをコントロールする必要がある。この点は多くのスポーツ動作とも共通しており，より特異的なトレーニングが可能だと考えることができる。トレーニングマシンは動作や姿勢をコントロールする必要性は低い。したがって，傷害発生のリスクは低いが，主働筋以外の筋群への影響は小さく，トレーニングの多様性に欠けるとも考えられる。

b）動員される筋群（関節）の数と動作スピード

レジスタンスエクササイズは，コアエクササイズと補助エクササイズに分けられる。コアエクササイズとは，1 つ以上の大筋群を動員し，2 つ以上の主要な関節がかかわるエクササイズ（多関節運動）と定義される[12]。一方, 補助エクササイズは, 小さな筋群を動員し, 1 つの主要な関節のみがかかわるエクササイズ（単関節運動）とされている[12]。コアエクササイズの方がスポーツ競技に直接応用できるため優先度が高いとされる。一方，補助エクササイズは特定の筋を個別に強化することができるため，傷害予防やリハビリテーションで活用されることが多い。

コアエクササイズのうち，非常に素早く爆発的に行われるもの（スナッチやクリーンなど）をパワーエクササイズと呼ぶ。多くのスポーツ競技では, 筋力だけでなく高いパワー（力 × 速度）発揮が求められるため，アスリートを対象にする場合は，パワーエクササイズも用いる必要がある。例えば，クリーンにおいて発揮されるパワーは，スクワットで発揮されるパワーの 2.7 ～ 4.3 倍にも及ぶ[13]。

2）強度・量および休息時間

いずれもトレーニングの目的に応じて決定する（表 1-3）。

1-3-5　持久性トレーニング

1-3-5-1　概　要

筋収縮のためのエネルギーを供給する能力を向上させるために行われるのが持久性トレーニングであり，特により大きなエネルギーをより長い間生み出すことができるようになることを目的とする。

1-3-5-2　基礎知識

骨格筋のエネルギー供給機構は体内に 3 つ存在し（表 1-4），いずれも常に働いているが，運動強度や運動継続時間などによってその貢献度が異なってくる。

持久性運動のパフォーマンスに関連する要因として代表的なものに，最大酸素摂取量（$\dot{V}O_2max$ もしくは $\dot{V}O_2peak$）や乳酸性作業閾値（lactate threshold：LT）がある。$\dot{V}O_2max$ は，酸素を体内に取り込む能力

表 1-4　ATP を再合成するためのエネルギー供給機構

	エネルギー基質	持続時間	特　徴
ATP-CP 系	クレアチンリン酸	7 秒程度	・産生できる ATP の総量は最も少ないが，1 秒当たりのエネルギー供給は最も速い ・酸素を使わない無酸素性エネルギー機構
解糖系	糖質	30 秒程度	・ATP-CP 系に比べ，多くの ATP を産生できるが，1 秒当たりのエネルギー供給は遅くなる ・酸素を使わない無酸素性エネルギー機構 ・糖質の一部は乳酸となり，十分に酸素があれば ATP 産生に使われる
酸化系	脂質および糖質	長時間	・大量の ATP を産生することができるが，1 秒当たりのエネルギー供給は最も遅い ・酸素を使う有酸素性エネルギー機構

の指標である。$\dot{V}O_2max$ までは酸素摂取量と心拍数に直線的な関係があり，心拍数から酸素摂取量を推定することができる。LT は，運動強度を徐々に上げていったときに，急激に血中乳酸濃度が上昇し始める点で，サイズの原理に則り速筋の動員が増え，解答系の貢献が増加し始めることを意味する。そのため，LT 以上の強度では運動を長時間継続することが困難となる。

1-3-5-3　持久性トレーニングの実際

持久性トレーニングの強度は，酸素摂取量（心拍数）と血中乳酸濃度に基づき分類することができる（図 1-4）[15]。すなわち，酸素摂取量（心拍数）60% から LT まで（図 1-4 の①），LT から血中乳酸濃度が 4 mmol の点（onset of blood lactate accumulation：OBLA）まで（図 1-4 の②），OBLA から $\dot{V}O_2max$ まで（図 1-4 の③），$\dot{V}O_2max$ 以上の強度（図 1-4 の④）である。本章では，それぞれを①低強度，②中強度，③高強度，④超高強度と呼ぶこととする。

1）低強度トレーニング

主に酸化系がエネルギー供給を担う。種々の有酸素性能力の向上が報告されているものの，実際の競技よりも強度が低くなるため，LSD（long slow distance）単体では競技パフォーマンス向上のためのトレーニングとしては不十分となる可能性がある[16]。LSD や low-intensity steady state（LISS）といって，一定のペースで持続的に長時間運動することが多い。

2）中強度トレーニング

酸化系に加え，解糖系などの無酸素性代謝の貢献も増加する。LT から OBLA という乳酸が急激に増加し始める強度で運動するため，閾値トレーニングと呼ばれることもある。また，LT 時の走速度はマラソンの平均走速度と一致するため[17]，ペース・テンポトレーニングなどと呼ばれることもある。ペース・テンポトレーニングについては，持続的に行う場合と間欠的に行う場合がある。

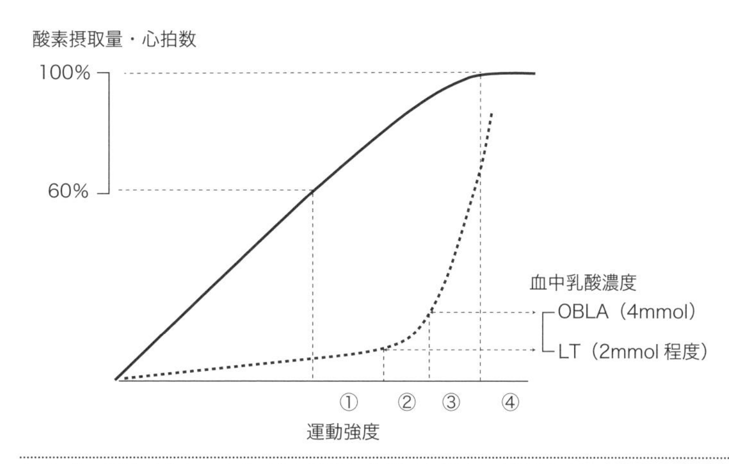

図 1-4　持久性トレーニングの強度の分類（文献 15 の分類を改変）

表 1-5　目標心拍数の算出方法

	カルボーネン法	%最大心拍数法
推定最大心拍数	① 206.9 − 年齢 × 0.67 ② 192 − 0.007 × 年齢 ^{2}	
予備心拍数	推定最大心拍数−安静時心拍数	
目標心拍数	（予備心拍数 × 運動強度）＋ 安静時心拍数	推定最大心拍数 × 運動強度

推定最大心拍数は①もしくは②のいずれかで推定する。ただし，推定最大心拍数には個人差があるため，可能ならばシャトルランテストなど最大努力で運動している最中もしくは直後の心拍数を実測するとよい。

3）高強度トレーニング

酸化系が最大限動員されるとともに，無酸素性代謝の貢献も高くなる。強度が高く持続的に行うことが困難で，一般的にはインターバル形式で実施されることから，high-intensity interval training（HIIT）と称されることが多い。$\dot{V}O_2max$ や LT といったパラメータを向上させる効果が期待される[18)]。

4）超高強度トレーニング

$\dot{V}O_2max$ 以上の強度では酸化系の貢献が増えないことから，強度を高めるほど無酸素性代謝の貢献が増えることになる。実際のトレーニングにおいて無酸素性代謝の向上を目的とする場合，酸化系ができるだけ活性化しないようにすることが肝要である。そのため，20 〜 30 秒程度の全力運動を数分の完全休息を挟んで実施することが多い。

1-3-5-4　運動様式

持久性トレーニングの効果は選択した運動様式（ランニング，水泳，ローイングなど）で最も顕著になる。したがって，できる限り競技と同じ様式でトレーニングを行う必要がある。ただし，オーバーユースを避けるためや，患部外トレーニングのためにクロストレーニングを採用することもある。

1-3-5-5　運動強度のモニタリング

強度の設定には，$\dot{V}O_2max$ に対する比率の算出などの方法があるが，これは実施できる環境が限られてくる。その代替手法として心拍数を用いた方法（表 1-5）や，シャトルランテストなどを用い $\dot{V}O_2max$ レベルに相当する運動スピードを測定し，それに基づいてトレーニングで用いるスピードを設定する方法などが挙げられる。

1-3-6　スピードトレーニング

1-3-6-1　概　要

スピードあるいはスピードトレーニングという言葉にはいくつかの使われ方がある。1 つは，様々な動作を素早く行う能力（スイングスピードなど）やそのトレーニングであり，もう 1 つは，方向転換を伴わない短距離走の速さやそのトレーニングである。

1-3-6-2　基礎知識

スピードを向上させる方法としては，筋機能の改善と動作技術の改善が挙げられる。ここでは，スピードにかかわる筋機能とランニングスピードにかかわる技術的要素について紹介する。

1）rate of force development（RFD）

図 1-5[19)] は，トレーニング経歴の異なる 3 つの被験者群について，安静状態から最大筋力を発揮した時の力の立ち上がりを表わしている。例えばランニングでは地面に力を加えられる時間が 100 〜 200 ミリ秒

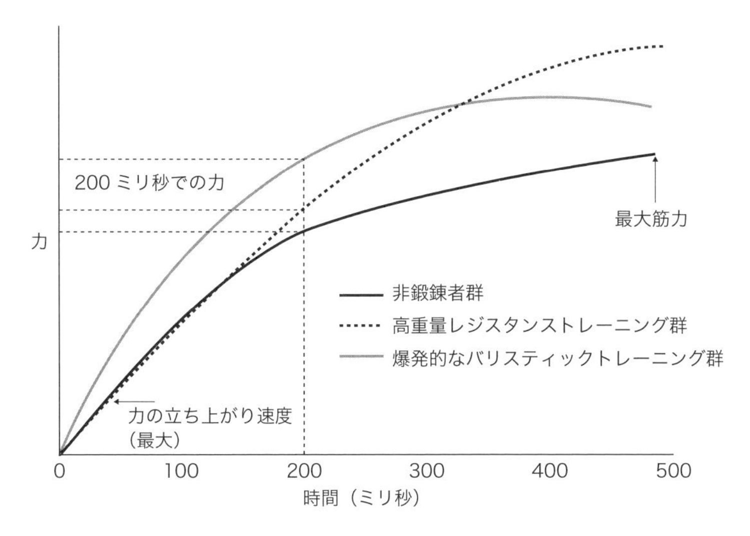

図 1-5　トレーニング経歴の異なる 3 つの被験者群の力–時間曲線
最大筋力は，高重量レジスタンストレーニング群が最も高い値を示したが，200 ミリ秒における力積(力 × 時間：曲線の下の面積)は，爆発的なバリスティックトレーニング群が最も高い値を示した。
(文献 19 より改変)

と限られている。そのため，単に最大筋力を高めるような高重量レジスタンストレーニングを行った群よりも，RFD を高めるような爆発的なバリスティックトレーニングを行った群の方が，200 ミリ秒時点までに発揮した力が大きく，スピードを高めるという点では有利になる。

2)「高速筋力」

筋は短縮速度が増すほど，発揮できる力が小さくなる（筋の力–速度関係）。高速で動いている中で，さらに力を加えて加速させるには，高速で動きながら力を発揮するトレーニングが必要である。一般的なレジスタンスエクササイズだと，挙上動作の最後に停止する（速度がゼロの状態になる）ため，高い速度に到達することができない[20]。そのため,「高速筋力」を鍛えるには,重りや身体を空中に投射する運動（オリンピックリフティングやジャンプなど）を採用する必要がある。

3) ストレッチ–ショートニングサイクル

ランニングなど，多くの身体運動は反動動作を伴っている。こういった運動では，筋は一度伸張されてから短縮する。これをストレッチ–ショートニングサイクル（stretch-shortening cycle：SSC）と呼ぶ。SSC を伴う運動では，筋が短縮のみを行う運動よりも発揮パワーや運動効率が高くなる。SSC を強調したプライオメトリックトレーニング（プライオメトリクス）は，これらのパフォーマンス増強効果をさらに高めることが期待される[21]。

4) ランニングスピード

ランニングスピードは，ストライド頻度（ピッチ）× ストライド長によって決定される。ピッチは子どもの頃からそれほど大きく変化しないため，アスリートはピッチを維持したまま，いかにストライド長を増加させるかに主眼を置くことになるかもしれない（ピッチを大きく低下させたり，重心よりもはるか前で接地したりすればスピードは低下する)。そのためには，上述した筋機能の改善に加え，ランニング技術（姿勢，腕の動き，脚の動き）の改善も必要となる。

1-3-6-3　スピードトレーニングの実際

RFD や「高速筋力」の改善のためには，爆発的筋力・筋パワーの向上を目的としたレジスタンストレーニングを行うことが考えられる。筋パワーを向上させることを目的とする場合は，RFD や挙上速度を高めようと意識することに加え，オリンピックリフティングを導入するなど，スピードの観点からも負荷をかけ

図 1-6　プライオメトリックトレーニングの例

る必要がある。

SSC の能力を向上させることを目的とするならば，プライオメトリックトレーニングを導入する。下肢のプライオメトリックトレーニングでは，ジャンプ動作を用いることが多い（図 1-6a）。一方，上肢を対象とする場合は，自体重だけでなく，メディシンボールなどを利用することもある（図 1-6b）。

ランニングフォーム改善のためのトレーニングには，全習法（実際の動作に近い形で行う方法）と分習法（動作の一部を抜き出して行う方法）がある。また，適切な動作を行うためには，事前に関節の可動性や柔軟性を確保したり，適切な姿勢を保持する筋機能を高めたりしておく必要がある。これは長期的な計画だけでなく，1 回のスピードトレーニングセッションにも当てはまる。1 回のスピードトレーニングセッションの一例として，①可動性や柔軟性を確保するためのエクササイズ → ②ダイナミックウォームアップ → ③分習法的な技術練習 → ④スピードをつけた全習法的ドリル → ⑤競技特異的なエネルギー供給機構に負荷をかける運動，という順序が考えられる。

2 リハビリテーションの基礎知識

小山 貴之（日本大学文理学部体育学科）

2-1　競技者に対するリハビリテーション

リハビリテーションは「身体的，精神的，かつまた社会的に最も適した機能水準の達成を可能とすることによって，各個人が自らの人生を変革してゆくための手段を提供してゆくことを目指し，かつ時間を限定したプロセスである」（国際連合・障害者に関する世界行動計画，1982 年）と定義される。障害により低下した機能に対して有効な治療プログラムを実施し，機能レベルを最大限にまで高めることで，個人自らが人生において本来の役割を果たせるようになるまでの一連の過程を指している。競技者に対するリハビリテーションでは，競技に復帰し本来の競技者としての役割を果たすことが到達目標となるが，それには単に運動機能の改善だけでなく，心理学や栄養学，コンディショニング，体力トレーニングなど様々な面からのサポートを提供していく必要がある。競技者の競技復帰までの過程は，図 2-1 に示すように運動機能の回復を図るリハビリテーションと競技復帰に向けたリハビリテーションに分けられ，さらに競技復帰以降は再発予防のためコンディショニングを継続して実施する。

2-1-1　運動機能の回復を図るリハビリテーション

主に受傷から医学的な治療が終了する段階に相当し，基本的な運動機能の回復を図る時期である。競技者が受傷すると，医療機関での診断と治療が行われる。受傷に伴い，スポーツ活動の中止に加えて安静や固定

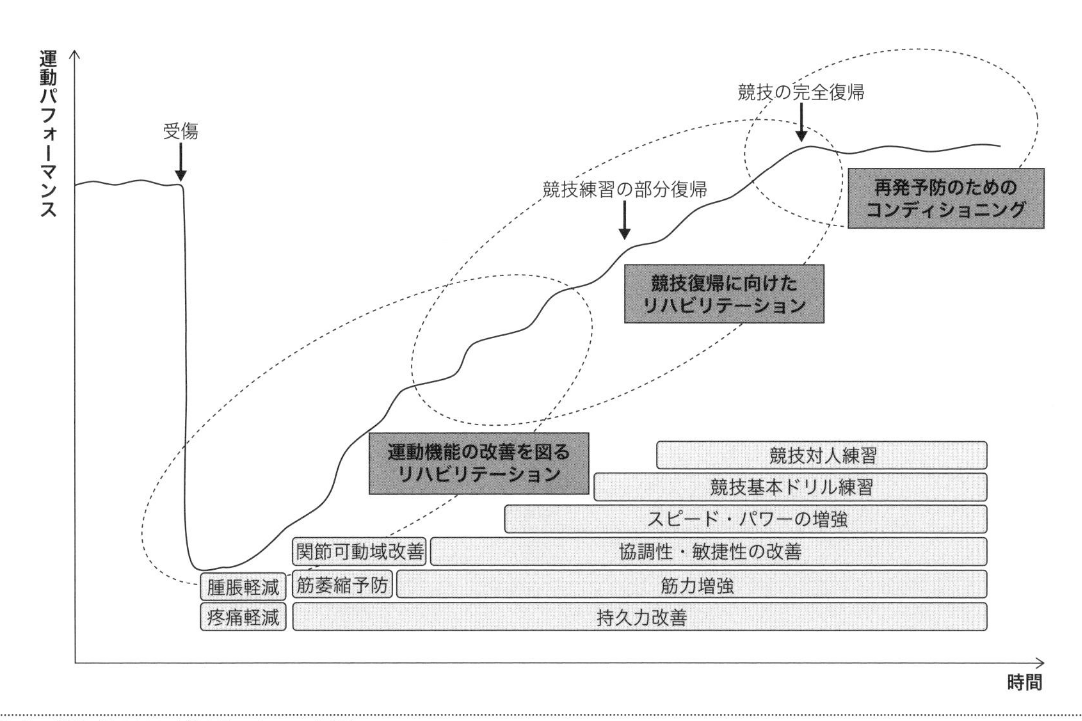

図 2-1　競技者のリハビリテーション過程

期間，損傷組織の機能損失などにより運動パフォーマンスは著しく低下し，運動機能の低下が生じる。リハビリテーション初期には，患部の治癒を促すために，腫脹や疼痛の軽減を図りながら安静保護する。さらに，患部の状態に合わせて可能な範囲で患部の関節可動域の改善や筋萎縮の予防を図る。体力低下を防ぐため，患部外エクササイズにより筋力・持久力の維持に努める。患部への負荷が許可されれば，状態に合わせて段階的に筋力増強，協調性・敏捷性の改善を進めていく。

2-1-2　競技復帰に向けたリハビリテーション

医療機関での治療が終了すると，スポーツ現場でのリハビリテーションへと移行し，競技復帰に向けたリハビリテーションが開始される。この時期は競技特性や傷害特性に応じてスピードやパワーなどの体力要素の向上を図るトレーニングとともに，競技の基本ドリルから徐々に競技復帰に向けての実戦練習を開始する。競技への完全復帰後は，再発リスクを軽減するために引き続き各体力要素の向上を図るとともに，リスク要因となる競技動作パターンの質的向上を図りながらコンディショニングを進める。

2-2　スポーツ傷害の発生機序

スポーツ傷害の多くの発生機序は，図2-2のモデルにより説明できる。年齢や性別，健康状態，技術レベルなどの内的なリスク要因を持つアスリートはそれ自体では傷害に至ることは少ないが，図2-2に示すような外的なリスク要因に暴露するとより傷害を受けやすい身体状態となる。これら内的・外的なリスク要因を有するアスリートが，傷害を引き起こすような誘発イベントに遭遇することで，スポーツ傷害が発生する。スポーツ傷害の予防や再発予防には，これら内的・外的要因や誘発イベントを注意深く分析し，リスクとなりうる要因の改善に取り組むことが重要である。スポーツ傷害は，大きくスポーツ外傷とスポーツ障害に分けられる。発生機序が外傷性か障害性かによってもリスク要因は異なる。このため，発生機序や傷害特性を考慮したリハビリテーション戦略が必要となる。

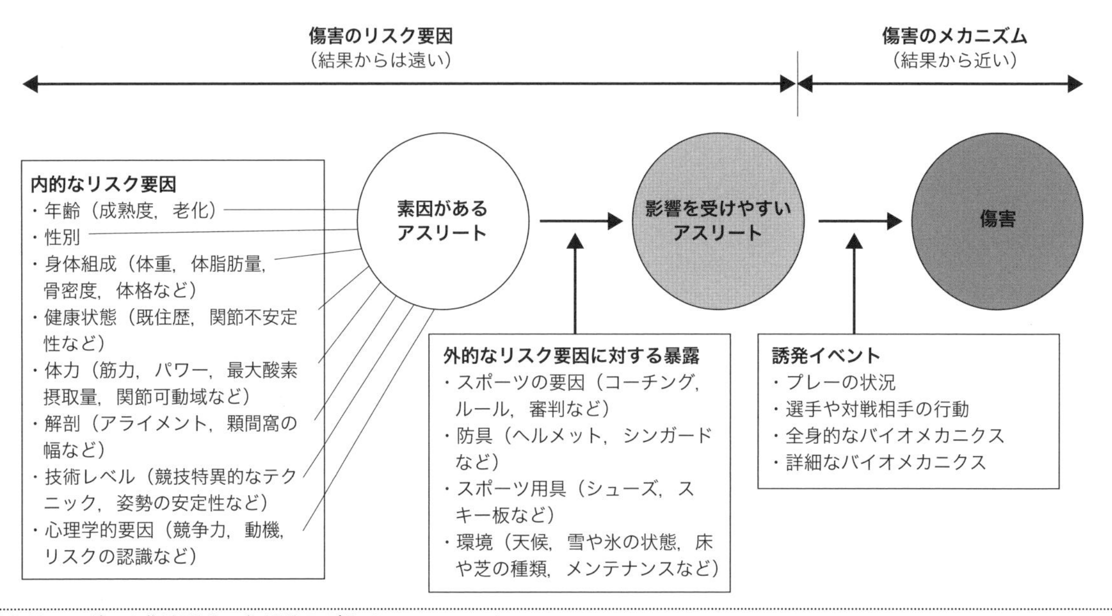

図2-2　スポーツ傷害発生の包括的モデル（文献1より引用）

2-2-1　スポーツ外傷

通常，1回の強い外力により組織が損傷を受ける場合をスポーツ外傷という。過度な運動が強制されて生じる靱帯断裂や脱臼，直接の外力により生じる打撲や骨折などがある。

2-2-2　スポーツ障害

長期にわたって繰り返しのストレスが特定の組織に加わり続けることで生じる慢性炎症性変化を，スポーツ障害という。組織が微細に損傷した後，完全に治癒する前に過度のストレスが繰り返し加わると，徐々に自己治癒能力が低下し，慢性炎症状態へと移行する。

2-3　リハビリテーションで用いる治療法

2-3-1　運動療法

運動療法は競技者に対するリハビリテーションのなかで最も中心となる治療法である。受傷後や手術後は安静・保護により各運動機能の著しい機能低下を起こすことが多く，諸機能を回復させ競技復帰へと進めていくには患部の機能だけでなく競技に必要な様々な体力要素を改善させていかなければならない。

2-3-1-1　筋力の改善

受傷後の安静による筋萎縮や筋自体の損傷，免荷による無負荷，疼痛・腫脹など様々な原因で筋力低下を引き起こす。トレーニングの原則と同様に，過負荷（オーバーロード），特異性，可塑性などを考慮し，病態や時期に応じて適切なエクササイズを選択する。

1）運動様式

筋の収縮様式によって以下の運動がある。

①等尺性運動：筋が収縮しても筋の全長に変化のない状態を等尺性運動という。拮抗筋間で同一の張力を発揮したときや外部からの抵抗に対して静止姿勢を保つときなどに起こる運動であり，関節運動を伴わないため比較的安全に実施でき，早期のリハビリテーションにおいて筋力改善の手段として用いられている（図2-3）。

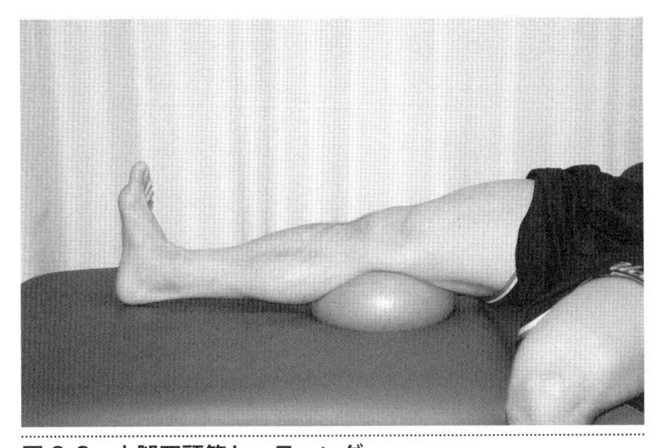

図2-3　大腿四頭筋セッティング
ボールや枕を膝窩に置き，押し付けるようにして大腿四頭筋の等尺性運動を行う。

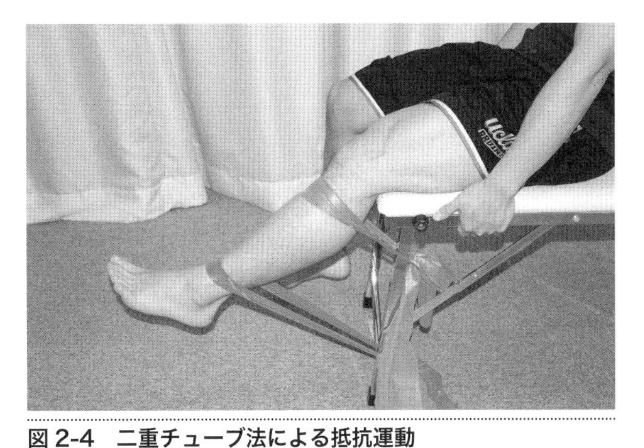

図2-4　二重チューブ法による抵抗運動
脛骨近位と遠位に抵抗を加えることで脛骨の前方引き出しを抑制することができる。この状態で膝伸展を行えば短縮性運動となり，伸展域で負荷のかかった状態からゆっくりと降ろすことで伸張性運動となる。

②**短縮性運動：**外部抵抗を超えるだけの張力を発生し，筋の短縮が起こる。求心性運動とも呼ばれる。外部抵抗は重力や抵抗器具（重錘，ゴムチューブなど），徒手抵抗が用いられる（図 2-4）。

③**伸張性運動：**加えられた外部抵抗が発揮した筋張力より大きい場合，筋は収縮しながら伸張する。遠心性運動とも呼ばれる。主動筋の運動作用と反対方向への関節運動が起こり，同じ負荷では短縮性運動よりも強い筋収縮が得られる（図 2-4）。

④**等速性運動：**筋が一定の速度を保って収縮する。角速度を任意に設定することが可能な等速性運動機器（図 2-5）を使用し，全運動範囲にわたって最大収縮を得ることができる。

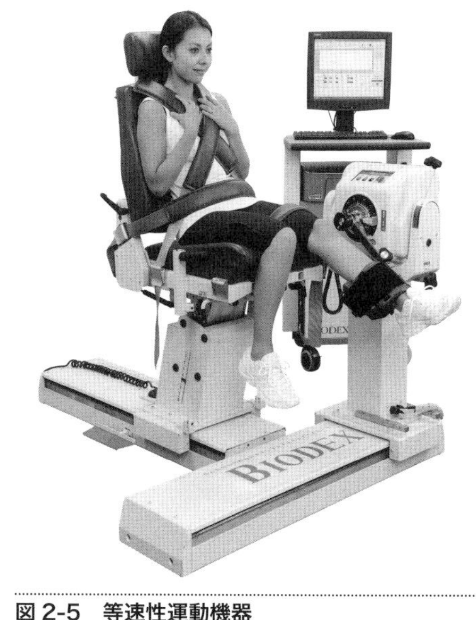

図 2-5　等速性運動機器
（Biodex System 4）（写真提供：酒井医療株式会社）

⑤**プライオメトリクス（プライオメトリックトレーニング）：**伸張性収縮と短縮性収縮の反復運動をプライオメトリクスと呼ぶ。ジャンプや方向転換など競技動作の場面でみられるような反動を伴うストレッチ–ショートニング（伸張–短縮）サイクルの運動様式である。瞬間的に強い力を作り出す必要があり，パワー改善のためのエクササイズとして用いられる（図 2-6）。

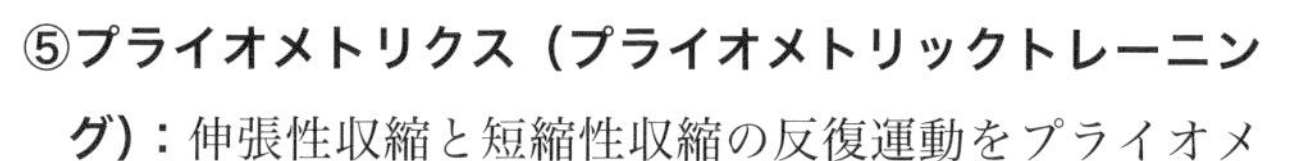

2）運動連鎖系

関節への荷重負荷によって開放運動連鎖系と閉鎖運動連鎖系の 2 種類の運動方法がある。

①**開放運動連鎖系（open kinetic chain：OKC）**は床に手部や足部が接触・固定されない状態をいう。OKC エクササイズは単関節運動を非荷重の状態で行うため，運動課題は簡単であり，目的とする筋に

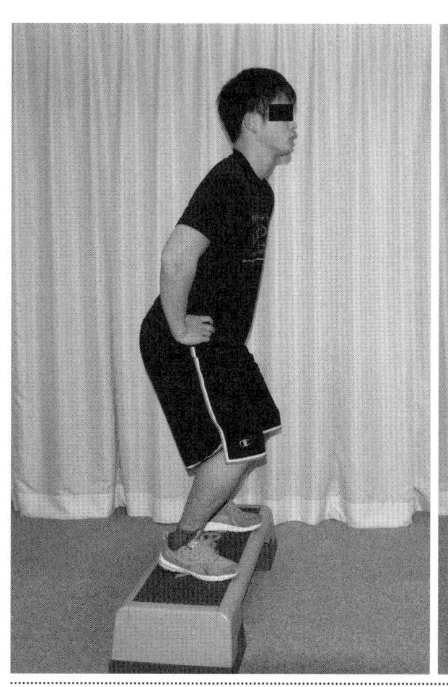

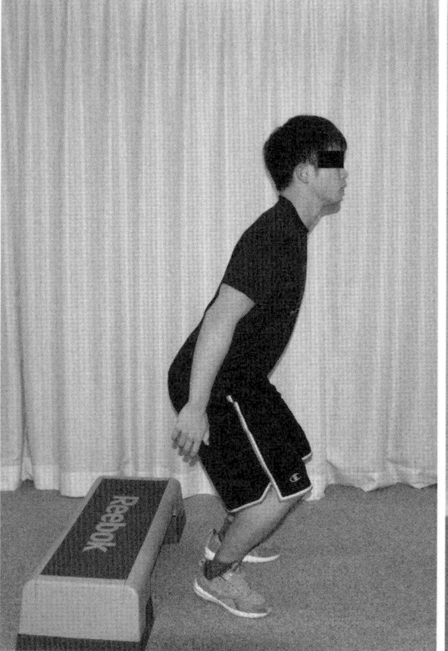

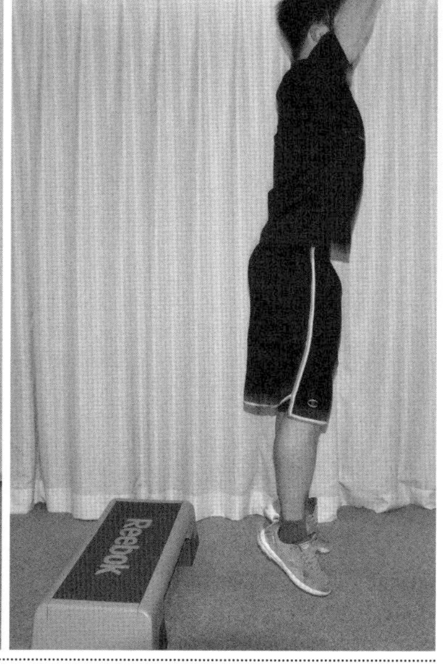

図 2-6　ドロップジャンプ（プライオメトリクスの例）
高さのある台から床に降りると同時に，素早く高くジャンプする。

意図した負荷を加えることができる。運動負荷にはゴムチューブや重錘などを用い，荷重が制限される時期や運動負荷強度をコントロールしたい場合のエクササイズとして推奨される。

②**閉鎖運動連鎖系（closed kinetic chain：CKC）**は床に手や足部が接触・固定された状態をいい，多関節が同時に運動にかかわる（図 2-7）。CKC エクササイズは運動にかかわる複数の筋に同時に負荷を加えることができるが，個々の筋に対する負荷の程度は明確ではない。運動課題は OKC よりも複雑であり正しい姿勢保持が必要とされる。重力下での運動制御の獲得を目的とし，運動課題が競技動作に似るため，競技における身体操作方法の改善に役立つ。段階的リハビリテーションでは，可能になりしだい速やかに OKC から CKC によるエクササイズへ移行させる。

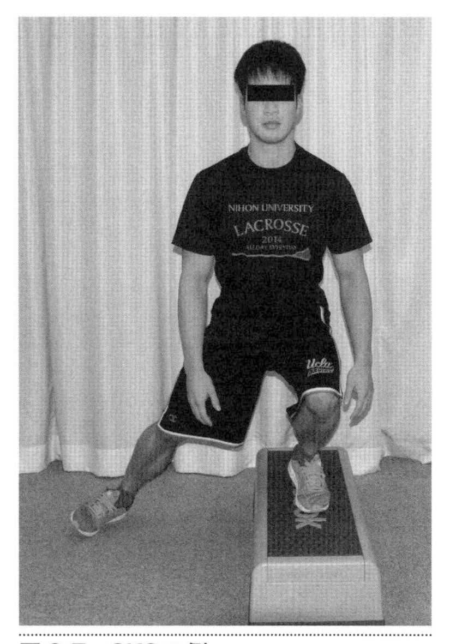

図 2-7　CKC の例
踏み台上でサイドランジを行っている。体幹が傾かず，支持側の股関節，膝関節，足関節が一直線となる。

3）ウエイトを用いたエクササイズ

筋力を改善させる手段として，自体重に加えてウエイトによる過負荷を与える。ウエイトを用いたエクササイズとして，バーベルやダンベルなどのフリーウエイト（図 2-8）と，空気圧や油圧，ウエイトスタックなどを用いたウエイトマシーン（図 2-9）がある。

2-3-1-2　関節可動域の改善

スポーツ傷害で生じる関節可動域（range of motion：ROM）の問題は，関節過可動性と ROM 制限の 2 つがある。関節過可動性の場合，生理的な関節弛緩性や靭帯断裂による関節不安定が原因となることが多く，改善に向けては関節周囲の筋力強化や関節安定化のためのトレーニングが主体となる。ROM 制限の場合，エンドフィール（end feel：最終域感）や触診などから制限因子を特定し適切な治療手技を行うことで ROM の拡大を図る。正常な ROM として，関節の構築学的な欠陥がないこと，関節運動を行う主動筋に十分な筋力があること，拮抗筋に十分な伸展性があることが挙げられる。

図 2-8　フリーウエイトによるバックスクワット

図 2-9　空気圧負荷を用いたウエイトマシーン

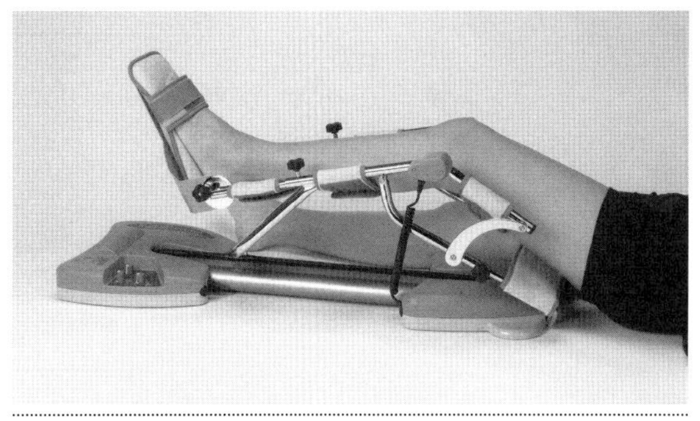

図 2-10　持続的他動運動（continuous passive motion: CPM）装置
任意の一定の速度と設定した角度で持続的に他動運動を行うことができる。
（写真提供：酒井医療株式会社）

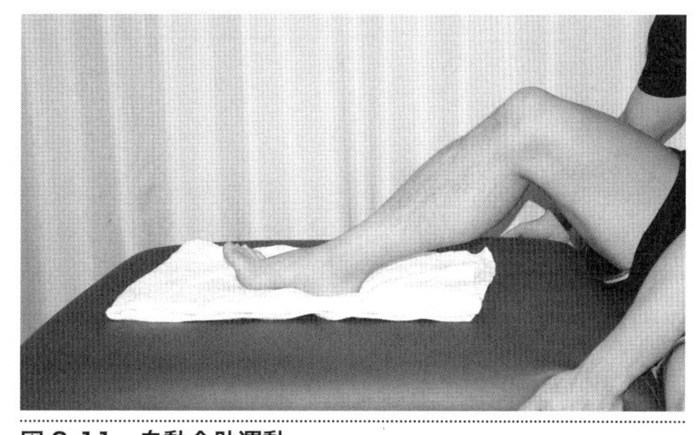

図 2-11　自動介助運動
タオルを使用して滑りやすい環境をつくり，膝の屈曲 - 伸展をくり返す。

1）ROM 改善のための手段

a）ROM 練習

①自動運動（active movement）：自らの意思と力で目的とする関節運動を行う。自動運動は痛みのない範囲で行うことで関節を安全に動かすことができ，筋収縮の再教育や筋ポンプ作用の促進，筋緊張の軽減を図ることができる。

②他動運動（passive movement）：自らの意思では動かさず，他者や他動運動装置（図 2-10）により関節運動を行う。筋収縮を伴わないため筋機能の改善には適さず，正しい関節運動を誘導する必要がある。他動運動を過度に行うと骨化性筋炎などを合併する危険性があるため，原則として愛護的に行う。

③自動介助運動（active-assistive movement）：自動運動を行うには十分な筋力がない時期や自力のみでは疼痛を伴う場合などに，関節運動を補助しながら自動運動を行う。安全で早期から導入でき，ROM 改善効果が期待できる。セラピストが補助したり，滑走性のある素材（滑車，タオル，ボールなど）を用いて補助をする（図 2-11）。

b）ストレッチング

特に筋の柔軟性低下が ROM 制限の原因となる場合，ストレッチングを行う（ストレッチングの具体的な方法については第 7 章を参照）。

c）関節モビライゼーション

関節運動のなかで副運動と呼ばれる関節包内運動には，滑り・転がり・回転といった構成運動と，関節の遊びの 2 つがある。関節モビライゼーションは関節包内に ROM 制限の原因がある場合に用いられ，副運動を徒手的に誘導することで ROM の拡大を図る（図 2-12）。

2-3-1-3　神経筋機能の改善

一連の運動をスムーズで効率のよいものとするために，協調性が求められる。協調性のある運動とは，運動課題に参加する多関節筋群の活動が時間的・空間的に適正なタイミングで行われ，短い課題遂行時間で誤りの少ない運動をいう。単に筋力が強いだけではこのような協調性が獲得できず，固有感覚系，小脳系，錐体路系，錐体外路系といった神経系統が影響して協調的な運動が遂行される。また，いわゆるバランスと呼ばれる平衡性は身体の力学的平衡のことをいい，協調性に影響する要因に加えて前庭機能や視覚機能の影響を受ける。協調性や平衡性はこれら神経系統の影響が強いため，神経筋機能の 1 つとされる。外傷や障害

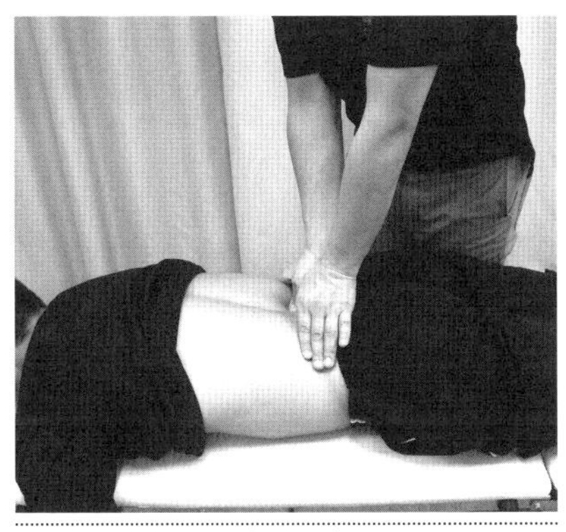

図 2-12　関節モビライゼーションの例
腰椎椎間関節に対する posterior-anterior（PA）glide（前方への滑り）

図 2-13　四つ這い位での協調性運動
四つ這い位から片手挙上あるいは片足挙上のみから開始し，片手–片足挙上へと進める。

図 2-14　不安定面での片脚バランス
バランスマットや不安定板上に乗ることで，不安定な支持基底面上でのバランス練習を行う。

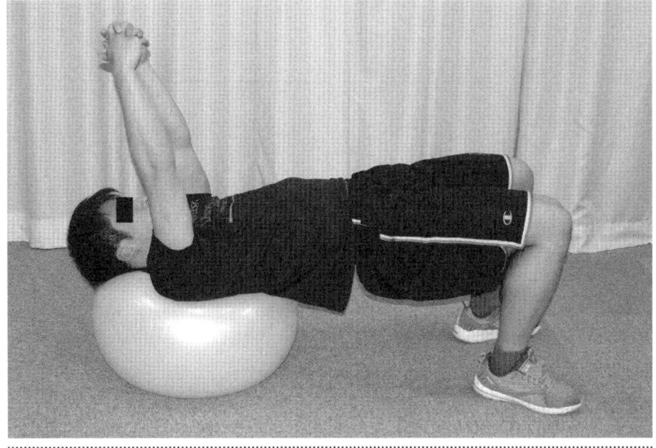

図 2-15　バランスボールを利用した練習
様々な姿勢でバランス練習ができるため，バランスボールは利用価値が高い。

により神経筋機能の破綻が生じたり，神経筋機能の低下が機転となり外傷や障害が発生することもある。

①**協調性の改善**：多関節運動課題において，単純な運動から複雑な運動，遅い運動から速い運動へと進める。筋収縮強度は低強度とし，反復回数を多くすることで筋再教育を促すことができる（図 2-13）。

②**平衡性の改善**：片脚立位や継ぎ足により支持基底面を狭める，バランスマット（図 2-14）やバランスボールを使用する（図 2-15），メディシンボールを上部で保持するなど，支持基底面と重心位置の関係を変化させたり，閉眼により視覚を遮断したりすることで不安定な環境をつくり，姿勢制御を行う。不安定条件下での静的な姿勢保持に加え，外乱刺激に対する姿勢制御や動きのなかでの動的な姿勢保持能力を高める。

2-3-2　物理療法

スポーツ外傷・障害に伴って局所には疼痛や炎症，腫脹などが生じる。物理療法を行うことでこれら損傷後の疼痛の軽減，治癒の促進，腫脹の軽減などが得られ，より速やかにリハビリテーションを進めることができる。物理療法は，熱や水，光，電気などの物理的なエネルギーを外部から加えることで身体内に生理学的効果をもたらす治療法であり，用いるエネルギーによって以下に分類される。物理療法機器は使用方法を誤ると人体に悪影響を及ぼす場合があり，安全かつ効果的に行うためには，損傷の程度や時期に応じてどのような機器を選択するのか，また機器の使用方法や適応と禁忌などの基本的知識を知る必要がある。

2-3-2-1　温熱療法

熱の移動の特性（伝導，対流，変換，放射）により熱を身体へ伝えることで，表在あるいは深部の生体組織を加温する。このうち，熱伝導による表在温熱作用をもたらす温熱療法として，ホットパックとパラフィン浴がある。

効果： 血管の拡張・血流の増大，痛覚閾値の上昇，代謝亢進，筋の粘弾性低下，組織伸展性の亢進

温熱の分類： 熱性–乾熱・湿熱，深達度–表在・深部，治療範囲–全身・局所

適応： 急性炎症期を除く疼痛，関節拘縮，血行障害，痙縮，筋硬結など

禁忌： 受傷後 72 時間以内の急性炎症期，感覚障害，出血傾向部位，血栓性静脈炎，悪性腫瘍，開放創傷（湿性温熱の場合）

治療時間： 15 ～ 20 分

1）ホットパック

・熱伝導に優れ親水性の高いケイ酸ゲルを布地で包んだホットパックを加温装置（70 ～ 75℃の湯温）で加温し，タオルを介して局所に当てる。乾熱の場合はビニール袋に入れ，湿熱の場合はタオルのみで覆う。鉱石や磁器を電気的に加温するタイプのホットパックも使用されている（図 2-16）。

2）パラフィン浴

・加温装置で融解させたパラフィンに身体部位を浸すことを 5 ～ 10 回繰り返し，パラフィン層を皮膚表面に作成することで加温を行う（図 2-17）。パラフィン層はビニールで包み，さらにタオルで覆う。

・ホットパックでは均一に加温できないような手・手指の温熱療法として最適である。

・手の場合，最初は最も深く手をパラフィンに浸し，2 回目以降はやや浅めに浸す。

2-3-2-2　寒冷療法

損傷した組織に生じる急性炎症を抑制し損傷の回復を早める目的で，生体組織の温度を平常時より低下させる。寒冷療法は急性炎症時期の受傷後 72 時間以内に有効であり，スポーツ現場において最も頻度の高い物理療法である。

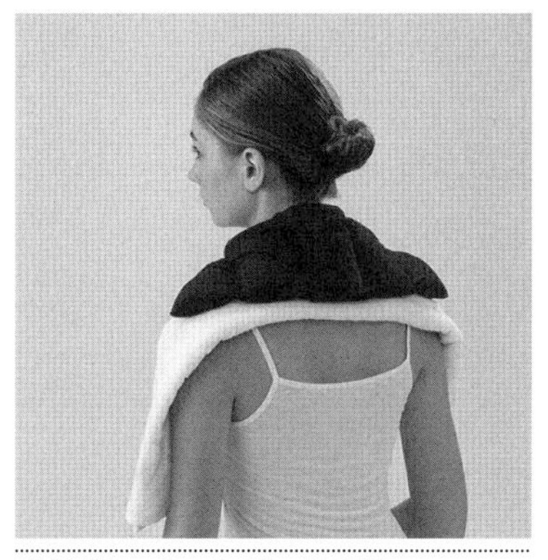

図 2-16　ホットパックの例
（写真提供：酒井医療株式会社）

図 2-17　パラフィン浴
（写真提供：酒井医療株式会社）

図 2-18　アイスパックの例

効果：腫脹の軽減，疼痛閾値の上昇，血管の収縮，代謝低下，毛細血管透過性低下，筋紡錘活動の抑制

実施方法：20分以内のアイシングを最低1時間以上の間隔をあけて行う。凍傷を避けるため冷却温度は0℃以上で行う。

適応：筋骨格系の外傷後，炎症性骨・関節疾患，疼痛，急性炎症時（腫脹・熱感・発赤），筋硬結など

禁忌：寒冷過敏症（じん麻疹，ヘモグロビン尿症），レイノー病，末梢循環障害，開放創，心臓病・呼吸器疾患など

1）アイスパック

・クラッシュアイスやキューブアイスをビニール袋に入れ，空気を抜いて縛ることでアイスパックを作成する（図2-18）。その他，氷嚢や冷却したコールドゲル，インスタントアイスパック（瞬間冷却剤）などを使用して患部に当て，アイシングラップやバンデージで固定する。

2）アイスマッサージ

・氷を治療部位に当てながら円を描くように擦り，局所的に伝導冷却を行う。クリッカー（筒状で中に氷を入れることで先端の金属部分が冷却される）を使用するか，紙コップに水を入れて冷凍させてアイスカップを作成し，先端の紙を破いて氷を露出させた状態で使用する（図2-19）。

3）冷水浴

・アイスバスとも呼ばれ，浴槽などに氷水を作り，患部を浸すことで冷却を行う。指尖は凍傷になりやすいため，キャップなどで覆い保護する。全身冷水浴は高強度運動後のリカバリー目的でよく用いられている。

4）コールドスプレー

・噴霧式の冷却スプレーで，気化熱によって瞬間冷却を行うことができる。長時間の噴霧は凍傷を引き起こすため短時間の使用に限定され，冷却効果の持続性も低く，一時的な疼痛軽減を目的に使用される。

5）持続的冷却装置

・冷却パッドを患部に当てて圧迫固定し，本体に入れた冷水がチューブを通して冷却パッドを流れ循環することで持続的に冷却を行う。医療機関で手術後の冷却として使用することが多いが，スポーツ現場でも使用可能なポータブルの電動式も市販されている（図2-20）。

2-3-2-3　電磁波療法

エネルギーを電磁波として生体に照射し，生体内で電磁エネルギーを熱エネルギーに変換させることで局

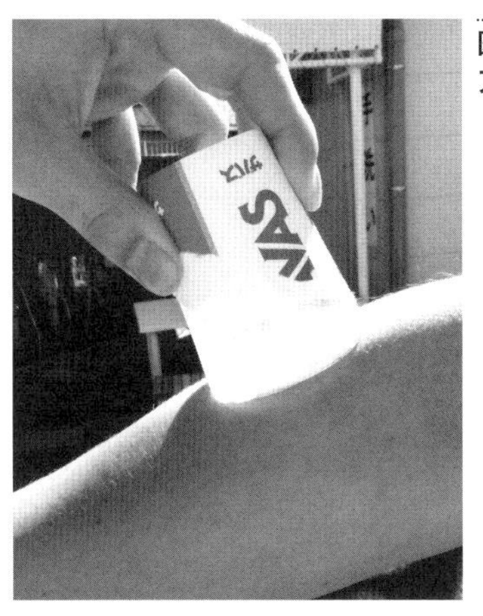

図2-19
アイスマッサージ

図2-20　ポータブルアイシングマシーン
（写真提供：株式会社シラックジャパン）

所的に加温効果をもたらす。電磁エネルギーはコラーゲン線維の多い組織（筋，腱，靭帯，関節包，半月板など）に蓄積しやすく，深部加温効果が期待できる。

電磁波の周波数により，極超短波療法（2,450 MHz）と超短波療法（27.12 MHz）に分けられる。

効果：温熱療法の効果と同様（特に深部組織に対する温熱効果）

実施方法：照射部位を露出させた状態で導子を５～10 cm 離して設置し，20 分以内の照射を行う。

適応・禁忌：温熱療法と同様であるが，加えて金属挿入部位への実施は金属を加温する危険性があるため禁忌となる。

2-3-2-4　超音波療法

可聴範囲を超えた超音波を生体に照射することで，組織の振動により変換熱を発生させる。効果は温熱効果と非温熱効果に分けられる。

①**温熱効果：**温熱療法の効果と同様（特に深部組織に対する温熱効果）

②**非温熱効果：**炎症の鎮静化，浮腫の軽減，疼痛緩和，創傷の治癒促進

超音波機器は周波数によって加温可能な深度が異なるため，適応となる部位や組織に合わせて選択する。

① **1 MHz：**皮膚表面から深さ５ cm 程度までの組織を加温する。

② **3 MHz：**皮膚表面から深さ２ cm 程度までの組織を加温する。

実施方法：水溶性ゲルを塗布した患部の皮膚上にトランスデューサーを当て，有効照射面積の２倍以内の範囲でゆっくりと動かす（図 2-21）。温熱効果を目的とする場合は高強度の連続超音波を照射し，非温熱効果を目的とする場合は低強度で間欠サイクルのパルス型超音波を照射する。

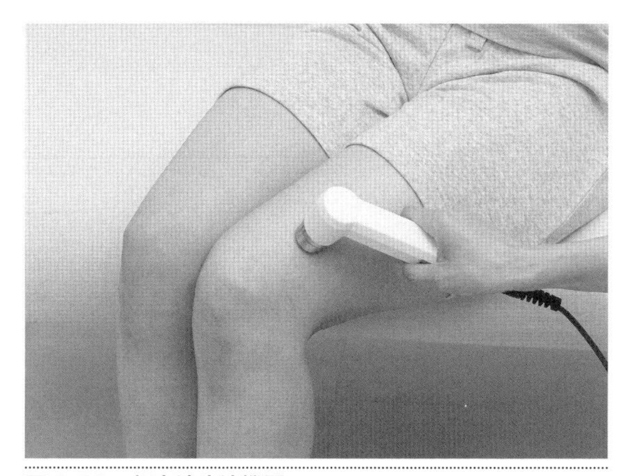

図 2-21　超音波療法機器
（写真提供：酒井医療株式会社）

適応：

①**温熱作用：**温熱療法と同様であり，金属は加温されないため金属挿入部位にも実施可能

②**非温熱作用：**創傷部位，潰瘍，褥創

禁忌：悪性腫瘍，妊娠，ペースメーカー，血栓性静脈炎，感染症，末梢循環障害，感覚障害，急性炎症（温熱作用），睾丸，眼球，閉鎖前の骨端線など

フォノフォレーシス：超音波のキャビテーション（超音波により気体で満たされた泡を作り，膨張させ振動させる）作用により角質層の透過性を高め，経皮薬の高い浸透性を得ることをいう。水溶性ゲルの代わりに経皮鎮痛消炎剤を使用することで薬効の浸透性が増強される。

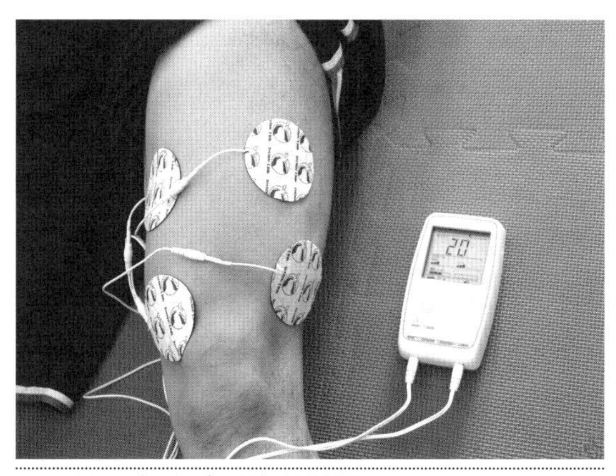

図 2-22　ポータブル電気刺激機器
（酒井医療株式会社製オルタミニ）

2-3-2-5　電気刺激療法

電気刺激療法は，温・痛覚受容器や運動神経，筋などに電気刺激を行うことで生体内に生理的反応を起こす治療法である。スポーツ現場では，使用され

る目的によって大きく3種類の刺激方法がある。3種類の電気刺激が選択可能なポータブル式の電気刺激機器が市販されている（図2-22）。

1）経皮的電気刺激（Transcutaneous Electrical Nerve Stimulation：TENS）

効果：鎮痛

適応：関節痛，筋痛，神経障害などの疼痛領域

禁忌：心臓上や潰瘍・発疹・感染部位

鎮痛効果：電気刺激により非侵害受容器にかかわるAβ神経線維が活性化し，痛覚受容器にかかわるAδ・C神経線維の痛覚情報伝達を抑制する。また電気刺激による内因性オピオイド物質（エンドルフィン，エンケファリン）の産生が鎮痛に作用する。

実施方法：疼痛部位を囲むように電極パッドを貼付し，1～20 Hzまたは80～100 Hzの周波数で筋収縮がわずかに感じられる程度の電流に設定する。低周波数では30～60分，高周波数では10～20分刺激する。トリガーポイントや経穴上に電極を貼付しても有効とされる。

2）治療的電気刺激（Therapeutic Electrical Stimulation：TES）

効果：筋力強化，廃用性筋萎縮の予防，筋の再教育，筋リラクセーション，筋のポンプによる浮腫の軽減

適応：骨折，打撲，捻挫などのスポーツ外傷後および手術後，筋硬結，浮腫

禁忌：心臓上や潰瘍・発疹・感染部位

実施方法：目的とする筋の皮膚上に電極を貼付し，type I線維を狙う場合は10～20 Hz，type II線維を狙う場合は20～60 Hzの周波数で10～30分刺激する。電流の強度は，筋力強化を図るときは可能な限り高強度に，廃用性筋萎縮の予防や筋再教育には筋収縮が得られる程度の強度に，リラクセーションを図る場合には快適に感じる程度の強度とし，それぞれ電流を設定する。

3）微弱電流刺激（Microcurrent Electrical Neuromuscular Stimulation：MENS）

効果：電気刺激により，好中球やマクロファージなどの細胞遊走，細胞の活性化，抗菌効果の増強，循環改善などが起こることで損傷組織の治癒が促進される。

適応：筋骨格系の外傷・障害，関節疾患，神経障害

禁忌：感染部位

実施方法：目的とする部位を囲むように電極を貼付し，知覚しないレベルの20～600 μAの微弱電流で30～60分刺激する。

2-3-2-6　光線療法

1）赤外線療法

効果：血管拡張，組織伸展性の亢進，疼痛閾値の上昇，発汗の誘発

適応：亜急性期・慢性期の疼痛，筋硬結など

禁忌：急性炎症，感覚障害，末梢循環障害，眼球，睾丸，妊娠など。特に眼球傷害（角膜熱傷や網膜損傷）は最も起こりやすい重症の1つであり，誤った照射に十分に注意する。

実施方法：患部を露出させた状態で赤外線導子を40～50 cm離して設置し，温かさを感じる出力で10～15分照射する。

2）紫外線療法

紫外線は長波長紫外線（UVA）と中波長紫外線（UVB），短波長紫外線（UVC）の3帯域に分かれており，それぞれ効果が異なる。

効果：創傷部の殺菌（UVC），ビタミンＤの生成（UVB），紅斑産生（UVB），発癌（UVB）など

適応：創傷部位，乾癬，皮膚疾患

禁忌：皮膚悪性腫瘍，高発癌リスク者，光過敏症，妊娠

実施方法：紫外線は照射強度と暴露時間によっては生体に悪影響をもたらし，その程度は個人差が大きい。実施に際してはまず最小紅斑量（MED）を測定し，MED に基づいて安全な照射強度と時間を設定する。

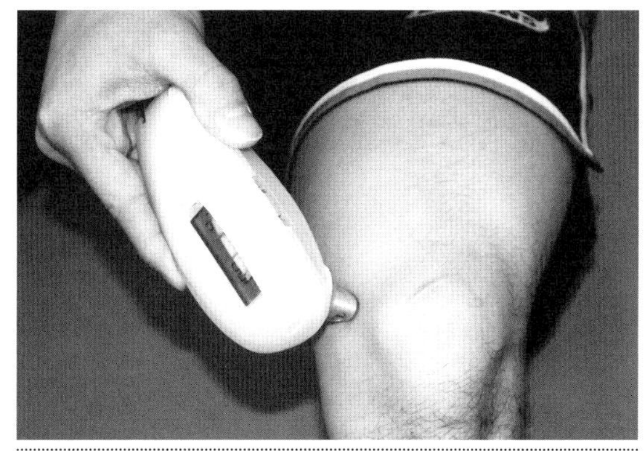

図 2-23　低出力レーザー光線療法機器
（ミナト医科学株式会社製ソフトレーザリー）

3）レーザー光線療法

効果：抗炎症・鎮痛，コラーゲン産生，血管拡張，ATP（アデノシン三リン酸）合成，細菌成長の阻害

適応：筋骨格系の外傷・障害，関節疾患，神経障害，創傷部位

禁忌：悪性腫瘍，出血部位，眼球，睾丸，甲状腺部，妊娠，光過敏症

実施方法：一般的に低出力レーザー光線療法（LLLT：low level laser therapy）機器が用いられている（図 2-23）。損傷・疼痛部位やトリガーポイント，経穴，神経節などに導子を当て，15 ～ 30 秒の照射を行う。眼球への誤照射を避けるため保護眼鏡を必ず装着して行う。同様の波長帯域の発光ダイオード（LED）治療器も安全で広範囲に照射が可能であり，レーザーと同様の効果がある。光源にかかわらず広範な効果が期待されることから，近年では photobiomodulation therapy（PBMT）と総称されている。

2-3-2-7　水治療法

水の熱伝導や浮力，抵抗，静・動水圧といった特性を利用し，用途に応じて様々な生理的効果を狙うことができる。

効果：加温・冷却効果，荷重量の減少，筋力強化，静脈還流の増加，心容量・心拍出量の増加，呼吸仕事量の増加，労作性喘息の減少，利尿作用，ナトリウム（Na）・カリウム（K）の排泄増加など

1）渦流浴・気泡浴

・渦流や気泡発生装置により，対流による温熱・寒冷効果や動水圧によるマッサージ効果が得られる（図 2-24）。

・実施方法：温水浴の場合は 38 ～ 42℃の温水，冷水浴の場合は 15℃以上の冷水を用いる。

2）交代浴

・温水浴と冷水浴を交代で行うことで血管の拡張・収縮が繰り返され，末梢循環の改善につながる。

・実施方法：温水浴を長く冷水浴を短くし（5 分：2 分または 4 分：1 分），温水浴から始め温水浴で終わるようにする。

3）水中運動

・荷重時痛を伴う疾患や荷重制限が必要な時期の

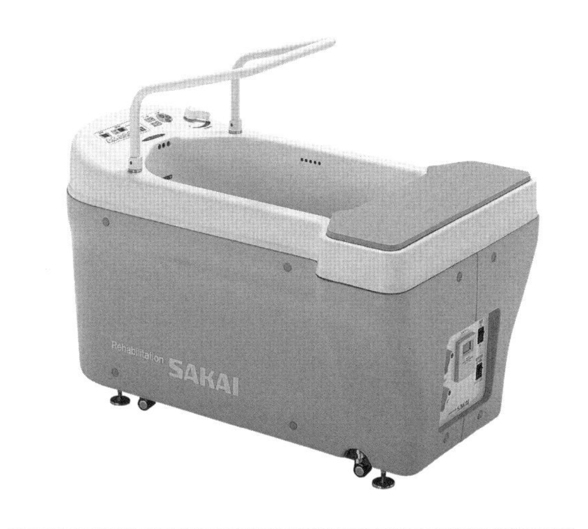

図 2-24　渦流浴装置
（写真提供：酒井医療株式会社）

リハビリテーションとして，浮力により荷重を軽減できる水中運動は有効な運動手段となる。
・水の抵抗を利用した筋力強化が可能であり，同時に静水圧による静脈還流の改善も得られる。

2-3-3　装具療法

装具療法は，筋骨格系を身体外部から支えることにより機能障害の軽減を図る。スポーツ外傷・障害により生じる疼痛の軽減，機能障害の代償または補助，外傷部位の保護や外傷予防などの安全対策などを目的として装具が使用されており，その使用用途から予防用装具，治療用装具，再発予防用装具に分けられる。

①**予防用装具：**競技特性により発生リスクの高い外傷に対し，あらかじめ予防目的に装具を使用する。競技によっては防具として着用が義務付けられている場合もある（例：サッカーのシンガード，アメリカンフットボールのヘルメット・フェイスマスク・ショルダーパッド，剣道の防具など）。

②**治療用装具：**外傷後や手術後に患部を保護・固定することで損傷治癒を促す目的で使用する。関節運動が十分に制動可能な装具を用いることで２次的障害のリスクを軽減し，医学的治療が終了する段階で使用を中止する。

③**再発予防用装具：**競技復帰に際して外傷・障害の再発を予防する目的で使用する。治療終了後も関節不安定性が残存していたり疼痛が残存している場合に用いられる。

スポーツ用装具は外傷・障害前後の使用時期や使用目的，競技特性などに応じて様々な種類があり，使用に際しては最も適した装具を選択する必要がある。以下，代表的なスポーツ用装具を紹介する。

2-3-3-1　上肢装具

スリング（図 2-25）は肩の外傷全般に使用可能であり，使用頻度が高い。肩腱板断裂の手術後などで外転位を保持する必要がある場合，肩外転装具を使用する（図 2-26）。鎖骨骨折では，鎖骨部を圧迫し固定するためにクラビクルバンド（図 2-27）を使用する。肘関節の内側側副靱帯損傷や過伸展損傷に対して，支柱付きエルボーブレース（図 2-28）を使用する。上腕骨外側上顆炎（テニス肘）では，原因となる短橈側手根伸筋をエルボーバンドで圧迫することで症状の軽減を図る（図 2-29）。手関節捻挫後の固定として，コックアップスプリントが用いられる（図 2-30）。

2-3-3-2　体幹装具

主に腰部周辺について，その病態に応じて装具が選択される。一般的にスポーツ活動中はフィットしやすいランバーサポート（図 2-31）やペルビックサポート（図 2-32）が用いられており，ベルトで圧迫することで腰部の負担を軽減する。腰椎分離症などの治療には，より強固な固定が得られる支柱付き装具や硬性装具を使用する。

2-3-3-3　下肢装具

膝装具には，主に軟性サポーターに支柱やベルトで機能を強化するソフトブレース（図 2-33）と，関節軸に合わせたヒンジと硬性フレームによってより強固な固定が得られるハードブレース（図 2-34）がある。足装具はフィット感を重視したものから固定力を重視したものまで多種あり，目的により使い分ける。レースアップ型アンクルブレース（図 2-35）は足関節捻挫後に固定を必要とする場合によく用いられる。アキレス腱断裂の際には，踵部の補高が調整できるアキレスブーツ（図 2-36）が治療用装具として使用されている。

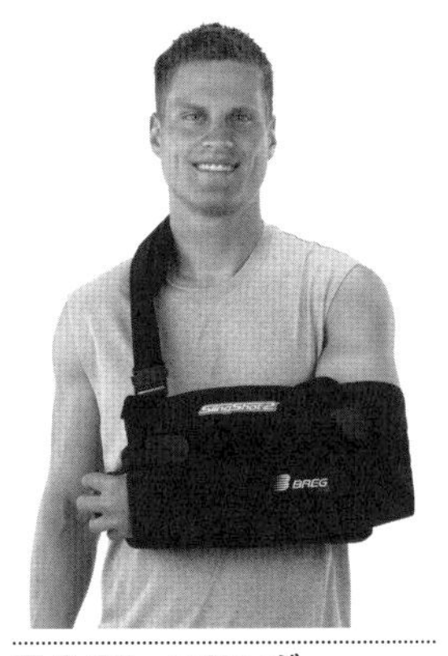

図 2-25　スリング

図 2-26　肩外転装具

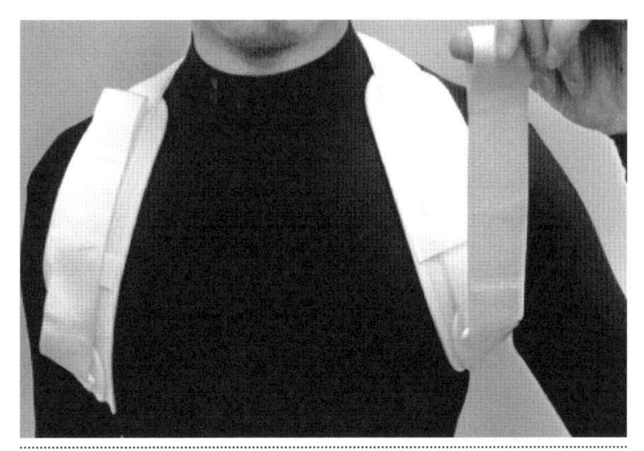

図 2-27　クラビクルバンド

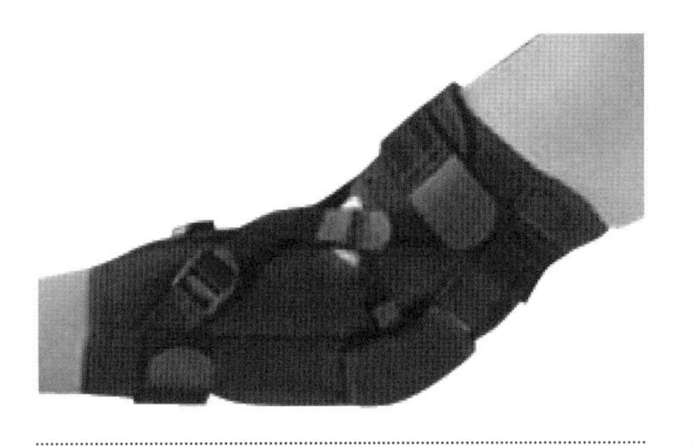

図 2-28　エルボーブレース（支柱付き）

図 2-29　テニスエルボーバンド

図 2-30　コックアップスプリント

図 2-31　ランバーサポート

図 2-32　ペルビックサポート

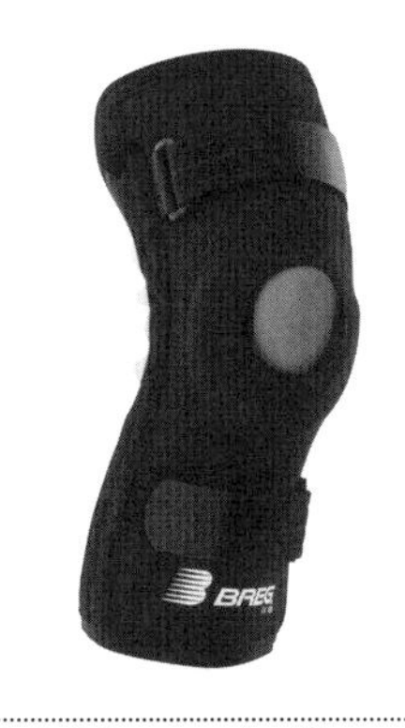

図 2-33　ソフトブレース

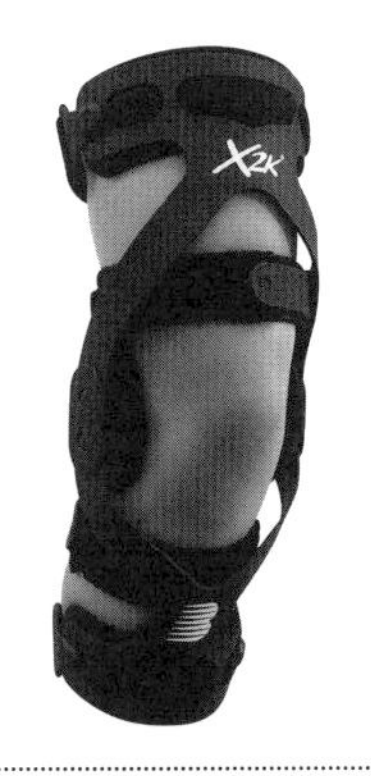

図 2-34　ハードブレース

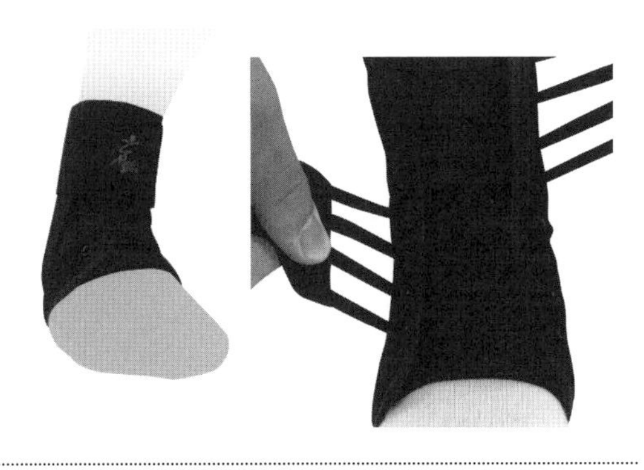

図 2-35　レースアップ型アンクルブレース

図 2-36　アキレスブーツ

（写真提供：株式会社シラックジャパン）

3 スポーツ栄養の基礎知識

松本　恵（日本大学文理学部体育学科）

3-1　食と栄養素

3-1-1　栄養と身体のしくみ

私たちの身体は，体温の保持，呼吸・循環器系機能や消化器の運動，内分泌系，脳・神経系などの生理機能，そしてスポーツを含めた様々な身体活動のために多くのエネルギーを必要としており，そのためのエネルギー源を食物から摂取して生命を維持している。さらに食物から得られる栄養によって筋や骨格を維持し，体調を整えるホルモンや免疫機能にも様々な栄養がかかわっている。健康的な生活やスポーツを楽しむために，栄養をバランスよく摂取できるように食生活を整えることが重要である[1]（図 3-1）。

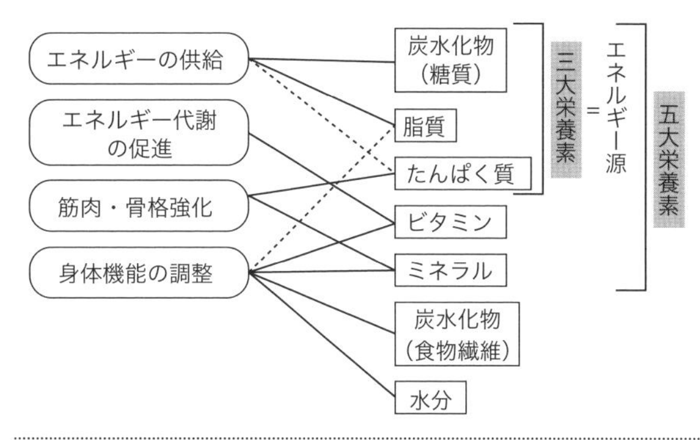

図 3-1　栄養素の役割

3-1-2　栄養素

3-1-2-1　栄養素の種類

栄養素は大きく5つに分けることができる。これを五大栄養素といい，糖質，脂質，たんぱく質といったエネルギー源となる三大栄養素に，微量栄養素といわれるビタミンとミネラルが加わる。また，五大栄養素以外にも食物繊維や水分など，生命維持や身体機能の調節に必要な栄養素もある。

3-1-2-2　炭水化物（糖質）

糖質は体内で最も使われやすいエネルギー源であり，脳の主なエネルギー源である。糖質の種類には最小単位である単糖のブドウ糖（グルコース），果糖（フルクトース），脳糖（ガラクトース）があり，これらが2つ結合した二糖としてショ糖（スクロース），麦芽糖（マルトース），乳糖（ラクトース）がある。ショ糖は一般に砂糖の主成分であり，甘みが最も強い。でんぷんやグリコーゲンは多糖類と呼ばれ，ブドウ糖が数十個以上重合した化合物で，消化吸収されるためには口腔や胃，小腸で胃酸や消化酵素によって分解される必要がある。一方，単糖や二糖は消化吸収の工程が少なく，吸収速度が比較的速い。基本的な食事から得られる糖質は，主食から供給されるでんぷんを中心として，成人で1日あたり約300 gであり，エネルギー総摂取量の約60％を占める。食事から摂取した糖質は肝臓や筋中にグリコーゲンとして貯蔵されるが，その量は肝臓で最大約100 g，筋で約250 gと限界がある。そのため，糖質の摂取が極端に不足すると，低血糖による頭痛や疲労感が起こることもある。一方で，余剰となった糖質は中性脂肪に変換され脂肪組織に貯蔵されるため，吸収の速い糖質の過剰摂取に注意するべきである。

3-1-2-3　脂　質

脂質は少量で高いエネルギーを発生する栄養素であり，脂肪組織には糖質の２倍以上のエネルギーを貯蔵することができる。また，ホルモンや細胞膜，核膜を構成したり，皮下脂肪として臓器を保護したり，体温の維持にも重要な役割を担っている。しかし，過剰に摂取すると体脂肪を増加させ，肥満の原因となる。食物から得られる脂質の多くは中性脂肪と呼ばれ，グリセロールと脂肪酸に分解されて消化吸収され，体内では脂肪酸が主にエネルギーとして代謝される。脂肪酸のうち植物や魚の油に含まれる不飽和脂肪酸には，血液中の中性脂肪やコレステロールを低下させる働きがあり，健康に寄与するといわれている。一方，動物性脂肪に多く含まれる飽和脂肪酸は体脂肪を増加させやすいため，過剰摂取に気をつけるべきである。

3-1-2-4　たんぱく質

私たちの身体は食物から摂取したたんぱく質を材料に，筋をはじめ，臓器や皮膚，爪，毛髪などのたんぱく質を主な構成成分とする器官，組織をつくり，さらに身体の調子や防御を担う酵素やホルモン，免疫グロブリンをつくる。たんぱく質は 80 個程度のアミノ酸がペプチド結合して構成され，胃酸や膵液に含まれる消化酵素によってアミノ酸まで分解されて吸収される。たんぱく質を構成するアミノ酸は 20 種類あるが，このうち人体内で合成できず食物から摂取しなければならないアミノ酸８種を必須アミノ酸という。肉や魚などの動物性たんぱく質は，植物性のたんぱく質よりも必須アミノ酸のバランスがよく効率のよいたんぱく質の供給源であるが，脂質の含有量も高いためエネルギーを過剰に摂取しがちである。脂質を多くとりすぎないように料理方法を工夫したり，大豆製品などの植物性たんぱく質を合わせてとるとよいだろう。

3-1-2-5　ビタミン

ビタミンは直接エネルギー源にはならないが，栄養素の消化吸収や分解の触媒として，身体の調子を整える重要な栄養素である。また，ほとんどのビタミンが体内では合成されないか，合成されても十分な量ではないために，必ず食物から摂取しなければならない。ビタミンには脂溶性ビタミン（ビタミン A，D，E，K）と水溶性ビタミン（ビタミン B 群８種類と C）とがあり，両者ともに摂取量が少なければ欠乏症状があり，摂取量が過剰に多ければ副作用がある場合がある。

3-1-2-6　ミネラル

ミネラルはビタミンと同様にエネルギー源ではないが，骨格を構成するカルシウムや，血中で酸素を運ぶために必要な鉄，免疫や味覚にかかわる亜鉛などがあり，生命維持に重要な栄養素である（表 3-1）。

3-1-2-7　食物繊維

食物繊維は人の消化酵素では分解されないため，食物から摂取した食物繊維は大腸まで到達して，大腸内

表 3-1　主なビタミンとミネラルの働きと欠乏・過剰症状について

種　類	主な働き	欠乏症	含まれる食品
ビタミン A	明暗順応，成長促進	夜盲症，核膜軟化症	レバー，うなぎ，緑黄色野菜など
ビタミン D	骨形成，カルシウムの恒常性維持	くる病，骨粗鬆症	鮭，いわし，きのこ類など
ビタミン B_1	糖質代謝の補酵素	かっけ，ウエルニッケ脳症	豚肉，玄米，レバーなど
ビタミン B_2	糖質，脂質代謝の補酵素	口角炎，舌炎，角膜炎	豚肉，レバー，きのこ類など
ビタミン C	抗酸化作用，鉄の吸収促進	壊血病	果物，野菜
カルシウム	骨形成，神経伝達	成長不良，テタニー，骨粗鬆症	牛乳，乳製品，小魚
鉄	酸素運搬	貧血	赤身の肉，レバー，貝類，ほうれん草，小松菜など
亜鉛	たんぱく質代謝，抗酸化酵素の補酵素	皮膚炎，口内炎，味覚障害	貝類，ほうれん草，小松菜など

の細菌によって資化されて有機酸を生じる。有機酸は大腸粘膜から体内に吸収されると粘膜細胞などのエネルギーとして利用される。食物繊維には，果物や野菜に含まれるペクチンなどの水溶性食物繊維と，小麦や米の殻部分や根菜類に含まれ植物の細胞壁が主成分となるセルロースなどの不溶性食物繊維がある。両者とも腸内細菌のよいエネルギーとなるため，乳酸菌やビフィズス菌の増殖を促し，腸内菌叢を整えるために役立つ。また余分なコレステロールや脂質を便として排出を促す作用もあり，抗肥満効果や便量の増加に伴う便秘改善も期待される。

3-1-2-8　水　分

体重に占める体組成の約 60 ～ 70%が水分であり，正常な代謝や体温調節のために，私たちは飲料や食事から水分を摂取して体内の水分量を維持しなくてはならない。1 日に人が生理的に尿や便，汗などで排出する水分量は 2,500 mL 程度であり，気温の上昇や運動による発汗が伴うと失われる水分量は増加する。水分摂取不足や発汗による脱水は，疲労感などの体調不良を引き起こす。体調や外気温に合わせて，こまめな水分補給を心がけるべきである（表 3-2）[2]。

3-2　食事の整え方

3-2-1　基本の食事

健康増進のための基本の食事は，五大栄養素をバランスよくとり食物繊維や水分などもしっかり摂取することである。厚生労働省, 農林水産省策定の「食事バランスガイド」では「食事の基本形」として「主食」「副菜」「主菜」「牛乳・乳製品」「果物」などの食品をバランスよく摂取する食生活が推奨されている（図 3-2)。

3-2-2　PFC バランス

食事から得られるエネルギーのうち三大栄養素のたんぱく質（protein），脂質（fat），炭水化物（carbohydrate）から得られるエネルギーのそれぞれのバランスを PFC バランスといい，健康増進のための基本の食事ではたんぱく質が 20%，脂質は 20 ～ 30%，炭水化物は 50 ～ 70%で調整することが望ましい（図 3-3)。

表 3-2　体内への 1 日の水分摂取・排出量

摂取・産出量		排出量	
飲水量	1,200 mL	尿	1,400 mL
食物の水分	1,000 mL	便	100 mL
代謝水	300 mL	汗や呼気	1,000 mL
合計	2,500 mL	合計	2,500 mL

（文献 2 より引用）

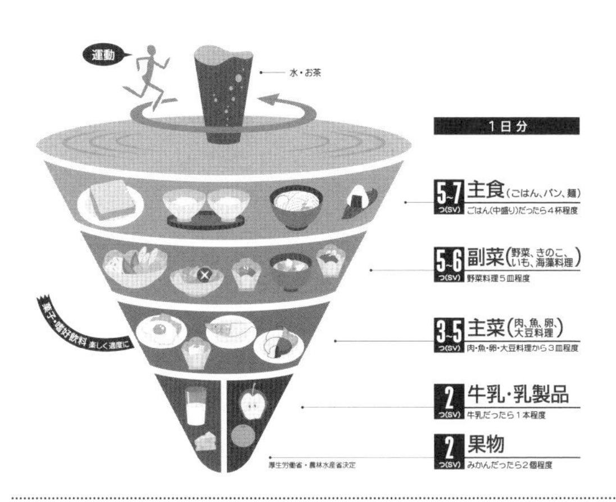

図 3-2　食事バランスガイド（厚生労働省ホームページより転載）

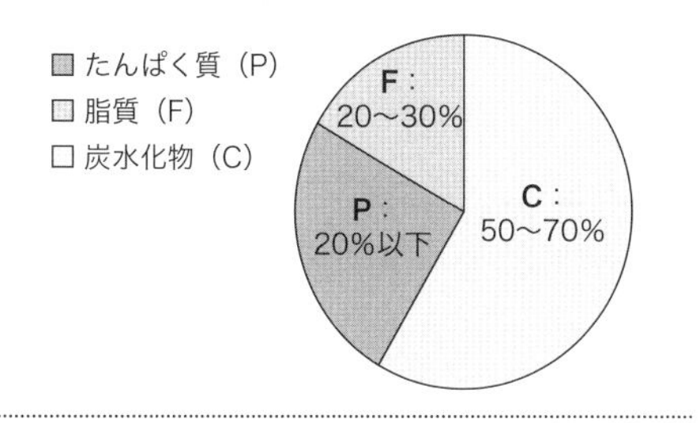

図 3-3　PFC バランス

表 3-3　年齢別推定エネルギー必要量

年齢	男性			女性		
	身体活動レベル[1]					
	I	II	III	I	II	III
0～5（月）	—	550	—	—	500	—
6～8（月）	—	650	—	—	600	—
9～11（月）	—	700	—	—	650	—
1～2（歳）	—	950	—	—	900	—
3～5（歳）	—	1,300	—	—	1,250	—
6～7（歳）	1,350	1,550	1,750	1,250	1,450	1,650
8～9（歳）	1,600	1,850	2,100	1,500	1,700	1,900
10～11（歳）	1,950	2,250	2,500	1,850	2,100	2,350
12～14（歳）	2,300	2,600	2,900	2,150	2,400	2,700
15～17（歳）	2,500	2,800	3,150	2,050	2,300	2,550
18～29（歳）	2,300	2,650	3,050	1,700	2,000	2,300
30～49（歳）	2,300	2,700	3,050	1,750	2,050	2,350
50～64（歳）	2,200	2,600	2,950	1,650	1,950	2,250
65～74（歳）	2,050	2,400	2,750	1,550	1,850	2,100
75～（歳）[2]	1,800	2,100	—	1,400	1,650	—
妊婦（付加量）[3] 初期				+50	+50	+50
中期				+250	+250	+250
後期				+450	+450	+450
授乳婦（付加量）				+350	+350	+350

[1] 身体活動レベルは，低い，ふつう，高いの３つのレベルとして，それぞれⅠ，Ⅱ，Ⅲで示した。[2] レベルⅡは自立している者，レベルⅠは自宅にいてほとんど外出しない者に相当する。レベルⅠは高齢者施設で自立に近い状態で過ごしている者にも適用できる値である。[3] 妊婦個々の体格や妊娠中の体重増加量および胎児の発育状況の評価を行うことが必要である。[注1]：活用に当たっては，食事摂取状況のアセスメント，体重およびBMIの把握を行い，エネルギーの過不足は，体重の変化またはBMIを用いて評価すること。[注2]：身体活動レベルⅠの場合，少ないエネルギー消費量に見合った少ないエネルギー摂取量を維持すること になるため，健康の保持・増進の観点からは，身体活動量を増加させる必要がある。
（文献１より抜粋）

3-2-3　食事摂取量とエネルギー消費

食事から得られる摂取エネルギーと消費するエネルギーのバランスが過不足なく，エネルギーの出納が等しい状態をエネルギーの平衡状態という。エネルギー出納のバランスがとれている時は，体重は変化しないが，エネルギー摂取量よりもエネルギー消費量が少ない時はエネルギー出納が正となり，体重が増加する。逆に，エネルギー摂取量がエネルギー消費量を下回る時には，エネルギー出納が負となり，体重は減少する。エネルギーの平衡状態を保つためには，自身のエネルギー消費量を知り，適切なエネルギー必要量を知ったうえで,摂取する食事のエネルギー量をコントロールする必要がある。「日本人の食事摂取基準 2020」[1)]では，平均的な日本人のエネルギー必要量が年齢，性，身体活動レベル別にまとめられている。これらの値を活用し，健康維持・増進に適した食事量を工夫することができる（表 3-3）。

3-3　トレーニングプログラムと栄養摂取

3-3-1　年間スケジュールと栄養摂取

アスリートは試合や競技会で最もよいパフォーマンスを発揮できるように，トレーニング内容や体調管理

表 3-4　年間スケジュールと各期に必要な栄養摂取の考慮すべき点

期分け	準備期 （プレシーズン）	試合・競技会の多い時期 （インシーズン）	休息から強化トレーニング実施期 （オフシーズン）
トレーニング計画とアスリートが考慮すべき事項	・体調管理，疲労骨折や貧血などの体調不良をチェック ・体重の調整を準備する ・免疫機能のチェック	・ピーキングトレーニングの実施 ・疲労回復のケアとリカバリー ・心理ストレス対策，睡眠の質の確保など	・疲労からの回復 ・リフレッシュ ・強化トレーニングや合宿の実施 ・増量トレーニングの実施
栄養摂取の戦略と考慮すべき事項	・微量栄養素の摂取量の見直し ・体重コントロール時の食事バランスに注意 ・乳酸菌食品や食物繊維の摂取にも留意する	・高糖質食と消化のよい食事に留意する ・試合後のリカバリーのため，できるだけ早く炭水化物とたんぱく質を摂取できるよう準備する	・トレーニングに合わせた食事量の調整 ・強化トレーニング前の鉄栄養状態の強化

に計画的に取り組むことが必要とされている[4)]。1年間を1つの区切りとして考えると，数ヵ月単位で試合や競技会の多い時期とオフの時期，準備期などに分け，さらに各セクションの中で，週単位でトレーニングの内容を組み立てていく（表 3-4）。それぞれの期分けで計画されるトレーニング内容やその目的に沿って，栄養摂取の量やタイミングも工夫していくことになる[5)]。

3-3-2　試合・競技会に向けた栄養摂取

3-3-2-1　試合期の食事の基本

運動時の筋中の主なエネルギー源として用いられるのは糖質で，筋中に蓄えられたグリコーゲンが分解されて利用される。運動強度が低くまた継続時間が長くなると脂肪も利用されるが，脂肪の燃焼とともに一定量の糖質も必要とするため，筋中のグリコーゲンが枯渇すると運動を継続できなくなる。さらに，糖質を体内に貯蔵できる量には限りがあるため，食事からの糖質の摂取量が不足していたり，激しい運動によって急激に糖質を消費すると，低血糖状態が引き起こされ，持久的なパフォーマンスの低下はもちろん，頭痛やめまいも生じる危険性がある。一般に試合期には高糖質食（糖質エネルギー比率70％以上）の摂取が望ましいとされ，表 3-5 で示すように，糖質の枯渇が起きないように，試合やレース，トレーニング前後での適切な糖質摂取が望まれる[6)]。

表 3-5　トレーニングや試合，レースと糖質摂取の工夫

	状況と時間	糖質摂取目安量[注1]	糖質の種類・食品，料理の応用
開始前の準備として補給する栄養	持久系競技の3日前	10～12 g/kg/日	主食のほかにうどんやパスタ，いも類で糖質量を増やす工夫をする
	一般的な競技の前日	7～12 g/kg/日	脂質の多い食品や揚げ物，炒め物を避け，消化のよい料理を選択する
	1～4時間前	1～4 g/kg	2時間以上前：おにぎり，サンドイッチ，果物など 1時間前：スポーツフーズ（ドリンクやゼリー）など
運動中や合間に補給する栄養	開始後45～75分	少量の糖質	ブドウ糖や果糖，ショ糖など吸収の速い糖質がよい。また，デキストリンなどを活用して血糖値を維持する。スポーツフーズなどを活用する
	開始後1～1.5時間	30～60 g/時	
	開始後2.5時間以上	90 g/時	
終了後にリカバリーのために補給する栄養	運動直後	0.7 g/kg	吸収の速い糖質でスポーツフーズ，バナナなど
	夕食など	7～12 g/kg/日	消化のよい料理献立を選択する。食欲がわくように，酸味のある料理や温かい汁物，鍋物など，工夫するとよい

注1：糖質摂取の目安は文献4を参考とした。

3-3-2-2　試合期の食事の工夫

試合前には緊張や疲労で消化吸収能力が低下している場合がある。また，高強度の身体活動では交感神経が優位となり，胃腸の活動が停止する[7,8]。試合前日も含めて，消化のよい食事献立を調整する必要がある。特に脂質の多い炒め物や揚げ物，脂身の多い肉の部位は避け，蒸す，煮る，焼くなど調理を工夫し，胃腸に負担をかけないように配慮するとよいだろう。試合当日はウォーミングアップの３～４時間前までに消化のよい主食中心の献立で朝食や軽食を済ませ，その後は１～２時間前までにゼリーや果汁ジュース，パンやカステラ，果物を少量とり，30 分～１時間以内は飴やブドウ糖，スポーツドリンクなどで糖分と水分を少量づつ補給し，ウォーミングアップ時の活動量や強度，発汗量によって補給量を調節するとよい。また，試合当日の朝食や軽食の主食は，消化のよい粥や雑炊，温かい汁物などを取り入れて，工夫をするとよい。

3-3-2-3　遠征時の食事の基本

遠征を伴う試合や合宿では長時間の移動による疲労が生じる。そのうえ，長時間の移動では食事の時間がいつも通りにとれなかったり，飛行機での移動では低湿・低気圧環境の影響により脱水を起こしやすい[9]。こまめに栄養・水分補給できるようにおにぎりやバナナ，ゼリーやスポーツ補助食品を携帯するとよいだろう。また，試合や強化合宿中は，体調管理と食中毒予防のためにも，普段通りの食事をとれるように調整するとよい。特に，生ものや脂質の多い肉類，揚げ物などの大量摂取は避けるべきである。

3-3-2-4　遠征先の食事内容の調整

遠征時の宿泊先の食事内容について，あらかじめ施設の担当者と連絡をとり調整を依頼することで，体調管理をしやすくなる。宿舎の献立についての基本的なチェック内容とその対策について表 3-6 に示した。献立に生ものがある場合は，加熱した献立に変更をリクエストするとよい。持久系競技で高糖質食を必要とする場合は，うどんやそばなどの汁物を１品付け足してもらえるように調整するとよいだろう。長期間の遠征や合宿の場合は，体調管理や疲労回復のためにもビタミンやミネラル，食物繊維が不足しないように調整する必要がある。野菜サラダや緑黄色野菜，果物が十分にとれる献立になるように交渉し，リクエストが通らない場合は，食事以外で補給できるように果汁ジュースや補助食品，サプリメントの準備をするとよいだろう。

表 3-6　遠征時の食環境チェックとその対策

	チェック項目	具体的な内容・対策など
国内遠征	食提供の形式（定食かビュッフェか）	ビュッフェの場合は選手にあらかじめ食事のとり方の指導が必要
	食提供時間の融通性	ウォーミングアップ３時間前までに朝食をとれるか。試合後，夜遅くなっても食事を提供してもらえるか
	献立の変更，リクエストが可能か	リクエストが不可の場合，補助食品や果物，飲料など補食を準備する
海外遠征	季節，気温，湿度	高温多湿の場合，食品の衛生上の安全が厳しくなる。乾燥が強いと，脱水症状に気を付ける必要がある
	水道水，飲料の確保	水質の安全が担保されない場合，手に入るミネラルウォーターについて調べておく
	外食場所	日本食レストラン，ケータリングサービスを調べておく
	スーパーマーケット，日用品店	飲料や日用品を購入できる店舗を近くに確保できない場合は，できるだけ携帯するようにする
	電圧	炊飯器を使用できない場合，アルファ米などの携帯できる主食を用意する
	食品の持ち込み規制	補食や保存食の持ち込みについて，規制内で持ち込むことができるものを調べておく

表 3-7　海外遠征に携帯すると便利な食品と備品

種類	食品・備品	ポイント
飲料	スポーツドリンク粉末	飲みなれたドリンクの粉を携帯するとよい
	スクイズボトル	
主食	アルファ米	アルファ米は湯や水だけで戻すことができるものもある。レトルト食品のために電子レンジが使えるか調べておく
	レトルト米飯・粥	
	インスタントラーメン・うどん・そば	
	餅	
副菜	インスタント味噌汁・スープ	湯で戻すことができるフリーズドライ野菜はそのままスープなどにも混ぜることができる
	カットわかめ	
	ネギなどフリーズドライの野菜	
調味料	醤油	醤油はミニボトルを活用するとよい。顆粒だしはスープに足すと和風になり飲みやすくなる。ソースなどは携帯用の小袋入りが便利
	顆粒だし	
	めんつゆ	
	ソース，ケチャップ，マヨネーズ	
その他	ふりかけ	白飯が食べやすくなるもの，食欲がわきそうなものを選ぶ
	お茶漬けの素	
	梅干し	
	かつお節	
	海苔	
	スポーツ補助食品	食事をとれない時や，体調不良時のエネルギー確保のため
	ブドウ糖・塩分タブレット	
	ガム，のど飴	乾燥対策
	箸，スプーン	ホテルの部屋には常備されていない場合がある

3-3-2-5　海外遠征での留意点

海外では，衛生的に安全でない環境や，食事内容が十分に準備されない場合がある。水道水を飲用できないこともあり，ミネラルウォーターの購入が必要な時には，硬度を確認した方がよい。硬度が高い水は飲みにくかったり，下痢を誘発する可能性もある。日本から携帯すると便利な食品について表 3-7 にまとめた。慣れない環境で食欲が低下している時にも，食べやすい食材や調味料を持参するとよいだろう。

3-3-3　オフシーズンの時期の身体づくりとたんぱく質摂取

オフシーズンは，試合・競技会時期にたまった疲労からの回復の時期であるとともに，ジュニアや成長期のアスリートにとっては身体づくりの重要な時期となる。この時期には，鍛錬期としてトレーニングも質，量ともに増加するため，栄養摂取もそれに伴い増加する必要がある。特に，運動量が増加すると，たんぱく質の必要量も増加する [6)]。しかし，たんぱく質やアミノ酸を多くとればとるほど筋が増大することはなく，むしろ適正量を著しく上回って摂取すると，たんぱく質に含まれる窒素を代謝するために腎臓や肝臓に負担をかけたり，余剰な分は中性脂肪に変換され体脂肪量を増加させる [10)]。筋を増大させるための筋力トレーニングを行っている時期でも，たんぱく質の摂取目安量は最大 2 g/体重 kg/日程度が望ましいと考えられている [11)]。これは，活発に運動していない人のたんぱく質必要量 0.8 g/体重 kg/日と比較して 2 倍程度の量である。プロテインパウダーなどは簡単に摂取でき便利であるが，過剰摂取を引き起こしやすいため，その摂取量は十分に考慮すべきである。一方で，筋疲労からの回復のためには，トレーニング後できるだけ速やかにBCAAを中心としたアミノ酸を補給することが勧められる[12)]。また，筋量の増量を望む場合も，トレーニングの刺激によってたんぱく質代謝が亢進している運動後2～3時間以内に，1日に必要な量の10～20%程度のたんぱく質を摂取するとよいだろう。

3-3-4　強化トレーニングでの栄養摂取

鍛錬期とも呼ばれるオフシーズンには，持久系高強度トレーニングを組み込んで，心肺機能の強化を図ることも多い。陸上競技や水泳競技では，高地でのトレーニングスケジュールを組み，低酸素に対する適応による造血反応を利用する強化方法も実施されることが多い[13)]。高強度トレーニングの実施初期や高地でのトレーニングでは，筋での炭水化物の消費量が増加し，疲労からの回復が遅延する[14)]。一方で激しいトレーニングでは，脱水や疲労から食欲が減退し，十分な食事量をとれないことが多い。こういった場合は，消化吸収のよいパウダーやゼリータイプの食品，果物などの活用が便利である。また，持久能力の向上のためには，たんぱく質や鉄など造血作用に必要な栄養の状態が良好であることが望まれる。強化トレーニングを始める前に，十分な栄養摂取状況であるか確認して準備する必要がある。特に鉄は体内の炎症が高まることによって鉄吸収調節因子のヘプシジンが上昇し，消化管での鉄吸収が阻害されることが知られている[15)]。疲労やストレスによる炎症が起きやすい時期に鉄の摂取を増加させるのではなく，あらかじめ計画的に栄養バランスを整えて臨みたい。

3-4　体重コントロールと食事摂取

3-4-1　競技種目と体重コントロール

競技種目の特性により，体重が軽い方が持久系パフォーマンスが向上すると考えられる陸上長距離競技，クロスカントリースキー，体重が軽い方が飛距離が向上すると考えられる陸上跳躍競技やスキージャンプ，美しいプロポーションが優位な審美系競技である新体操や体操，フィギュアスケートでは，日常的に体重コントロールが必要となる。一方，体重別階級制度がある柔道やレスリング，ボクシングなどの格闘技は，試合当日に向けて計画的な体重コントロールが必要となり，状況によっては一定期間の「減量」が行われる。体重コントロールでは，体組成の構成をどのように設定するのかが重要である。なぜなら，基本的には除脂肪量を維持または増量させながら体脂肪量を減量させていくことが，パフォーマンスの維持・向上につながるからである。

3-4-2　減　量

3-4-2-1　減量の食事計画

減量時の食事計画は，体脂肪量を低下させるため食事からの脂質の摂取量を調整することと，トレーニング内容と総摂取カロリーのバランスを調整することを基本とする。減量開始時の体重の5%を超える体重を1週間以内で減量する「急速減量」は，低血糖や脱水による昏倒の危険があり，免疫力低下や感染の危険も伴う[16)]。また，急速減量では筋量の低下も生じる場合がある[17)]。500 kcal/日の摂取制限にとどめることで，1,000 kcal/日以上の摂取カロリー制限を設ける減量と比較して，筋量の低下を防げることが報告されている[18)]。減量期間はできるだけ余裕をもって設定し，絶食や極端な脱水による減量は避け，食事バランスを整え，ビタミン，ミネラルの不足が生じないように留意する。

表 3-8　減量時の食事調整方法

減量の考え方			
体重（体脂肪量）2 kg を減量する場合： 総消費量 14,400 kcal（体脂肪量 1 kg あたりのエネルギー 7,200 kcal × 体脂肪量 2 kg = 14,400 kcal） 1 日当たりの消費量 480 kcal（14,000 kcal ÷ 30 日 = 480 kcal）			
食事の改善例			
	減量前	**改善案**	**減少カロリー**
朝食	ベーコン（40 g）= 162 kcal	ロースハム（40g）= 78 kcal	84 kcal
朝食	普通牛乳（200 mL）= 134 kcal	低脂肪乳（200 mL）= 92 kcal	42 kcal
昼食	カルボナーラスパゲッティ = 740 kcal	キノコの和風パスタ = 583kcal	157 kcal
夕食	鶏唐揚げ（150 g）= 470 kcal	焼き鳥（皮なし 150 g）= 292 kcal	180 kcal
間食	ミルクチョコレート（1/2 枚：25 g）= 140 kcal	ドライフルーツ（プルーン 3 粒）= 110 kcal	30 kcal
合計			493 kcal

3-4-2-2　減量の食事摂取量の設定と食事パターン

1ヵ月で体重を 2 kg 低下させる減量を計画した場合の食事摂取量の設定について，表 3-8 に示した。体重のうち体脂肪量を 2 kg 減量させるため，理論的には 1ヵ月で 14,000 kcal 減少させる必要がある。1 日あたり 480 kcal を余分に消費する，または食事摂取量を減らすことになる。食事パターンの改善案としては，これまで摂取していたカロリーの高い料理献立を見直し，揚げ物や炒め物から蒸す，焼く，煮るなどの調理法に変更する，クリーム系の料理からだしを活用した和風の料理に変更するなどの工夫で，カロリーを低下させる。食材については，脂身の多い部位の肉から赤身の肉や魚に変更したり，普通牛乳から低脂肪乳に変更したりすることで，カロリーを抑えることができる。また，チョコレートやアイスクリームなどカロリーの高い菓子類を控え，3 食の食事をバランスよく食べることで，ビタミン，ミネラル，食物繊維量を確保することも重要である。さらに，トレーニングによるカロリー消費量を増やすことで，効率よく減量を進めることができるため，コーチやトレーナーとの連携があるとよいだろう。

3-4-3　増　量

3-4-3-1　増量の食事計画

アスリートの増量は，やみくもに食事量を増やすだけでは成功しにくい。特に強化期には，トレーニング量が増加している分も加味して食事の増量分を設定する必要がある。また，食事内容として脂質の多い主菜を増やしたり，過剰にプロテインパウダーを摂取すると，体脂肪量が増加し，筋量が増加しないことになり，アスリートにとって利益が少なく，さらに内臓脂肪の増加からメタボリックシンドロームや肥満を誘発する可能性もある[15]。増量する体重の内訳として除脂肪量を増加させ体脂肪量を増加させないためには，食事バランスを崩さずに食事量を増やしながら，筋量を増加させる効率的なレジスタンストレーニングを組み込む増量計画を立てる必要がある。

3-4-3-2　増量の食事摂取量の設定と食事パターン

増量時の食事量の設定では，たんぱく質や糖質を食事で増加させた分がそのまま蓄積して除脂肪量や脂肪量が増加するわけではないため，増量に必要な食事量を正確に見積もることは難しい。日本人アスリートを対象とした食事介入試験の報告では，体重 1 kg あたり 16～18 kcal の付加で 12 週間の期間を設け，2.6± 1.3 kg の除脂肪量の増加がみとめられた[19]。これは推定エネルギー必要量から 500～1,000 kcal 程度の増加

表 3-9　増量時の食事摂取量の設定と食事パターン

	基本の献立（例）	増量のため付加する料理・食品	増加カロリー
朝食	ごはん（230 g）		
	五目卵焼き		
	小松菜のピーナッツ和え		
	梅ツナじゃが		
	厚揚げともやしの味噌汁		
	バナナ入りヨーグルト		
補食		オレンジジュース（250 mL）	95 kcal
		6 P チーズ（1 片）	60 kcal
		卵サンド（食パン 2 枚分）	278 kcal
昼食	イワシのかば焼き丼（250 g）		
	小わかめ月見うどん		
	豆腐とあさりの味噌炒め		
	塩昆布サラダ		
	グレープフルーツ		
補食		おにぎり 2 つ（100 g，2 個）	537 kcal
夕食	ごはん（230 g）	大学芋（小鉢 70 g）	184 kcal
	豚肉の生姜焼き		
	ホタテと野菜のクリーム煮		
	ほうれん草の磯辺和え		
	大根の味噌汁		

付加した料理・食品によるエネルギーと栄養素の変化

栄養素	基本の献立		改善後	
		エネルギー比率		エネルギー比率
エネルギー	3,530 kcal		4,553 kcal	
たんぱく質	135 g	15%	161 g	14%
脂質	102 g	26%	118 g	23%
糖質	518 g	58%	702 g	61%

が必要であることが考えられる。また，増量中の食事はトレーニングの増加分を含めた総エネルギー消費量に対して，体重増加分の食事量を付加しなければならない。もともと一般人以上の活動量があり総エネルギー摂取量の多いアスリートがさらに食事量を増やすことは，胃腸に負担をかける。特に成長期のジュニア選手では胃がまだ小さく，1 回に食べられる量が少ないことや，トレーニングの後で疲労している時に大量の食事量を食べなくてはならないことは，胃腸にとっても精神的にも負担が大きい。増量中の食事献立では，消化のよい食材を選択したり，食欲が増すように食酢やトマトなどを使用し酸味をきかせるなど，工夫するとよい。胃腸に負担をかけない献立を組み立てたり，複数回に分けて食べたり，補食を活用したりという工夫が重要である。増量中の 4,500 kcal の食事パターン例を表 3-9 に示した。食事からの脂質のとりすぎに注意し，PFC バランスを大きく崩さず，補食の工夫によりカロリーを付加する。補食はトレーニング後できるだけ早く摂取すると，疲労からの回復効果や，成長ホルモン分泌が促進されている時間帯を有効に活用できる。温かい汁物や麺類は，就寝前の補食や頻回に分けた食事時に活用すると，胃腸の負担が少なくて済むだろう。

3-5　コンディショニングと食事・栄養摂取

3-5-1　トレーニングと飲料摂取

3-5-1-1　水分摂取量とタイミング

摂取した水分は胃から体内へ吸収されるが，その速度は発汗して失われる水分の速度よりも遅い場合がある。運動中に脱水を起こさないためには，運動前から十分に水分を補給しておく必要がある。運動前に200～300 mL，暑熱下では500 mL程度を補給しておき，運動中には10～20分おきに100～200 mLを継続的に補給するとよいだろう

3-5-1-2　ミネラルの摂取

トレーニングなどにより急激に発汗することよって，体内のナトリウムやカリウムなどのミネラルが失われ，低ナトリウム血症を起こすことがある。血中のミネラルが低下すると，神経伝達の調節に支障が起き，筋けいれんなどの症状がみられる。この場合，ミネラルを含まない水分を大量に摂取しても，血中のミネラル濃度が回復しないために，症状が改善されない。運動中や発汗量が多い時の水分補給には，体液成分に近く消化管での吸収がよいとされる0.1～0.2%のナトリウムをはじめとしたミネラルを含む飲料を摂取するとよい。

3-5-1-3　飲料の栄養成分の内容

糖分を2～8%程度含む飲料は消化管での水分の吸収効率が高く，運動中のエネルギー補給と水分補給を同時に行える。トレーニングを行う際は，糖分・ミネラルがバランスよく含まれるスポーツドリンクを選択するとよいだろう。一方で，カフェインが多く含まれる緑茶やウーロン茶，紅茶，コーヒー，エナジードリンクなどは，利尿作用によって脱水を促進するので注意が必要である。

3-5-1-4　飲料の温度

消化管での水分の吸収は5～15℃の飲料が最も速いが，低温の飲料を繰り返し摂取すると胃腸が冷えすぎて食欲不振や下痢の原因となるため注意が必要である。一方で，筋温が40℃以上に上昇するような暑熱環境や高強度運動時には，アイススラリー(p.227 表9-3参照)の活用が推奨される。運動前のアイススラリーは，体重1 kgあたり7.5 gの摂取で，運動中の体温上昇を抑制し発汗量を抑えることが報告されている。また，暑熱下の運動後の使用は速やかに体温を低下させる効果が期待される。

3-5-2　貧血予防

3-5-2-1　貧血予防の食事の基本

アスリートは身体活動量の増加に伴って鉄の需要も増加するため，日常的に食事から鉄を確保しなければならない。また，体内で鉄を速やかに輸送したり貯蔵する担体の原料となるたんぱく質の栄養状態も良好に保つことが，鉄欠乏性貧血の予防には重要である。さらに鉄以外の亜鉛やマグネシウムなどのミネラル，ビタミンB_6，B_{12}，葉酸の摂取量にも気を配る必要がある。赤身の肉類やレバー，小魚や貝類に鉄が多く含まれているため（表3-10）[20]，食事からの鉄摂取量を増加させるためにはこれらの食材を使うとよいだろう。また，海藻や小魚のつくだ煮などは日常的な鉄補給に役立つ。

3-5-2-2　鉄の必要摂取量

1日に体内で必要とされる鉄の量は，成人男性で0.5～1.0 mg，月経のある女性で2.0～3.0 mg，アスリートでは一般人の2倍程度またはそれ以上の必要量になるという報告もある[19]。厚生労働省の「日本人の食

事摂取基準 2020」[1] では，推奨される 1 日の鉄摂取量は 12 ～ 14 歳男子で 10 mg，成人男性で 7.5 mg，12 ～ 14 歳女子で 8.5 mg（月経なし），12.0 mg（月経あり），成人女性で 6.5 mg（月経なし），10.5 mg（月経あり）とされる [1]。アスリートでは一般の人に比べ，高強度のトレーニングによって体内の炎症が高まり，鉄の腸管吸収率が低下しているという報告がある [21]。また，炎症が誘発されている状態で鉄を過剰摂取すると，腸管で鉄吸収調節を行うヘプシジンの発現量が増加し，鉄の慢性的な吸収阻害を誘発する可能性がある [22]。アスリートに推奨される鉄の摂取量については，トレーニング量や競技によって異なる報告がいくつかあるため [23]，サプリメントなどでむやみに増加させずに，食事と合わせて 1 日最大 20 mg 程度とすることが望ましいだろう。

3-5-2-3　その他のミネラル

鉄以外のミネラルも食事からバランスよく摂取することが，鉄栄養状態を改善するために必要であると考えられる。亜鉛は貧血の発症に関係があるという報告があり，鉄欠乏性貧血では血清鉄とともに血液中の亜鉛濃度も低値を示すことが報告されている [24]。一方でカルシウムの過剰摂取は鉄の吸収を阻害することが報告されており，サプリメントなどで大量に摂取することがないように注意すべきである [25]。

3-5-2-4　鉄栄養状態とビタミン

ビタミン B_6，B_{12} や葉酸は体内での赤血球の合成に必要であり，貧血と関係の深いビタミンである [26]。ビタミン B_6 はレバー，うなぎ，納豆，玉子などに，ビタミン B_{12} は貝類に，葉酸はレバー，うなぎ，緑黄色野菜に多く含まれる。

3-5-2-5　たんぱく質摂取

アスリートでは，競技やトレーニングの強度によってたんぱく質の必要量が異なるが，一般成人よりも身体活動量が増加することによって，必要量も増加していることが考えられる。また，鉄を輸送したり貯蔵するためにも鉄と結合するたんぱく質を確保する必要があり，鉄栄養状態の改善には，たんぱく質摂取も関係すると考えられる。日常的に減量や体重

表 3-10　鉄を多く含む食品

	食品名	100 g 中の鉄分量（mg）
レバー	豚肉（レバー）	13.0
	鶏肉（レバー）	9.0
	牛肉（レバー）	4.0
肉類	牛肉（センマ）	6.8
	豚肉（はつ）	3.5
	鶏肉（はつ）	5.1
	かも	4.3
	コンビーフ缶	3.5
	牛もも赤肉	2.8
貝類	ほや	5.7
	しじみ	5.3
	あかがい	5.0
	ほっき貝	4.4
	あさり	3.8
	みる貝	3.3
魚類	あゆ（焼）	5.5
	うなぎの肝	4.6
	いわし（丸干）	4.4
卵	鶏卵（卵黄）	6.0
	うずらの卵	3.1
豆類	豆みそ	6.8
	米みそ（赤）	4.3
	油揚げ	4.2
	米みそ（白）	4.0
	ゆば（生）	3.6
	がんもどき	3.6
	納豆	3.3
海藻類	あおのり（乾）	74.8
	ひじき（乾）	55.0
	きくらげ（乾）	35.2
野菜類	パセリ	7.5
	つまみ菜	3.3
	小松菜	2.8
	ほうれん草	2.0
その他	あさりの佃煮	18.8
	煮干し	18.0
	抹茶（粉）	17.0
	干しえび	15.1
	ピュアココア（粉）	14.0
	はまぐりの佃煮	7.2

（文献 20 より引用）

コントロールが必要な競技では，食事量が少なくエネルギーやたんぱく質の摂取不足から貧血症状を悪化させることが懸念される[27)]。貧血症状のあるアスリートは，鉄だけでなくたんぱく質の摂取量も増加させることにより，鉄栄養状態が改善されることが考えられる。日頃からのたんぱく質の適切な摂取は，スポーツ貧血を予防，改善するうえで重要である。

3-5-2-6　鉄サプリメントの使用

貧血を予防するために，毎日の食事から鉄をはじめとしたミネラル，ビタミン，たんぱく質をバランスよく摂取することが最も重要である。しかし，減量中や，遠征や合宿などで食環境が変化し，十分な食事量やバランスのとれた食事内容がとれない場合は，サプリメントの利用が有効なこともある。鉄のサプリメントには非ヘム鉄とヘム鉄があり，非ヘム鉄は一般に吸収が悪く，お茶やコーヒーに含まれるタンニンなどの成分によって吸収が阻害されるので，注意が必要である。非ヘム鉄は，一度に大量に摂取すると胃腸障害を起こす危険がある。180 mg を超える鉄の摂取では胃炎，腸炎，蒼白，倦怠感，下痢の症状がみられるという報告もある[28)]。「日本人の食事摂取基準 2020」[1)] では，1 日に摂取する鉄の耐容上限量を，成人男性で 50 mg，成人女性で 40 mg としている。鉄サプリメントを使用する際は，鉄成分の由来に注意することと，一度に大量に摂取するのではなく，1 日に推奨される摂取量を大きく上回らないようにすべきである。

3-5-3　疲労骨折予防

3-5-3-1　疲労骨折予防の基本の食事

疲労骨折を予防するためには，適正なエネルギー量と，骨強度を保つために必要なカルシウムや他のミネラル，たんぱく質，ビタミン D，K，C を十分に摂取できるよう，バランスのよい食事に留意する。骨はリン酸カルシウムとコラーゲンが主な構成成分であり，食事から摂取したカルシウムとたんぱく質を原料に，毎日古い組織から新しい組織に作り替えられながら（リモデリング），その強度を維持している。長期間にわたる食事制限や厳しいトレーニングによる low energy availability（利用可能エネルギー不足）は月経不順や無月経症候群を引き起こし，骨の正常なリモデリングを妨げる。そのため，女性アスリートや持久系競技のアスリートでは，疲労骨折予防のために食事の内容に十分に留意すべきである。

3-5-3-2　カルシウムの摂取方法

カルシウムは日本人の食習慣で最も不足しがちな栄養素の 1 つである。さらに消化管からの吸収効率も他の栄養素に比べ非常に低く，摂取したカルシウムの 10 〜 30％程度しか吸収されない。そのため，毎日の食事の中で十分なカルシウムを確保する工夫が必要である。「日本人の食事摂取基準 2020」[1)] では，カルシウムの推奨量は成長期の 12 〜 14 歳男子で 1 日当たり 1,000 mg と最も多く，Hoogenboom ら[28)] は女性アスリートの三主徴防止のため 1 日当たり 1,200 mg のカルシウム摂取を推奨している。これらを鑑みて，アスリートには少なくとも 1 日当たり 1,000 mg 以上の摂取が望まれる。カルシウムやマグネシウムは小魚や乳製品に多く含まれ，小松菜などの緑黄色野菜にも含有量の高い食品がある（表 3-11）。乳製品はカルシウムの供給源として消化吸収の面から考えても効率のよい食品である。一方で，カルシウムはカフェインやリン，食塩によって尿中への排泄が増加することが知られている。アルコールも強い利尿作用によってカルシウムの尿中排泄を促進する。リンは炭酸飲料や加工食品に食品添加物として含まれる。これらの成分の過剰摂取に注意することも必要であろう。

3-5-3-3　ビタミン D，K の摂取

ビタミン D は骨代謝を調節し，消化管でのカルシウム吸収にもかかわっている。ビタミン D は魚に多

表 3-11　カルシウムを多く含む食品

食品名		1回に食べる量			100g 中のカルシウム量（mg）
		(g)	目安量	カルシウム量 (mg)	
魚介類	干しえび（加工品）	10	1/5 袋	710	7,100
	わかさぎ（生）	80	5～6尾	360	450
	ししゃも（生干し・生）	100	4尾	330	330
	煮干し	10	5尾	220	2,200
	かき（生）	60	5～6個	53	88
	まがれい（生）	100	1/2 尾	43	43
豆腐	生揚げ	120	1枚	288	240
	木綿豆腐	150	1/2 丁	129	86
	凍り豆腐	20	1個	126	630
	糸引き納豆	50	1パック	45	90
乳類	普通牛乳	200	牛乳びん1本	220	110
	チーズ（プロセスチーズ）	25	1切れ	158	630
	ヨーグルト（全脂無糖）	100	1個	120	120
野菜類	こまつな	80	1/4 束	136	170
	だいこんの葉	50	1/2 株	130	260
	かぶの葉（ゆで）	50	2株	95	190
	切り干し大根（乾燥）	10	1/5 カップ	50	500
	ほうれんそう（生）	80	1/4 束	39	49
藻類	ひじき（乾燥）	5	1/10 カップ	50	1,000
	わかめ（乾燥）	5	1/2 カップ	39	780
種実類	ごま（いり）	3	小さじ1	36	1,200

（文献 20 より引用）

く含まれ，卵や乳製品も供給源となる。また，紫外線を浴びることによって皮下で合成することができる。そのため，ビタミンD不足は起きにくいとされているが，極端に紫外線を防止したり，屋外での活動がほとんどないような場合，食事からの摂取に留意するべきであろう。アスリートのビタミンDの必要量はACSMの報告[29]で1日当たり35 μgが提唱されているが，「日本人の食事摂取基準2020」[13]では5.5 μgと7倍の差がある。今後，日本の住環境においても同様の摂取量が必要かどうか，研究が推進されることを望む。

3-5-3-4　たんぱく質摂取とビタミンC

骨のしなやかな強度を保つコラーゲンは，たんぱく質とビタミンCから構成される。たんぱく質は運動量が増加すると筋を補修，補填するために必要量が増加するが[30]，厳しい減量や低体重を維持するための体重コントロールによって食事量が少ないと，たんぱく質摂取量も低下してしまう。ビタミンCはコラーゲンの架橋構造を強化する重要な成分であり，強い抗酸化活性や免疫機能を助ける働きを持つことから，アスリートではその必要量が増加すると考えられている[31]。

3-5-4　疲労回復・夏バテ防止

3-5-4-1　栄養補給のタイミングと量

日々の厳しいトレーニングによる疲労から回復するために，食事のバランスを整えることはもちろん，食事や補食のタイミングを図ることによって効率的に栄養を摂取することができる。トレーニングの後にはできるだけ速やかに糖質，たんぱく質，水分を補給することが重要である。それぞれの栄養素を一度に補給する量の目安は，IOC の Nutrition Consensus 2010 で示されているように，糖質が体重 1 kg あたり 0.7g，たんぱく質が 1 日に必要な摂取量の 10 ～ 20％とされている [32]。糖質源の食品は，食物繊維が多いと消化吸収が妨げられ速やかに吸収できないため，消化のよい食品や果物を選択すること，単糖類（ブドウ糖，果糖）や二糖類（ショ糖，麦芽糖など）の含まれるスポーツドリンクを併用するとよいだろう。

3-5-4-2　夏バテ防止の留意点

夏季の暑熱環境下でトレーニングを行うと，脱水や発熱が繰り返され，疲労が蓄積することが考えられる。トレーニング中の水分・塩分補給に留意することはもちろん，食事から水分と塩分を補給することも重要である。学校現場での熱中症発症時間は午前中が多く [33]，また，児童・生徒の朝食の欠食が多くみられることが報告されている [34]。朝食は 1 日の活動のためのエネルギーを確保するために不可欠であるが，汁物，野菜，果物，白飯など水分含有量の多い食材を摂取することによって，水分の体内貯蔵にも役立つ。トレーニング後の昼食や夕食では，食欲がわき，胃腸の働きを助ける梅干しや食酢などを活用して，食事量を確保できるように工夫するとよいだろう。また，冷たい飲料や食品を多量に摂取すると，胃腸を冷やしすぎて消化不良や食欲不振をまねくことがある。温度の低い飲料や補助食品の使用は，トレーニング直後など異常な体温上昇が認められる時のみにとどめ，多用しないように留意する。

3-5-5　女性アスリートと栄養

3-5-5-1　女性アスリートの食事の留意点

女性アスリートでは月経による鉄の損失から鉄欠乏性貧血が誘発されやすい。また，長期間にわたる食事制限や厳しいトレーニングによる low energy availability は，月経不順や無月経症候群を引き起こす [35]。女性アスリートの三主徴でみられるように，月経異常がある場合，エストロゲンの分泌不足から骨のリモデリングを調節できず，疲労骨折や将来にわたって骨粗鬆症の原因となる可能性が高い [36]。そのため，女性アスリートは鉄欠乏性貧血，疲労骨折，骨粗鬆症を予防するために，食事の内容に十分に留意すべきである。

3-5-5-2　女性アスリートの食事計画

女性アスリートには，貧血や骨折を予防するため，鉄やカルシウムをはじめとする十分なミネラルを摂取できるように食事献立を立案する必要がある（図 3-4）。食事バランスを整えることでこれらのミネラルを補給でき，さらに食物繊維の摂取量を確保できることから，女性アスリートに多くみられる便秘の予防にも役立つ。砂糖や脂質の多い菓子やアイスクリームの大量摂取は，体重コントロールを難しくする。ドライフルーツやナッツ類に置き換えたり，手作りの料理や菓子を取り入れ，楽しくカロリーを抑える工夫をするとよいだろう。

図 3-4　女性アスリートのための献立例
1 日のエネルギー摂取量を 2,500 kcal とした場合の夕飯の主食，主菜，副菜の料理例。献立は白飯（あさりの佃煮），もやしと厚揚げの味噌汁，ぶり大根，牛肉（赤身）しゃぶしゃぶサラダ，ほうれん草のおひたし。食事バランスを整えるためには，さらに果物や乳製品を加えるとよい。

3-5-6　腸内環境と免疫，栄養摂取の関係

スポーツの現場では，近年，「おなかの調子」について注目されるようになってきた。アスリートは日々の厳しいトレーニングによる疲労や心理的ストレスから，下痢や腹痛，

便秘など「おなかの調子」の不良に悩まされることがある。繰り返される下痢や便秘は腸内環境を悪化させ，腸管粘膜のバリア機能の低下から感染症のリスクも高める。筆者らの研究では，持久系アスリートが競技会に向けて実施するピーキングトレーニング（高強度トレーニング，1,000 kcal 以上）によって，唾液 IgA 分泌量が低下することが明らかになっており，準備期では感染症リスクが高まることが懸念される[15]。これまでに，アスリートの腸内環境を改善したり腸管免疫機構に働きかけることを期待して，乳酸菌を利用したスポーツフーズ（スポーツ時に適した栄養補給をスポーツ現場で利用しやすいようにパッケージされた食品）が開発されるようになり，上気道感染症の罹患リスクを軽減することが報告されている。しかし，これらの乳酸菌製品を摂取して腸内菌叢が変化するまでには，数週間程度必要であると考えられる。筆者らの研究では，学生陸上長距離競技選手のなかで，「おなかの調子」がよい選手は食物繊維や乳酸菌製品の摂取頻度が高いことが観察されたが[37]，その腸内菌叢の変化は短時間では顕著ではなく，また個人差も大きいことが考えられる[38]。これらのことより，スポーツの現場では，試合や競技会が集中するシーズンの前に数週間単位で計画的に，食物繊維や乳酸菌製品の摂取量，種類を試すなど，腸内環境を整える準備を行う必要があるだろう（図 3-5）。

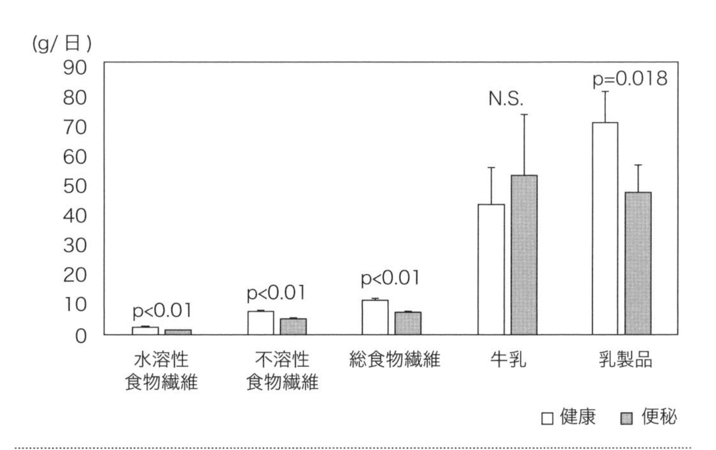

図 3-5 「おなかの調子」と食物繊維や乳製品の摂取頻度の関係
大学生陸上長距離男性選手（34 名）の牛乳，乳製品，水溶性食物繊維，不溶性食物繊維，総食物繊維の 1 週間当たりの摂取量を示す（平均値 ± 標準誤差，p 値は対応のない t 検定）
(文献 37 より引用)

救急対応

陣内　峻（NPO 法人スポーツセーフティージャパン）

4-1　救急体制

スポーツ現場で傷病者が発生した場合に，アスレティックトレーナーがどのような処置をスポーツ現場で行うかが，その後の傷病者の状態や競技復帰に大きな影響を与えるため，救急対応はアスレティックトレーナーにとって重要な役割の 1 つである。また，スポーツ現場に医師がおり，その場で医師から指示を受けながら，アスレティックトレーナーが処置を行うことが理想的だが，残念ながらすべてのスポーツ現場に医師が待機しているわけではない。そのため，事前にどのような状況が起こるかを想定し，それぞれに対してどのような処置を行うのかなど医師と綿密に相談し，対応を決め，準備する必要がある。アスレティックトレーナーは，スポーツ現場での緊急時に必要な救助や処置ができるように，正しい救急対応の知識と技術を身につけ，あらかじめ活動するスポーツ現場に適切な救急体制を整備し，必要な救急用具や備品を準備し，安全な環境を整え，救急対応が必要な場合には適切に実施する必要がある。特に，重症の傷病者が発生した場合には，医師または救急隊員の到着をただ待つだけではなく，適切な救急蘇生法を施す必要がある。医師または救急隊員が到着した際には，状況や施した処置などの正確な情報を提供する。これらの救急対応を適切に行うためには，指導者などの関係者に対して，日頃から救急体制について説明し，協力的な関係を構築する必要がある（表 4-1）[1]。

表 4-1　スポーツセーフティーコンセプト

選手/家族	体調管理	・体調・栄養管理 ・心身ケア
	参加責任	・運動参加の判断 ・参加のための準備
	協力体制	・コーチ，選手，子供，親同士，地域 ・連絡体制 ・情報の共有
指導者/チーム	予防	・環境整備 ・正しいトレーニングとルールの指導 ・緊急時対応計画書作成
	環境対応	・救急対応 ・知識・技術・資格アップデート
	コミュニケーション	・リーダーシップ ・同意書，報告書
施設/団体	環境整備	・救急救命用具（AED，担架など，救急箱） ・運動場・器具・用具整備 ・安全ガイドライン作成
	研修プログラム	・職員，スタッフ ・利用者，メンバー
	緊急時対応計画書	・職員，スタッフ用 ・利用者との共有 ・エリア別，イベント用

本章では，緊急時の初期対応，固定・搬送方法，心肺蘇生法など，アスレティックトレーナーがスポーツ現場で求められる基本的な知識と技術を概説する。

4-2　初期対応

ここでの初期対応は，スポーツ現場で傷病者が発生する前の準備段階も含める。この救急対応に対する準備は，アスレティックトレーナーだけが行うものではない。アスレティックトレーナーが中心となり，選手・家族，指導者，施設の３者と協力しながら実施するものであることを，しっかりと認識することが重要である。

スポーツ現場で適切な初期対応を実施するうえでまず必要になるのは，事前に事故や外傷が発生する状況を想定し，それらに対応する具体的な行動計画を明文化した，緊急時対応計画書（図 4-1）の作成である。次に，活動しているスポーツで頻繁に起こる緊急事態を想定し，それぞれの傷病に対する処置方法を決め，理想的にはチームドクターやスポーツドクターに承認を得る。緊急時対応計画書を作成し，緊急の傷病に対する処置方法が決定してから，スポーツ現場にいるアスレティックトレーナー，指導者，選手や保護者，施設管理者などの関係者で，実際にいくつかの緊急事態が起こったことを想定し，緊急時対応を定期的に訓練する。この訓練の際に，実際に救急用具や備品が足りているか，使用方法を理解し効果的に使用できるか，対応の際に関係者同士が連携をとれているかなどを確認することができる[1]。

4-2-1　緊急時対応計画書の作成

緊急時対応計画書は，緊急時にどのような手順で誰が何をするのかということを事前に決めておくことで，実際の緊急時に混乱が生じることを防ぎ，スポーツ現場にいる関係者が協力しながら迅速な対応をすることを目的としている。緊急時対応計画書には少なくとも，①対応者の役割，②対応に必要な救急対応資器材とその保管場所，③最寄りの医療機関の電話番号，④医療機関への連絡方法，⑤施設の住所，⑥救急隊員へのアクセス方法，⑦自動体外式除細動器（AED）の場所などが含まれていなければならない。またこの緊急時対応計画書は，スポーツ現場にいる全員が把握できるように，わかりやすい場所に掲示する必要がある[1]。

4-2-2　各緊急時に関する対応・処置方法

スポーツ現場での緊急時とは，競技者の生命を脅かす事態もしくは重い後遺症を残す可能性のある事態が発生した場合である。スポーツ現場での具体的な緊急時の例としては，①心肺停止，②気道閉塞，③意識消失，④頭部外傷，⑤頸部損傷，⑥脊髄損傷，⑦てんかん，全身けいれん，⑧吐血，⑨大量出血，⑩明らかな変形（大腿骨の骨折や股関節脱臼など），⑪ショック状態，⑫労作性熱射病，⑬落雷などが挙げられる[1～4]。迅速かつ的確に処置するには，正確な評価が必要になる。アスレティックトレーナーは，選手に異常が発生すればすぐに対応できるように，常に競技中の選手の様子を注意深く観察しなければならない。また選手の日々のコンディションを把握するのも指導者，保護者，アスレティックトレーナーの大切な役割の１つである。そして，選手に異常が発生していることを確認した瞬間から，評価は始まる。特に労作性熱射病に関しては，救急対応として体温を低下させることが重要であるため，暑熱環境では適切に対応できるように，理想的にはアイスバスを用意しておく。練習や試合には，少なくとも身体全体をアイシングできる量の氷を準備する必要がある[5]。また，落雷は自然現象であるため未然に防ぐことは不可能だが，落雷事故を予防することは可能である。どのような状況になったら落雷の危険性があり，活動を中止し，避難するのか，どこ

救急車を呼ぶ手順

119をダイヤルする→地域の消防センターにつながる

オペレーター　「火事ですか, 救急ですか」
あなた　「救急です」

オペレーター　「場所はどこですか」
あなた　「台東区小島1丁目7番13号　●●高等学校です」
※住所をまちがえないように気をつけて, 学校名までしっかり伝える。

オペレーター　「どうなさいましたか」
あなた　「サッカーの練習中に頭同士がぶつかって, 男性2名が倒れています。意識はあります」
※オペレーターの質問に落ち着いて答える。どこを怪我したか, 意識・出血はあるか, など。

オペレーター　「あなたの名前と電話番号を教えてください」
あなた　「名前は▲▲で, 電話番号は090-■■■■-■■■■です」
※かかってくる可能性があるので, 携帯電話は切らないで持ち歩く。

救急車を待つ間, 以下をキャプテン/副キャプテンが部員に迅速に指示し, 顧問に連絡する。
1人目：意識・呼吸がない場合はAEDを走ってとりに行く。
（AEDのある場所：体育館, 保健室, 教師控え室, 警備員室）
2人目：警備員室へ走り, 救急車が来ることを連絡する。
→そのまま待機し, 救急車, 救急隊員を誘導する。
3人目：保健室に連絡する。→閉まっている場合は校内の教員を探す。
4人目：怪我した選手のそばにいて, 容態を観察する。
→意識がない場合, 意識がなくなって何分経つか計る。

救急車を誘導する経路
（救急車が通れる経路を事前に確認しておく）

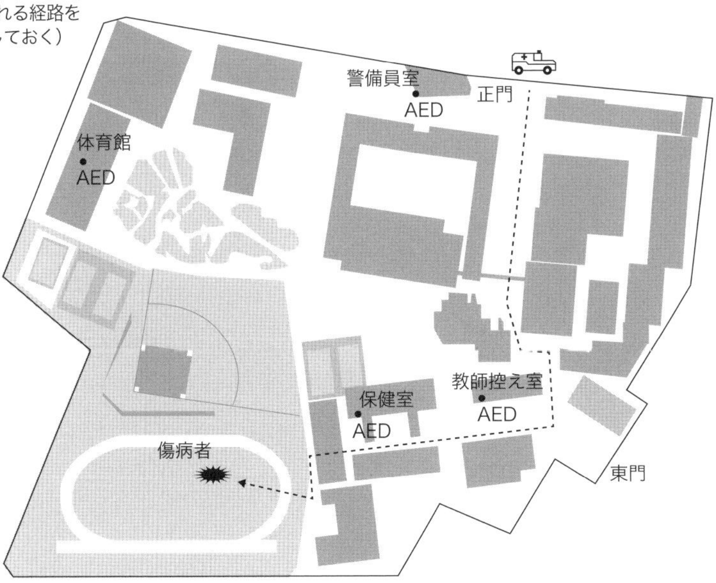

警備員室
AED
正門
体育館
AED
保健室
AED
教師控え室
AED
傷病者
東門

施設名
住所
電話番号　（施設管理事務所）
救命具　AED
担架
救急箱
病院　（総合病院）☎
（整形外科）☎
警察　☎
消防　☎
タクシー　☎

図4-1　緊急時対応計画書（ある高校のサッカー部の例）

に避難するのか，活動の再開はどのように判断するのか，実際のスポーツ現場で誰が中止や避難，再開の最終決定権を持つのかを，事前に関係者全員で決めておく必要がある[6)]。

4-2-2-1　適切な評価

適切な救急対応を行うには，適切な評価が必要になる。適切な評価を行うためには，以下の事項を踏まえながら実施する必要がある。

1）安全の確認

ラグビーなどスポーツによっては，競技中でも怪我が発生した場合にはメディカルスタッフがフィールド上に入ってもよいというルールがある。このように受傷した競技者にルール上問題なく接近できる場合には，的確に状況を把握し，自身の安全を確保したうえで傷病者に近づく。近づく際には，状況を把握し安全を確保しながら，傷病者の姿勢や動きを観察する。アイスホッケーなどの氷上競技では，メディカルスタッフ自身が転ばないように注意することも重要であり，可能であれば選手にサポートしてもらいながら，迅速かつ安全に傷病者に接近する工夫も必要である。傷病者に接近する場合には，安全などの状況を把握するとともに，競技特有のルールなども事前に把握し，臨機応変に行動する必要がある。さらに試合前に審判団に対して，試合中に選手が受傷した場合の対応に関して確認することも，アスレティックトレーナーの重要な役割である。

2）意識の確認

意識の確認は，脳の機能を評価する１つの方法である。また意識の確認は，サイドラインにいる時からすでに開始することができる。痛くて声を出したり大きく動いている場合には意識があるが，全く動かず声を出していない場合には，近づいて名前などを呼びかけながら，肩などを軽く叩き，意識の確認を行う。この時には，まだ頸部や頭部，脊椎などの傷害の可能性があるため，倒れている選手を動かさないように注意が必要である。声かけや痛みなどの身体への刺激に対して目を開ける反応や手足の反応，または会話によって，

表 4-2　グラスゴーコーマスケール

観察する項目	反　応	点数
開　眼 (eye openinng：E)	自発的に開眼	4
	呼びかけにより開眼	3
	痛み刺激により開眼	2
	なし	1
最良言語反応 (best verbal response：V)	見当識あり	5
	混乱した会話	4
	不適当な発語	3
	意味不明の発声	2
	なし	1
最良運動反応 (best motor response：M)	命令に応じて可	6
	疼痛部へ	5
	逃避反応として	4
	異常な屈曲運動	3
	伸展反応（除脳姿勢）	2
	なし	1

正常ではE，V，Mの合計が15点，深昏睡では３点となる。

表 4-3　ジャパンコーマスケール（3-3-9 度方式）

III： 刺激しても覚醒しない	300（III–3）	全く動かない
	200（III–2）	手足を少し動かしたり顔をしかめたりする（除脳硬直を含む）
	100（III–1）	はらいのける動作をする
II： 刺激すると覚醒する	30（II–3）	痛み，刺激にて，辛うじて開眼する
	20（II–2）	大きな声，または体をゆさぶることにより開眼する
	10（II–1）	呼びかけで容易に開眼する
I： 覚醒している	3（I–3）	名前，生年月日がいえない
	2（I–2）	見当識障害あり
	1（I–1）	大体意識清明だが，いまひとつはっきりしない
	0	意識清明

R：不穏，I：失禁，A：自発性喪失（例：100-I，20-RI，3-IA など）

意識のレベルを評価することができる[1, 4～11]。意識レベルの客観的判定には，グラスゴーコーマスケール（Glasgow Coma Scale：GCS）（表4-2），またはジャパンコーマスケール（Japan Coma Scale：JCS）（表4-3）を参考にするとよい。

3）呼吸の確認

傷病者の呼吸を観察するためには，呼吸に合わせて胸部と腹部の上下動をみる。5～10秒観察してみて，傷病者の胸部と腹部の動きが認められなければ，傷病者は呼吸をしていないと判断する。また，10秒観察しても呼吸の状態がよく把握できない場合には，正常な呼吸はないものと判断する。心停止が起こった直後には「死戦期呼吸」という呼吸がみられる場合もあるが，これも正常な呼吸ではない。死戦期呼吸は，しゃくりあげるような呼吸が途切れ途切れに起こる呼吸のことをいう。呼吸をしていない，あるいは死戦期呼吸があるなど，普段通りの呼吸でない場合には「心停止」と判断し，次のステップである心肺蘇生を開始する。一方，反応はないが普段通りの呼吸を行っている場合には，傷病者を注意深く観察し，バイタルサインを定期的に確認しながら，救急隊の到着を待つ。必要なら傷病者を横向きに寝かせ，回復体位をとらせる[7～9]。

4）聴　取

傷害の受傷機転や主訴を中心に何が起こったのか，どこが痛いのかなどを聴き取る。受傷時に音を聞いたり感じたりしたかなども，傷害を評価するうえで重要な手がかりとなる。また状況をよりよく把握するために，負傷した選手だけでなく周囲にいた選手にも聴き取りを行う。頭部の外傷を疑っている場合には，聴取の際に，記憶力や答え方などにも注意する必要がある。

5）観　察

観察は受傷時から始まっており，明らかな変形や腫脹，変色，出血，創の有無などを確認する。観察する際には必ず，健側と患側を比較する。また姿勢や体勢を観察することも重要である。

6）触　察

手で触れることにより，圧痛や変形，腫脹，熱感などを確認する。受傷部位だけではなく，広範囲に触れ，受傷部位には最後に触れる。観察と同様，健側と患側を比較することも重要である。

7）ストレス・スペシャルテスト

受傷部位の関節可動域や筋力，外傷や障害を特定するための検査が含まれる。どの程度詳細に実施するかは，競技続行の可否を判断する目的か，専門医の受診が必要か判断する目的かなど，目的によって変更する。

8）神経学的検査

神経学的検査には，深部腱反射（deep tendon reflexes），知覚検査（dermatome：皮膚分節），運動検査（myotome）が含まれる。

4-2-3　定期的な訓練

緊急時対応計画書を作成し，各緊急時に関する対応・処置方法の医師による確認後には，各スポーツ現場でそれぞれの関係者と一緒に，少なくとも1年に1回は必ず定期的に訓練を行う。訓練の際には，実際に準備されている救急用具や器具を使い，処置にかかる時間も測定する。例えば，アメリカンフットボールのフェイスマスクを外すスキルを，救急対応の一連の流れのなかで冷静に迅速にできるか，確認することができる。また，合宿や遠征先での練習や試合に関しては，大会側や施設管理者と確認し，リハーサルの時間を確保することも重要である[1]。

4-3　固定・搬送

スポーツ現場でアスレティックトレーナーが実施する救急対応における固定の主な目的は，傷病者を安全に医療機関へ搬送し，損傷部位を悪化させないように保護することである。固定・搬送する際には，細心の注意を払い，損傷部位（特に頭部や頸部）を動かさないようにする。また固定・搬送時には，固定具が血行や神経を阻害していないか定期的に確認することも重要である。ここでは，頭部外傷や脊椎損傷など生命にかかわる重篤な外傷がアメリカンフットボールで発生した場合に使用される，スパインボードによる搬送を例に説明する[4)]。

4-3-1　スパインボード（図4-2）

頭部外傷や脊椎損傷に関しては，基本的に動かさないことが原則ではあるが，意識がない場合や呼吸が認められない場合，または救急車がすぐに駆けつけられる環境でない場合など，その場で十分に安全を確保することが困難と判断された場合に限り，心肺蘇生法や呼吸確保を目的に，迅速に選手を適切な体位へ変換する必要がある。この場合，安全に動かし搬送する方法として，スパインボードを使用する。スパインボードは，頭部，体幹，下肢を固定するのに適している。またスパインボードを利用する際には，頭頸部および身体全体を固定する道具も事前に準備しておかなければならない。アメリカンフットボールでは，ヘルメットやショルダーパッドを装着したまま，スパインボードに傷病者を乗せるのが基本である。気道確保のためにフェイスマスクが迅速に外せない場合や，胸骨圧迫やAEDが必要な場合にのみ，ヘルメットやショルダーパッドを外す[4)]。

4-3-1-1　仰向けの傷病者

傷病者が仰向けに倒れている場合，スパインボードに乗せる方法には，「リフトアンドスライド」と「ログロール」の2つがある。アメリカンフットボールでは，基本的にヘルメットは装着したまま実施するが，いつでも気道確保できるようにフェイスマスクはヘルメットから外しておく。

1）リフトアンドスライド

a）8人でのリフト（図4-3）

脊椎損傷の疑いのある傷病者が仰向けで倒れている場合にスパインボードに乗せる方法で，最も安全な方法である。まず1人が傷病者の頭部と頸部を両手で固定し，キャプテンとなってサポート役に指示を出す。サポート役の1人はスパインボードを持ち，傷病者の足元に位置し，身体が浮いている間にスパインボードを傷病者の下に動かす準備をする。次にサポート役3人ずつが傷病者の左右に位置し，身体全体を持ち

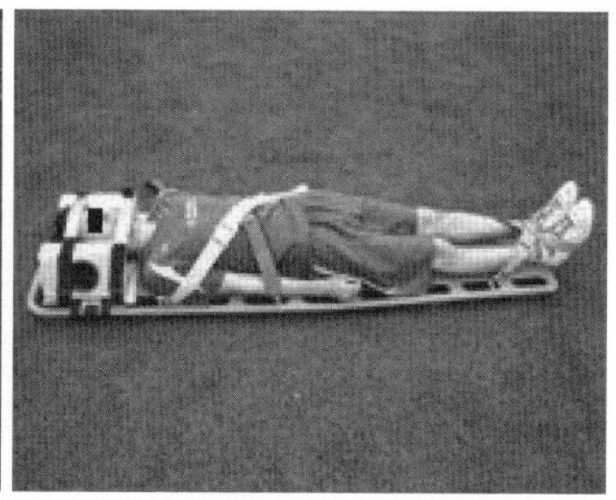

図4-2　スパインボード

上げられるように同じ側のサポート役と腕を交差させる。キャプテンはサポート役が準備できているのを確認してから合図を出し，傷病者の身体を 10 ～ 15 cm 地面から持ち上げる。持ち上げている間に，足元に位置した 1 人がスパインボードを置く。キャプテンはスパインボードが傷病者の身体の下にあるのを確認してから合図を出し，身体を下ろす。

b）ストラドルリフトアンドスライド（図 4-4）

仰向けに倒れている傷病者をスパインボードに乗せる方法で，救助者が 5 人しかいない場合に用いられる。サポート役の 1 人は，スパインボードを持って傷病者の足元に位置し，身体が浮いている間にスパインボードを傷病者の下に動かす準備をする。1 人が頭部と頸部を両手で固定し，サポート役の 3 人が傷病者の上にまたがるようにして，それぞれ上半身，腰部，下半身を担当し，身体を持ち上げる準備をする。頭部・頸部を固定しているキャプテンの指示にしたがいリフトし，足元に位置した 1 人がスパインボードを置く。キャプテンはスパインボードが傷病者の下にあることを確認してから合図を出し，身体を下ろす。

2）ログロール

傷病者が仰向けで倒れており，搬送が必要な場合には，ログロールを実施する。ログロールは，傷病者の身体の向きを変える時やスパインボード上に乗せる時に使用され，人の身体を丸太(ログ)のように回転(ロール）させる。ログロールを行う際には，まず 1 人が頭部と頸部を両手で固定し，キャプテンとなってサポート役に指示を出す。傷病者の両腕を身体の前方で交差させ，身体を回転させやすくする。キャプテンの合図のもと，まず身体を 45° 起こし保持している間に，スパインボードを身体の後面に密着させ，次にキャプテ

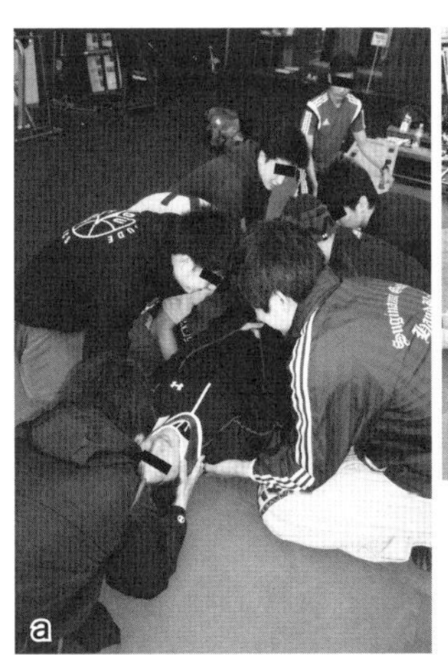

図 4-3　8 人でのリフト
キャプテンが傷病者の頭部と頸部を両手で固定して指示を出し，サポート役が左右に 3 人ずつ並び，持ち上げる準備をする（a)。傷病者の身体を持ち上げている間に，足元に位置した 1 人がスパインボードを下に置く（b)。スパインボードの上に身体を下ろす（c)。

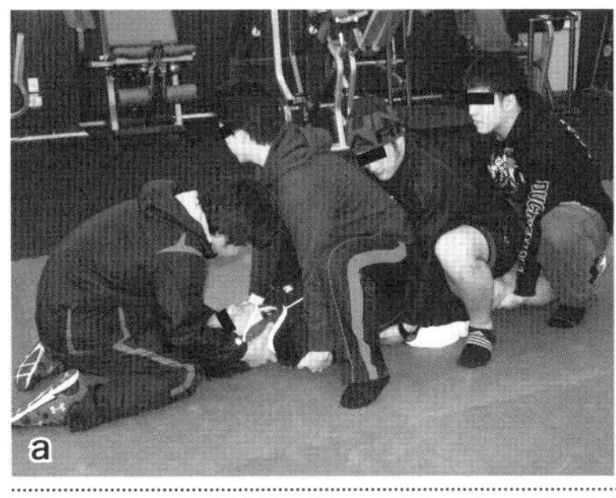

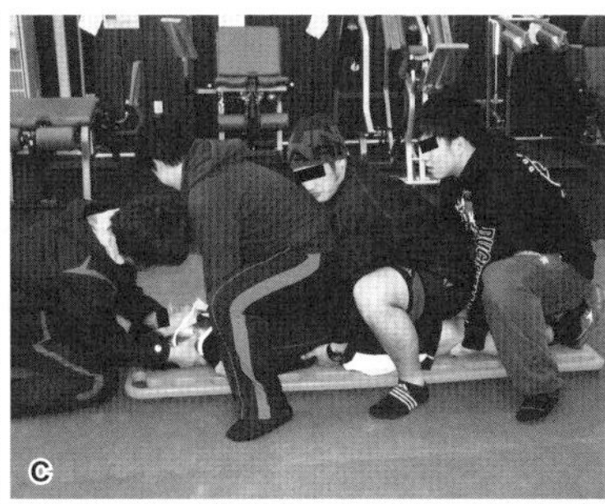

図 4-4　ストラドルリフトアンドスライド
キャプテンが傷病者の頭部と頸部を両手で固定し，サポート役が身体の上にまたがるようにして持ち上げる準備をする（a)。キャプテンの指示にしたがい身体を持ち上げている間に，足元に位置した 1 人がスパインボードを下に置く（b)。スパインボードの上に身体を下ろす（c)。

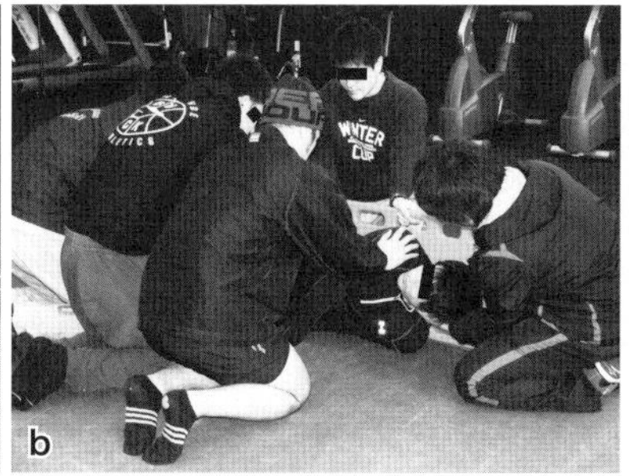

図 4-5　うつ伏せからのログロール
キャプテンが傷病者の頭部と頸部を固定して指示を出し(**a**), 身体を 90° 起こし, スパインボードを身体の後面に密着させる(**b**)。キャプテンの合図で傷病者の身体を回転させ，スパインボード上で仰向けにする（**c**)。

ンの合図で身体を回転させスパインボード上で仰向けにする。

4-3-1-2　うつ伏せの傷病者（図 4-5）

傷病者がうつ伏せで倒れており，心肺蘇生が必要な場合には，ログロールを実施する。固定する際の手の方向は，回転することを考慮しておく。身体を回転させた時に上になる腕が邪魔にならないように，傷病者の身体から離れないように注意する。頭部と頸部を固定してから，キャプテンの合図のもと，まず身体を 90° 起こし，次にキャプテンの合図で身体を回転させ，スパインボード上で仰向けにする [4]。

4-3-2　カート

傷病者を安全に移動させるにはカートを利用する場合がある。この場合，カートに座っているかスパインボード上に固定されてカートに乗っている状況が考えられる。アメリカの大学レベルのアメリカンフットボールの場合には，スタジアムに超音波を利用した画像機器や X 線を用意しているため，明らかな変形がない場合には，救急車で病院へ搬送する前にカートを利用し傷病者を移動させ，医師がそれらの機器を利用し診察することが多い。

4-4　心肺蘇生法（CPR）

傷病者の意識がなく呼吸がない場合には，心肺蘇生法を実施する。まず前述の通り状況の把握と安全確保を行い，傷病者の意識の確認を行う。傷病者に安全に近づけない場合には，すぐに救急車を呼び，安全な位置から状況を監視する。意識がない場合には，助けを呼び，AED をとりに行かせ，救急車に通報を依頼する。この際には，誰が何を行うのか，その場にいる人々がわかるように的確に指示を出す。その後，呼吸が普段通りであるかを，10 秒以内で素早く確認する。呼吸が普段通りでない場合には胸骨圧迫を実施する。呼吸が普段通りであれば，他に外傷がないか評価し，外傷などがない場合には回復体位にする（図 4-6）[7～11]。

4-4-1　胸骨圧迫

乳頭を結ぶ線の中央で胸骨と交差する位置で，両手を重ねて手の付け根で圧迫するようにする。人によって圧迫しやすい手の重ね方があるため，胸骨圧迫の練習をする際に，どちらの手が下の方が行いやすいのか確認しておく。次に，肩・肘・手を結んだ線が床と垂直になるような姿勢をとり，肘をしっかり伸ばし，上半身の体重を使って胸骨を圧迫する。胸骨圧迫のポイントは，①垂直に 5 cm 押すこと，②1 分に 100 回のペー

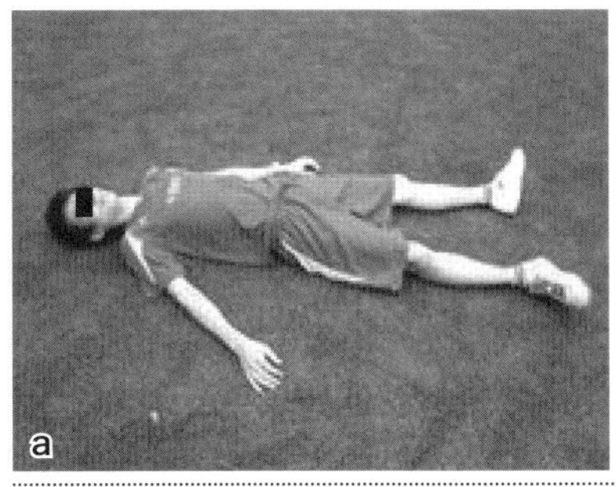
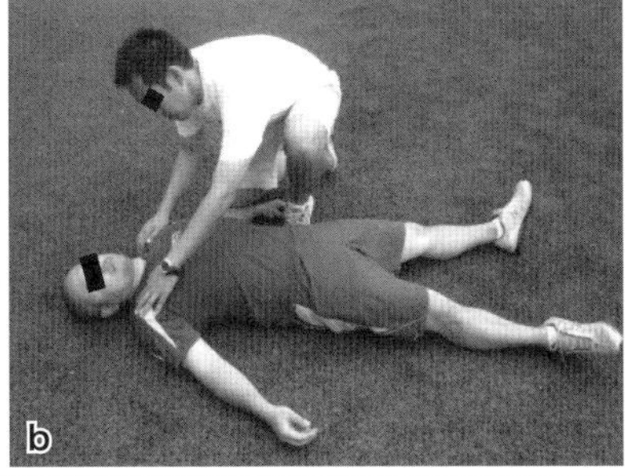
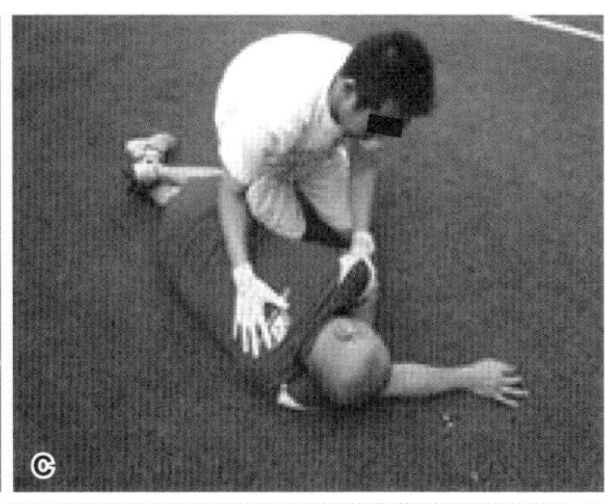

図 4-6　回復体位
a：傷病者発見，b：意識の確認，c：回復体位

スで速く強く行うことである。圧迫と圧迫の間は，胸骨が元の高さに戻るように十分に圧迫を解除することが重要であるが，救助者の手は常に傷病者の胸部に接した状態を保つ。AED が現場に到着しても，可能な限り胸骨圧迫は中断させない。AED の心電図解析中には，傷病者の身体には触れないようにし，胸骨圧迫は中断し，AED の音声指示にしたがう。

4-4-2　未就学児の胸骨圧迫

基本手順は小学生以上の傷病者と同じであるが，胸骨圧迫の深さは，小学生以上の傷病者では 5 cm なのに対して，未就学児の場合には胸部の厚みの 1/3 を目安とする。

4-4-3　心肺蘇生法を一時中断もしくは中止してよい場合

心肺蘇生法を一時中断もしくは中止してよい場合は，AED の心電図解析中や，ショックを与えている間，傷病者自身が普段通りの自発呼吸や血液循環を回復した場合，救急隊や他の救助者と交代する場合，もしくは救助者の身に危険が迫るか，疲労によって継続が困難になった場合である。

4-4-4　回復体位（図 4-6c）

吐き気がある場合や嘔吐する可能性がある場合には，嘔吐物が口から流出しやすくし，気道や食道に入るのを防ぐ目的で，回復体位（横向き）にする。

4-5　外傷の処置

打撲や捻挫などを受傷した部位では炎症反応（痛み，腫脹，発赤，発熱，機能不全）が起こる。過剰な炎症反応をコントロールするために，スポーツ現場では RICES 処置（rest：安静，ice：冷却，compression：圧迫，elevation：挙上，stabilization：固定）を実施する。

4-5-1　RICES 処置とは

①**安静**：安静とは，プレーを中止し，患部を動かさないことである。受傷したままプレーを継続するのではなく，安静によって外傷の悪化を防ぐ。安静にし楽な姿勢になることで，回復と治癒を促進し，余分な血流を抑え，痛みや腫脹を軽減し，筋のスパズムを和らげる。

②冷却：冷却の目的は，損傷した部位とその周囲の部位を冷却することにより，損傷した細胞から放出される酵素や酸素供給量の低下による周囲の正常な細胞が受ける 2 次的外傷性損傷[12]を予防することと，痛みを抑制することである[12]。冷却する時には，氷をビニール袋の中に入れて，損傷した部位のサイズに合わせて平らにまんべんなく並べる。ビニール袋の中の空気を口を当てて吸い出し，袋の口を回しながら閉じてしっかりと結ぶ。作成したアイシングバッグを患部に密着させる。

③圧迫：圧迫はさらなる腫脹を抑制する目的で実施する。冷却は間隔を置いて実施するが，圧迫は継続的に実施することが可能である。患部に密着させたアイシングバッグの上から弾性包帯などで遠位から近位の方向へ圧迫しながら巻く。

④挙上：挙上とは，損傷した部位を心臓より高く挙げることで，圧迫と同様にさらなる腫脹を抑制する。体幹の外傷では実施できないが，四肢の外傷では，受傷した四肢を継続的に挙上する。

⑤固定：患部を固定，支持することによって患肢周囲の筋をリラックスできる。患肢周囲の筋をリラックスさせることによって，ペインスパズムサイクルを低下させ，痛みを軽減する。

4-5-2　RICES 処置の注意点

RICES 処置を実施する際には，特に冷却の禁忌や注意点について考慮する必要がある。冷却が禁忌となるのは，冷却によるアレルギー反応や血行障害を招く可能性のある人である。また，肘の内側や膝の外側など神経が表層を走行している部位を冷却する際には，神経障害を起こす可能性があるため，注意が必要である[13]。圧迫と固定の前後には，血行障害や神経障害が起こっていないかを必ず確認する必要がある。RICES 処置を実施するうえで，ある程度の力で圧迫する必要はあるが，循環障害や神経障害を起こすような強さで圧迫することは避けなければならない。

4-6　脳振盪の評価と管理

脳振盪とは，頭部への直接的あるいは間接的な打撃によって起こる脳の機能的な障害である。頭部や顎への打撃だけではなく，肩からの転倒などによる間接的な脳への振動も，脳振盪を起こす可能性がある。脳振盪は，骨折や打撲などの外傷とは異なり，受傷してすぐに症状が出現せずに，時間が経ってから出現する場合がある。そのため，脳振盪を起こすような脳への振動の原因となる身体への打撃やプレーがあれば，脳振盪を疑い，疑いのある選手は速やかにプレーを中止させ，1 人にはさせずに監視を継続する必要がある。また，脳振盪を起こす脳への振動は，頭蓋内で小さな血腫を生じさせる場合もあるため，なるべく受傷当日に脳神経外科医を受診させることが望ましい[14]。ただし，脳振盪のレッドフラッグ（警告）（表 4-4）の 1 つでも当てはまる場合には，救急車を呼び緊急時対応をすることが必要となる。

表 4-4　脳振盪のレッドフラッグ

・首の痛み，首の圧痛
・二重に見える
・手足の脱力，しびれ，チクチク痛い
・激しい頭痛，頭痛の悪化
・発作やけいれん
・意識消失
・意識障害
・嘔吐
・落ち着きがない
・興奮状態/かんしゃく

（文献 15 より引用）

4-6-1　脳振盪の評価

脳振盪の症状（表 4-5）や徴候（表 4-6）は様々あり，それらを評価する方法も多様である。現時点では，1 つのテストで脳振盪の有無を判断できる方法はない。いくつかのテストを併用して実施する必要があり，ここでは，脳振盪の評価方法として代表的なSCAT5とVOMSを紹介する。

4-6-1-1　SCAT5

SCAT5（Sport Concussion Assessment Tool, 5th edition）[15]は，医療従事者が13歳以上の脳振盪を適切に評価するために使用する標準化されたツールで，10分以上かけて正しく評価する必要がある。12歳以下を評価する際には，Child SCAT5を使用する。SCAT5は，現場での緊急対応と救護室やフィールド外での評価に分けられている。

1）現場での緊急対応

現場での緊急対応では，まず緊急対応が必要か判断するために，脳振盪のレッドフラッグ（表4-4）がないかを評価する。さらに目撃情報や映像で他覚所見を確認する。レッドフラッグと他覚所見を視診で評価した後には，記憶と意識のレベルを評価する。脳振盪などの頭部外傷では，同じメカニズムで頸部外傷を起こす可能性があるため，頸椎を評価する必要がある。現場での緊急対応が終わり，救護室やフィールド外に安全に搬送できると判断した場合には，救護室やフィールド外に安全に搬送または移動し，評価を継続する。

2）救護室やフィールド外での評価

救護室やフィールド外での評価は，SCAT5のシートを使用し，脳振盪の疑いがある選手が評価に集中できるような静かな環境で実施する必要がある。まず選手の背景として，基本的な情報や既往歴を聞き取り，どのような症状があるのかをチェックシートで回答させる。次に認知機能の検査として記憶力や集中力を評価し，バランスなどの神経学的評価を実施する。SCAT5の最後の評価として，即時記憶のセッションが終了してから5分経過してから，遅延再生を実施する。SCAT5で注意しなければならないのは，SCAT5の結果のみを根拠に脳振盪と評価/診断したり，脳振盪後の回復の指標としたり，競技復帰の可否を判断したりすることは適切ではないという点である[15]。

表4-5　脳振盪の症状

身体の変化	頭痛（痛み，圧迫感）
	吐き気，嘔吐
	めまい，ふらつく
	二重に見える，ぼやけて見える
	光や音に敏感
	倦怠感（疲れ，やる気が出ない）
睡眠の変化	眠気が強い
	眠れない
	寝つけない
気持ちの変化	情緒不安定
	イライラする，感情的になる
	理由なく悲しい
	落ち込んだ気分
	心配/不安
記憶力の変化	動作や思考が遅い
	霧の中にいる感じ
	違和感
	記憶がない
	覚えられない
	混乱している

（文献15より引用）

表4-6　脳振盪の徴候

- 意識消失（一瞬でも）
- 倒れて動かない
- 立ち上がるのが遅い
- ボーッとしてうつろな表情
- フラフラしている
- しっかり受け答えができない/遅い
- 動きが遅い/鈍い
- 人格の変化
- 混乱している
- 対戦相手がわからない
- 受傷前後のことを思い出せない

（文献15より引用）

4-6-1-2　VOMS

VOMS（Vestibular/Ocular-Motor Screening）[16]は，5〜10分で行う7項目からなる目や前庭機能の評価ツールである。7つの項目で頭痛，めまい，吐き気，霧の中にいる感じといった自覚症状の状態を0〜10の段階で各テスト後に記録する。

1）パスート（smooth pursuits）

脳振盪の疑いがある選手を座らせて，その前に座り，顔の前から90 cm（3フィート）離れたところでアルファベットの「H」の字を描くように示指を上下左右に45 cm（1.5フィート）ずつ動かす。90 cmを動かすのに2秒かける速さで動かす。選手は顔を動かさずに検者の示指の指先を視線で追う（図4-7）。

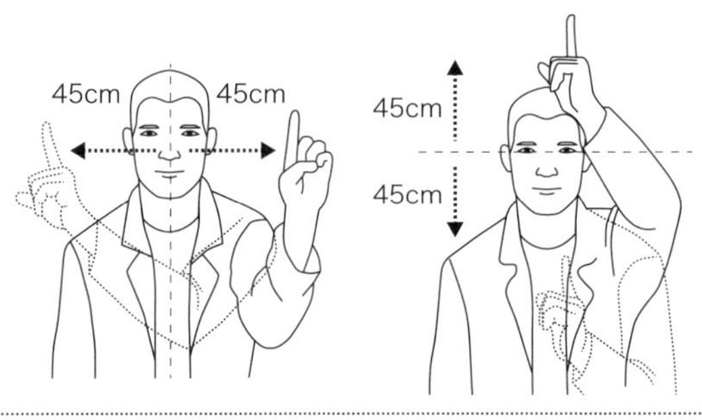

図 4-7　パスート

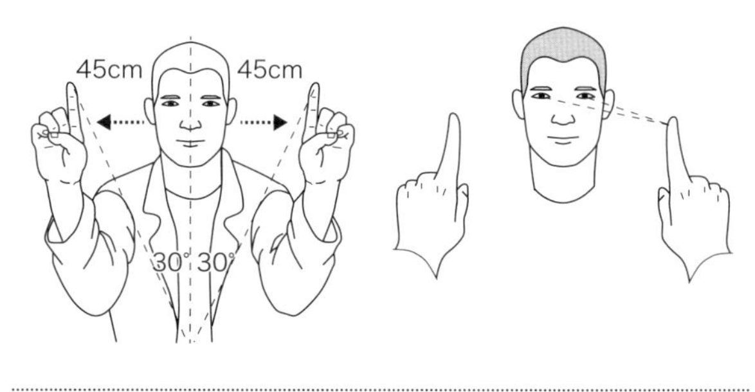

図 4-8　水平サッケード

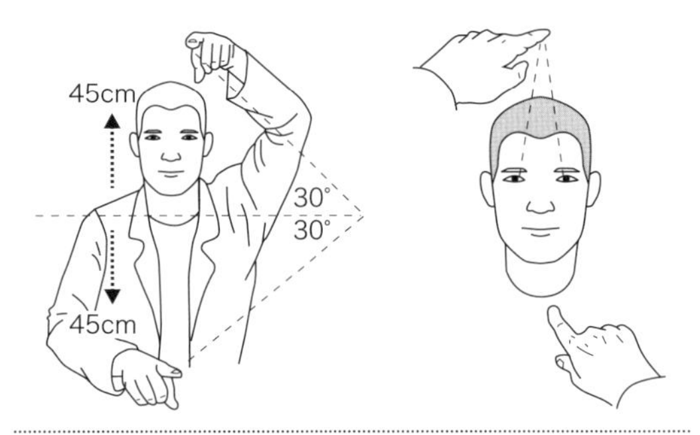

図 4-9　垂直サッケード

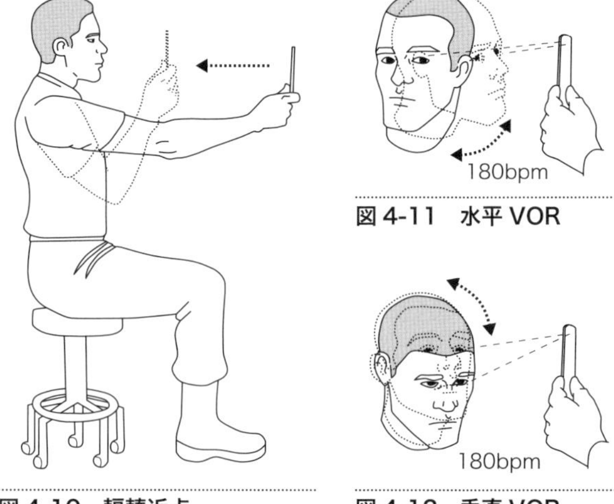

図 4-10　輻輳近点

図 4-11　水平 VOR

図 4-12　垂直 VOR

2）水平サッケード（horizontal saccades）（図 4-8）

脳振盪の疑いがある選手を座らせて，その前に座り，顔の前から 90 cm 離れたところで左右に 45 cm ずつ離して示指を並べて固定する。選手は顔を動かさずに目をなるべく速く左右に 10 往復するように動かす。

3）垂直サッケード（vertical saccades）

脳振盪の疑いがある選手を座らせて，その前に座り，顔の前から 90 cm 離れたところで上下に 45 cm ずつ離して示指を並べて固定する。選手は顔を動かさずに目をなるべく速く上下に 10 往復するように動かす（図 4-9）。

4）輻輳近点：(near point convergence：NPC)（図 4-10）

脳振盪の疑いがある選手を座らせる。選手は舌圧子を持ち，鼻から前方に腕を伸ばし，舌圧子にフォントサイズ 14 ポイントで書かれた文字を凝視しながら鼻先に近づける。文字が二重に見えた場所で手を止めて，目との距離を測定し，センチメートル（cm）で記録する。3 回測定する。NPC が鼻から 6 cm 以上は異常となる。

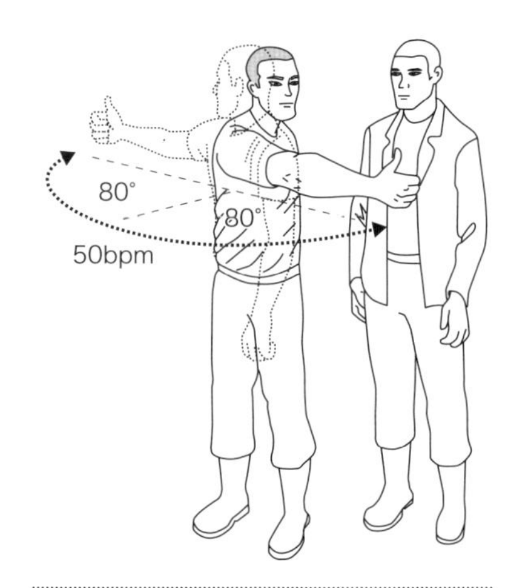

図 4-13　ビジュアルモーションセンシティビティテスト

5）水平 VOR（horizontal vestibular/ocular reflex：VOR）（図 4-11）

脳振盪の疑いがある選手を座らせて，その前に座り，顔の前から 90 cm 離れたところで，舌圧子にフォントサイズ 14 ポイントで書かれた文字に視線を固定する。メトロノームの 180 bpm のリズムで左右に顔を 20° ずつ動かし，10 回繰り返す。

6）垂直 VOR（vertical vestibular/ocular reflex：VOR）（図 4-12）

脳振盪の疑いがある選手を座らせて，その前に座り，顔の前から 90 cm 離れたところで，舌圧子にフォントサイズ 14 ポイントで書かれた文字に視線を固定する。メトロノームの 180 bpm のリズムで，上下に顔を 20° ずつ動かし，10 回繰り返す。

7）ビジュアルモーションセンシティビティテスト（visual motion sensitivity test：VMS）

脳振盪の疑いのある選手は肩幅程度に足を開いて立つ。メトロノームを 50 bpm に設定する。片腕を前方に伸ばし，母指を上に向けて視線を母指に固定する。頭部と体幹を一体にして左右に 80° ずつメトロノームのリズムに合わせて回旋させ，5 回繰り返す。（図 4-13）

4-6-2　脳振盪の管理

脳振盪の管理は，脳振盪を受傷してから競技復帰するまでの流れだけではなく，メディカルチェックによる既往歴の確認やベースラインテスト，そして教育やチーム外のサポート体制の構築など多岐にわたる [15]。ここではベースラインテスト，脳振盪からの段階的な学業復帰と競技復帰について説明する。

4-6-2-1　ベースラインテスト

ベースラインテストとは，シーズン前にあらかじめ各選手の脳機能を測定しておき，シーズン中に脳振盪を受傷した際に比較できるように基準とするテストである。脳振盪は，いくつかのテストを併用して評価する必要があり，多面的に脳機能を評価することが重要である。ベースラインテストと受傷後の測定結果との比較を判断材料の 1 つとすることは，脳振盪を管理するうえで大切である。ただし，脳機能が発達するジュニア選手の場合には，比較する際に注意が必要である。

4-6-2-2　脳振盪からの段階的な学校への復帰

学生の選手が脳振盪から復帰する際には，競技復帰よりもまずは学校への復帰が優先されなければならない。脳振盪から復帰する際には，認知的休息が重要であり，授業や課外活動など学校活動での負荷も検討する必要がある。学校への復帰には，①症状，②年齢や学校のレベル，③授業負荷，④休息の 4 つの要素を考慮しなければならない。医療機関と連携しながら教員や保護者を含めた教育機関全体の理解を得る必要がある [17]。

4-6-2-3　脳振盪からの段階的な競技復帰

脳振盪を受傷した，またはその疑いがある選手は，当日の競技復帰は避けるべきであり，専門医による診断を受け，段階的に復帰することが推奨されている。現在提示されているものは，全体で 6 段階のステージに分けられ，各ステージに最低でも 24 時間かけるように設定されている（表 4-7）。症状が増悪すれば，ステージを戻して再開する必要がある。この段階的な競技復帰に関しては，画一的なルールではなく，選手の年齢や既往歴，競技レベルなどによって，専門医が介入して個別化を図る必要もある [14]。

表 4-7　脳振盪からの段階的な競技復帰

ステージ	活動内容
1	症状を誘発しない範囲の日常動作
2	軽い有酸素運動：軽いウォーキングやジョギング，エアロバイク
	筋力トレーニングは避ける
3	頭部への衝撃や回転を伴わないスポーツに特化した活動
4	身体接触のない練習
5	医師の許可を受けてフルコンタクトの練習
6	試合への復帰

（文献 15 より引用）

5 部位別スポーツ外傷・障害のリハビリテーション
1 頸　部

中丸 宏二（株式会社 NEC ライベックス カラダケア事業推進室）

5-1-1　機能解剖

- 頸部は胸郭上方で感覚器官（視覚，聴覚，嗅覚）を有する頭部の支持と運動に作用する。
- 頸部の筋群には機械的受容器の密度が高く，姿勢の安定性や頭定位，眼球運動などにも影響を及ぼす。
- 頸部痛の領域は頭部，体幹，上肢に放散痛があるかどうかにかかわらず，後方は上項線から肩甲棘，側方は上項線・外後頭隆起から鎖骨上縁・頸切痕までと規定されている[1)]（図 5-1-1)。

5-1-1-1　骨関節，靭帯[2～5)]

- 頸椎は 7 つの椎骨で構成されるが，解剖学的・機能的に上部頸椎（第 1 頸椎：環椎，第 2 頸椎：軸椎）と下部頸椎（第 3 ～ 7 頸椎）に区別されている（図 5-1-2，図 5-1-3)。

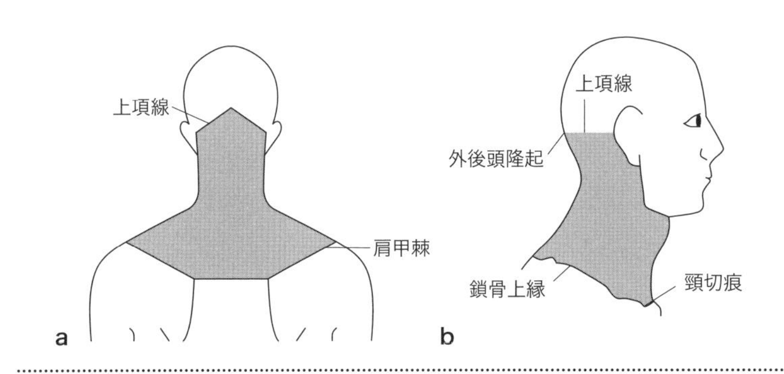

図 5-1-1　頸部痛の領域（a：後面，b：側面）

図 5-1-2　頸椎

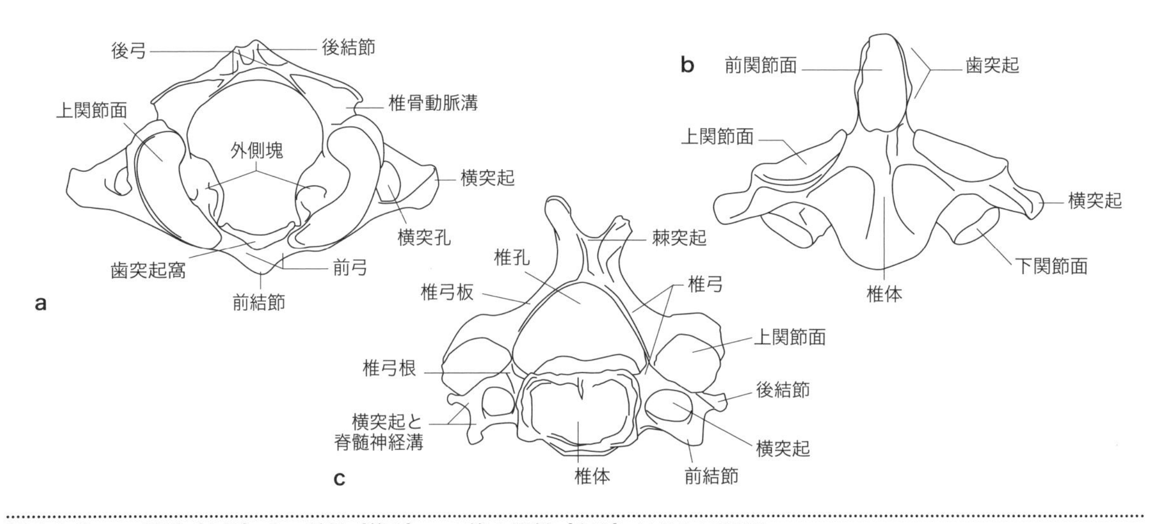

図 5-1-3　a：環椎（上面），b：軸椎（前面），c：第 4 頸椎（上面）（文献 6 より引用）

- 上部頸椎の関節には凸面の後頭顆と凹面の環椎外側塊による環椎後頭関節，軸椎の歯突起前面と環椎の歯突起窩による環軸関節がある。環椎後頭関節には前・後屈が約 10°，側屈が約 3° の動きがあり，環軸関節での回旋は一側方向に約 40° の動きがある。
- 第 3 ～ 6 頸椎の椎体は小さく，上面には後外側方向に隆起した鉤状突起がある。椎孔は三角形をしており，頸神経叢と腕神経叢による脊髄膨大部のために下位の脊柱よりも大きい。第 7 頸椎は棘突起が大きく，皮膚から容易に触診可能であることから隆椎とも呼ばれる。
- 下部頸椎には上下の関節突起で構成される椎間関節があり，水平面に対して約 45° 傾斜している。また鉤状突起で構成される鉤椎関節（ルシュカ関節）は，後屈と側屈を制限する。

5-1-1-2 関節運動 [3]

1）前屈（可動域:40 ～ 45°）

（図 5-1-4）

- 後頭顆は前方に転がるのと同時に後方に滑り，環椎は軸椎上を前方にピボットして動く。
- 下部頸椎の椎間関節は上位椎体が下位椎体に対して上前方に滑る。

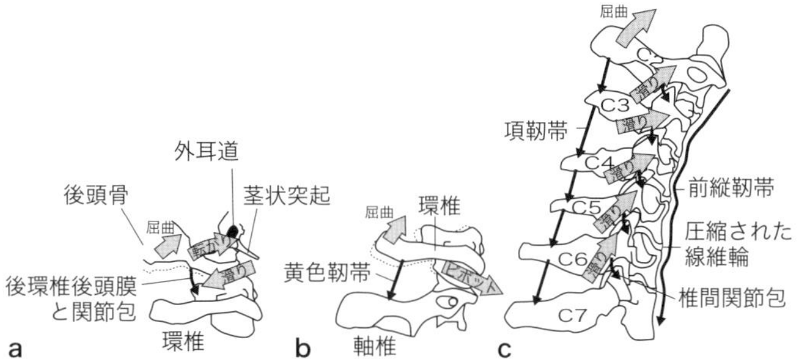

図 5-1-4　前屈（屈曲）
a：環椎後頭関節，b：環軸関節複合体，c：頸部（C2-7）（文献 3 より引用）

2）後屈（可動域：85°）

（図 5-1-5）

- 後頭顆は後方に転がるのと同時に前方に滑り，環椎は軸椎上を後方にピボットして動く。
- 下部頸椎の椎間関節は上位椎体が下位椎体に対して下後方に滑る。

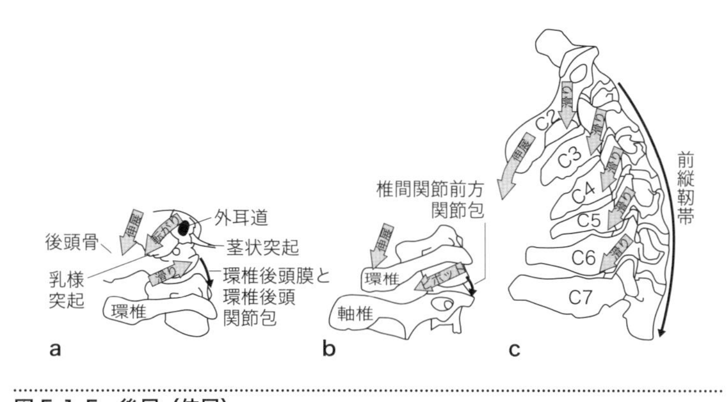

図 5-1-5　後屈（伸展）
a：環椎後頭関節，b：環軸関節複合体，c：頸部（C2-7）（文献 3 より引用）

3）側屈（可動域：40°）

（図 5-1-6）

- 右側屈の場合，後頭顆は右に転がるのと同時に左に滑り，環椎は右に動く。
- 右側屈の場合，右椎間関節は後下方に滑り，左椎間関節は前上方に滑る。
- 前方を向いて右側屈する場合，顔を正面に保つために環椎は左回旋し，下部頸椎には右方向への回旋が連動する。

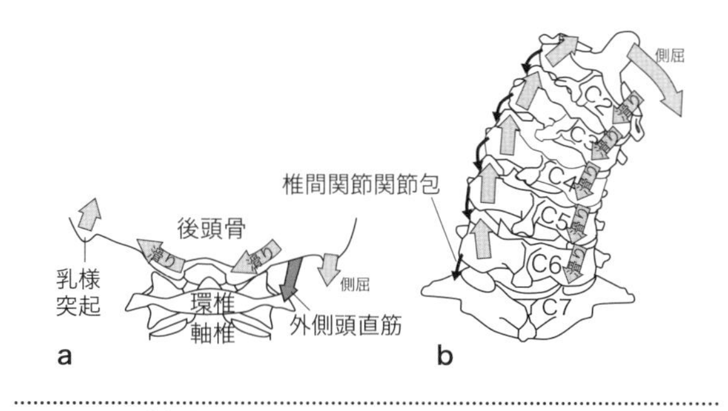

図 5-1-6　側屈
a：環椎後頭関節，b：頸部（C2-7）（文献 3 より引用）

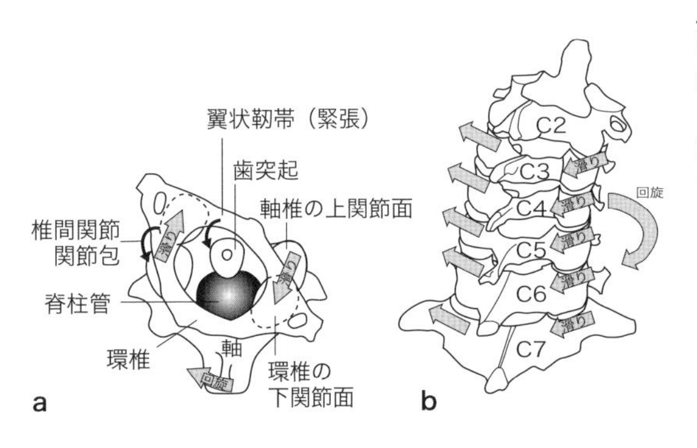

図 5-1-7　回旋
a:環軸関節（C1-2）（上面），**b**：頸部関節（C2-7）
（文献３より引用）

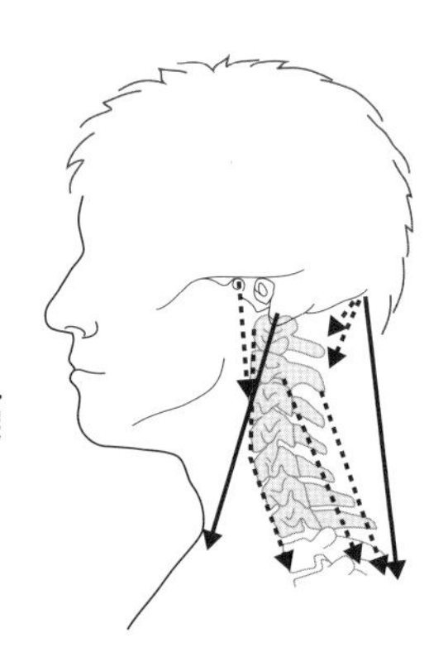

図 5-1-8　頸部の深層筋群（破線矢印）と表在筋群（矢印）の働き
（文献７より改変）

4）回旋（可動域：90°）（図 5-1-7）

- 上部頸椎の回旋の大部分は環椎・軸椎間で生じる。
- 右回旋の場合，環椎の左側は前方，右側は後方に滑る。
- 右回旋の場合，右椎間関節は後下方に滑り，左椎間関節は前上方に滑る。
- 頭部を右回旋する場合，視線を水平に保つために環椎は左側屈し，下部頸椎には右方向への側屈が連動する。

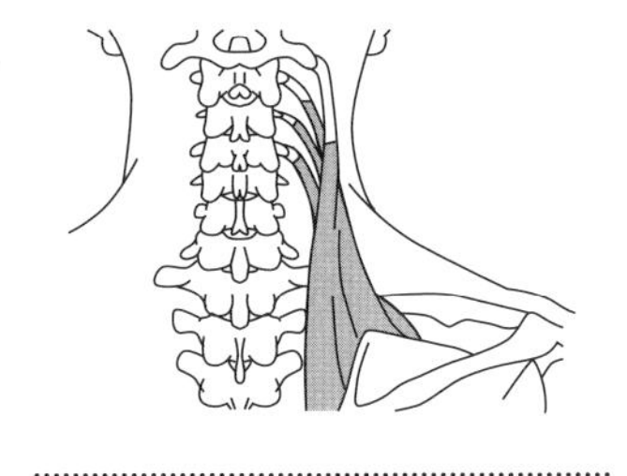

図 5-1-9　肩甲挙筋

5-1-1-3　筋による安定性 [7]

- 下部頸椎の深層伸筋群は後頭下筋群が機能するための支点となり，後頭下筋群は頭頸部の前弯維持と制御を司る。頸部前方にある頸部深層屈筋群（頭長筋，頸長筋，前頭直筋）は伸筋群や他の外力に対抗して頸椎前弯の支持に作用する。頭部のトルクは表在筋群によって生み出される（図 5-1-8）。

5-1-1-4　頸椎と他の領域との関係 [7]

- 頸椎と胸郭は生体力学的に非常に関係が深く，頸椎の全可動域を得るには頸胸椎移行部と上部胸椎の可動性が重要となる。
- 上部胸椎に可動制限があると頸椎に負荷が加わって可動域が制限される。
- 僧帽筋上部線維と肩甲挙筋は，後頭骨や頸椎に付着していることから頸椎に影響を及ぼす可能性がある。特に肩甲挙筋は垂直に走行して第１～４頸椎横突起に付着するために，頸椎に圧縮力が加わる（図 5-1-9）。両側の肩甲挙筋が収縮すると頸部は伸展し，一側が収縮すると頸部の同側回旋を補助する。
- 頸部の筋群，特に後頭下筋群は筋紡錘の密度が高く，運動の制御や固有感覚，頭位制御，眼球–頭部の協調性などに対して重要な役割を担っている。

5-1-2　代表的なスポーツ外傷・障害とリハビリテーション

5-1-2-1　非特異的頸部痛

1）発生機転・病態

- スポーツにおける頸部の外傷・障害は重篤な問題（骨折，脊髄損傷など）として取り上げられることが多いが，実際には筋や靭帯，軟部組織などに生じる問題が大半を占める [8]。

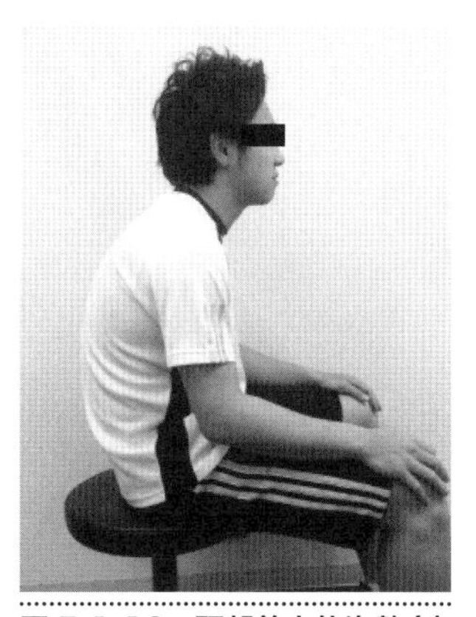

図 5-1-10　頭部前方位姿勢（座位）

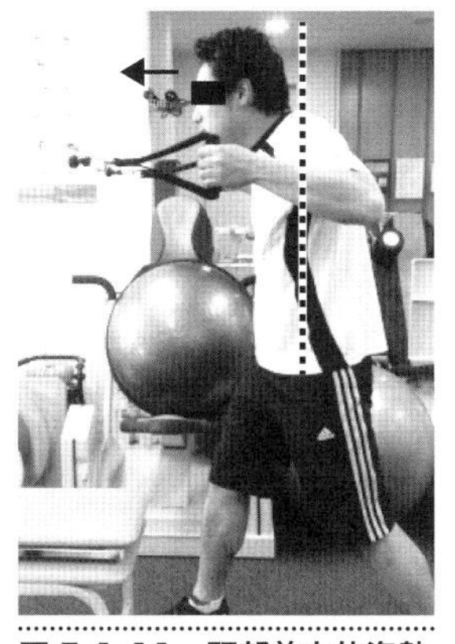

図 5-1-11　頭部前方位姿勢（プル動作時）

表 5-1-1　頭部前方位姿勢の影響

・後頭下筋群，僧帽筋上部，胸鎖乳突筋，前斜角筋，胸筋の短縮・過緊張
・頸部深層屈筋，僧帽筋下部，前鋸筋の機能低下
・上部頸椎，頸胸椎移行部，上部胸椎の可動性低下
・胸椎後弯増強
・肩甲骨の前方突出
・横隔膜呼吸の阻害
・腰椎前弯減少，骨盤後傾位

- 非外傷性の頸部障害による痛みは，特定の疾患や器質的異常がみられないことから非特異的頸部痛として分類される [9]。
- スポーツでは特に自転車競技選手，野球のキャッチャー，ホッケー選手など，長時間一定の姿勢をとる場合に頸部の問題が生じる [10]。

2）症状・診断

- 痛み（図 5-1-1）や，頸椎，上部胸椎に可動域制限がみられる [11]。
- **頭部前方位姿勢：**座位姿勢（図 5-1-10）だけでなく，トレーニング中にも認められることがある（図 5-1-11）。頭部が前方に移動することで様々な影響がある（表 5-1-1）。
- 外傷を含めた頸部障害患者では，頸部の筋力・筋持久力が低下 [12] するとともに，頭長筋や頸長筋などの頸部深層屈筋群の機能が低下し，前斜角筋や胸鎖乳突筋などの頸部浅層屈筋群の活動が過剰になるといった筋活動パターンの変化が認められている [13]。

治療とリハビリテーションについては，スティンガー / バーナー症候群の項を参照。

5-1-2-2　頸椎捻挫

1）発生機転・病態

- スポーツが原因の頸部外傷はラグビー，アメリカンフットボール，レスリング，ボクシング，アイスホッケーなどのコンタクトスポーツで起こることが多いが，体操競技やトランポリンでの落下などで生じることもある。
- スポーツに関連した頸部外傷で最もよくみられるものは頸椎捻挫や頸部挫傷である [14]。頸椎捻挫は靭帯の損傷，頸部挫傷は筋や筋腱移行部の損傷であるが，両者は混在していることが多い。
- スポーツでの地面への落下や対戦相手からの直接打撃などによる頸部の筋，関節，靭帯などの重度の損傷は，むち打ち症と呼ばれる交通事故による頸部過伸展/過屈曲損傷と類似している [10]。

2）症状・診断

- 頸部後面の痛みが一般的であるが，頭部，肩から腕，胸椎部，肩甲骨間部まで痛みが放散することがある。
- めまい，バランス不良，感覚異常，筋力低下，集中力や記憶力の低下，頸部関節位置覚の誤差，眼球運動のコントロール不全などもみられることがある [7]。

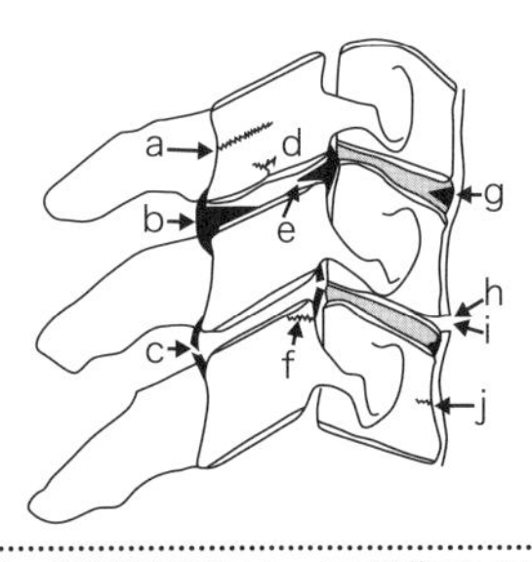

図 5-1-12　頸椎捻挫によって損傷する可能性のある組織
a：関節柱の骨折，b：関節内出血，c：関節包の断裂，d：軟骨板の骨折，e：関節円板の損傷，f：関節面を含む骨折，g：椎間板損傷，h：前縦靭帯の損傷，i：軟骨終板の骨折，j：椎体の骨折（文献 15 より引用）

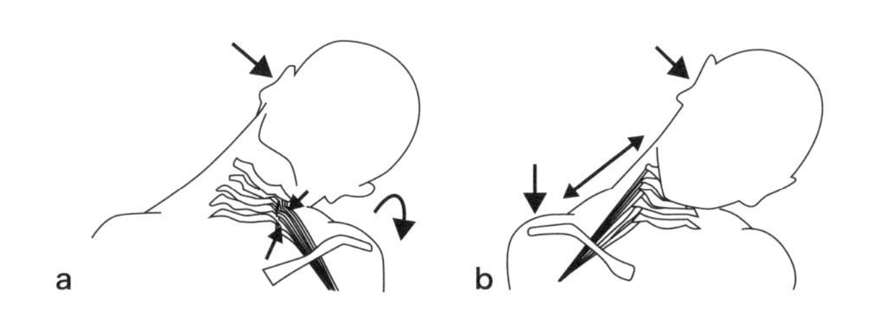

図 5-1-13　圧迫によるスティンガー(a), 牽引によるスティンガー(b)
（文献 18 より引用）

- 頸部における外傷発生メカニズムにより骨折や脊髄損傷が生じる可能性があるため[10)]，これらの重篤な問題との鑑別が重要となる。
- 重度の頸椎捻挫による組織の損傷は受傷時の画像所見では十分に把握できないことがあるため，受傷初期は固定が重要となる（図 5-1-12）。関節モビライゼーションのような他動的な治療は初期には適応ではない。

治療とリハビリテーションについては，スティンガー / バーナー症候群の項を参照。

5-1-2-3　スティンガー/バーナー症候群

1）発生機転・病態

- アメリカンフットボール，ラグビー，レスリングなどで，肩から相手にコンタクトした際に頸部が反対側に側屈を強制されて生じることが多い。また頸部屈曲や患側への側屈でも生じることが報告されている[16)]。
- 受傷のメカニズムは腕神経叢の過伸張，圧迫，椎間孔内での神経根圧迫などである[17)]（図 5-1-13）。
- 慢性化したフットボール選手では椎間板の問題により２次的な神経根圧迫が生じ，頸部脊柱管狭窄症の発症頻度が高くなる[10)]。

2）症状・診断

- 一側上肢に灼熱痛，知覚異常，筋力低下などが認められるが，通常は一過性で数分から数日で回復する。
- 損傷が重度，あるいは再発を繰り返した場合には，肩から上肢の麻痺や違和感の訴え，患側の鎖骨・第1肋骨間隙，前斜角筋三角部などの圧痛が長期間認められる[16)]。
- 初期症状を頸椎損傷（根損傷，引き抜き損傷を含む），一過性脊髄損傷，椎間板ヘルニアなどの症状と鑑別することが難しいため，上肢痛や痺れ，筋力低下が持続する場合には早急に医療機関を受診する[16)]。

3）治　療

- **頸部障害の治療方法の決定：**外傷性・非外傷性にかかわらず以下の３つの要素を統合して行う。①臨床家の経験による専門的知識，②システマティックレビューから入手可能な最も信頼性の高い根拠による指針，③個々の患者の状況。
- システマティックレビュー[19～22)]から得られた根拠で重要なことは，多面的な管理方法が支持されていることである。

- **安静，固定：**頸椎捻挫などの外傷性の場合，少なくとも筋スパズムが消失するまでは頸椎カラーなどを用いて固定（7～10日間）し，重篤な問題の有無を確認するために適切な画像診断を受ける[8]。重篤な問題が除外されればエクササイズを含めたリハビリテーションを開始する。
- **疼痛管理：**疼痛を誘発しない適切な介入を行い，ホームエクササイズも疼痛を誘発するものは避ける。急性期で痛みが中等度から重度の場合や神経因性疼痛が疑われる場合には，主治医と相談して投薬を考慮する。
- **ストレッチング：**僧帽筋上部線維，斜角筋，頸部伸筋群に対するストレッチングは，非特異的な頸部痛を軽減させることが示されている[19]。
- **徒手療法：**運動療法と組み合わせることで頸部障害に対する治療効果が高いことが認められている[20]。頸椎に対する関節モビライゼーションには，交感神経の興奮性低下や頸部表層筋群の活動低下[21]，頸椎全体の可動性増加などの効果[22]もある。
- **エクササイズ：**運動療法は徒手療法と組み合わせることによって短期・長期とも頸部痛の緩和に効果的であることが示されている[20]。頸部痛に対するエクササイズには，モーターコントロールの改善を目的とした低負荷のプログラム，筋力強化プログラム，感覚運動機能プログラムなどがあるが，患者の疼痛レベルと発症機序を考慮してエクササイズを処方する。
- **物理療法：**頸部痛に対する物理療法の確固たる根拠はないが，臨床経験から温熱や電気物理的要素を多面的な治療の一部として用いることがある。

4）リハビリテーション

a）評価のポイント

- 頸部障害を訴えるアスリートの評価は，身体的，心理的，心理社会的，競技特性などの要因を考慮して行う。
- **レッドフラッグ：**骨折や神経損傷などの重篤な病態や，筋骨格系ではない深刻な病態を示すレッドフラッグを確認する。レッドフラッグを示す所見が認められた場合には，主治医に連絡するか適切な医療機関に紹介する。
- **問診：**病歴を確認し，受傷機序や受傷直後の処置，最初の症状と経過などに関する情報を得る。痛みだけでなく痺れなどの感覚症状，症状の変化なども確認し，評価・治療を安全に進めるために一般的な健康状態，合併症，既往歴などの情報も得ておく。
- アスリートに病態を説明し，管理方法を繰り返し教育する。助言や説明，教育内容はアスリートによって異なるが，質問しやすい関係を築くようにする。
- **質問票：**可動域や筋力などの客観的なアウトカムだけではなく，自己記入式の質問票である日本語版Neck Disability Index（NDI）（図5-1-14）を主観的なアウトカムとして使用する。NDIは，頸部痛が日常生活に及ぼす影響を10項目，各項目0～5点で評価し，点数が高いほど障害が大きいことを示す[23]。
- **身体的検査**（表5-1-2）**：**問診から引き続いて臨床推論を継続しながら身体的検査を進めていく。表に示した検査をすべて行う必要はないが，問題解決の過程で状況によって使い分けていく。臨機応変に行い，痛みや治療の反応に応じて随時検査内容を変えていく。一般的に検査や治療で症状が悪化する場合には，判断が間違っていることになる。

日本語版 Neck Disability Index

このアンケートは、あなたの**首の痛み**が日常生活にどのような影響を及ぼしているかを知るためのものです。それぞれの質問について、あてはまるものに**１つだけ印（☑）**をつけてください。答えが２つある場合もあるかもしれませんが、**今の状態に一番近いもの**に印をつけてください。

項目１－痛みの強さ
- □ 現在、首は痛くない
- □ 非常に軽い痛みがある
- □ 中程度の痛みがある
- □ 強い痛みがある
- □ 非常に強い痛みがある
- □ 考えられる中で一番強い痛みがある

項目２－身の回りのこと
- □ 首の痛みなく、身の回りのことは自分でできる
- □ 首は痛くなるが、身の回りのことは自分でできる
- □ 身の回りのことをすると首が痛くなるので、ゆっくりと気をつけて行っている
- □ 多少手伝ってもらうが、ほとんどの身の回りのことは何とか自分でできる
- □ ほとんどの身の回りのことは、毎日手伝ってもらう必要がある
- □ 着替えや洗髪をすることが難しく、ベッドに寝ている

項目３－物の持ち上げ
- □ 首の痛みなく、重い物を持ち上げることができる
- □ 首は痛くなるが、重い物を持ち上げることができる
- □ 首の痛みのため、床から重い物を持ち上げられないが、テーブルの上などにあれば持ち上げることができる
- □ 首の痛みのため、重い物を持ち上げられないが、持ち上げやすい場所にあれば、軽い物ならば持ち上げることができる
- □ 非常に軽い物ならば持ち上げることができる
- □ 持ち上げたり、運んだりすることがまったくできない

項目４－読書
- □ 首の痛みなく、好きなだけ読書ができる
- □ 軽い首の痛みはあるが、好きなだけ読書ができる
- □ 中程度の首の痛みはあるが、好きなだけ読書ができる
- □ 中程度の首の痛みのため、長時間の読書ができない
- □ 強い首の痛みのため、長時間の読書ができない
- □ まったく読書ができない

項目５－頭痛
- □ 頭痛はまったくない
- □ たまに軽い頭痛がする
- □ たまに中程度の頭痛がする
- □ 頻繁に中程度の頭痛がする
- □ 頻繁に強い頭痛がする
- □ ほとんど常に頭痛がする

項目６－集中力
- □ 問題なく十分に集中することができる
- □ 多少の問題はあるが、十分に集中することができる
- □ 集中するのが難しい
- □ 集中するのがかなり難しい
- □ 集中するのが非常に難しい
- □ 全く集中できない

項目７－仕事
- □ 思う存分仕事ができる
- □ 通常の仕事はできる
- □ 通常の仕事のほとんどはできる
- □ 通常の仕事ができない
- □ ほとんど仕事ができない
- □ まったく仕事ができない

項目８－運転
- □ 首の痛みなく、車の運転ができる
- □ 軽い首の痛みはあるが、運転できる
- □ 中程度の首の痛みはあるが、運転できる
- □ 中程度の首の痛みのため、長時間の運転はできない
- □ 強い首の痛みのため、ほとんど運転できない
- □ 首の痛みのため、まったく運転できない

項目９－睡眠
- □ 眠るのは問題ない
- □ 睡眠障害はわずかで、眠れない時間は１時間未満である
- □ 睡眠障害は軽く、眠れない時間は１～２時間である
- □ 睡眠障害は中程度で、眠れない時間は２～３時間である
- □ 睡眠障害は重く、眠れない時間は３～５時間である
- □ 睡眠障害は非常に重く、眠れない時間は５～７時間で、ほとんど眠れない

項目１０－レクリエーション
- □ 首の痛みなく、すべての余暇活動を行える
- □ 首は少し痛いが、すべての余暇活動を行える
- □ ほとんどの余暇活動を行えるが、首の痛みのため、すべては行えない
- □ 首の痛みのため、わずかな余暇活動しか行えない
- □ 首の痛みのため、ほとんどの余暇活動が行えない
- □ 首の痛みのため、まったく余暇活動が行えない

患者氏名＿＿＿＿＿＿＿＿＿＿　日付＿＿＿＿＿＿＿
点数＿＿＿＿＿[50]

図 5-1-14　日本語版 Neck Disability Index（NDI）

表 5-1-2　頸部障害に対する身体的検査[7)]

肢位	評価	内容
立　位	姿勢	・頭部，脊柱，肩甲骨，骨盤などのアライメントや筋の形態
座　位	姿勢	・頭部，脊柱，肩甲骨，骨盤などのアライメント ・中間位の直立姿勢をとる能力
	動作分析	・頸部，上部胸椎の可動域，疼痛，動作パターン ・肩甲骨周囲筋群の動態
背臥位	神経学的検査	・上肢に疼痛や感覚異常がある場合に行う検査（感覚，筋力，深部腱反射）
	徒手的検査	・触診，トリガーポイント ・頸椎の他動運動 ・筋長
	頸部屈曲テスト	・頸部屈曲の動作パターン
	頭頸部屈曲テスト	・頭頸部屈曲能力の分析
腹臥位	徒手的検査	・頸椎，胸椎の副運動
	肩甲骨周囲筋	・肩甲骨の保持能力
四つ這い位	動作分析	・骨盤後方移動時の頸部代償動作 ・頭頸部と頸胸椎部の伸展パターン ・頭頸部の軸回旋パターン
感覚運動機能		・関節位置覚 ・バランス ・眼球運動コントロール

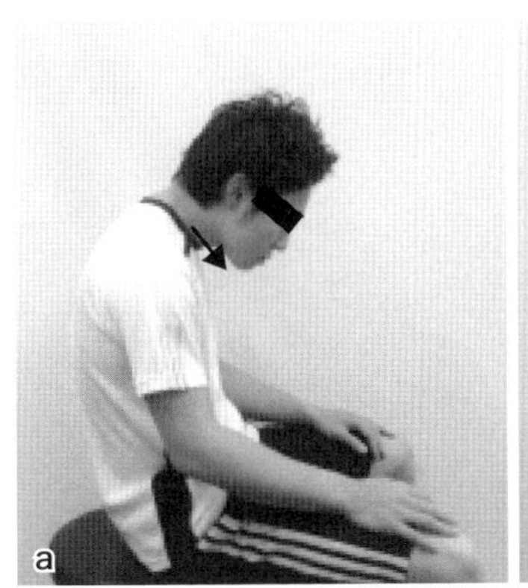

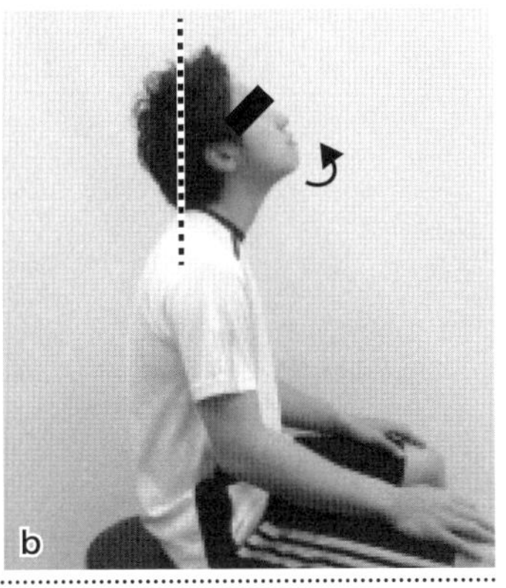

図 5-1-15　頸部自動運動の分析
a：頸部屈曲で斜角筋，胸鎖乳突筋が優位に活動している。頸椎前方並進による動き。b：頸部伸展で頭部の重心が肩後方に移動せず，頭頸部の伸展が優位になっている。

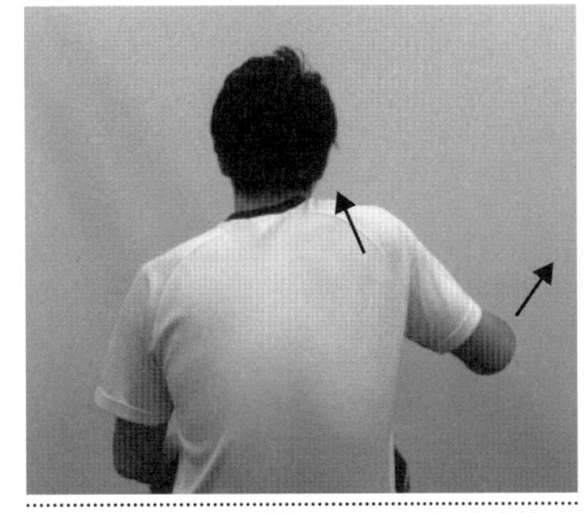

図 5-1-16　肩関節外転時の肩甲骨の安定性
僧帽筋上部線維の過活動，僧帽筋下部線維の機能低下があると，肩関節外転 60° 以下で肩甲帯が挙上する異常パターンが認められる。

■立　位

- **姿勢：**頭部や肩甲骨，骨盤の位置，脊柱のカーブ，筋の形状などを評価する。

■座　位

- **姿勢：**頭部前方位姿勢が認められることが多い。中間位の直立姿勢を保持できるかを確認する。
- **動作分析：**頸部の自動運動による頸椎，上部胸椎の可動域，痛みの再現，動作パターンを確認する（図 5-1-15）。また，上肢運動時の肩甲帯の位置変化を調べる。通常，狭い範囲（30 ～ 40°）での上肢挙上では肩甲骨はほとんど動かない（図 5-1-16）。

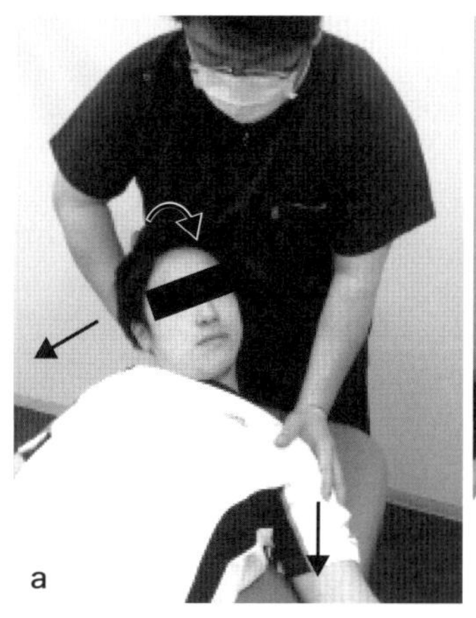
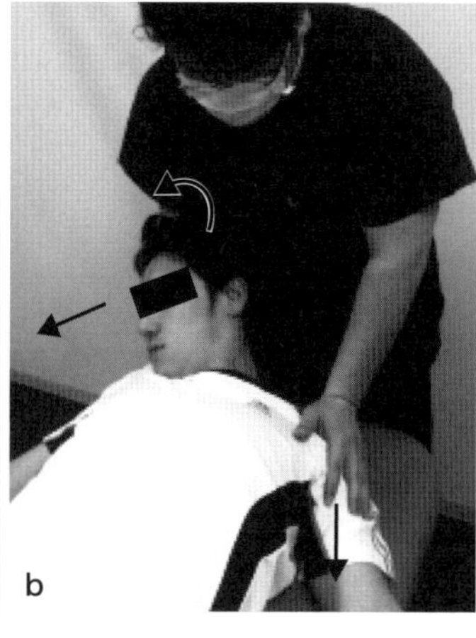

図 5-1-17　筋長検査
a：僧帽筋上部線維：頸部を他動的に屈曲・側屈（反対側）・回旋（同側）し，肩を押し下げて抵抗感を評価する。**b**：肩甲挙筋：頸部を他動的に屈曲・側屈（反対側）・回旋（反対側）し，肩を押し下げて抵抗感を評価する。

■背臥位

- **神経学的検査**：頸部障害とともに上肢の関連痛や感覚障害を訴えるアスリートに対して，頸部神経根症の有無を調べるために感覚，筋力，深部腱反射の検査を補助的に行う。頸部神経根症の予後予測ルール（clinical prediction rule: CPR）によると，腕神経叢誘発テスト（brachial plexus provocation test: BPPT），頸部回旋可動が 60° 以下，スパーリングテスト，離開テストのそれぞれが陽性であれば 90% の確立で頸部神経根症と診断される[24]。
- **触診，トリガーポイント**：頸部から肩甲帯の軟部組織を触診する。斜角筋の緊張が亢進している場合，頸部深層屈筋群の機能不全の代償，神経組織の過敏性による反応，上部胸式呼吸による斜角筋の過剰収縮などが考えられる。トリガーポイントは限局的な過緊張の部分で，触診により痛みが出る。後頭下筋群，胸鎖乳突筋，僧帽筋上部線維，肩甲挙筋，大胸筋，横隔膜などにトリガーポイントがあるかを確認する[25]。
- **頸椎の他動運動**：後頭下から第７頸椎までの各分節における生理学的他動運動（屈曲，伸展，側屈，回旋）の可動性を検査する。
- **筋長**：僧帽筋上部線維，肩甲挙筋，胸鎖乳突筋などの筋長を検査する。伸張反射を誘発しないように，検査する筋を他動的にゆっくりと伸張しながら抵抗感を感じる（図 5-1-17）。
- **頸部屈曲テスト**[25]：頸部深層屈筋群と胸鎖乳突筋，前斜角筋との相互作用を評価する。頭部を治療台から持ち上げて頸部を屈曲する際に顎が上がり，頭頸部が伸展する場合，胸鎖乳突筋と前斜角筋が優位に働き，頸部深層屈筋群の機能が低下していることが示唆される（図 5-1-18）。
- **頭頸部屈曲テスト**[7]：プレッシャーバイオフィードバック装置のカフを頸椎後部に置いて圧力を 20

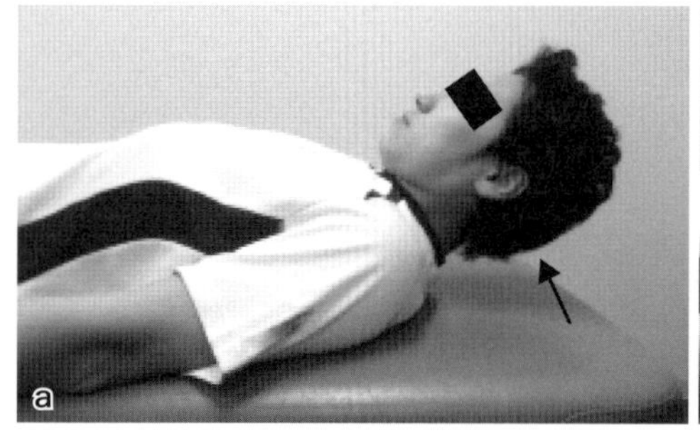
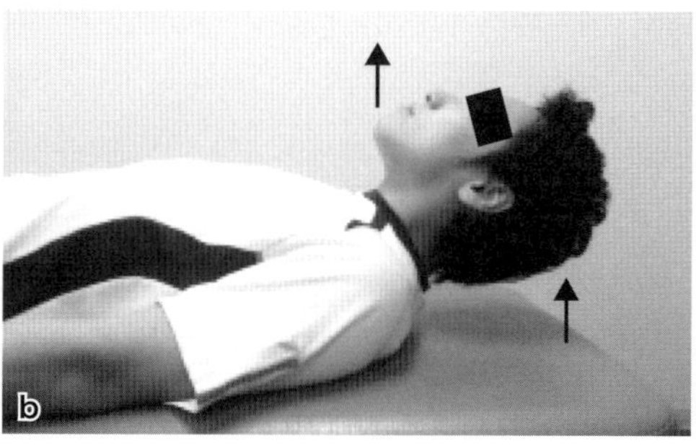

図 5-1-18　頸部屈曲テスト
a：正常パターン，
b：異常パターン

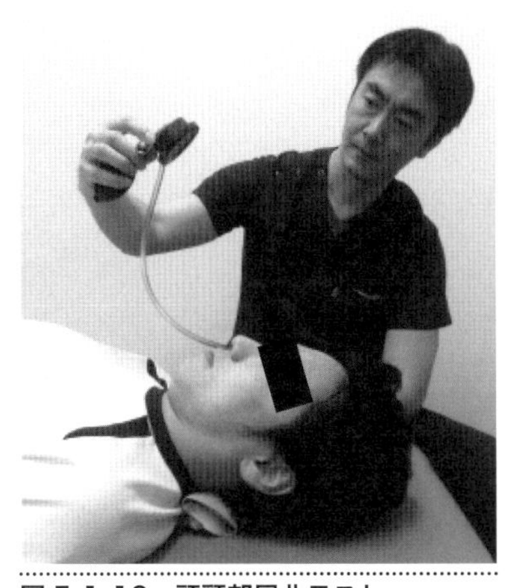
図 5-1-19　頭頸部屈曲テスト

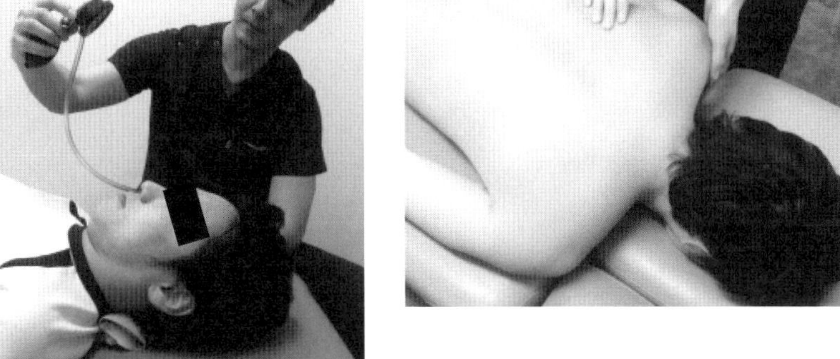
図 5-1-20　肩甲骨の保持能力
他動的に肩甲骨を中間位にし，この位置を保持する。肩甲挙筋が優位に働くと肩甲骨は挙上・下方回旋し，棘上筋や小円筋が優位に働くと肘を挙上して上腕を外旋する代償動作がみられる。

図 5-1-21　骨盤後方移動時における頸部伸展の代償

mmHg にセットする。圧力が 22 mmHg になるようにゆっくりとうなずき（頭頸部屈曲），その位置を 10 秒間保持する。開始肢位に戻り，次に 24 mmHg になるように頭頸部を屈曲させて 10 秒間保持する。これを 2 mmHg ずつ増加させて 30 mmHg まで行う。28 mmHg か 30 mmHg まで代償動作なしに 10 秒間保持することが目標で，それ以下の場合には頸部深層屈筋群の機能不全が示唆される（図 5-1-19）。

■腹臥位

- **頸部・胸椎の副運動：**椎体間関節，椎間関節にストレスをかけるために，棘突起と椎弓の背側から腹側への振幅運動を行い，抵抗感や疼痛が誘発されるかなどを評価する。
- **肩甲骨の保持能力：**肩甲骨を抗重力位に保持する際の筋収縮パターンと保持能力時間を評価する（図 5-1-20）。

■四つ這い位

- 骨盤後方移動時の頸部代償動作の有無を確認する（図 5-1-21）。肩甲挙筋が短縮していると後方移動により肩甲骨が上方回旋し，下方回旋に作用する肩甲挙筋が他動的に伸張されて頸部が伸展する[26]。
- **頭頸部と頸胸椎部の伸展パターン，頭頸部の軸回旋パターン：**頸部痛があると頸部伸筋群，特に後頭下筋群，多裂筋，頸半棘筋に構造的変化が生じるために検査する必要がある[27]。後頭下伸筋群（大・小後頭直筋）のテストは頸椎が中間位の状態で頭頸部を屈曲・伸展させ，後頭下回旋筋群（上・下頭斜筋）のテストでは頸部上で頭部を軸回旋（C1–2 の回旋）させる。これらのテスト動作を滑らかにできない，あるいは下部頸椎の代償がみられることが異常所見となる。頸部深層伸筋群である頸半棘筋や多裂筋のテストは，頭頸部を中間位に保持しながら頸椎を軽度屈曲してから伸展させる。軽度屈曲位から中間位までの動作で頭頸部を中間位に保持できない，あるいは伸展の最終域で頭頸部が過剰に伸展する場合は異常動作である。

■感覚運動機能

- 頸部障害とともにめまい，立ちくらみ，不安定感などの訴えがある場合には姿勢制御系に問題がないか

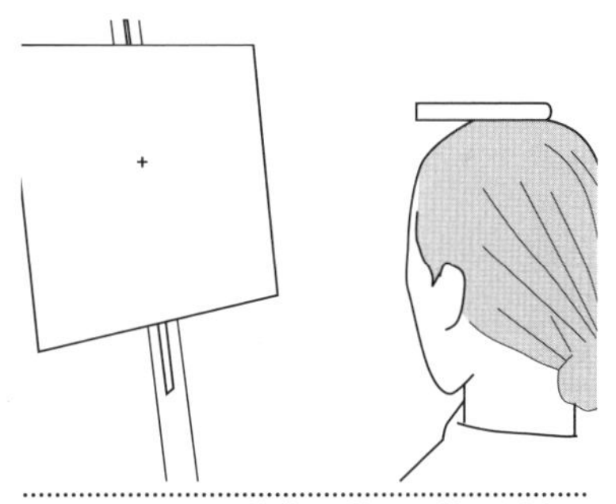

図 5-1-22　関節位置覚の誤差の測定

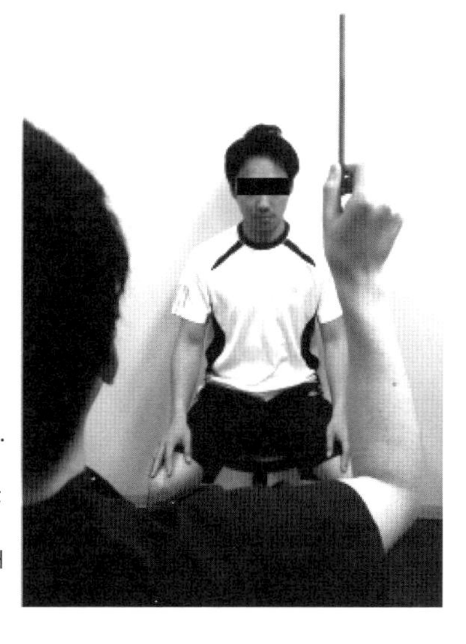

図 5-1-23　円滑追視検査
頭部を動かさずに動いている指標を追視する。指標をゆっくりと上下，左右に動かす。アルファベットの H の形に動かして難度を高める。

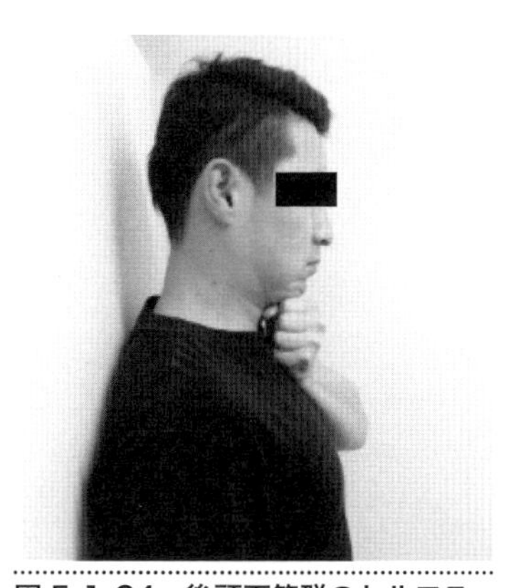

図 5-1-24　後頭下筋群のセルフストレッチング
壁に背中をつけて立つ。握り拳を顎の下に当て，うなずき動作をすることで後頭下筋群を伸張する。

検査する。以下の 3 種類の測定を行うが，バランスに障害がある場合には前庭に問題があるかの鑑別が重要となる。

- **関節位置覚**（図 5-1-22）**：**閉眼で頭部を中間位に戻すことができるかを評価する。レーザーポインターやペンライトなどを頭部につけ，壁から 90 cm 離れて座る。開始地点の位置に印をつけてから，閉眼で頸部伸展や回旋などを行ってから戻したときの，開始地点との誤差を測定する [28]。3 ～ 4° の差がみられる場合には障害があると判断する。
- **バランス：**視覚入力，支持基底面を変えて立位バランスを評価する。楽な肢位から足幅を狭くする，また硬い支持面から柔らかい支持面（スポンジなど）で行い難度を高めていく。これらの課題で問題がなければ，片脚立位を開眼と閉眼で行うことでさらに難度を高める。また，外乱などを加えた動的テストを加えてもよい。
- **眼球運動コントロール：**頸椎からの求心性インパルスが視覚に影響を及ぼし，他の系統の機能も変化する場合がある。眼球運動の評価では頭部の運動中に注視し続ける注視安定性，頭部を固定して追視する円滑追視（図 5-1-23），眼球と頭部を動かして注視する眼球–頭部協調性などのテストを行う [6]。
- **セレクティブファンクショナルムーブメントアセスメント（Selective Functional Movement Assessment：SFMA）：**一見，主訴と無関係に思える重要な機能不全を特定するために，全身に対する 7 種類の動作テスト（トップティアーテスト）を行い，問題のある動作パターンを細分化（ブレイクアウト）するシステムである SFMA を行う。SFMA によって痛みはないが重大な機能不全のある動作パターンを見つけ，それを詳細に評価する。アスリートの問題のある動作パターンに対するコレクティブエクササイズを行っても痛みによる悪影響を受けないので，動作機能不全を効果的に改善することが出来る。詳細は成書を参照されたい [29]。

b）リハビリテーション

- 頸部障害・外傷に対するリハビリテーションでは，評価の結果から疼痛管理，徒手療法，運動療法・エクササイズ，物理療法，自己管理プログラムなど多面的な治療プログラムを立案する。再評価を繰り返し行ってプログラムを修正しながら進めていく。
- 本項ではリハビリテーションの中心となるエクササイズプログラムの例を示す。頸部障害を有するアス

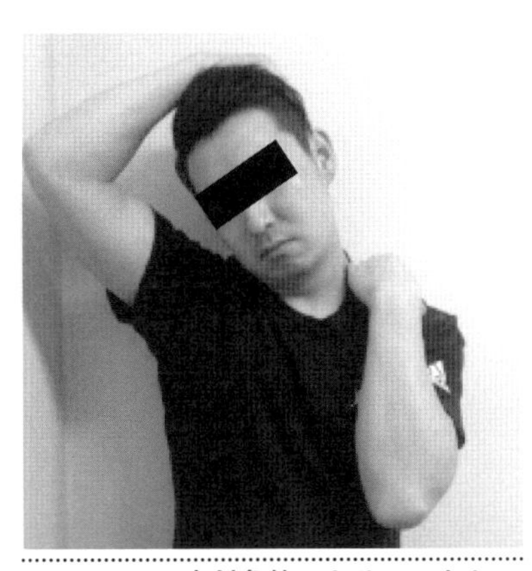

図 5-1-25　中斜角筋のセルフストレッチング
壁に背中をつけて立つ。顎を引いた状態を維持しながら短縮している方の第 1 肋骨を押さえて頸部を側屈させる。頸部の同側回旋を加えることで前斜角筋をストレッチすることができる。

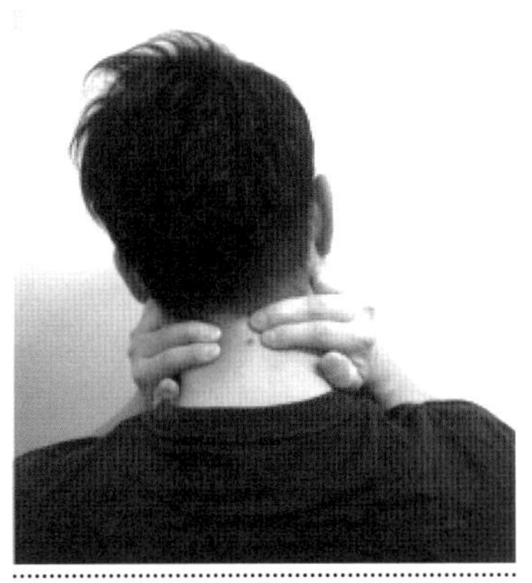

図 5-1-26　頸椎分節の局所的側屈
制限のある分節の下位レベルを指で押さえて側屈する。C2-3 に可動性の低下がある場合には C3 を押さえて側屈する。

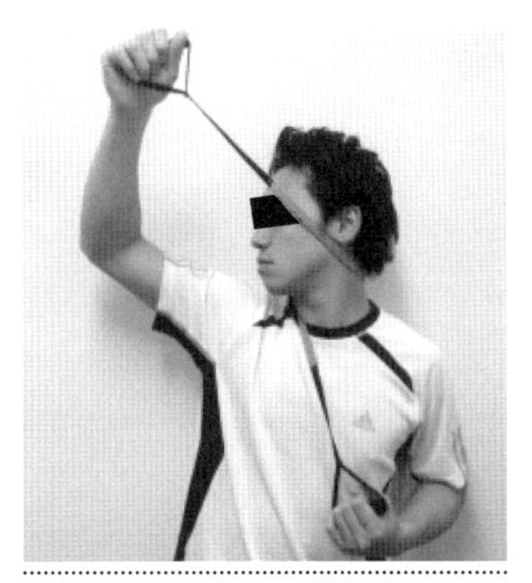

図 5-1-27　ストラップを利用した回旋
目的とするレベルの棘突起下にストラップを引っかけて頸部回旋を行う。痛みや不快感が生じないようにストラップを引っ張る方向を確認する。

リートに対するエクササイズのエビデンスは不充分なため，スポーツだけに特化したものではなく，可動性，姿勢，モーターコントロール，筋力・筋持久力に区分したプログラムのなかから治癒段階を考慮してエクササイズを処方する。他の治療(徒手療法や物理療法など)を併用しながら頻繁に再評価を行ってエクササイズの内容を変更する。

■可動性

- 痛みを悪化させないようにしながら，可動性低下を改善させる。
- **セルフストレッチング：**後頭下筋群（図 5-1-24），頸部伸筋群，斜角筋（図 5-1-25），胸鎖乳突筋，肩甲挙筋，僧帽筋上部線維などが短縮している場合に行う。肩甲骨のアライメント異常により筋が伸張されることで硬く感じる場合があるので，筋長テストで確認してからストレッチングを行う。
- **セルフモビライゼーション：**徒手療法で改善した可動域を維持するために行う。
  ①局所的側屈：(図 5-1-26)
  ②ストラップを利用した回旋：(図 5-1-27)
  ③ミニクランチ [30)]：胸椎の可動性を改善させるエクササイズ（図 5-1-28）。

■姿　勢

- **座位姿勢改善エクササイズ** [31)]：頭部前方位姿勢を予防するために，定期的に骨盤から動かし脊柱の自

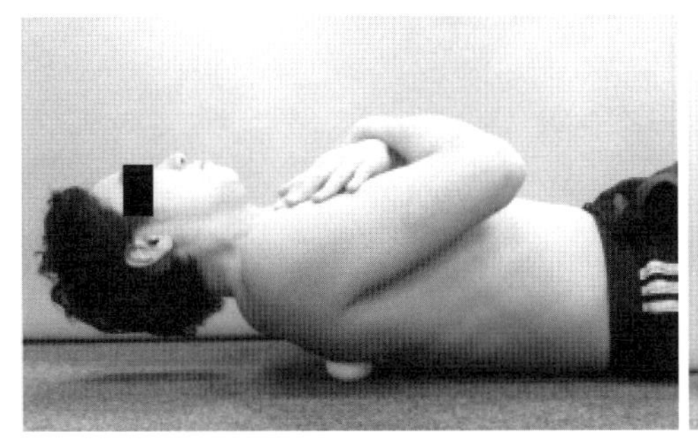

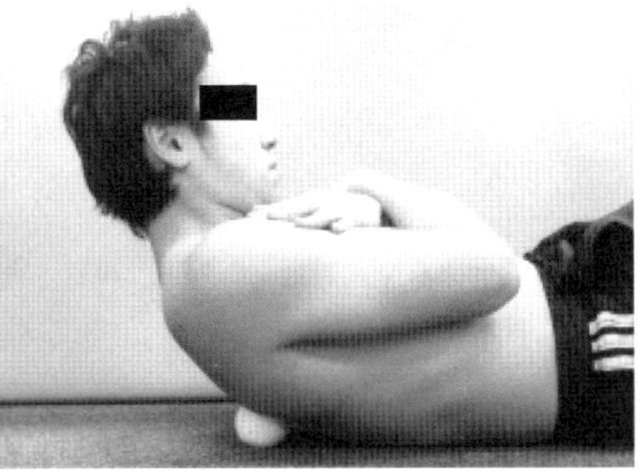

図 5-1-28　ミニクランチ
2 個のテニスボールにテープを巻いたものを用意する。目的とするレベルの胸椎棘突起に凹みが来るように用意したテニスボールを横向きに当てる。胸の前で腕を組み，胸椎の屈曲・伸展を行う。

然な中間位を保持するようにする。1日を通じて中間位姿勢を保持するエクササイズを繰り返し行う（図 5-1-29）。

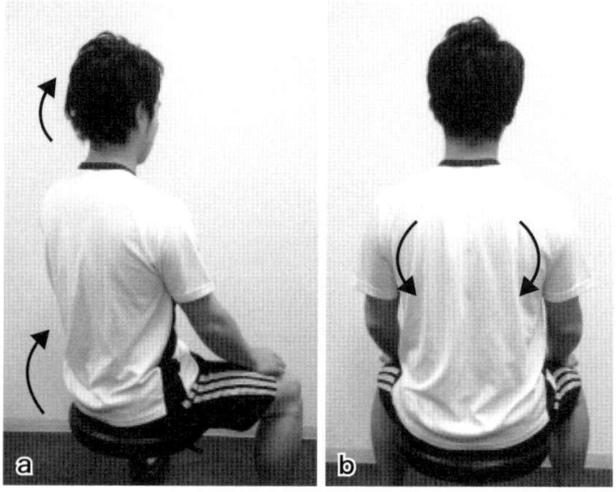

図 5-1-29　座位姿勢改善エクササイズ
a：骨盤を起こし，胸骨を上前方に引き上げるようにして脊柱をまっすぐにし，顎を引きながら後頭骨を少し上方に持ち上げる。b：肩甲骨を軽度内転させる。

■モーターコントロール

- 頸椎の安定化に作用する筋群を活性化させて正確な運動パターンを学習するだけでなく，上肢運動時に頸椎を中間位に保持する能力も向上させる。また，感覚運動の機能不全に対するエクササイズも行う。
- **頸部深層屈筋群**
  ①頭頸部屈曲エクササイズ：頭長筋，頸長筋に対するエクササイズ。これらの筋による姿勢保持能力を向上させる（図 5-1-30）。
  ②頸部屈曲エクササイズ：頭部，頸部の協調的な屈曲を改善させる（図 5-1-31）。
- **頸部深層伸筋群**
  ①頭頸部伸展エクササイズ：四つ這い位になり，頸部を中間位に保持した状態で頭部の伸展動作を行う大・小後頭直筋に対するエクササイズ。
  ②頭頸部回旋エクササイズ：四つ這い位になり，頸部を中間位に保持した状態で頭部を回旋させる（左右とも 40° 以下）。上・下頭斜筋に対するエクササイズ。
  ③頸部伸展エクササイズ：頸半棘筋や多裂筋などに対するエクササイズ（図 5-1-32）。
- **上肢運動時の頸部安定性：**壁に背中をつけて骨盤，脊柱，肩甲骨，頭部，頸部を中間位に保持しながら上肢を挙上する。バンドなどを利用して負荷を増加させていく（図 5-1-33）。
- **感覚運動エクササイズ：**評価で用いた方法を利用して感覚運動を改善させる（図 5-1-22，図 5-1-23）。不安定な支持面上での立位バランスエクササイズも行う。

■筋力・筋持久力

- 段階的に負荷（抵抗量，反復回数など）を増加させるが，代償動作が生じないように注意する。これらのエクササイズを行うためには痛みが軽減し，状態が安定している必要がある。痛みや他の症状が悪化

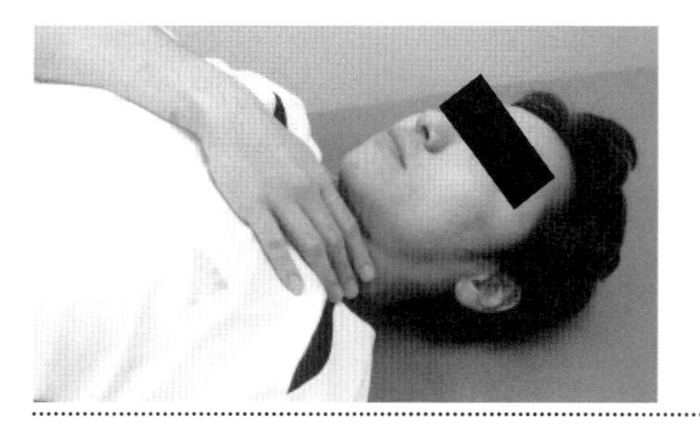

図 5-1-30　頭頸部屈曲エクササイズ
頸部前・側方にある胸鎖乳突筋や斜角筋が過剰に働かないようにモニターしながら軽くゆっくりとうなずく（頭頸部屈曲）。顎をリラックスさせるために口は閉じるが上下の歯は離したままで行う。

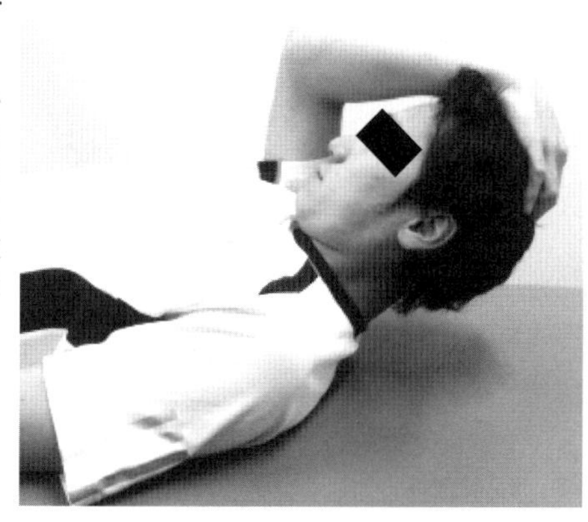

図 5-1-31　頸部屈曲エクササイズ
頭頸部を屈曲してから，頸部全体を屈曲させる。代償動作が生じる場合には手を使って介助しながら行う。改善するにつれて介助量を減らしていく。

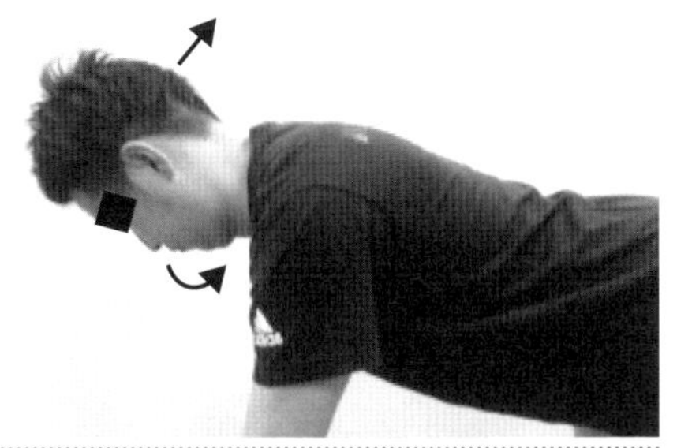

図 5-1-32　頸部伸展エクササイズ
四つ這い位になり，頭頸部を中間位に保持したままで頸椎全体を伸展させる。

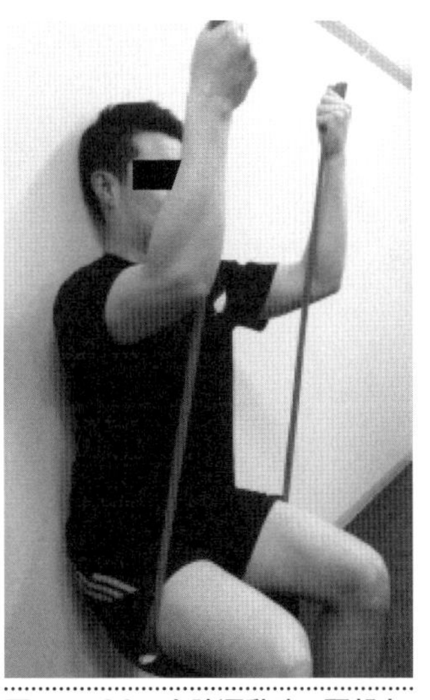

図 5-1-33　上肢運動時の頸部安定性
背中が壁から離れないように顎を引いた状態でバンドを引っ張り上げる。

図 5-1-35　エアクッションを利用しての等尺性収縮エクササイズ
壁から少し離れて立ち，エアクッションを壁に当てる。頸部を中間位に保持しながら身体を傾けて頭部をエアクッションに押し付ける。この状態を 20 秒保持する。壁からさらに離れる，片脚立位，ウエイトを持って前後に振ることで負荷を強くしていく。

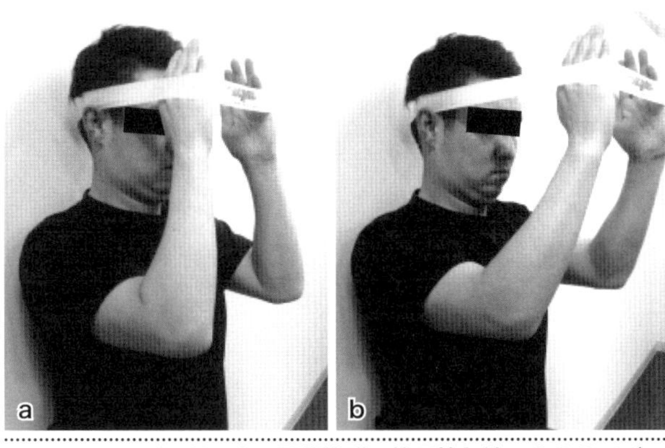

図 5-1-34　バンドによる頸部筋群の等尺性収縮エクササイズ
a：開始肢位，b：バンドを前方に引っ張るが，頸部は中間位を保持する。

図 5-1-36　バランスボールを利用しての等尺性収縮エクササイズ
後頭部をバランスボール上に乗せて身体を支える。上肢を挙上するなどして強度を高める。

する場合には筋力・筋持久力を強化する段階ではないことを示していることになる。

- 徒手による抵抗を利用しての等尺性・等張性収縮（頸部屈曲，伸展，側屈，回旋）。
- バンドを利用しての等尺性・等張性収縮（図 5-1-34）
- バランスボールなどを利用しての等尺性・等張性収縮（図 5-1-35，図 5-1-36）
- ウエイトやプーリーを利用した強度の高いトレーニングや専門的な練習を再開する際には，ファンクショナルムーブメントスクリーン（Functional Movement Screen：FMS®，第 10 章参照）を行い，基本的な動作パターンにおける制限や非対称性を特定する。痛みなどの症状が消失し，SFMA® の結果が許容範囲になった後に基本的動作をスクリーニングすることによって再発の可能性を判断し，リスクを減らすための方法をアスリートに指導する。詳細は成書を参照されたい[29)]。

5 部位別スポーツ外傷・障害のリハビリテーション

2 体幹・骨盤帯

成田 崇矢（桐蔭横浜大学スポーツ科学研究科）

5-2-1　機能解剖

5-2-1-1　腰　椎

腰椎は５つあり，立位では前方に弯曲する前弯を呈している。腰椎の構造は，主に前方の椎体，後方の椎弓で構成されている（図 5-2-1）。

脊柱の機能として，①体幹支持機能，②運動機能，③神経保護機能が要求される。このため，これらを考慮したアプローチが重要になってくる。

1）体幹支持機能

前方では，椎体・椎間板，後方では，椎間関節が荷重支持を担っている。屈曲位になると椎体・椎間板への過重負荷が増大し，伸展位になると椎間関節・椎弓部への荷重負荷が増大する（図 5-2-2）。

2）運動機能

腰椎の運動は，前方の椎間関節，後方の２ヵ所の椎間関節で担われている３関節複合体である。このため，正常に動くためには，椎間板，椎間関節機能が重要となってくる。腰椎の挙動は，椎間関節の形態（図 5-2-3）により，前後屈は優れているものの，回旋可動域は少ない。また，一般的には下位腰椎ほど，前後屈時の挙動が大きくなる（図 5-2-4）。

3）体幹部の筋機能

腰椎の安定性には体幹筋が大きな役割を担っている。Bergmark は腰椎安定性に作用する筋システムを理解するために，体幹筋をローカル筋とグローバル筋に分類した（表 5-2-1）[1]。ローカル筋は，起始もしくは停止が腰椎に直接付着する筋と定義され，体幹深部に位置し腰椎の分節的安定性を制御している。一方，グローバル筋は脊椎に直接付着しない多分節を横断する表在筋であり，脊椎運動時のトルクを発生し運動方向をコントロールしている。この２つの筋システムが相互に作用することにより，腰椎の安定性が増加し，体幹の剛性が高まると考えられている[2]。また，腰椎には，安定性だけでなく可動性も要求される。特に伸

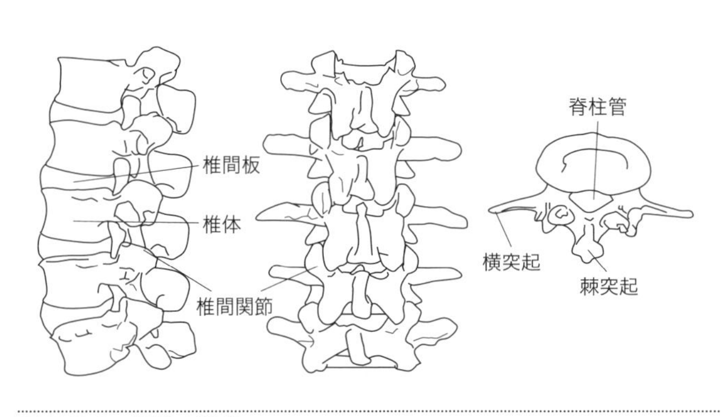

図 5-2-1　腰椎の構成

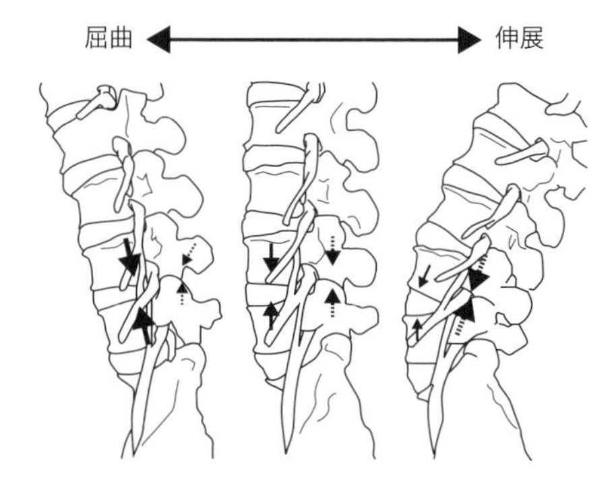

図 5-2-2　腰椎挙動と荷重分担

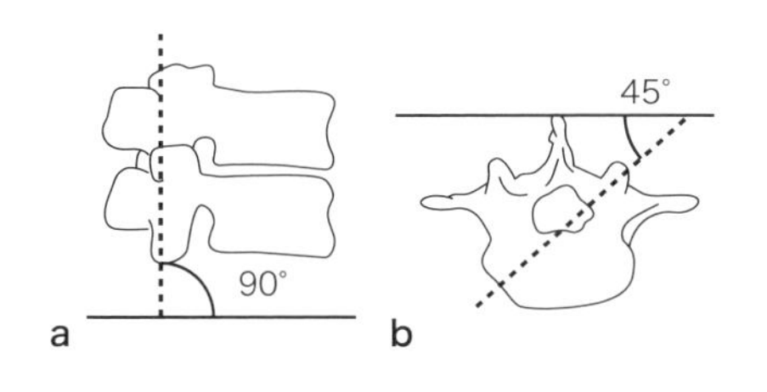

図 5-2-3　腰椎椎間関節の関節面の方向
a：水平面に対する関節面の方向，b：前額面に対する関節面の方向。

表 5-2-1　ローカル筋・グローバル筋の分類

ローカル筋	グローバル筋
腹横筋 内腹斜筋（胸腰筋膜付着線維） 腰方形筋の内側線維 多裂筋 胸最長筋の腰部 腰腸肋筋の腰部 横突間筋 棘間筋	腹直筋 外腹斜筋 内腹斜筋 腰方形筋の外側線維 胸最長筋の胸部 腰腸肋筋の胸部

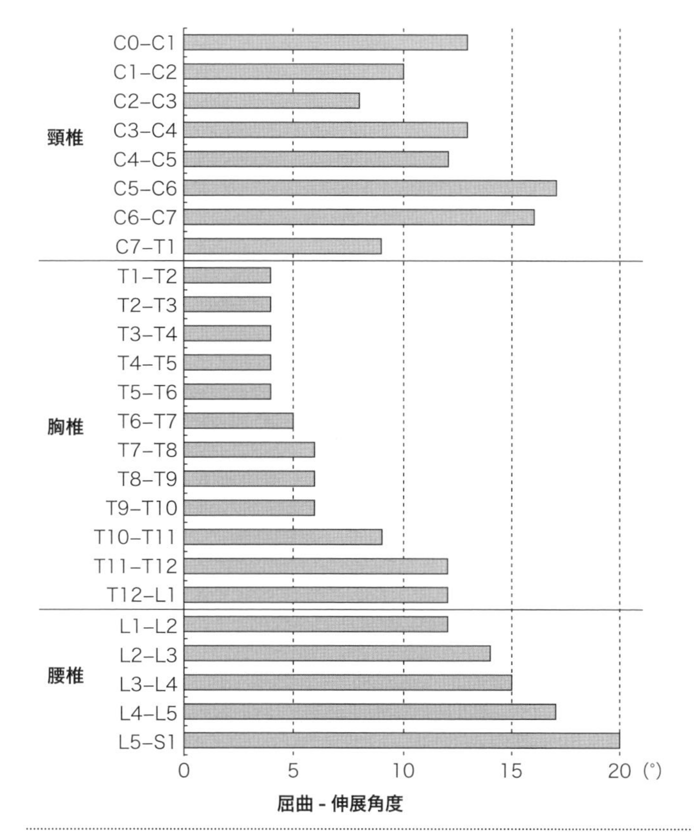

図 5-2-4　腰椎前後屈挙動

展や側屈時には分節的に可動することが望ましく，分節的な動きは背部のローカル筋（多裂筋，胸最長筋の腰部，腰腸肋筋の腰部，横突間筋，棘間筋）が担っている。

5-2-1-2　骨盤部

骨盤は仙骨と左右の寛骨（腸骨，坐骨，恥骨），その間の仙腸関節で構成されている。寛骨の 3 つの骨は 17 歳頃一体化するといわれている。仙腸関節は荷重関節であり，仙腸関節の周囲に存在する靭帯や形態により，荷重を支持している（図 5-2-5）。また，骨盤部は，下肢もしくは体幹の力の伝達を担っている。

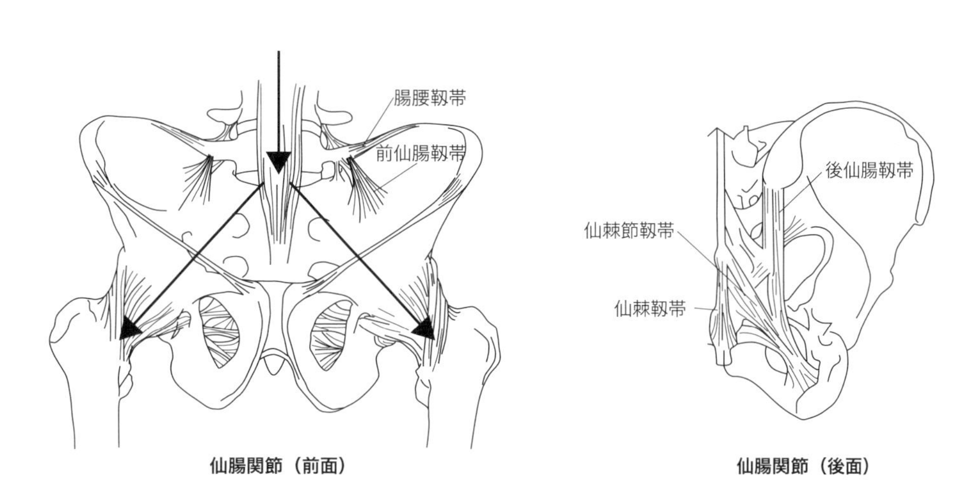

図 5-2-5　骨盤

1）仙腸関節の運動

仙腸関節は約 1.7° の回旋と 0.7 mm の可動性が確認されている[3]。仙骨が寛骨に対し前傾する動きはニューテーション, 後傾する動きはカウンターニューテーションと呼ばれている（図 5-2-6）。

2）仙腸関節の安定性

仙腸関節の安定性は，関節の形状適合性による form closure と骨盤周囲の筋，主に腹横筋の筋収縮，大殿筋の靭帯を介して関節に圧迫力を生じる force closure よって成り立っている[4]。

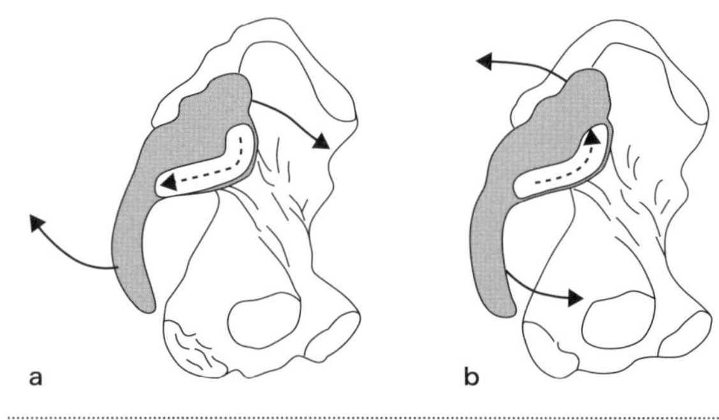

図 5-2-6　仙腸関節の運動
a：ニューテーション（仙骨が前傾），b：カウンターニューテーション（仙骨が後傾）

5-2-2　代表的なスポーツ外傷・障害とリハビリテーション

5-2-2-1　椎間板性腰痛

1）発生機転・病態

椎間板変性を促進する要因は，遺伝，糖尿病，動脈硬化症，肥満，喫煙などがいわれているが，スポーツ活動における腰椎部への繰り返しストレスも，その要因となる。大学運動部員を対象にした MRI を用いた椎間板変性調査によると，野球，競泳選手の約 6 割は，非運動群の約 3 割に比較し，有意に椎間板変性を有しており，陸上のトラック競技の選手は，変性を有している者が非運動群よりも少なかった[5]。このことは，椎間板は回旋ストレスに対しては脆弱であり[6]，野球時のバッティングや投球による体幹回旋挙動が影響していると思われる。また，椎間板は人体最大の無血管組織であり，荷重と抜重により椎体から栄養供給される。水中は無重力であることから，血液供給メカニズムが減少し，椎間板変性を促進したと考えられる。しかし，画像上椎間板変性を有している選手が常に痛みを有しているわけではなく，機能的診断も合わせて選手をみる必要がある。

椎間板内には周囲の一部分のみに侵害受容器が存在し，大部分の場所には血管や末梢神経は存在しない。このため，通常では体幹の動きにより痛みを感じることはないが，椎間板が損傷し炎症が起こり，椎間板内に末梢神経が侵入した際に，前屈動作や回旋動作時に強い痛みが出現する（図 5-2-7）[7]。通常では，炎症症状が改善すると腰痛も改善を認める。

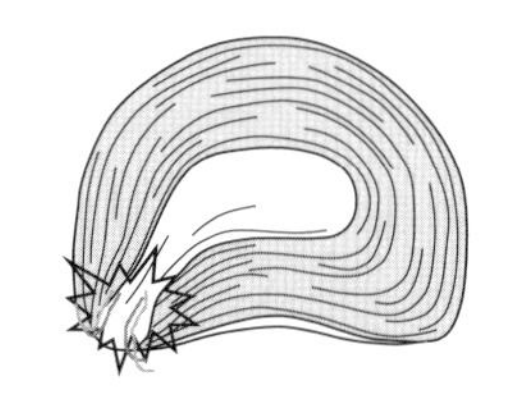

図 5-2-7　椎間板性腰痛
自由神経終末が変性髄核に侵入し（炎症），メカニカルストレスが加わると疼痛を誘発する。

2）症状・診断

症状は，屈曲による負荷，軸回旋によって誘発され，腰部に局所的に出現することが多い。また，椎間板が膨張する早朝は痛みが出現しやすい[8]。椎間板造影にて確認する診断方法があるが[9]，一般的ではない。MRI T2 強調画像では変性椎間板は低輝度に（黒く）写る。椎間板に新生血管がある（炎症が起こる）と高輝度（high intensity zone：HIZ）に写り，このことにより診断する（図 5-2-8）。しかし，必ずしも椎間板変性画像と腰痛が一致するわけではない。

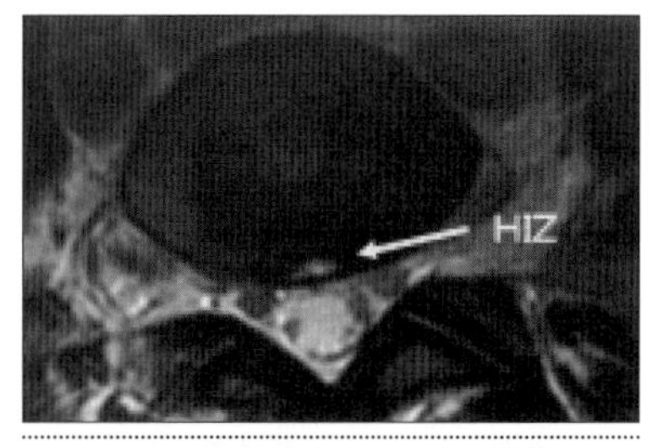

図 5-2-8　高輝度を示す MRI 画像
HIZ：high intensity zone

3) 治　療

主要な原則は，初期の炎症期には再損傷を避けることであり，スポーツ活動を中止し，生活時にも屈曲や回旋を制限することが望ましい。また，椎間板は早朝が最も大きく膨張しており，早朝の屈曲を避けることは腰痛の再発を減少させる[10]。

4) リハビリテーション

屈曲動作時の椎間板内圧の上昇を軽減させることが，基本となる[11]。このため，多裂筋を賦活化し[12]，骨盤の前傾を妨げるハムストリングの柔軟性を向上させるエクササイズを提供する。

①四つ這い位下肢挙上運動（図 5-2-9）：四つ這い位になり，下肢を挙上する。その際，スタートポジションは骨盤軽度前傾位とすることがポイントである。骨盤が後傾すると腹筋群の活動が高まり，多裂筋の収縮程度が低くなる。また，骨盤を回旋させず，股関節伸展運動を行うことが大切である。

②股関節伸筋群のストレッチング（図 5-2-10）：長座位で骨盤を前傾して脊柱を伸展位に保ちながら前屈動作を行わせる。骨盤を後傾すると，腰椎が屈曲し椎間板内圧が高まるため不適切である。

③生活指導（図 5-2-11）：生活の中で腰部前弯位を保つこと，体幹を屈曲する際に腰部ではなく股関節を屈曲することなどを指

図 5-2-9　四つ這い位下肢挙上運動

図 5-2-10　股関節伸筋群のストレッチング
骨盤を前傾し，股関節の屈曲により体幹を前屈する(a)。骨盤を後傾すると，腰椎が屈曲し椎間板内圧が高まるため不適切である（b)。

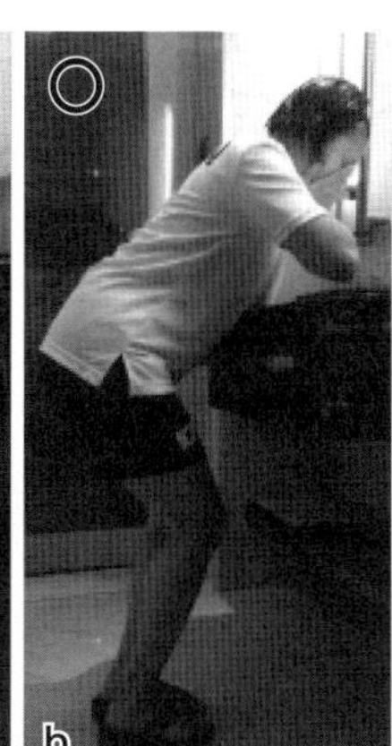

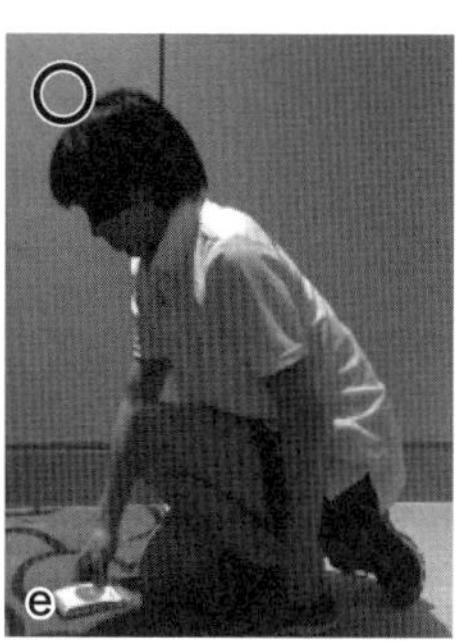

図 5-2-11　生活指導の 1 例
顔を洗う際に腰部を屈曲しがちであるが（a)，膝を曲げたり（b)，台の上に片足を乗せる（c）ことで股関節を屈曲する。床の上のものを拾う際も腰部を屈曲する（d）のでなく，しゃがむ（e）などの生活指導で，椎間板への刺激量を減少させ治癒の促進を図る。

導することで，椎間板への負荷を軽減させる。

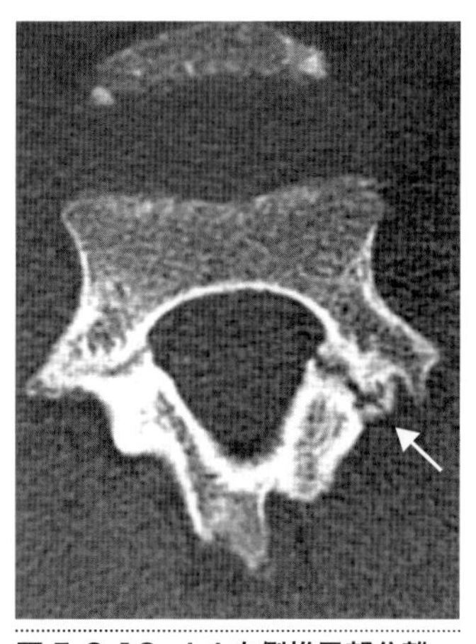
図 5-2-12　L4 右側椎弓部分離 CT 画像

5-2-2-2　腰椎分離症

1）発生機転・病態

スポーツにおける反復負荷によって，主に椎弓の関節突起部に発生する疲労骨折であり，成長期のスポーツ選手に多く認められる（図 5-2-12）。有限要素法により運動中の応力分布を調べた結果では，腰椎伸展時には両側，回旋時には反対側の椎弓関節突起部に応力が高まり，伸展・回旋が同時に起こる場合に最もその値が高まったとしている[13]。このことから，スポーツ動作時の特に伸展・回旋運動の繰り返しが分離症を誘発していると考える。

2）症状・診断

初発時の腰痛は軽微であることが多く，主にスポーツ中の伸展や回旋動作により疼痛が出現する。病状の進行に伴い，伸展や回旋時だけでなく，運動後も疼痛が継続する。疼痛部位は，限局していることが多い。また，終末期（偽関節）の痛みは，分離部に隣接する椎間関節由来となる[14]。末期の分離像は単純 X 線の斜位像におけるスコッチドッグサインにて判断される。初期の診断には CT や MRI の T2 強調脂肪抑制像が用いられている。

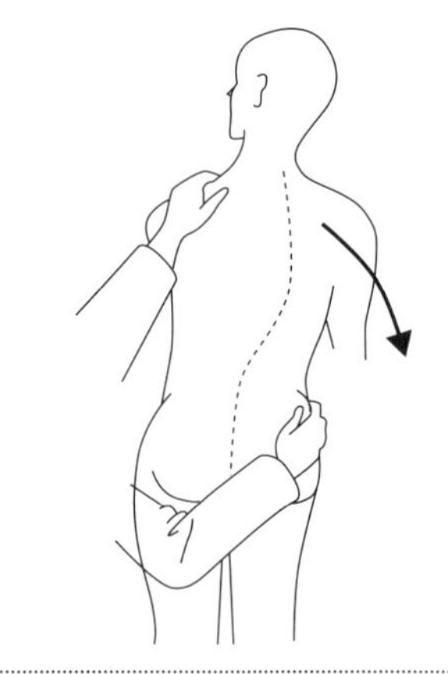
図 5-2-13　ケンプサイン
腰椎部に伸展・側屈ストレスを加える。分離症以外にも椎間関節性腰痛でも腰部に限局した痛みが出現する。下肢症状が生じる場合には，椎間孔部にて神経根が圧迫されることを疑う。

3）整形外科的徒手検査

ケンプサイン（Kemp sign）（図 5-2-13）陽性になることが多く，分離症の場合，腰部に局所的な痛みが出現する。また，罹患棘突起の圧痛を認める。

4）治　療

初期の症例では，骨癒合を目指した治療が選択されることが多い[14]。腰椎の伸展・回旋制限を目的とした硬性体幹装具を用いて 3 ヵ月程度の固定を行い，骨癒合を試みる。終末期では，骨癒合を得ることは難しいため，疼痛管理をしながらスポーツ復帰を行う。急性期，慢性期においても原因動作を特定し，動作の修正を図り，分離部への負荷を改善することが大切である[15]。

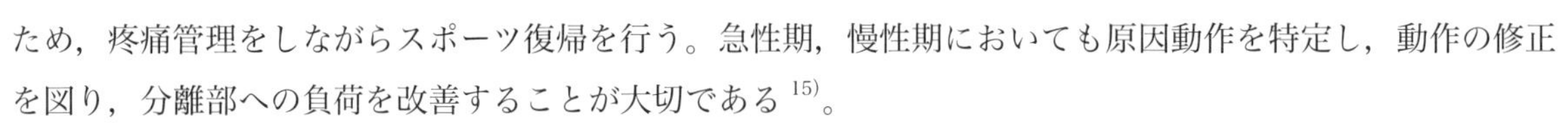

5）リハビリテーション

分離部への伸展・回旋ストレスを減少させる原因動作を修正することが基本となる。動作を行う頻度や使い方を改善しなければ，骨折部の治癒を認めた場合も，再発に至る可能性が高い。分離症の原因になったスポーツ活動は，問診をしっかりと行うことで判断が可能となる。また，原因動作を修正する際に，脊椎の分節的伸展運動（特に胸椎部），腹筋機能，股関節の伸展・回旋の可動域と機能を評価し，機能不全があれば改善することを目指したエクササイズを提供する。

伸展時に疼痛を有する場合のエクササイズを紹介する。

①**腹筋機能向上エクササイズ**（図 5-2-14）：筋力の向上だけではなく，随意的にアライメントを変えられるようになることも目的としている。

②**股関節屈筋群のストレッチング**（図 5-2-15）：片膝立ちで骨盤を前方に移動し，股関節前面をストレッチする。この際に，体幹は反らないようにする。また，同時に大殿筋を収縮すると，相反神経支配により，さらにストレッチ効果が高まる。

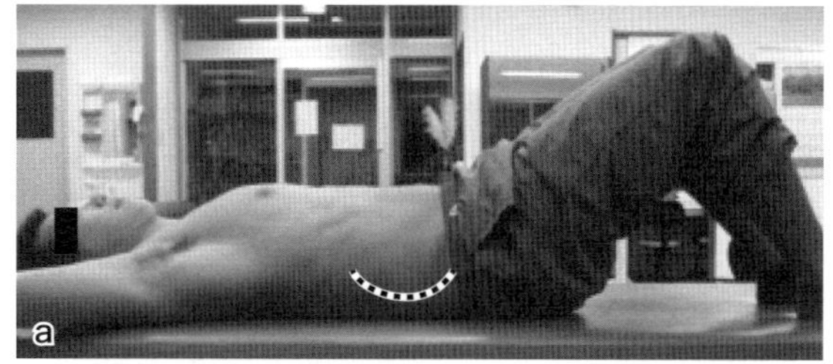

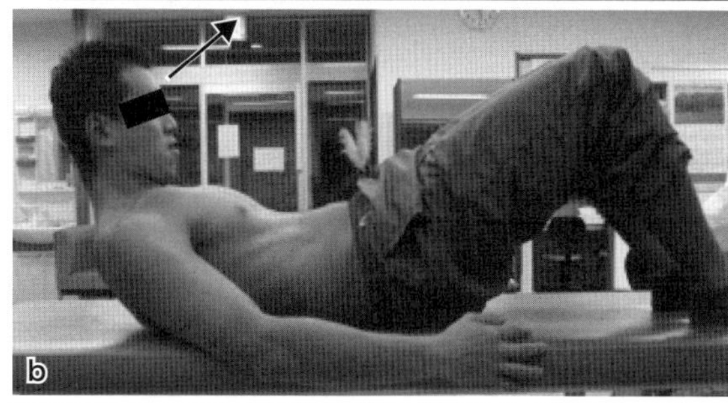

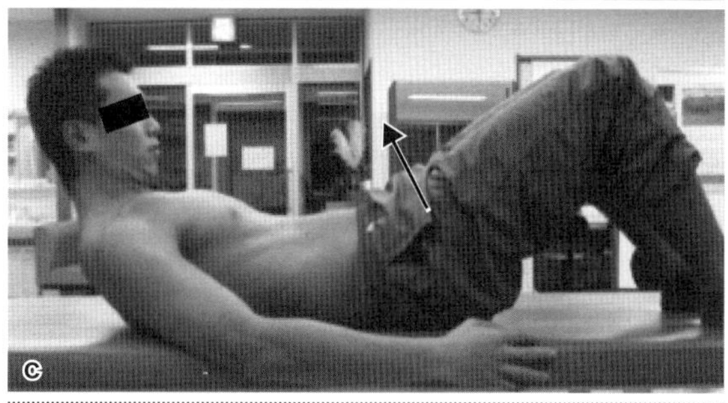

図 5-2-14　腹筋機能向上エクササイズ
a：腰を床に押しつける（腰椎後弯），**b**：頭を持ち上げる（上部腹筋群），**c**：お尻を少し上げる（下部腹筋群）。**a**，**b**，**c** の順番に行う。分離症の選手は a，b の動きを苦手としていることが多い。

5-2-2-3　仙腸関節痛

1）発生機転・病態

転倒や殿部への直接の打撃力による外傷や片脚荷重動作，前後開脚動作の繰り返しにより，発生する。関節腔内の炎症症状があることはまれであり[16)]，仙腸関節の不安定性を起因とした仙腸関節の位置異常が疼痛の原因であることが多い。

2）症状・診断

体幹の運動（前屈，後屈，側屈，回旋）や股関節の運動もしくは長時間の立位，座位により，片側の仙腸関節に限局した痛みが生じる。慢性的に痛みが生じていると下肢にまで症状が出現する者もいる。画像による診断は困難であり，後述する整形外科的徒手検査の組み合わせにより，仙腸関節機能不全を判断する。

3）整形外科的徒手検査[17)]

いずれのテストも仙腸関節部に痛みが出現したら陽性となる。1 つひとつのテストの陽性率は高くないため，いくつかの徒手検査を行い，仙腸関節障害と判断する。

①パトリックテスト（Patrick test）（図 5-2-16），②ゲンスレンテスト(Gaenslen's test)(図5-2-17),③ニュートンテスト(Newton test)（図 5-2-18），④ワンフィンガーテスト（1 finger test）（図 5-2-19），⑤ P4 テスト(posterior pelvic pain provocation test)(図 5-2-20)，⑥インフレアテスト（図 5-2-21）。

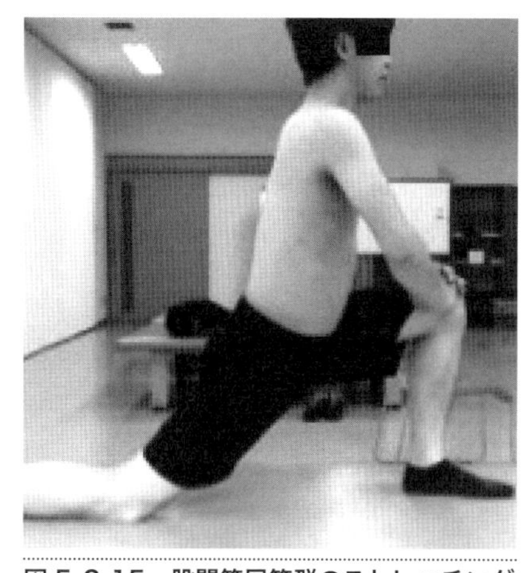

図 5-2-15　股関節屈筋群のストレッチング

4）治　療

抗炎症剤の処方，装具の使用，リハビリテーションなどの保存療法が中心となる。すべての治療で効果を認めない場合，仙腸関節固定術を選択することもある。

5）リハビリテーション

仙腸関節部へのストレスを軽減するため，体幹・股関節機能の改善（仙腸関節安定化筋の賦活化，隣接関節の柔軟性の向上）が基本となる。仙腸関節の位置異常に起因して，動作時や長時間の立位や座位で痛みが

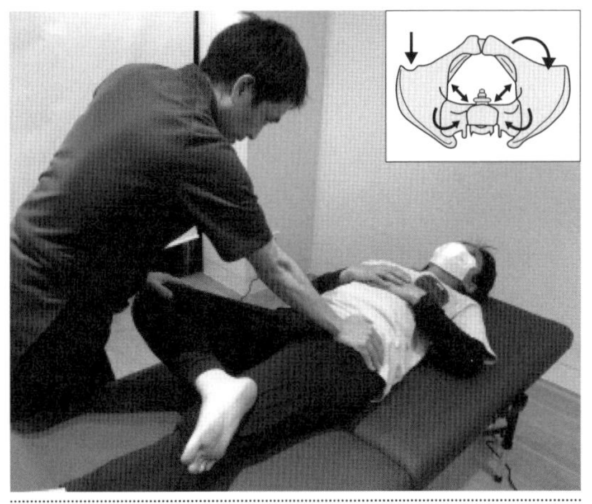

図 5-2-16　パトリックテスト
開脚側の仙腸関節前方には伸張ストレス，後方には圧縮ストレスがかかる。

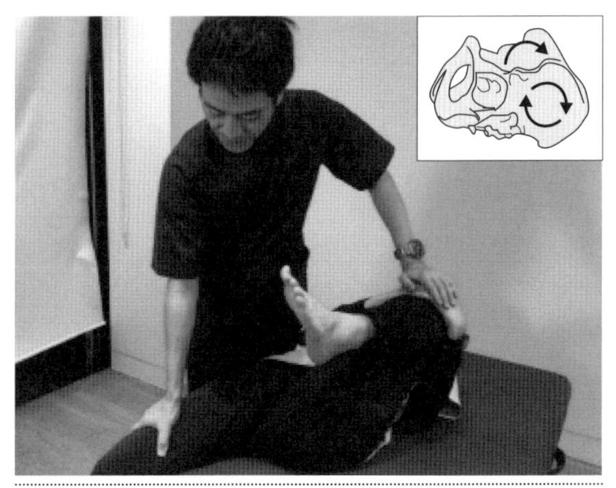

図 5-2-17　ゲンスレンテスト
健側の膝を抱え，患側の下肢を診察台の外に出し，股関節を伸展させる。股関節伸展により仙腸関節にニューテーションのストレスが生じる。

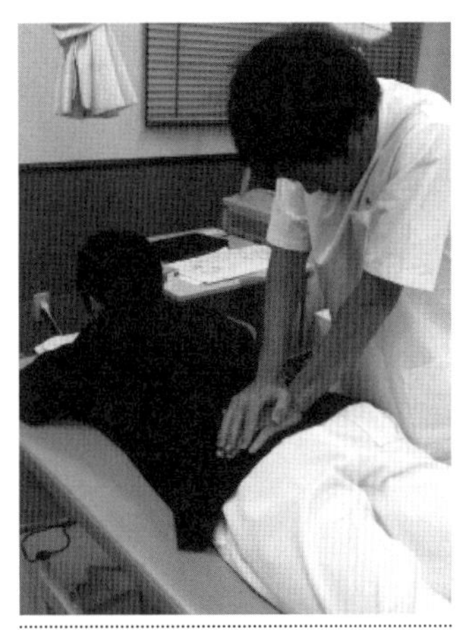

図 5-2-18　ニュートンテスト
仙腸関節に圧縮ストレスをかけ疼痛の出現を確認する。

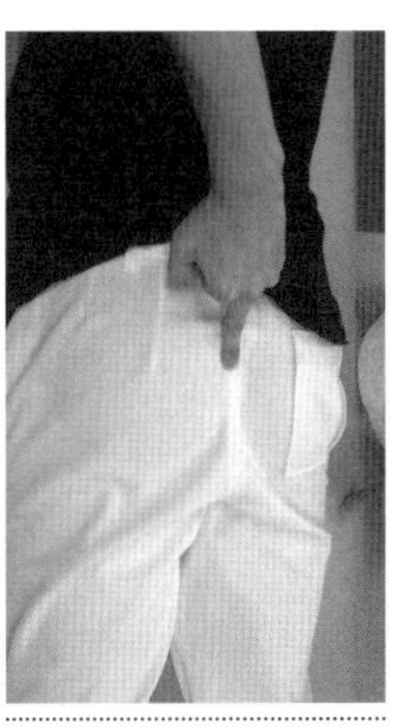

図 5-2-19　ワンフィンガーテスト
患者が疼痛部位を指で差す。

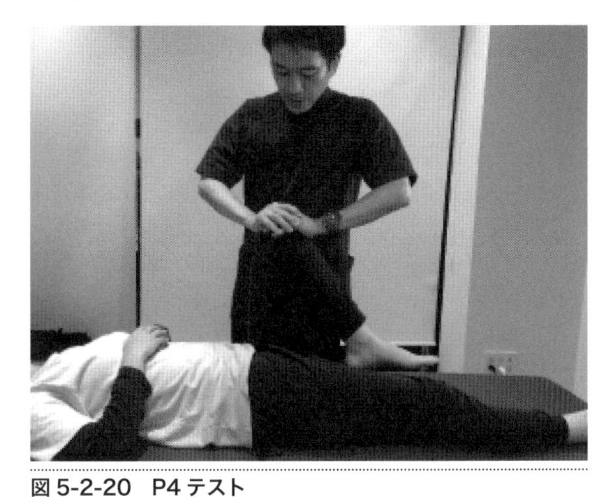

図 5-2-20　P4 テスト
患者は仰臥位にて，股関節を 90° に屈曲し，検者は患者の膝関節に対し垂直になっている大腿骨ラインに沿って床方向に圧迫を加える。

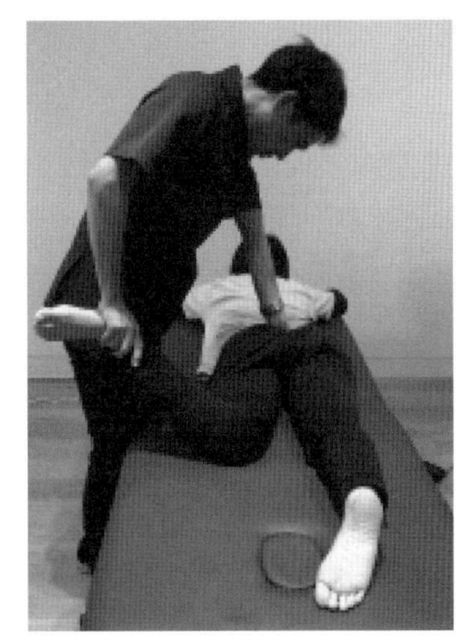

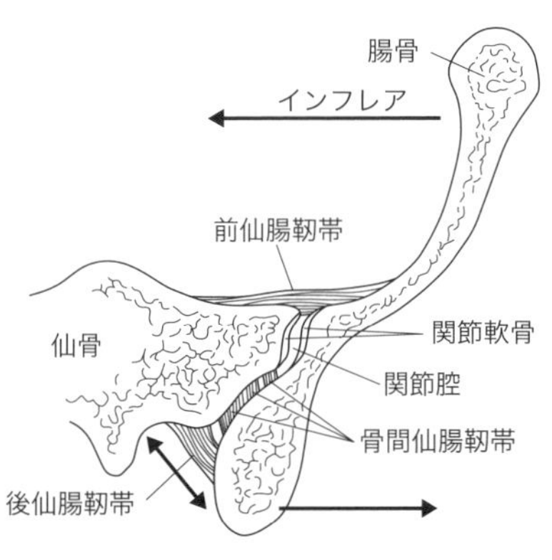

図 5-2-21　インフレアテスト
仙骨を固定し股関節を強制内旋することで，腸骨にはインフレア方向に力が加わり，仙腸関節の後方靱帯に伸長ストレスが生じる。

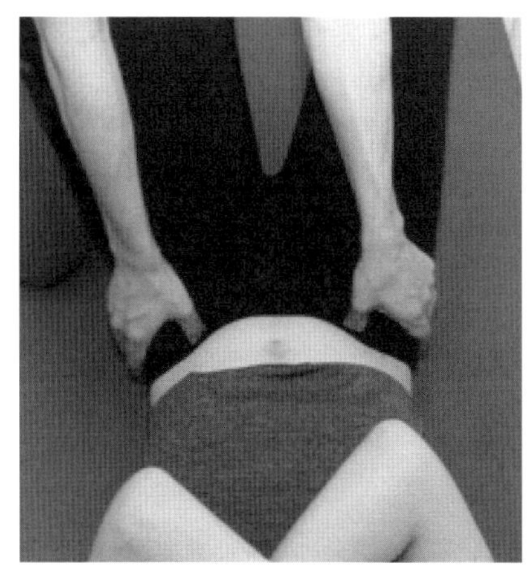

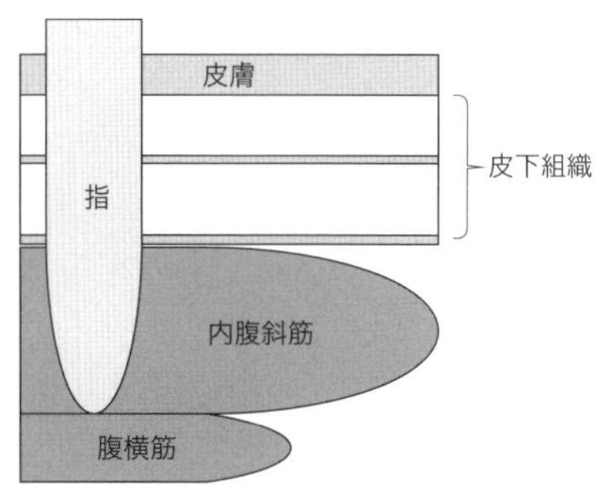

図 5-2-22　腹横筋機能評価
表層から外腹斜筋の筋膜，次に内腹斜筋，次に腹横筋がある。かなり深くまで入れないと腹横筋は感じない。

出現する場合には，徒手的な介入にて関節の位置異常の改善が必要となる[18]。位置異常の修正後，関節の安定性を高めるためのエクササイズ（図 5-2-22, 図 5-2-23）を行う。不安定性に起因する場合には，最初から安定性を高めるためのエクササイズを行う。長時間の座位で痛みが出現する場合は，仙骨がカウンターニューテーションを強制される不良姿勢でいることが多い。このため，姿勢改善を行い，その後関節の安定化を図るエクササイズを行う。

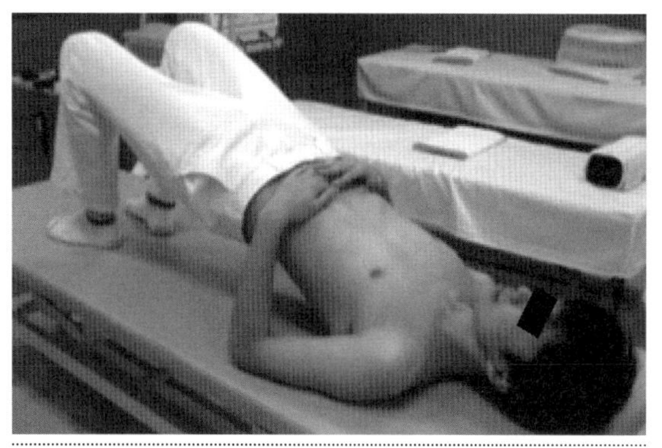

図 5-2-23　ブリッジ運動
大殿筋下部内側線維が収縮しやすいように，①腹筋の収縮，②大殿筋の収縮，③股関節内転の順に行い，ブリッジ動作を行うとよい。

①**ドローイン**（図 5-2-22）：仙腸関節を安定させる腹横筋を賦活化するために，息を吐きながら，お腹をひっこめる運動（ドローイン）によって腹横筋の収縮を指導する。仙腸関節は可動性と支持性が要求される。前屈や伸展のような動作（可動性が要求される場面）により疼痛が出現する場合には，強くドローインを行い腹斜筋群が働くと逆に仙腸関節は不安定になるため，腹横筋の単独収縮が重要となる。逆に，ジャンプの着地や歩行の支持期など支持性が要求される場面では，腹横筋の単独収縮だけでなく他の腹筋群との協調的な活動が必要となり，かなり強いドローインが必要となる。つまり，疼痛が誘発される局面により，必要とされるモーターコントロールは異なるので，そのことを認識した指導が大切である。

②**ブリッジ運動**（図 5-2-23）：大殿筋が収縮すると仙腸関節の剛性が高まることは報告されている[19]。さらに，筋線維の方向から，下部内側線維の活動が高まると仙腸関節は安定すると考えられるため，股関節の内転運動を意識したブリッジ運動を指導する。この際，大殿筋の下部内側線維の収縮を確認するとよい。

5-2-3　まとめ

アスリートに多く認めるいくつかの腰痛について述べてきた。腰痛をひとまとめにして捉えるのではなく，ここで挙げたように病態を理解し，病態別の対処方法を行うことが重要である。

5 部位別スポーツ外傷・障害のリハビリテーション
3 肩関節

稲山 大輝，佐藤 正裕（八王子スポーツ整形外科リハビリテーション部門）

5-3-1　機能解剖

5-3-1-1　肩関節を構成する骨（図 5-3-1）[1]

- 肩関節を構成する骨性要素は，上腕骨・肩甲骨・鎖骨である。
- 上腕骨は近位端に上腕骨頭を有し，解剖頸付近に関節包が付着する。その遠位には外側に大結節，前方に小結節があり，腱板筋群が付着する。両結節に囲まれた結節間溝は上腕骨の正中線に対して約 10 ～ 15° 外側に位置し，上腕二頭筋長頭腱が通過する。
- 上腕骨頭の関節面は前額面上では上腕骨体に対して約 130° の傾斜を持ち（頸体角），水平面上では遠位関節軸に対して約 30° 後方に向いている（後捻角）。
- 肩甲骨は胸郭の背側に位置する扁平な骨で，外側に向かうと厚くなり関節窩を形成する。通常，内側縁は脊柱から 3 cm 外側，内上角が第 2 胸椎のレベル，下角が第 8 胸椎のレベルに位置する。
- 肩甲骨の後方には肩甲棘があり，その外側に上腕骨頭を覆う肩峰を形成する。前方は多くの筋の付着部となる烏口突起を形成する。
- 鎖骨は上肢と体幹を連結する唯一の骨で S 字状の形状をしている。また第 1 肋骨との間に間隙を形成し，動静脈や神経叢を保護している。

5-3-1-2　肩関節を構成する関節（図 5-3-2）[1]

- 解剖学的関節（滑膜関節）である肩甲上腕関節・肩鎖関節・胸鎖関節と，機能的関節である肩甲胸郭関節・肩峰下スペースが含まれる。
- 肩甲上腕関節は狭義の肩関節であり，第 1 肩関節とも呼ばれる。大きいボール（上腕骨頭）と浅いソケット（関節窩）で構成された形態で，上腕骨頭と関節窩の面積比率はおよそ 3：1 である（図 5-3-3)。そのため，可動域は大きいが骨性安定性は低い特徴がある。

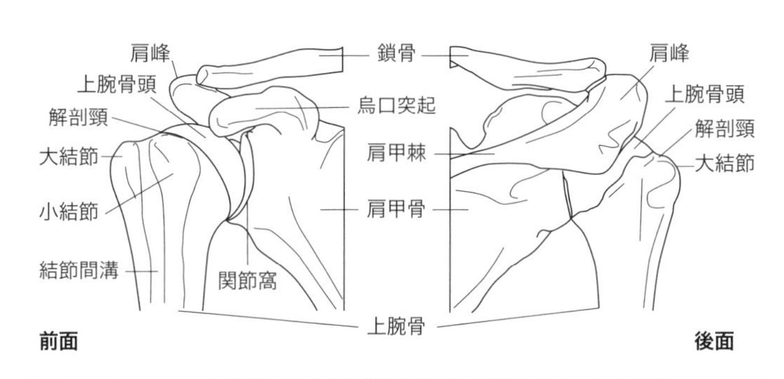

図 5-3-1　肩関節を構成する骨
（文献 1 より一部改変）

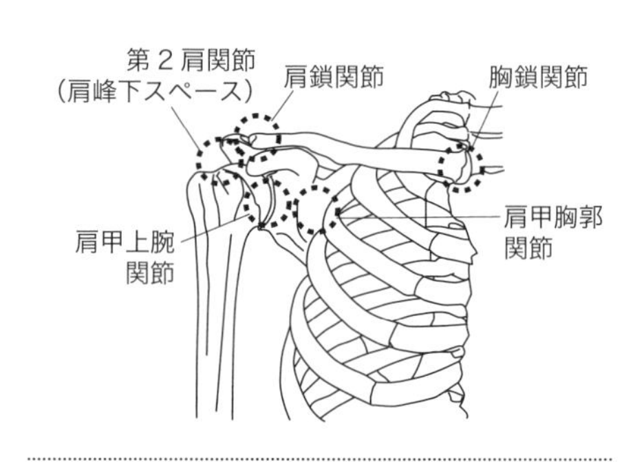

図 5-3-2　肩関節を構成する関節
（文献 1 より一部改変）

- 烏口肩峰アーチは烏口突起と肩峰とをつなぐ烏口肩峰靭帯によって構成され，その直下は肩峰下スペース（第2肩関節）と呼ばれる。肩峰下スペースには肩峰下滑液包と腱板が存在し，肩甲上腕関節の上方安定性への寄与と腱板の滑動機構を担う。
- 肩鎖関節では肩鎖靭帯と関節包が肩峰と鎖骨を連結し，さらに烏口鎖骨靭帯として菱形靭帯と円錐靭帯が鎖骨遠位と烏口突起をつなげて補強している。肩鎖関節は肩甲骨運動の中心軸としての機能がある。
- 胸鎖関節では胸鎖靭帯と関節包が胸骨と鎖骨を連結し，間接的に肋鎖靭帯と鎖骨間靭帯が安定性を補強している。胸鎖関節は鎖骨運動の中心軸としての機能がある。
- 肩甲胸郭関節は肩甲骨と肋骨面によって構成され，肩甲骨と胸郭とはすべて筋で連結する機能的関節である。体幹とは肩鎖関節を介して連結している。

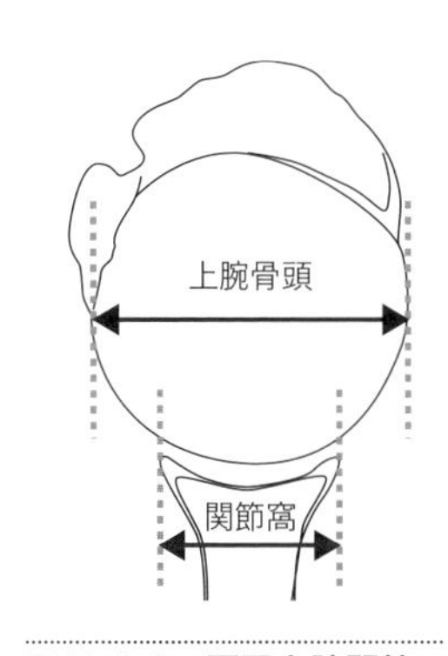

図 5-3-3　肩甲上腕関節の上腕骨頭と関節窩の関係
小さいソケット（関節窩）が大きいボール（上腕骨頭）を支えているため，可動性が大きいが骨性安定性は低い。

5-3-1-3　肩甲上腕関節の静的安定性と動的安定性

- 肩甲上腕関節の静的安定性を構成する組織は，関節唇，関節包，関節上腕靭帯，烏口上腕靭帯によって構成される。さらに腱板筋群や三角筋，上腕二頭筋などが肩甲上腕関節の動的安定性に寄与する。
- 関節唇は関節窩周辺に全周性に付着し，関節窩の深さを補填することで関節安定性を高めている。特に上方部分を SLAP（superior labrum anterior and posterior）と呼ぶ。
- 関節包により包まれた正常な肩甲上腕関節の内圧は上肢下垂位で陰圧に保たれており，この陰圧が上腕骨頭を関節窩に圧着する効果となっている [2]。
- 関節上腕靭帯は関節包の一部が肥厚して索状となったもので，上関節上腕靭帯（superior glenohumeral ligament：SGHL）・中関節上腕靭帯（middle glenohumeral ligament：MGHL）・下関節上腕靭帯（inferior glenohumeral ligament：IGHL）からなり（図 5-3-4），骨頭の前方不安定性を制動する。IGHL は前方支帯（anterior band of IGHL：AIGHL）と腋窩嚢（axillary pouch），後方支帯（posterior band of IGHL：PIGHL）からなり，主に AIGHL が外転外旋位での前方不安定性を制動する。
- 三角筋は肩の挙上運動の主動作筋であるが，下垂位では上腕骨頭の上方偏位に作用する。棘上筋は単独では肩を 30° 程度しか挙上できないが，その後は上腕骨頭を関節窩に押さえ込む機能を持つ。この三角筋と棘上筋のフォースカップル（2つ以上の筋が活動して1つの運動を遂行する機能）により，安定した肩関節の挙上運動が遂行される。フォースカップルの機能は，内旋筋である肩甲下筋と外旋筋である棘下筋・小円筋でも，上腕骨頭の求心性維持に重要な役割を発揮している。
- 上腕二頭筋長頭腱は関節内で上方関節唇から起始し，その機能は挙上運動時の骨頭上方偏位の制動や肩外旋の制限が挙げられている。

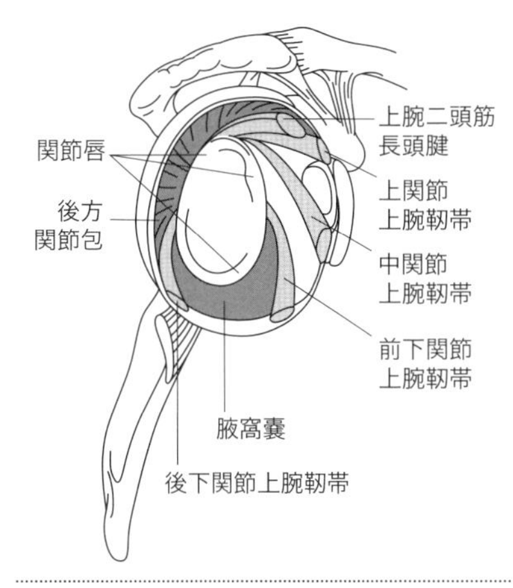

図 5-3-4　関節唇と関節上腕靭帯の解剖

5-3-1-4 肩甲胸郭運動にかかわる関節と機能

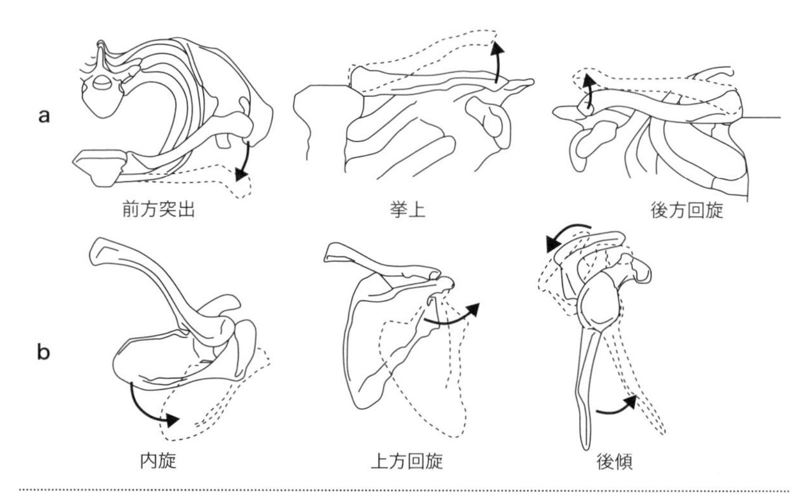

図 5-3-5　肩甲骨運動における胸鎖関節と肩鎖関節の運動
a：胸骨に対する鎖骨の運動（胸鎖関節運動），b：鎖骨に対する肩甲骨の運動（肩鎖関節運動）（文献３より一部改変）

- 肩甲骨の胸郭上の運動において，従来用いられている挙上と下制，内転と外転は肩甲骨の前額面上の平行移動の方向を意味しており，３次元的な回旋運動を表わすと，上方回旋と下方回旋，内旋と外旋，前傾と後傾と表わされる（図 5-3-5）[3]。これらは鎖骨の運動（胸鎖関節運動）と肩甲骨に作用する筋による運動（肩鎖関節運動）で構成される。
- 胸鎖関節の運動は胸骨に対する鎖骨の運動で表わされ(図 5-3-5a)，前方突出が約 15° と後退が約 15°(前後方向に約 30°)，挙上が約 45° と下制が約 5°（上下方向に約 50°），前方回旋と後方回旋（前方回旋はほぼせず後方に約 50°）からなる[2]。
- 肩鎖関節の運動は鎖骨に対する肩甲骨の運動で表わされ（図 5-3-5b），上方と下方回旋（矢状軸で約 50°），内旋と外旋（垂直軸で約 30°），前傾と後傾（前額軸で約 30°）の回旋運動からなる[2]。
- 肩甲骨の上方回旋に作用する僧帽筋下部線維と前鋸筋は，フォースカップルを形成して肩関節挙上運動時の肩甲骨運動に大きく関与する。
- 肩甲挙筋や菱形筋は肩甲骨を挙上・内転させるが，下方回旋にも作用するため肩関節挙上運動時の肩甲骨上方回旋を制限する。

5-3-1-5　肩甲上腕リズム（図 5-3-6）[1]

- 正常肩における肩関節挙上動作時の肩甲上腕関節運動と肩甲胸郭関節運動の比率はおよそ 2：1 と報告されている[4]。肩甲上腕関節の拘縮をきたした場合，肩甲胸郭関節の運動が過剰となり，この比率は変動する。

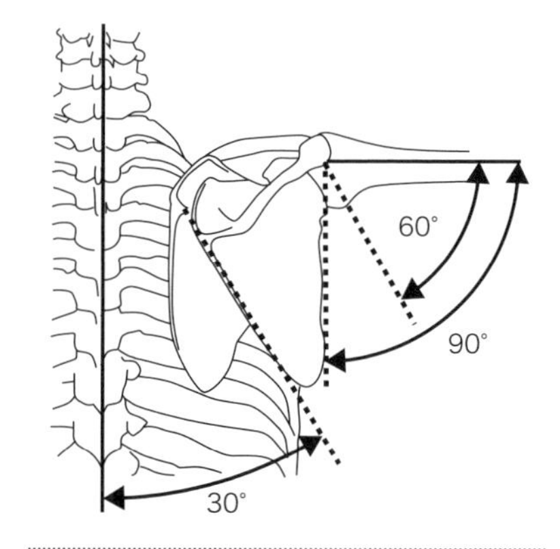

図 5-3-6　肩甲上腕リズム
肩関節外転運動における肩甲上腕関節の外転可動範囲と肩甲胸郭関節の肩甲骨上方回旋可動範囲の割合はおよそ 2：1 である。図では，肩関節外転 90° の際に，肩甲上腕関節外転角度が 60°，肩甲骨上方回旋角度が 30° であることを示している。（文献１より一部改変）

5-3-2　代表的なスポーツ外傷・障害とリハビリテーション

5-3-2-1　肩関節脱臼

1）発生機転・病態

- 肩関節は人体において最も脱臼が生じやすい関節である。
- スポーツにおける肩関節脱臼は外傷性と非外傷性に分けられ，

図 5-3-7　外傷性肩関節脱臼の受傷メカニズム
a:トライスコアラー（肩関節屈曲強制），b:タックラー（肩関節水平伸展強制），c：ダイレクトヒット（直達外力）
（文献 5 より一部改変）

発生頻度は外傷性によるものが多い。

- 外傷性肩関節脱臼の 90%以上は前方脱臼であり，若年層では高い確率で反復性脱臼に移行する。
- 外傷性肩関節脱臼のラグビーにおける受傷メカニズムとして，①トライスコアラー（肩関節屈曲強制），②タックラー（肩関節水平伸展強制），③ダイレクトヒット（直達外力）があり[5)]，関節窩に対して上腕骨を前方または前下方に偏位させる強い力が加わることで生じる（図 5-3-7）。
- 脱臼の危険因子について，個体要素として全身関節弛緩性があること，関節構造として関節窩が浅い，烏口上腕間の幅が広い，上腕骨頭の下方への過剰な運動を有していることが報告されている[6, 7)]。
- 肩関節前方脱臼に伴う病態として，AIGHL–関節唇複合体が関節窩から剥離する Bankart 病変，上腕骨頭後上方に骨欠損が生じる Hill-Sachs 病変，関節窩の骨折により骨欠損が生じる骨性 Bankart 病変，上腕骨頭側の関節包が断裂する HAGL（humeral avulsion of the glenohumeral ligament）病変，Bankart 病変の亜型である ALPSA（anterior labral periosteal sleeve avulsion）病変，腱板疎部損傷，SLAP 損傷がある。

2）症状・診断

- 完全脱臼直後は激痛と自動運動困難を訴え，健側の手で患側上肢を支えていることが多い。視診上，三角筋の丸みが消失し，上腕骨頭が腋窩で触れることが多い。
- 整復後は自動運動が可能となるが，急性炎症による腫脹，熱感，疼痛，関節可動域制限を生じる。また，三角筋外側部の知覚障害を認めることがあるが，これは脱臼時の腋窩神経損傷による一過性のものであることが多い。
- 炎症消失後は，可動域の回復とともに日常生活やスポーツ活動に参加できるようになるが，肩関節外転・外旋や水平伸展運動時，接触プレー時に疼痛や不安感を生じる場合がある。反復性に移行している場合には，日常生活動作や中間可動域における動作でも，疼痛や不安感，再脱臼が生じる。
- 診断において，単純 X 線では脱臼した上腕骨頭の位置と骨折の合併の有無を把握する。
- CT や 3DCT では，Hill-Sachs 病変や骨性 Bankart 病変などの骨損傷の程度や骨欠損部の形態を明確に評価できる。
- MRI は，AIGHL–関節唇複合体を含む軟部組織の損傷や骨挫傷を含めた骨内病変の診断に有効である。関節唇損傷の特定や損傷形態の評価には，造影剤を用いた MRA が有用であるとされている[8)]。

3）整形外科的徒手検査

- **前方アプリヘンションテスト（anterior apprehension test）**（図 5-3-8a）：肩 90° 外転位にし，検者は一方の手で上腕骨頭を後方から前下方へ圧迫する。もう一方の手で外旋強制を加えた際に，不安感や

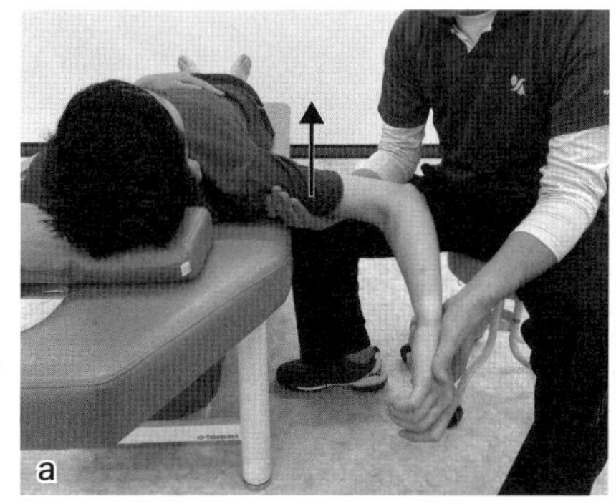

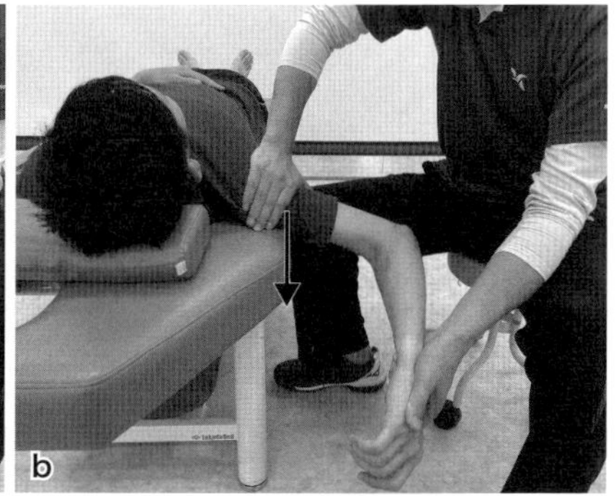

図 5-3-8　肩関節不安定性検査
a：前方アプリヘンションテスト，
b：リロケーションテスト

疼痛が生じた場合を陽性とする。

- **リロケーションテスト（relocation test）**（図 5-3-8b）：肩外転外旋位にて不安感や疼痛が生じた際に，上腕骨頭を後方へ圧迫することで，不安感や疼痛が消失または軽減した場合を陽性とする。この検査から，骨頭の前方偏位による症状を把握することができる。
- **ロードアンドシフトテスト（load and shift test）**：肩関節下垂位にて，検者は一方の手で肩峰を把持する。もう一方の手で上腕骨頭を把持し，前方へ圧迫した際の骨頭の移動量を左右で比較する。
- **サルカスサイン（sulcus sign）**：肩関節下垂位にて，検者は一方の手で肩峰を把持する。もう一方の手で上腕骨を把持し，下方へ牽引した際の，肩峰と骨頭間の距離を左右で比較する。肩内旋位においても下方移動量が増大している場合には，腱板疎部損傷を生じている可能性がある。

4）治　療

a）保存療法

- 脱臼の整復後は外固定を行う必要がある。下垂位内旋位固定が一般的であるが，固定肢位や期間について統一した見解は得られていない。
- 通常 3 週間程度の固定期間の後にリハビリテーションを開始し，3 ヵ月程度で復帰する。
- スポーツ選手における再脱臼率の比較では，保存療法群 47 ～ 95％に対し，手術療法群は 4 ～ 16％と手術療法群で良好な成績が報告されている[9, 10]。スポーツ種目による違いはあるが，近年ではスポーツ選手に対して手術療法の選択が勧められている。

b）手術療法

- **Bankart 修復術**：Bankart 病変を解剖学的に修復することを目的とした手技で，関節窩前縁に 3 ～ 4 個のアンカーを打ち込み，縫合糸にて剥離した前下方関節唇を固定する。鏡視下での手術が可能になってから，骨欠損のない関節唇損傷に対して良好な治療成績が報告されている[11]。
- **Bristow 法**：上腕二頭筋短頭と烏口腕筋が付着した烏口突起を切離し，関節窩前縁に移行することで，付着腱の筋性制動と，烏口突起による骨性制動を得る手技である。コンタクトスポーツなどで強固な固定が必要な場合や，関節窩骨欠損を補填する目的で選択される。
- **Remplissage 法**：上腕骨頭側の骨欠損部（Hill-Sachs 病変）に対して，アンカーを用いて棘下筋腱と後方関節包を固定することで欠損部を充填する方法である。Bankart 修復術に追加して施行されることが多く，優れた前方制動効果が期待できる一方，術後の可動域制限や外旋筋力低下に注意が必要である。

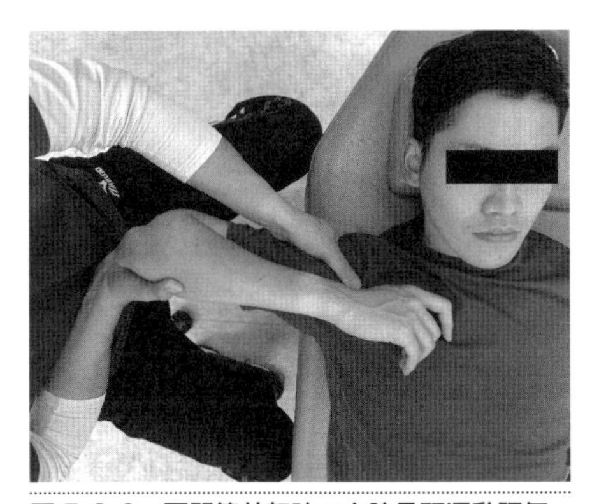
図 5-3-9　肩関節外転時の上腕骨頭運動評価
上腕骨を他動的に外転した際に，操作側と反対の手で上腕骨頭を把持し，前方偏位や回旋などの異常運動の有無を確認する。

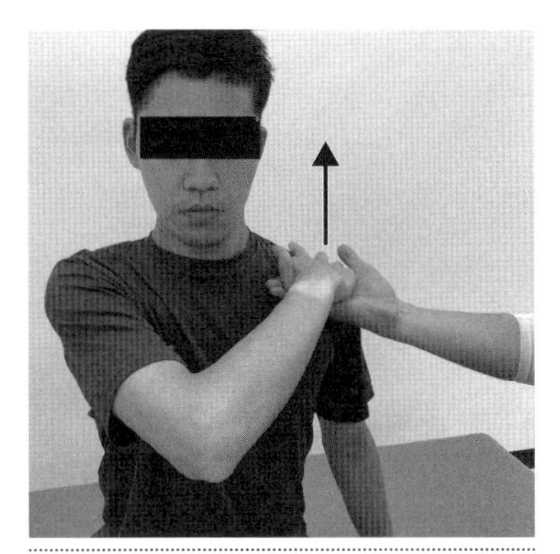
図 5-3-10　ベアハグテスト（肩関節 90° 屈曲位）
肩関節 90° 屈曲位で対側の肩に手を置き，肩から手を離すように抵抗を加える（矢印）。この肢位を保持できない場合，肩甲下筋下部線維の筋力低下が示唆される。

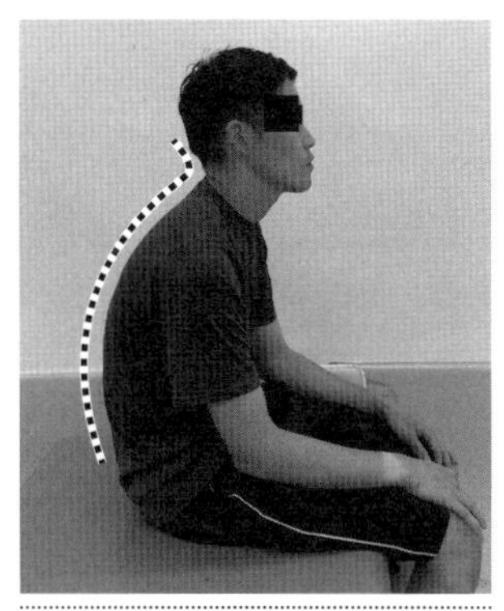
図 5-3-11　座位姿勢の評価
胸椎後弯姿勢では，肩甲骨前傾・外転に伴い肩関節が軽度伸展位となる。このような姿勢は上腕骨の前方偏位を助長するため，外傷性肩関節脱臼の危険因子となる。

5）リハビリテーション

a）評価のポイント

- 再脱臼を予防するうえで，正常な肩甲上腕関節の外転運動の確保が重要となる。上腕骨を外転させた際に，骨頭の前方偏位や回旋などの異常運動を生じていないか評価する（図 5-3-9）。
- 上腕骨頭の前方偏位に対する筋性制動は，肩前面に付着する肩甲下筋の機能が影響する。特に，上肢挙上位では肩甲下筋の下部線維が張力を発揮するため，筋出力の評価を行う（図 5-3-10）。
- 胸椎後弯などの不良姿勢は，相対的に肩関節水平伸展位をとりやすくするとともに，体幹の支持性を低下させる（図 5-3-11）。座位や立位，スクワットポジションでの姿勢観察を行うことは脱臼を予防するうえで重要である。

b）リハビリテーション

本項ではスポーツ選手に対して行われる鏡視下 Bankart 修復術後のリハビリテーションについて記載する（表 5-3-1）。

■装具固定期

- 術後固定期には，炎症早期消失と肩周囲筋の過剰筋緊張の抑制が目的となる。具体的にはアイシングや物理療法を用いた消炎処置を行うとともに，不良姿勢の改善や肩甲骨セッティング，胸郭・体幹運動などを行っていく。
- 胸椎や胸郭，肩甲骨の可動性は不安定性や疼痛を軽減するために重要であり，その後の可動域訓練を円滑に進めていくために早期から積極的に行う。また，術後の炎症や装具固定によって腱板機能が低下し上腕骨頭の求心性低下が生じるため，修復組織にストレスをかけないよう等尺性での腱板筋エクササイズを固定期間から行っていく。

■装具除去期

- 修復組織の治癒を阻害しないように骨頭求心性を保った可動域の拡大を図っていく。特に，可動最終域では関節構成体に負荷の割合が増大するため [12]，注意が必要である。
- 可動域訓練では，骨頭異常運動の修正を行いながら，ストレッチポールを用いた自動介助運動などで正

表 5-3-1　鏡視下 Bankart 修復術後のリハビリテーションプロトコール

	術後期間	運動許可	リハビリ目標
装具固定期	～3週	肩関節の ROM（可動域運動）禁止，肘以下の自動エクササイズ，肩甲帯・胸郭運動，等尺性回旋筋腱板エクササイズ	炎症コントロール，不良アライメント改善，患部外トレーニング
装具除去期	3～4週	前方屈曲自動・他動 ROM エクササイズ	可動域拡大，骨頭求心位の保持，肩甲骨可動性向上
	5～6週	下垂外旋および外転自動・他動 ROM エクササイズ	
	7～8週	外転位での外旋自動・他動 ROM エクササイズ	
アスレティックリハビリテーション期	10週～	肩内外旋筋および肩甲骨周囲筋エクササイズ	可動域拡大，骨頭求心位の保持，腱板筋筋力向上，協調的な運動の獲得
	12週～	可動最終域までのレジスタンスエクササイズ，肩甲骨スタビリティエクササイズ	
	4～6ヵ月	段階的なスポーツ復帰	競技種目に必要な機能の獲得
	6ヵ月以降	完全復帰	

常な肩関節運動を獲得していく（図 5-3-12）。

- 固定期間の不良姿勢などにより棘下筋が持続的に遠心性収縮し，三角筋後部線維との間で滑走不全を生じると肩外転時に骨頭を外旋させながら前方に偏位させる。また，前上方に作成した術創部で癒着が生じると，骨頭の後下方への可動性が制限されるため骨頭の前方偏位が惹起されやすくなる。これらの骨頭異常運動を見極めながら，必要な組織滑走性を獲得していく。
- 腱板筋のトレ−ニングは，様々な肢位でのトレーニングを行っていくことが重要となり，肩甲骨の固定が得られていること，関節軸での回旋運動が行えていることを評価しながら運動指導を行う（図 5-3-13）。

図 5-3-12　肩関節屈曲自動介助運動
ストレッチポール（タオルなどでもよい）の上に両手を置き，股関節の屈曲に伴う骨盤・体幹の前傾にて前方へ手を伸ばすように肩関節屈曲運動を行う。

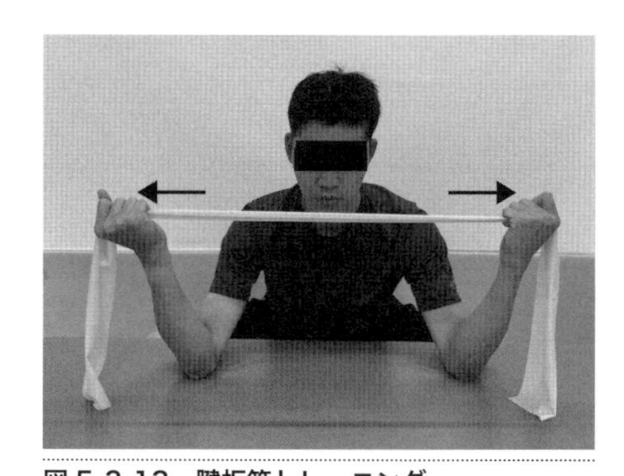

図 5-3-13　腱板筋トレーニング
チューブを用いて，両肘を支点とし肩関節外旋運動を行う。胸椎が過度に後弯しないように注意し，上腕骨軸での回旋運動を行うことで棘下筋の収縮を促す。

c）競技復帰に向けたリハビリテーション

■積極的トレーニング期

- 術後 12 週で修復部の組織学的な治癒が得られる。この時期から，腱板筋のトレーニングを強度を強めて積極的に行っていくとともに，肩甲帯を含めたスタビリティエクササイズを行っていく。脱臼後に固有感覚が低下するとされているため[13,14]，CKC でのリーチエクササイズなどを行い，固有感覚や神経筋機構に働きかけることも重要である（図 5-3-14）。
- コンタクトスポーツでは，タックル動作の技術不足が障害発生に関与するとされており，良好なタックル姿勢の獲得が重要となる。望月[15]は，タックル動作を，①アプローチ（相手に近づく），②コンタクト（相手の体に密着する），③バインディング（相手の体を締め付ける）の3つのフェーズに分け，この3つのフェーズがすべて良好に行われることが，脱臼予防において重要としている。

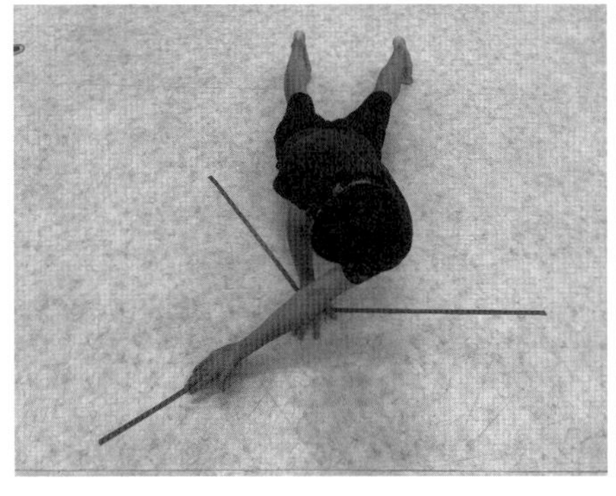
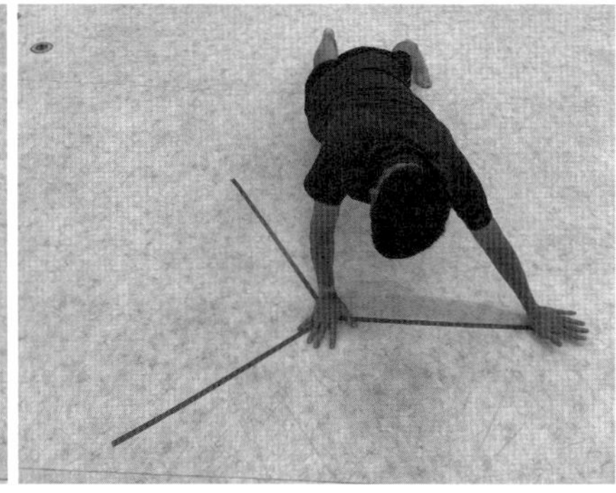

図 5-3-14　荷重位での上肢リーチエクササイズ
片手で支持をした状態で，もう一方の手を多方向に伸ばしていく。肩甲上腕関節の深部感覚や肩甲帯・体幹との協調的な運動を促すことができる。

①アプローチ：アプローチでは，ショートステップを用いて相手に近づき，コンタクト時の軸足が相手から離れすぎないように，相手の動きに歩幅とタイミングを合わせることが重要となる。具体的なトレーニング例として，敏捷性を高めるためのハーキーステップから左右への方向指示，ライトの点灯や音の鳴った方向への踏み出しなど様々な感覚刺激に対してリアクションするトレーニングを行い，反応速度や精度を高めていく。

②コンタクト：コンタクト時の姿勢改善を目的にウォールスクワットエクササイズなどを行うことで，胸椎伸展位での骨盤前傾と十分な股関節屈曲運動を獲得する（図 5-3-15）。顎が上がり (chin-out), 胸椎が後弯した姿勢は脱臼のリスクを高めるため，顎を引いた (chin-in) 状態で頸部周囲筋のトレーニングを行うことも重要となる。

図 5-3-15　オーバーヘッド（ウォール）スクワット
壁の前に立ち両上肢を挙上したままスクワットを行う。**a**：不良動作パターン：股関節屈曲優位での動作パターンが困難なため，膝を前方に突き出した姿勢となり腰背部の緊張が高くなることで十分にしゃがみ込むことができない。**b**：良好な動作パターン：胸椎の伸展を維持したまま，腰椎後弯を伴う股関節屈曲が可能なため，深くまでしゃがみ込むことができる。

5-3-2-2　肩鎖関節脱臼

1）発生機転・病態

- 肩鎖関節脱臼は特にコンタクトスポーツの現場で遭遇することが多い外傷である。
- 受傷機転は，タックルなどで相手と衝突した際に肩鎖関節部へ前方あるいは上方から直達外力がかかることによって発症する場合と，転倒で肩から落ちた際に上腕骨頭を介して介達外力がかかることによって発症する場合がある。特に肩から転倒し上肢が内転位で肩峰に強い回旋方向への外力が加わった場合，重症度が高くなりやすい。
- 重症度の分類は，捻挫・亜脱臼・脱臼の 3 型に分けた Tossy 分類[16]（グレード I ～ III）と，これに鎖骨の偏位の程度を加えて 6 型に改変した Rockwood 分類[17]（タイプ I ～ VI）が標準的に用いられる（図 5-3-16）。
- 肩鎖関節脱臼受傷時に肩周囲に強い外力が加わることで，鎖骨遠位端骨折や烏口突起骨折，肩関節脱臼，腱板損傷を合併する可能性がある。また，肩甲骨が下方に転位することで，2 次的に胸郭出口症候群を

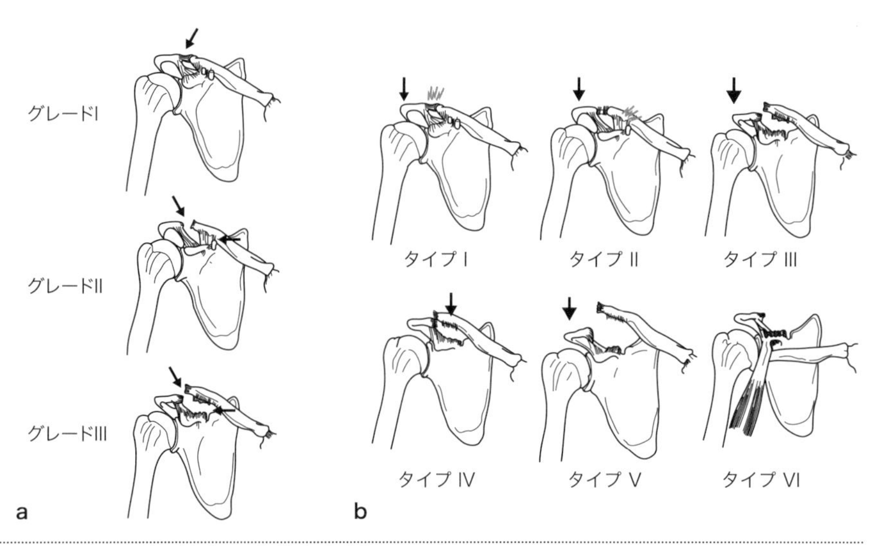

図 5-3-16　肩鎖関節脱臼の損傷程度分類
a：Tossy 分類（グレード I ～ III），b：Rockwood 分類（タイプ I ～ V）
（文献 16，17 より一部改変）

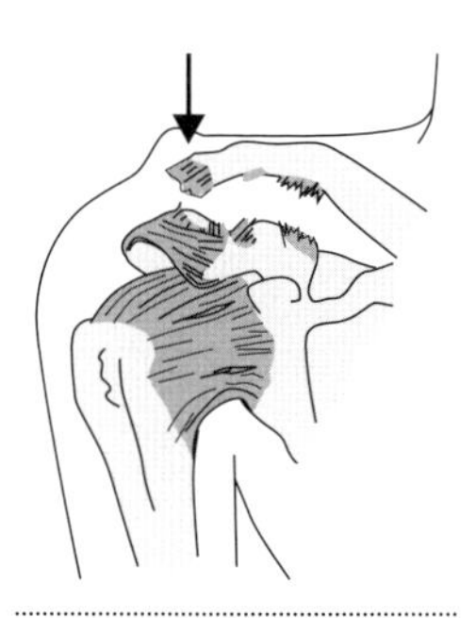

図 5-3-17　ピアノキーサイン
上方に転位した鎖骨外側端を，矢印方向に押し下げると整復され，手を離すと再び上方に転位する。

引き起こす可能性がある。

2）症状・診断

- 受傷直後は肩鎖関節部の疼痛と圧痛が著明で，徐々に炎症による腫脹が出現してくる。痛みのために上肢の自動運動が困難となる場合が多いが，特に屈曲・外転・伸展で強い運動時痛と可動域制限が生じる。完全脱臼では視診にて鎖骨が浮き上がる変形を認める。
- 陳旧例では変形遺残のみで症状を認めない例もあるが，関節円板の損傷を合併している場合は肩鎖関節部に圧痛や水平内転時の運動時痛，軋轢音が残存することがある。完全脱臼では肩甲帯の鈍重感や肩甲上腕リズムの破綻による肩甲帯周囲筋の筋力低下や易疲労性を呈することがある。
- 診断において，単純 X 線や視診上で鎖骨外側端の上方偏位があれば亜脱臼（Tossy 分類グレード II，Rockwood 分類タイプ II）以上の損傷と判断できる。
- MRI では，肩鎖関節脱臼に伴う肩鎖靭帯や烏口鎖骨靭帯の損傷や関節円板の損傷の程度を把握することができるが，通常単純 X 線撮影のみで診断と重症度の分類がなされる。

3）整形外科的徒手検査

- **ピアノキーサイン（piano key sign）**：鎖骨遠位端を下方に押し下げると元の位置に整復されるが，再び手を放すと上方に変位してしまう。鎖骨遠位端の上方転位が著明となるグレード III（タイプ III）で特徴的な症状となる（図 5-3-17）。
- **ハイアークサイン（high arc sign）**：肩外転運動時に，150° 以上の角度で疼痛を訴える。
- **クロスボディアダクションテスト（cross body adduction test）**：他動的に肩を 90° 屈曲させ，水平内転方向へ軸圧負荷をかけることで，肩鎖関節部に疼痛が生じる。本検査では，肩峰下インピンジメントによる疼痛も誘発されるため，鑑別が必要である。

4）治　療

- 一般的に新鮮例の Rockwood 分類タイプ I・II は保存療法が選択され，タイプ IV ～ VI のような高度変形に対しては手術療法が適応とされる。

- タイプIIIは保存療法と手術療法の適応に統一した見解が得られていないが，適切な初期治療とリハビリテーションにより良好な成績が報告されており，現在は保存療法の選択が推奨される傾向がある[18, 19]。
- 保存療法では，急性期の処置として局所の安静のために三角巾やクラビクルバンド，テーピングなどによる固定，アイシング，消炎鎮痛剤の投与が行われる。
- 長期の固定は行わず，急性期が過ぎて痛みが軽減したら可及的早期にリハビリテーションを開始する。
- 手術療法では，大きく分けて1次修復を目的とした烏口鎖骨靭帯の再建方法，プレートなど金属性固定材料を用いた肩鎖関節の固定方法，人工靭帯を用いた再建方法がある。
- どの術式も一定の成績が報告されているが，再建術では内固定材の破損による鎖骨の上方転位が，プレート固定では鎖骨の回旋制限とプレートの破損が問題となる。
- 術後リハビリテーションは，3～6週の装具固定にて局所の安静を保ち，装具除去後から可動域訓練および筋力訓練を開始する。術後3ヵ月以降で，可動域および筋力の回復が得られたら，ノンコンタクトプレーから徐々に競技復帰し，6ヵ月以降でコンタクトプレーを含めた完全復帰となる。

5）リハビリテーション

a）評価のポイント

- 肩鎖関節は肩甲骨を体幹とつなぐ唯一の関節であり，脱臼により肩甲骨の不安定性が生じる。特に，肩鎖関節を運動軸とする上方・下方回旋，内・外旋運動の破綻が生じやすい。
- 肩甲骨の不安定性は，肩甲上腕リズムの破綻を招き，不良パターンによる肩甲骨周囲筋の過緊張や肩鎖関節部の疼痛を引き起こす。肩甲上腕リズムが正常に保たれているか評価することが重要となる。
- セッティング期（挙上初期において肩甲骨が胸郭上に固定される静止期）は，正常な肩甲上腕リズムを獲得するために重要となる（図5-3-18）。僧帽筋上部線維や肩甲挙筋の過度な緊張，棘上筋機能不全は肩甲帯の挙上を引き起こし，肩甲上腕リズムの破綻につながる。
- 肩関節後方タイトネスによる水平内転制限は，代償的に肩甲骨を挙上，内旋させ，肩鎖関節部への圧迫ストレスを増大させる。肩後方の柔軟性を評価し，左右差をなくすことを念頭にリハビリテーションを進める（図5-3-19）。

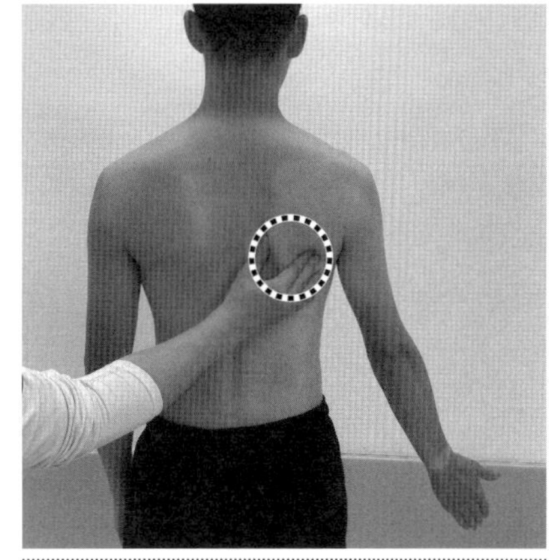

図5-3-18　挙上初期における肩甲骨の固定
肩甲骨下角を触知する。外転運動を支持し，上肢を挙上する際に肩甲骨が胸郭に固定されているか確認する。

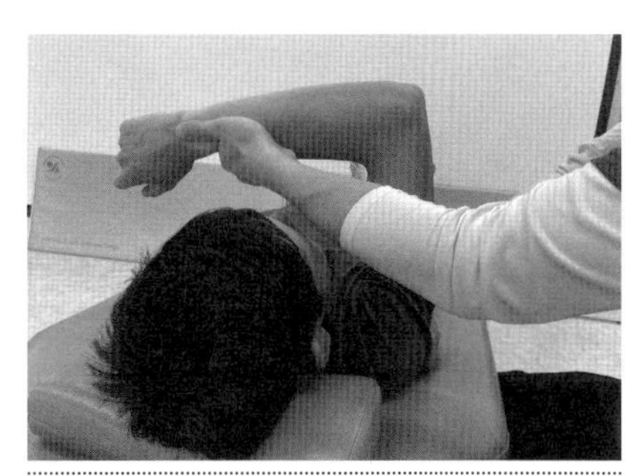

図5-3-19　肩関節後方タイトネスの評価
肩甲骨外側縁を固定し，もう一方の手で肩関節を水平内転させる。肩の挙上や上腕骨の回旋など代償動作に注意する。

b）リハビリテーション

本項では肩鎖関節の保存療法におけるリハビリテーションについて記載する。

■受傷直後

- 患部の炎症および疼痛の消失を目的にアイシングと，上肢の牽引負荷を軽減するために1～2週間の三角巾固定を行う。この時期に，上肢固定や疼痛によって僧帽筋上部線維や肩甲挙筋の過緊張が生じていると，肩甲上腕リズムの破綻を引き起こしやすい。

- 胸椎後弯などの不良姿勢は，大胸筋や小胸筋，頸部周囲筋の過緊張を助長するとともに，肩甲骨下制により肩鎖関節を離解するため，炎症が遷延しやすく，注意が必要である。

■固定除去後

- 炎症および疼痛の軽減がみられたら三角巾を除去し，痛みの程度に応じて可及的に可動域訓練および腱板筋トレーニングを進めていく。
- 挙上初期における正常な肩甲上腕リズムの獲得に，チューブを用いた外転運動(0～30°の範囲)を行う。その際，肩鎖関節への剪断ストレスを軽減させるため，鎖骨を上方から抑えて実施する。肩甲骨の支持が得られにくい場合は，側臥位にて肩甲骨の運動をアシストしながら外転運動を行わせる（図5-3-20）。
- 固定肢位の継続により，肩後方では棘下筋と三角筋後部線維間で滑走不全を生じやすく，肩関節水平内転を制限する。また，固定期間の不良姿勢は，上腕三頭筋のタイトネスを生じやすく，肩挙上時の骨頭尾側滑りが制限されることで，上腕骨頭の上方偏位および肩甲骨の挙上を引き起こす。
- 肩甲骨の安定化には，前鋸筋と僧帽筋下部線維によるフォースカップル機能が重要で，各筋に対する重錘を用いた選択的トレーニングや，キャットアンドドッグエクササイズ（cat and dog exercise）を用いて，荷重位での肩甲骨安定化を図っていく（図5-3-21）。

c）競技復帰に向けたリハビリテーション

■積極的トレーニング期

- 競技復帰に備えて，再脱臼を予防するために下半身の強化や正しいスポーツ動作の獲得が重要となる。
- 胸椎後弯姿勢で，肩甲骨前傾・外転位のままタックルを行うと，肩外側でコンタクトしやすく，肩鎖関節への負荷が増大する。骨盤から体幹を一直線に保つように身体を前傾させ，肩甲骨内転位を保持しながらコン

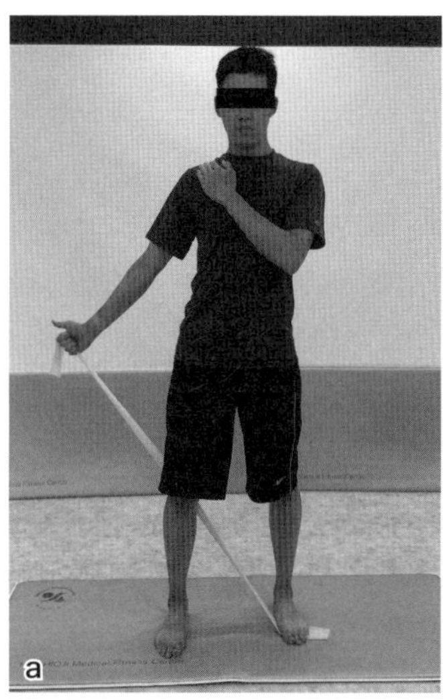

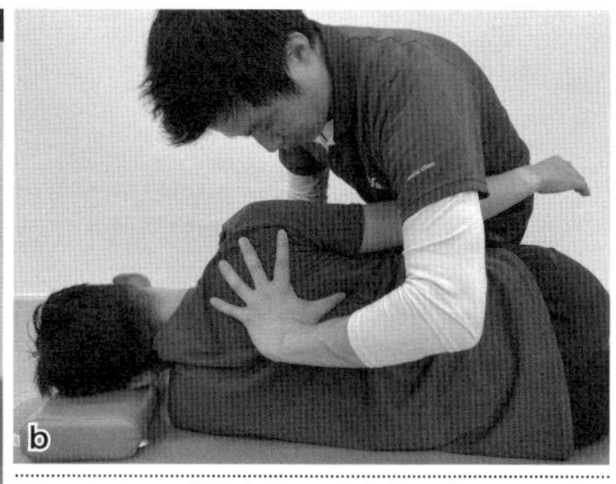

図5-3-20　挙上初期の求心性を意識した腱板トレーニング
a：鎖骨上端を抑えながら，チューブを用いて外転運動を0°～30°の範囲で行う。b：肩甲骨を把持し，外転運動に合わせて肩甲骨関節窩を上腕骨頭に向けるようにアシストする。

図5-3-21　キャットアンドドッグエクササイズ
四つ這い位にて肩甲骨の外転・内転運動を繰り返す。上肢での支持と胸椎部の運動を意識させ，腰部の動きが優位にならないよう注意する。

タクトできるようにする。

- 側方への転倒時には肩関節からの落下に注意し，大腿外側や体幹が先に地面に着くよう受け身の練習をする。ポイントとしては，重心を低く保った状態での移動ができるようにし，肩関節から落下しても衝撃が少ないようにする。
- 重心の低い姿勢の獲得には，体幹を直立位に保ちながら，骨盤の前傾および股関節，膝関節の屈曲を意識してスクワット動作を行う。正しいスクワット姿勢を獲得できたら，その姿勢を維持しながら各種ステップドリルを行う。
- 競技復帰時には持久力の回復も重要となり，疲労により重心位置が高くなった状態でコンタクトや転倒をすると再受傷しやすい。

5-3-2-3　投球障害肩（SLAP 損傷）

1）発生機転・病態

- 投球障害肩は投球時に疼痛や不安感が生じる各種病態の総称である。
- 投球障害肩に多く認められる SLAP 損傷は，投球時の痛みや不安感の要因となりうるが，健常な野球選手においても一定の割合で SLAP 損傷が認められることから [20,21] 損傷が必ずしも疼痛の原因になるとは限らない。つまり，画像所見や整形外科的徒手検査，機能評価と照らし合わせて病態把握を行っていく必要がある。
- SLAP 損傷は，その損傷形態により 4 つのタイプに分類され（図 5-3-22），投球による損傷ではタイプ II が多いとされている [22]。
- 繰り返しの投球動作は，前方関節包を弛緩させ後方関節包の拘縮を引き起こすため，外転位での外旋可動域増大と内旋可動域低下が生じる。このような投球競技者に特徴的な変化は，外転位での内・外旋運

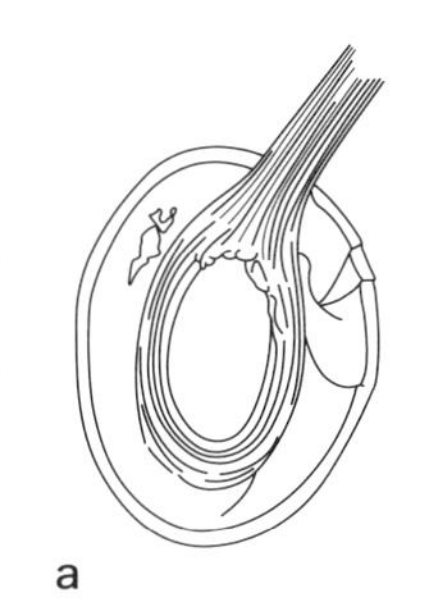

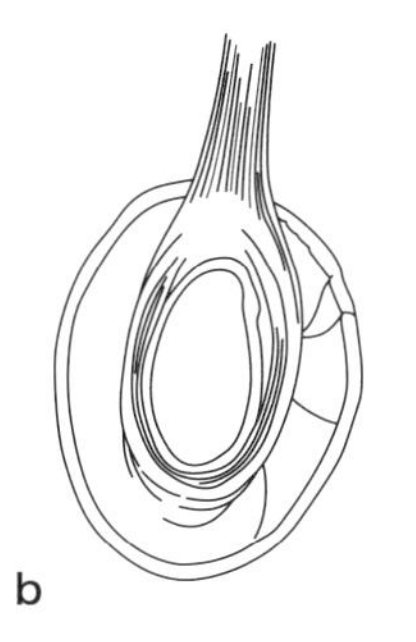

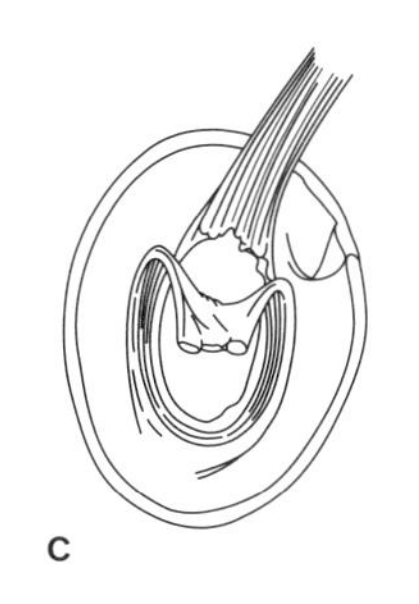

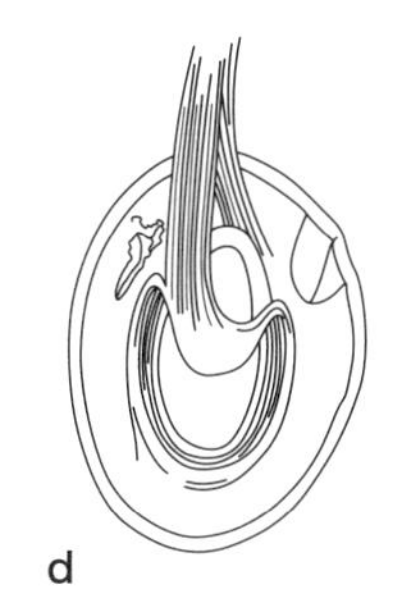

図 5-3-22　SLAP 損傷の分類
a：タイプ I：上方関節唇の摩耗・変性，b：タイプ II：上方関節唇－上腕二頭筋長頭腱複合体の剥離，c：タイプ III：上方関節唇のバケツ柄状断裂，d：タイプ IV：上腕二頭筋長頭腱まで及ぶバケツ柄状断裂
（文献 22 より引用）

ワインドアップ期	前期コッキング期	後期コッキング期	加速期	減速期	フォロースルー期

図 5-3-23　投球動作の相分け
（文献 25 より一部改変）

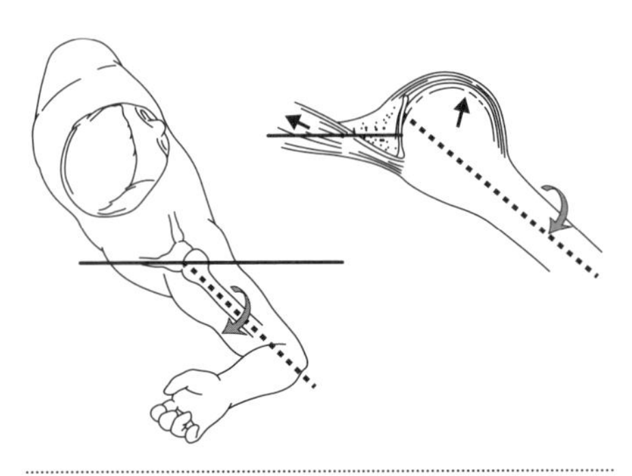

図 5-3-24　インターナルインピンジメント
肩関節の過度な水平伸展や上腕骨頭の前方偏位によって後方関節唇と腱板付着部の接触圧が高まる。
（文献 26 より引用）

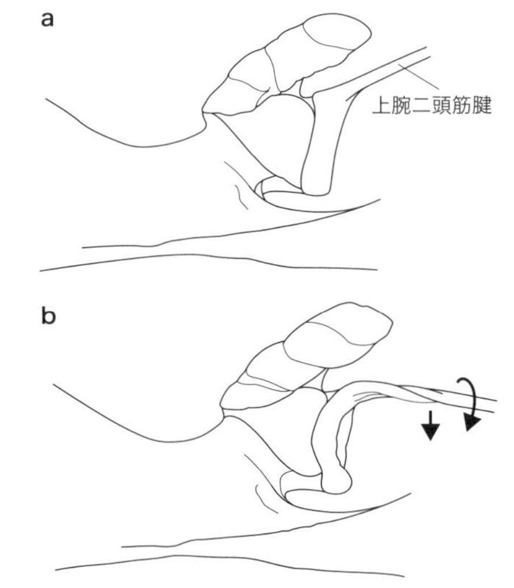

図 5-3-25　ピールバック現象
a：正常な長頭腱の付着，b：外旋に伴い上腕二頭筋長頭腱が後方に捻られる。
（文献 27 より引用）

動に伴う上腕骨頭の偏位[23]や，外転位外旋時の後上方関節唇における接触圧増大[24]につながり，SLAP 損傷の発生や周囲組織へのストレス増大に影響する。

- 投球動作は 6 つの相に分けられ（図 5-3-23）[25]，SLAP 損傷の病態メカニズムとして，コッキング期における後上方関節唇と大結節の接触（internal impingement）（図 5-3-24）[26]と上腕二頭筋長頭腱の捻れ（peel back mechanism）（図 5-3-25）[27]，減速期における上腕二頭筋長頭腱の遠心性収縮（pulling off mechanism）[28]がある。

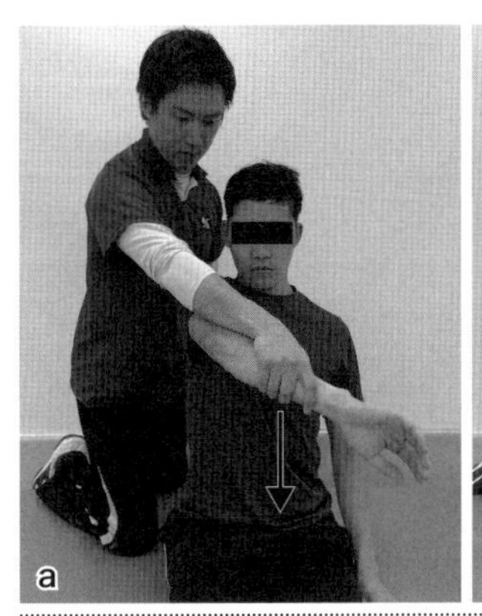

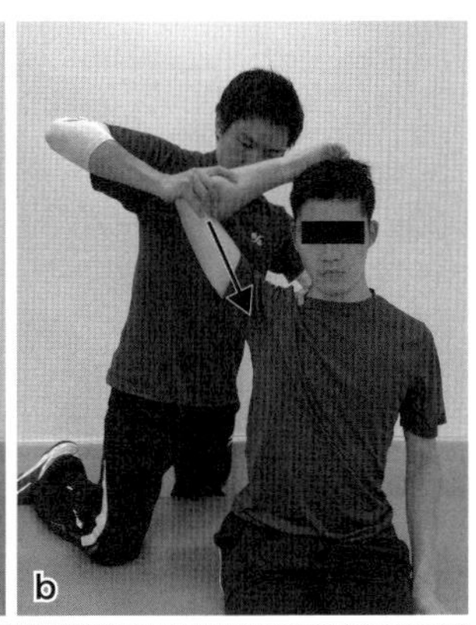

図 5-3-26　SLAP 損傷の検査
a：オブライエンテスト，b：クランクテスト

2）症状・診断

- 投球動作の後期コッキング期やボールリリース時に肩関節上方の深部に疼痛を訴える。また，痛みを伴う「キャッチング」や「ポッピング」,「クリッキング」は SLAP 損傷患者がよく訴える症状である[22]。
- 関節唇損傷は MRI にて観察することができる。しかし，微小な関節唇損傷は抽出できないため，症状から損傷が疑われる場合には，確定診断として，より精度の高い造影剤を用いた撮影（MRA）を行う。

3）整形外科的徒手検査

- **オブライエンテスト（O'brien test）**：肩を 90° 挙上, 水平内転 100 ～ 105° の位置にする。前腕回内位と，回外位で下方に抵抗をかける。その際，回内位で疼痛が誘発されるが，回外位では消失する場合陽性とする（図 5-3-26a）。
- **クランクテスト（crank test）**：被検者の肩を肩甲骨面で 150 ～ 160° 挙上し, 上腕骨に軸圧をかけながら，他動的に内外旋を行う。その際，疼痛や軋轢音が生じた場合，陽性とする（図 5-3-26b）。

4）治　療

SLAP 損傷の損傷タイプによる治療方針の選択では，タイプ I は保存療法または鏡視下デブリードマンが推奨されており[29]，タイプ III 以上では鏡視下デブリードマンや病態に合わせた修復術が適応となる[30]。タイプII損傷に対する治療は統一した見解が得られておらず，症状や臨床所見，保存療法の効果を照らし合わせて治療方針を決定する。

a）保存療法

- 剥離した関節唇の根本的な治療は得られないため，上腕骨頭の異常運動修正や，肩甲骨可動性の向上，投球動作改善を図ることで，関節唇または周囲組織へのストレスを減弱させていく。

b）手術療法

- 術式としては，損傷した関節唇を修復するSLAP修復術や，剥離した関節唇をクリーニングするデブリードマンなどがあり，術後は3ヵ月程度で徐々に投球を再開する。

5）リハビリテーション

a）評価のポイント

投球障害は「肩関節機能」「全身機能」「投球動作」の各要因が相互に影響するため，疾患の病態に合わせて修正，改善を行っていく必要がある。

■肩関節機能

- SLAP損傷を有する投球障害肩では，関節運動に伴う肩甲上腕関節の求心性不良がストレスを増大させ疼痛を引き起こす要因となる。肩外転および外転位での内・外旋運動時における上腕骨頭の異常運動は，損傷部位へのストレスを増大させる直接的な原因となるため，詳細な評価を行う（図5-3-27）。

■肩甲帯・体幹機能

- 肩甲骨の十分な可動性は，損傷した関節唇へのストレスを減弱させるために重要となる。特に，肩甲骨の上方回旋，外旋，後傾可動域が十分に保たれているか評価する。また，投球動作における肩甲骨の支持性を評価する方法として，早期コッキング期を模した姿勢で，肘外側に垂直方向へ抵抗を加え，姿勢を保持できるか評価する（図5-3-28）。
- 繰り返しの投球動作により，投球側外腹斜筋や腹直筋のタイトネスを生じ，胸郭は下制，前方回旋位となる。このような胸郭の閉鎖は体幹の支持性を低下させるとともに，早期コッキング期において，体幹の投球側回旋および側方へのシフトを制限する。

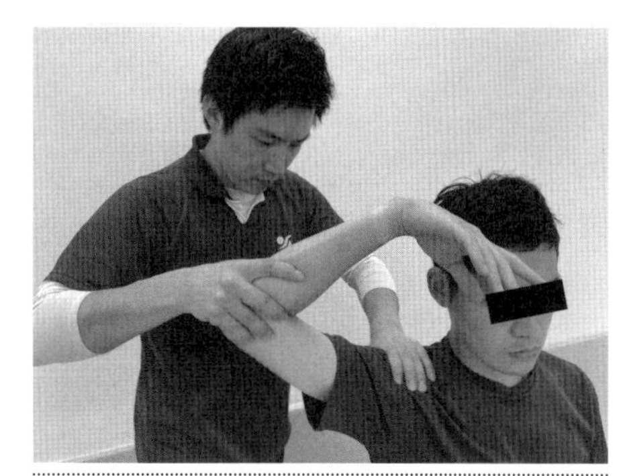

図5-3-27　投球肢位での上腕骨頭異常運動の評価
他動的に肩関節を動かした際の上腕骨頭運動を，操作側と反対の手で触知し評価する。

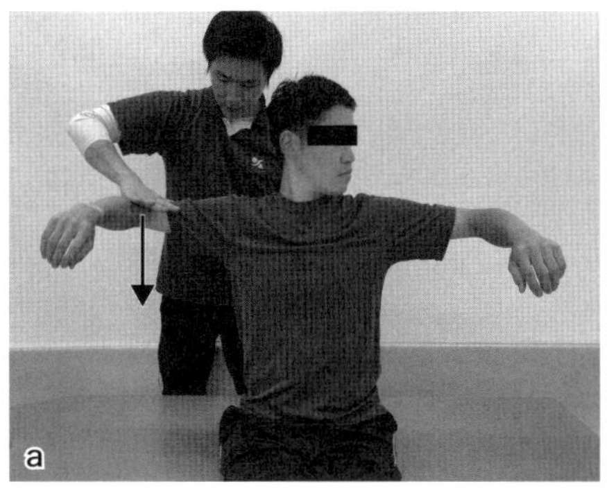

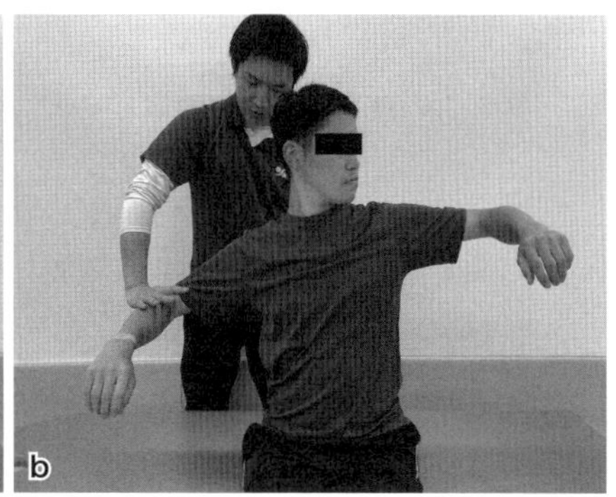

図5-3-28　肩甲帯支持性の評価
端座位にて肩関節を90°外転位とし，頚部を検査側と反対側に回旋させる。肘外側から矢印の方向に抵抗を加え，姿勢を保持できるか評価する。
a：陰性，**b**：陽性：抵抗に抗することができず脱力する。

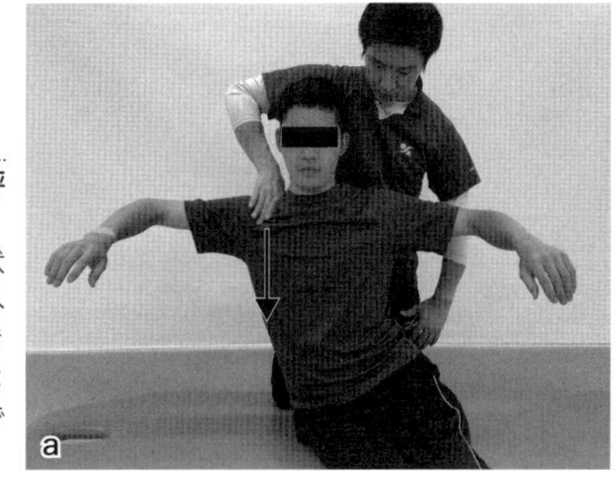

図 5-3-29　体幹支持性の評価
体幹を側方にシフトさせた状態で，肩峰部に矢印の方向へ抵抗を加え，姿勢を保持できるか評価する。a：陰性，b：陽性（抵抗に抗することができず脱力する）。

- 体幹支持性の評価として，座位にて体幹を側方にシフトさせた状態で，肩峰に垂直方向へ抵抗を加え姿勢を保持できるか評価する（図 5-3-29）。

■投球動作

- SLAP 損傷患者に特徴的な投球フォームは明らかになっていないが，関節内のメカニカルストレスを増大させる投球フォーム異常としてハイパーアンギュレーション（hyper angulation）や肘下がりがある[31, 32]。
- ハイパーアンギュレーションとは，コッキング期において肩関節の水平伸展が増大する動作である。水平伸展の増大に伴い，上腕骨頭が前方に偏位することで，インターナルインピンジメントを生じやすくなる。
- 肘下がりとは，足底接地以降の肩外転角度の減少を表わし，両肩を結んだラインより肘が下方にある動作である。肘下がりの状態で肩内・外旋運動を行うと，上腕骨頭は上方に偏位し，上方関節唇周囲への圧迫ストレスが増大する。

b）リハビリテーション

■上腕骨頭運動

- 棘上筋の機能低下や三角筋の硬化は，肩外転運動時における骨頭の上方偏位を引き起こす。また，上腕三頭筋や烏口腕筋，上腕二頭筋短頭の硬化が生じていると，同じく骨頭の上方偏位を引き起こす原因となる。
- 後下方関節包は，肩外転外旋時に前下方に回り込むように付着しており，拘縮を起こしていると上腕骨を後上方へ押し上げる。また，前方関節包の弛緩は，肩前方部分の制動力を低下させ，前方不安定性を増大させる原因となる。
- 肩外転位での回旋運動において，棘下筋（小円筋）と肩甲下筋によるフォースカップルが機能することで，円滑な上腕骨頭運動の獲得につながる（図 5-3-30）。

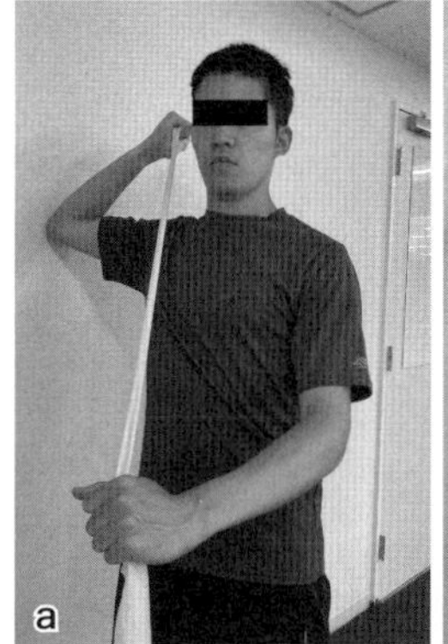
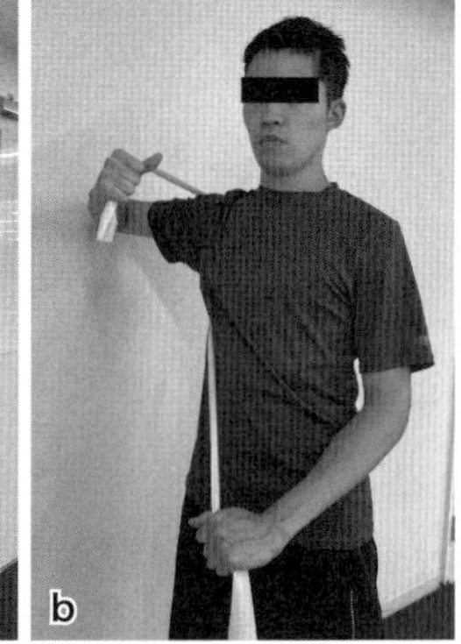

図 5-3-30　投球肢位での腱板筋トレーニング
肩関節 90°～100° 外転位で肘を壁につける。チューブを把持し，上腕骨軸での運動を意識して内・外旋運動を行う。

■肩甲骨運動

- 肩甲骨の上方回旋・外旋・後傾可動性の向上には，上角の内方への可動性および下角の外方への可動性が重要で，上角では肩甲挙筋の過緊張が，下角では広背筋の硬化が可動性の低下に影響しやすい。また，上角，下角ともに滑液包が存在し，滑液包の癒着による可動性低下も生じやすい。

図 5-3-31　投球肢位での体幹・肩甲帯トレーニング
片脚（軸脚）を前に出した状態で対側の手（グローブ側）をつく。体幹の回旋と肩甲骨の後傾を伴いながら上肢を挙上していく。床面に接地している手足で身体を支持するよう意識することで，投球時の身体コントロールに類似した運動ができる。

- 小胸筋の短縮は肩甲骨の後傾，上方回旋の可動を制限し，大胸筋鎖骨部および斜角筋は鎖骨の動きを介して肩甲骨の後傾可動域を制限する。これらは，頭部前突位や胸椎後弯などいわゆる「猫背」の姿勢が関与しており，日常生活における不良姿勢の改善も重要となる。
- ウインドミルエクササイズのような体幹・肩甲帯トレーニングは，投球のコッキング期を模した肢位で肩甲骨の安定性や胸郭の拡大に伴う脊柱軸での体幹回旋運動を獲得するのに有用である（図 5-3-31）。

c）競技復帰に向けたリハビリテーション

投球動作は，運動連鎖により下肢から体幹，体幹から上肢，上肢から指先へと力を効率よく伝達していく。下肢や体幹機能の低下は，上肢の過剰努力を生じ，肩関節への負担を増大させる。本項では，投球動作に必要な動作訓練とそのチェックポイントについて述べる。

■コッキング期での全身運動を意識したエクササイズ

- コッキング期では軸脚支持を保った状態でのスムーズな並進運動の獲得が必要となる。軸脚と対側上肢（グローブ側上肢）で全身をコントロールしながら踏み出し脚を側方にスライドさせる（図 5-3-32）。

図 5-3-32　コッキング期の全身運動を意識したトレーニング
軸脚と対側（グローブ側）の上肢で支持をした状態で（a），踏み出し脚を側方にリーチする（b）。軸脚股関節の屈曲と足底での支持を意識することで，コッキング期の安定した動きを獲得できる。

■加速期からボールリリースでの全身運動を意識したエクササイズ

- ボールリリースにかけては着地した踏み出し脚を運動軸とした回転運動が指先へと伝達していくことが必要となる。踏み出し脚と同側上肢（グローブ側上肢）を運動軸として，骨盤帯・体幹の投球方向への回転運動を行っていく（図 5-3-33）。

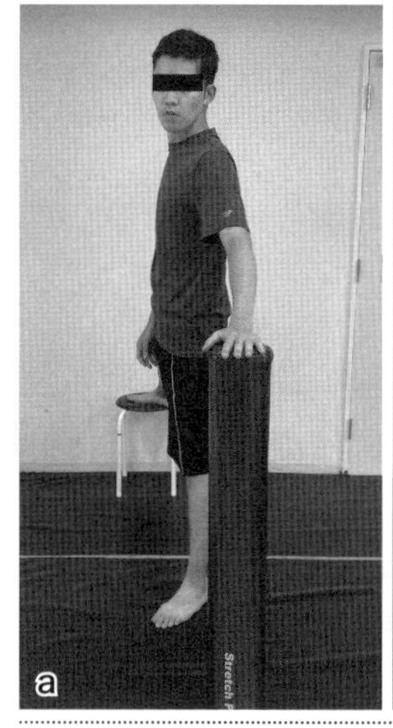

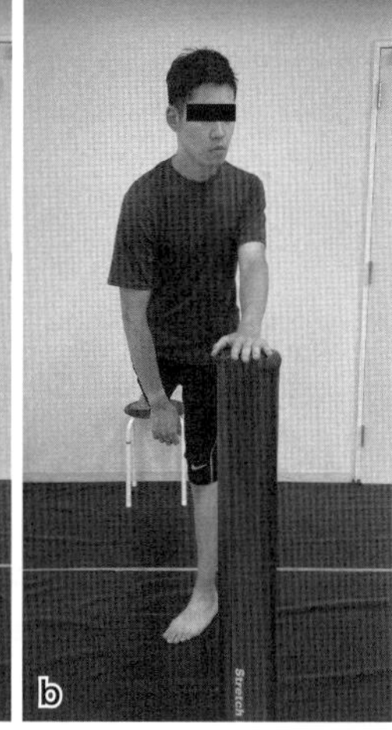

図 5-3-33　加速期の全身運動を意識したトレーニング
踏み出し脚と同側（グローブ側）の上肢で支持をした状態で（a），体幹と骨盤帯を投球方向に回転させる（b）。

5-4 部位別スポーツ外傷・障害のリハビリテーション 肘関節

坂田　淳（トヨタ記念病院リハビリテーション科）

5-4-1　機能解剖

5-4-1-1　関節運動と異常運動

- 肘関節は上腕骨，尺骨，橈骨からなる。
- 肘の屈曲伸展運動は腕橈関節および腕尺関節の複合運動である。
- 肘伸展時，腕尺関節の外反角（キャリングアングル）は増大し[1]（図 5-4-1），腕橈関節では橈骨頭が上腕骨小頭上を後方に滑る[2]。
- 腕橈骨筋など肘外側の筋タイトネスが起こると，肘伸展時の外反角が過度に増大する。
- 前腕回内外は遠位・近位橈尺関節で起こり，腕橈関節中心と尺骨茎状突起を通る回旋軸上を，橈骨が尺骨まわりに回旋する[3]（図 5-4-2a）。
- 前腕回内時，正常でも橈骨頭は掌側に偏位し[4]，尺骨は内旋する[5]（図 5-4-2b）。
- 回内屈筋群のタイトネスなどにより，遠位橈尺関節可動性が低下すると，尺骨まわりの橈骨の運動が阻害され，回内時に過剰な橈骨頭の掌側偏位や尺骨内旋が起こる。

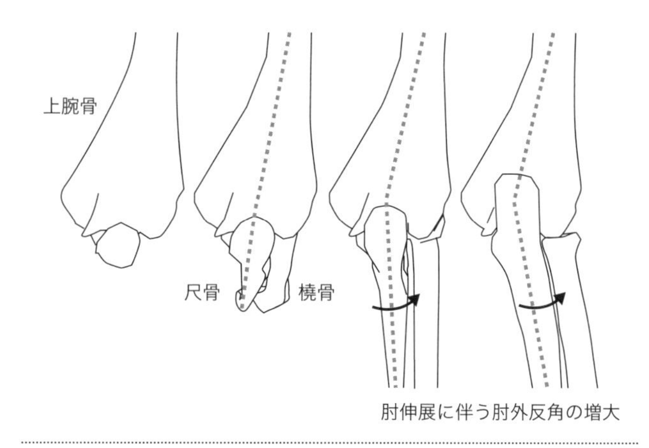

図 5-4-1　肘伸展時の外反角の増大

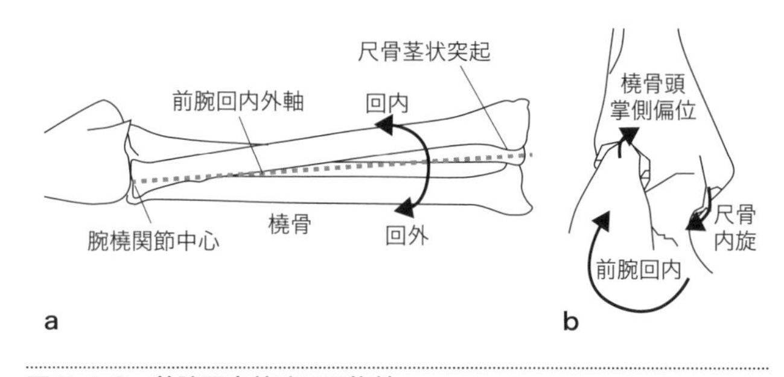

図 5-4-2　前腕回内外時の回旋軸
a：前腕回内外軸，b：前腕回内時の橈骨・尺骨の運動

5-4-1-2　肘の支持機構（図 5-4-3）

- 内側支持機構は内側側副靭帯（medial collateral ligament：MCL）がその主であり，肘外反を制動する。
- 回内屈筋群は動的外反制動機能を有し，中でも尺側手根屈筋や浅指屈筋の役割が大きい[6]。

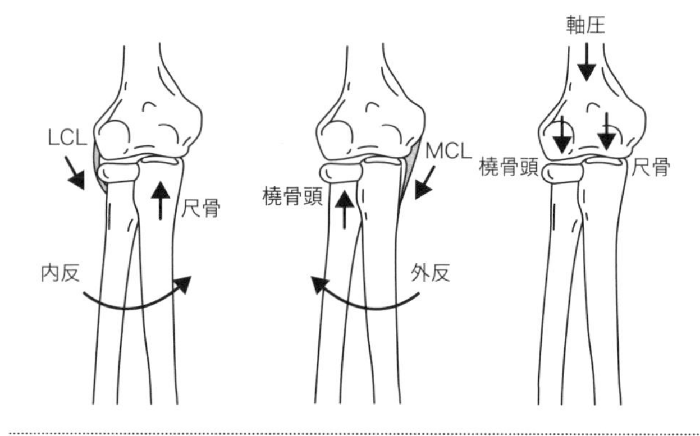

図 5-4-3　肘関節にかかる負担と静的制動機構

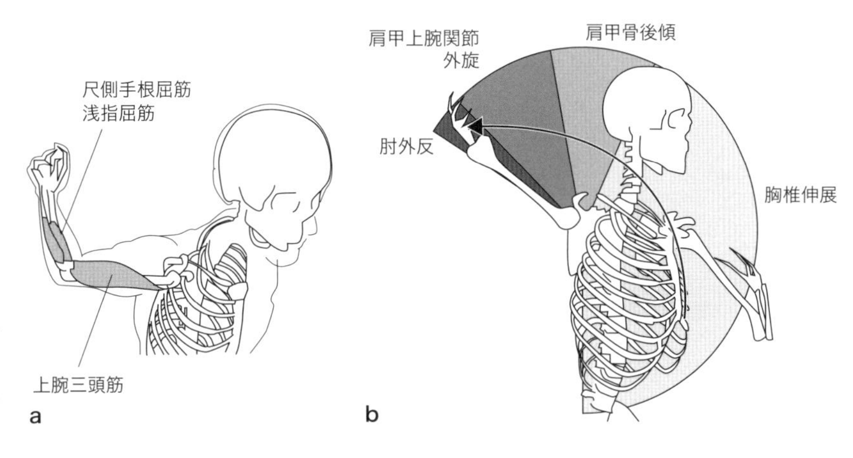

図 5-4-4　肘外反ストレスに対する肘周囲筋や他関節の貢献
a：肘周囲筋による肘外反制動機能，b：他関節機能と肘外反

- 外側支持機構は橈骨頭が重要であり，軸圧や外反制動に関与する。
- 外側側副靭帯（lateral collateral ligament：LCL）は肘内反制動に関与し，上腕三頭筋も動的内反制動機能を有する。
- 肘関節に軸圧が加わると，橈骨と尺骨に荷重が分散される。

5-4-1-3　スポーツにおける肘関節のバイオメカニクス

1）投　球

- 投球時，肘関節には外反トルクがかかり，そのトルクは二峰性となり，最大外旋の直前と，リリース直後にピークを迎える[7)]。
- 最大外反トルクは成人で 64 Nm[7)]，小学生で 27 Nm[8)] と報告されており，成人では MCL の破断強度を超えるともいわれている。
- 足接地時の体幹の早期回旋（いわゆる“身体の開き”）[9)] や非投球側への過剰な体幹側屈[10, 11)] といったフォームの不良は，さらに肘関節への負担を増大させる。
- 投球時の MCL へのストレスを減弱させるためには，肘周囲筋の肘関節安定性への貢献と（図 5-4-4a），胸椎伸展・肩甲骨後傾・肩甲上腕関節外旋といった他関節の機能（図 5-4-4b）が重要である[12)]。

2）テニス

- 短橈側手根伸筋（extensor carpi radialis brevis：ECRB）は，テニスでのインパクト直後の衝撃緩衝やラケットの振動を抑えるために機能する[13)]。
- 外側上顆炎を有する選手ではその筋活動が高まるといわれている[14)]。

5-4-2　代表的なスポーツ外傷・障害とリハビリテーション

5-4-2-1　肘関節脱臼

1）発生機転・病態

- 肘関節脱臼は転倒時や落下時に手をついて損傷することが多い。
- 2つの脱臼のパターンがあり，それぞれ損傷組織が異なる。

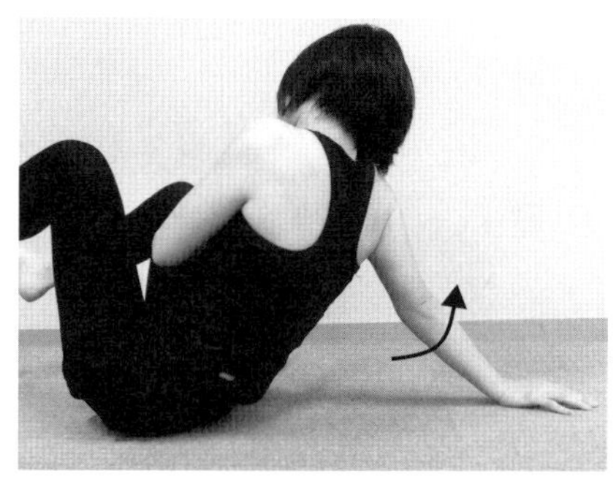

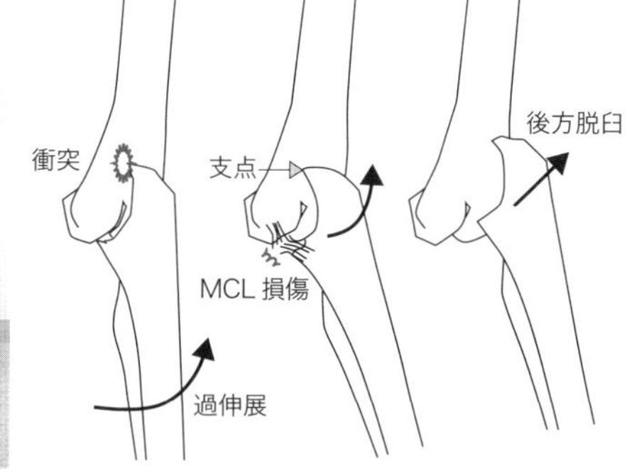

図 5-4-5　過伸展型損傷の受傷機転

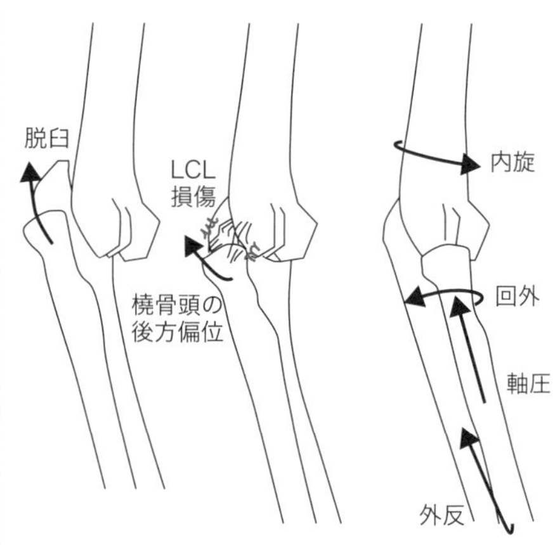

図 5-4-6　後外側脱臼の受傷機転

a）過伸展型損傷（後方脱臼）

肘を伸ばしたまま手をついた際，肘が過伸展し，肘頭が肘頭窩に衝突してテコとなり，鉤状突起が上腕骨滑車を乗り越え，肘関節（尺骨）が後方に脱臼する（図 5-4-5）。損傷部位は MCL の他，前方関節包や円回内筋が高率であり，外側側副靭帯にも損傷がみられる場合がある。

b）後外側脱臼

肘軽度屈曲位で身体より前に手をついた際，身体の軸圧の方向が前腕より内側となる。加えて前腕回外位であると上腕骨が内旋しながら橈骨頭前方に滑り，肘が回外・外反強制され，後外方に脱臼する（図 5-4-6）。過伸展型の後方完全脱臼に比べ，後側方脱臼は臨床的に経験することは少ない。PLRI（posterolateral rotatory instability）型ともいわれ，LCL，前方関節包，MCL の順に損傷が起こるとされる [15]。

2）症状・診断

- 受傷直後は，著明な可動域制限と肘周囲の腫脹，疼痛，前腕部の内出血，整復前は明らかな変形が特徴的である。
- 受傷１～２週後（固定オフ後）には安静時痛がほぼ消失するが，運動時痛と腫脹による可動域制限はまだ著明にみられ，外反または内反あるいは両方の不安定性がみられる。
- ２ヵ月後（復帰前後）では運動時痛や腫脹はほぼ消失し，不安定性が残存する場合がある。
- 脱臼直後の X 線検査にて，脱臼の有無を確認する。
- 整復前後の X 線にて，鉤状突起，橈骨頭，上腕骨内，外側上顆の骨折を確認する。
- MRI や超音波検査にて，MCL，LCL の連続性の有無を把握し，前方関節包，円回内筋の損傷の有無を確認する。

3）整形外科的徒手検査

- 肘外反ストレステスト・内反ストレステスト・後外側不安定性テストが行われる。
- 受傷直後の不安定性の評価は損傷を強める可能性があるため，注意が必要である。

4）治　療

- 治療の第1選択は保存療法であり，観血的療法の適応は限られる。
- 脱臼の整復が困難なものや，整復後30～45°以上の伸展制限をつけなければ再脱臼するもの，鉤状突起や橈骨頭骨折の転位が大きいものには，観血的療法が行われる。

5）リハビリテーション

a）評価のポイント

- 受傷機転の詳細を把握し，損傷部位の推定と動作指導上の注意点を把握する。
- 肘関節脱臼で最も注意すべきなのは拘縮であり，多くの報告で1週以上，2週以内の固定が推奨されている[16～18]。
- 橈骨頭や鉤状突起の骨折がなければ，2週以上の固定は避ける。
- 肘関節の屈曲・伸展可動域とそのエンドフィール，疼痛部位を評価し，損傷組織に疼痛のない範囲での可動域練習は受傷後1日から開始する。
- 画像所見や筋の収縮時痛により，回内屈筋群の損傷の有無を確認し，損傷がみられる場合には肘周囲筋トレーニングの開始時期を遅らせる。
- 定期的に不安定性の評価を行い，その改善の有無を確認する。
- 図5-4-7に段階的なリハビリテーションプロトコルを示す。

b）急性期のリハビリテーション

■患部に対する処置

- 微弱電流を利用し損傷部位の治癒を促す他，アイシングや超音波（非温熱）を用い，患部周囲の腫脹を軽減させる。
- 患部の熱感が減弱してきた頃（受傷1～2週後）より，交代浴を実施し，前腕部に浮腫・血腫が留まることを防ぐ。

■可動域練習

- 固定期間中は肘伸展制限の改善に努めるが，目標は伸展制限20°以内とし，肘伸展時の内側部痛が出現しない範囲に留める（図5-4-8a）。

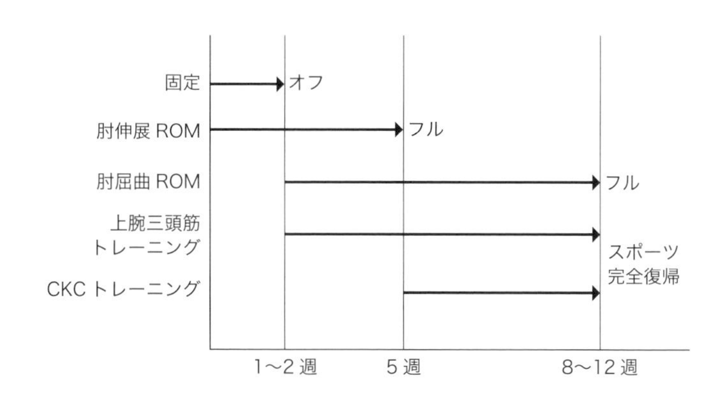

図5-4-7　肘関節後方脱臼後のプロトコル

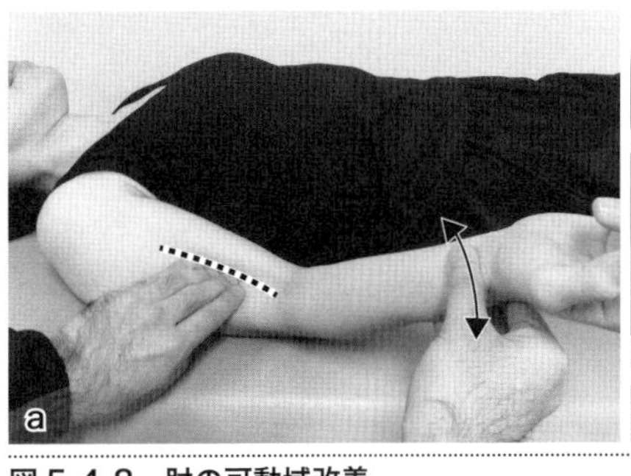

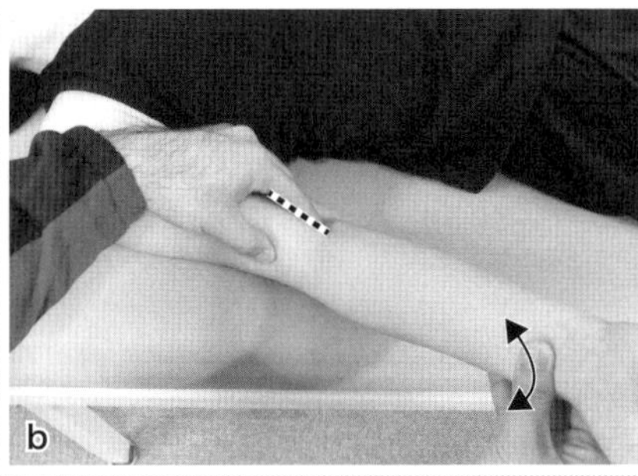

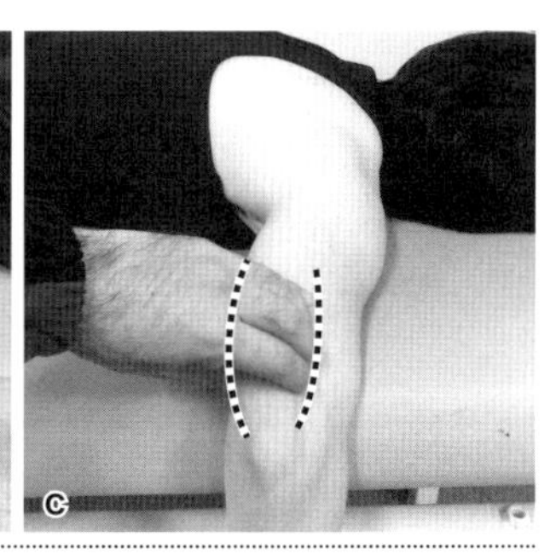

図 5-4-8　肘の可動域改善
a：上腕二頭筋柔軟性改善：上腕二頭筋–上腕筋間に指を入れながら，肘屈曲伸展運動を行う。**b：**回内屈筋群柔軟性改善：上腕二頭筋と回内屈筋群との間に指を入れ，肘の屈曲伸展運動を行う。**c：**上腕三頭筋柔軟性改善：上腕三頭筋をつまんで左右に揺するようにする。

- 受傷５週以内を目標に肘完全伸展可動域を獲得する（図 5-4-8b）。
- 屈曲可動域の改善も固定オフ後より開始し，完全復帰までに完全可動域を目指す（図 5-4-8c）。

■筋力トレーニング

- 肘頭周囲の腫脹による可動域制限や上腕三頭筋筋力低下を防ぐため，固定オフ後から，肩甲骨内転位を保持しながらの肘伸展のアイソメトリックトレーニングを行う（図 5-4-9）。

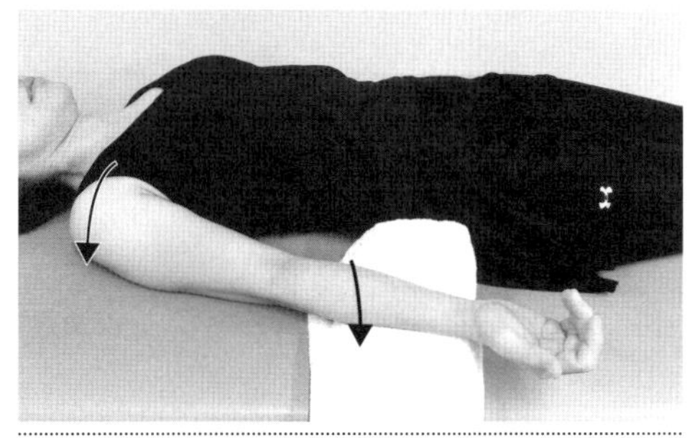

図 5-4-9　上腕三頭筋のセッティング
肩甲骨を内転位に保持したまま，タオルをつぶすように肘を伸展させ，上腕三頭筋を収縮させる。

- 患部の熱感が消失し，回内屈筋群の収縮時痛が消失したところで，回内屈筋群や上腕三頭筋の等張性トレーニングも開始する。

c）競技復帰に向けたリハビリテーション

■ CKC トレーニング

- 受傷後５週前後経過していることと，肘の伸展可動域が 0° まで得られていることが CKC トレーニングの開始基準として挙げられる。

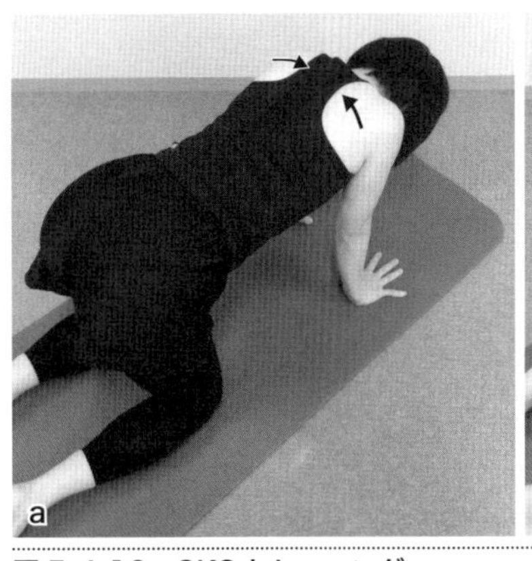

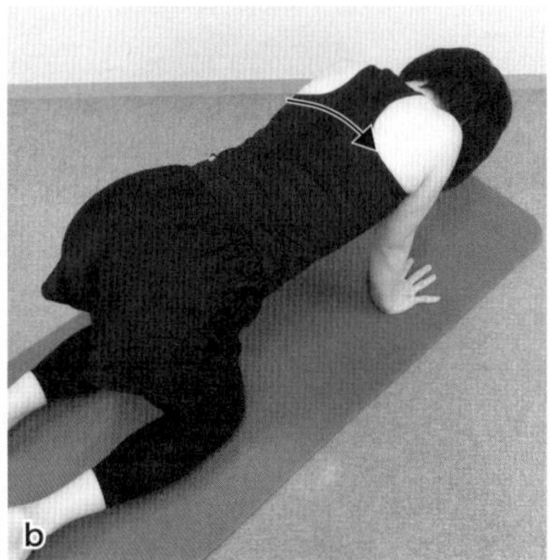

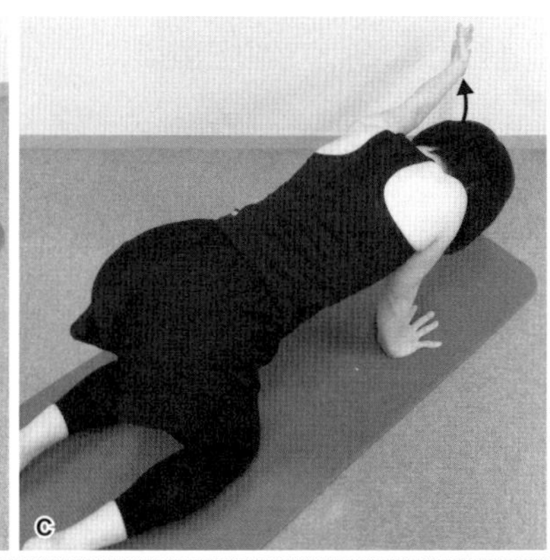

図 5-4-10　CKC トレーニング
a：四つ這いにて，肘伸展位を維持したまま，肩甲骨を内転する。**b：**肘伸展位・肩甲骨内転位を保持したまま，患側へ荷重をかける。**c：**対側上肢を挙上して保持する。

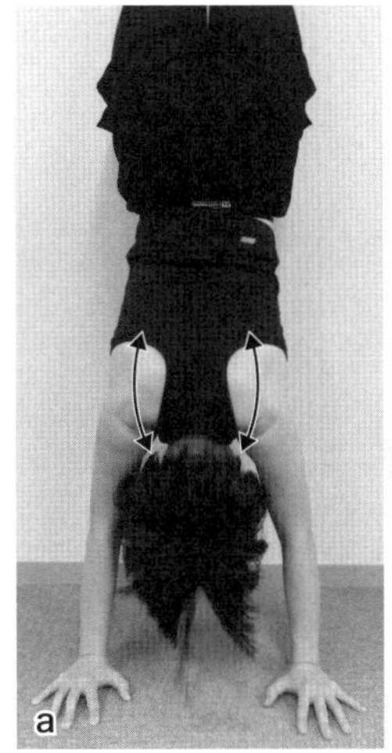

図 5-4-11　各種スポーツ動作の注意点
a：倒立：肘関節伸展位のまま，肩甲骨を上方回旋・下方回旋させる。b：パック：相手に接触後，脇を締め，肘を屈曲し，相手を挟み込むようにする。c：コンタクト（ブロック）：肘軽度屈曲位・前腕回内位にて上肢を固定し，小指側より当たる。

- 不安定性が残存する場合には，テーピングを処方してトレーニングを行う。
- 肩甲骨内転・肘伸展位で徐々に荷重をかけ（図 5-4-10），十分な上腕三頭筋の収縮と肩甲骨の安定性が得られたら，腕立て伏せ，プライオメトリクスへと段階的に負荷を上げていく。

■スポーツ動作の改善

【転倒時の注意点】

- どの競技にも共通して，転倒時の受け身の指導が非常に重要である。
- やむをえず手をつく際には，身体から遠いところにつかず，可能な限り手の小指側から前腕までが接地するようにする。
- 前腕回外位を避け，肘を屈曲するようにしてショックを吸収させる。

【体操競技】

- 倒立姿勢から肘を伸展位に保ち，肩甲骨を上方回旋させるようにトレーニングを行うことで肩甲骨から肘関節までの安定性を獲得する（図 5-4-11a）。

【コンタクトスポーツ】

- ラグビーであれば相手に当たった後，すぐに脇を締めて相手を引きつけ（パック：図 5-4-11b），肘が伸び切ったままのコンタクト動作にならないように注意する。
- アメリカンフットボールでは，肘軽度屈曲位・前腕回内位とし，相手に対し小指側からコンタクトを行うようにする（図 5-4-11c）。

5-4-2-2　肘内側側副靭帯損傷（野球肘）

1）発生機転・病態

- 投球時に起こる肘の外反トルクにより，MCL には伸張ストレスが加わる。
- MCL 損傷は，骨が強度を増した高校生以上に多くみられる。
- 骨端線閉鎖前（小学生～中学生低学年）では，骨・軟骨が損傷し，内側上顆の裂離骨折や尺骨鉤状結節の骨折が起こる。
- 足接地から肩最大外旋までの間の肩外転角の減少（いわゆる“肘下がり”：図 5-4-12）や肩甲平面から逸脱した位置でのボールリリース（いわゆる“手投げ”：図 5-4-13）が問題となるフォームとして

図 5-4-12　肘下がりのフォーム
肘下がり：足接地から肩最大外旋までの間に，肘が両肩のラインよりも低い位置にある。

図 5-4-13　手投げのフォーム
身体の開き:足接地前に体幹の投球側への回旋が開始する。手投げ:肩甲平面より肩水平内転方向に上腕骨が逸脱した位置でボールをリリースする。

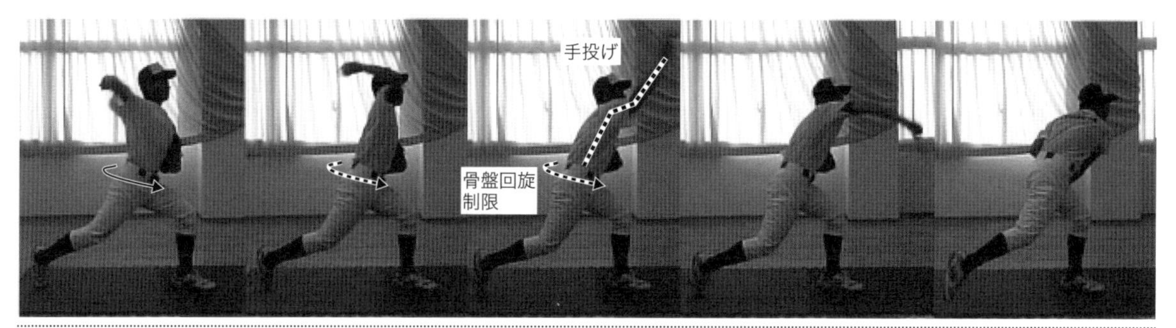

図 5-4-14　骨盤回旋制限のフォーム
骨盤回旋制限：リリースの手前で一度骨盤の回旋が終了し，正面を向いたままになる。

挙げられる [19]。

- “ 肘下がり ” のフォームの要因には，足接地直後に非投球側へ体幹が傾くこと（いわゆる “ 上体の突っ込み ”）や肩最大外旋までに過剰に体幹が側屈することが挙げられる [19]。
- 体幹が側屈することで両肩のラインが傾き，相対的に肘が下がる。
- “ 手投げ ” のフォームの要因には，“ 身体の開き ” が挙げられる [20]。
- 体幹が早期に回旋することで，リリース前に体幹の回旋運動が減少し，結果的に上肢に依存したフォームとなり，“ 手投げ ” となる。
- リリース前の骨盤の回旋制限（図 5-4-14）も上肢に依存したフォームとなり，注意が必要である [19]。

2）症状・診断

- 投球時，肩最大外旋直前（胸を張った瞬間）やリリース直後に疼痛を訴えることが多い[19)]。
- 多くが慢性的な発症であり，徐々に疼痛が増悪するが，ときにピッチング時や遠投時に急激な疼痛が発生するなど，急性損傷もありうる。
- MCL 損傷の正確な評価には画像診断が有用であり，MRI による連続性の確認や，超音波による MCL の線維の走向（パターン）の評価を行う。

3）整形外科的徒手検査

- MCL 損傷の有無の鋭敏な評価方法として，moving valgus stress test[21)] がある。
- 肩関節外転・外旋位で肘関節外反方向に抵抗を加えながら肘を伸展させ，屈曲 120° ～ 70° の範囲で疼痛が出現すれば陽性と判断する。
- 肘 20° ～ 30° 屈曲位での外反ストレステストを行い，肘の不安定性を検査する。

4）治　療

- 野球肘の治療の第一選択は保存療法である。
- 外反不安定性が残存し，保存療法に抵抗する場合には，観血的療法が選択される。

5）リハビリテーション

a）評価のポイント

- 内側上顆の頂点と下端，MCL 実質部と鉤状結節の圧痛を評価する。
- 肘屈曲・伸展・外反強制時の内側部痛をみる。
- 筋の収縮時痛として，手関節掌屈・前腕回内・肘伸展抵抗時痛を確認する。
- MCL 周囲の腫脹の有無を確認し，腫脹がみられた場合には，急性の損傷の可能性が高く，治癒に時間を要す場合が多い。
- 肘伸展時の過度のキャリングアングル増大と前腕回外制限（回内拘縮）をみる。
- 超音波エコーを用いることで，肘内側関節裂隙の観察による肘外反不安定性の客観化と筋収縮による動的肘外反制動機能の評価が可能となる[22)]。
- 回内屈筋群の萎縮の有無を評価し，肘外反制動機能を有する尺側手根屈筋・浅指屈筋と上腕三頭筋の筋力を確認する。
- 胸椎後弯・頭部前方突出の立位姿勢や肩甲骨後傾・上方回旋可動性，肩関節外旋可動域を評価する。
- フォームの評価を行い，“ 肘下がり ” や “ 手投げ ”，骨盤回旋制限の有無を確認する。

b）早期のリハビリテーション

■患部に対する処置

- 微弱電流や超音波（非温熱）を用い，MCL の治癒促進や周囲の腫脹の軽減を図る。

■肘の運動時痛と関節可動域の改善

- 肘伸展時の過度外反増大は，MCL を伸張し，肘伸展時内側部痛の原因となる。
- 腕橈骨筋の柔軟性の改善を図り，過度の肘外反を軽減する（図 5-4-15a，b）。
- 肘屈曲時痛は，前腕回外拘縮とそれに伴う尺骨の過度内旋を改善することで，減弱する。
- 尺骨を外旋方向にモビライゼーションする（図 5-4-15c）。
- 腕橈関節の適合性（図 5-4-15d）や回内屈筋群の柔軟性（図 5-4-15e，f）を改善し，前腕回外可動域を獲得する。

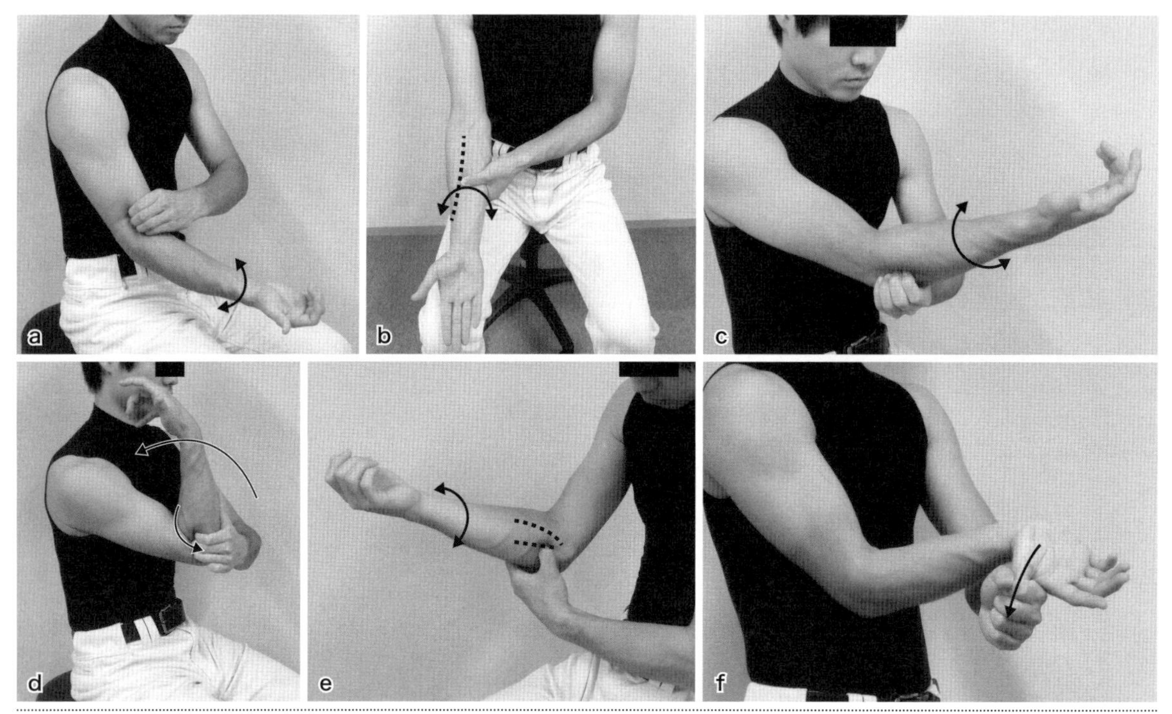

図5-4-15　肘関節可動域の改善
a：腕橈骨筋の柔軟性改善1：腕橈骨筋–上腕二頭筋間に指を入れながら，肘屈曲伸展運動を行う。**b**：腕橈骨筋の柔軟性改善2：腕橈骨筋と回内屈筋群との間に指を入れ，前腕回内外運動を行う。**c**：尺骨外旋モビライゼーション：尺骨近位部橈側に指を入れ，尺側に引っ張りながら，前腕を回外する。**d**：橈骨頭モビライゼーション：橈骨頭掌側に指を入れ，背側に引っ張りながら，前腕回外位で肘を屈曲する。**e**：回内屈筋群の柔軟性改善：円回内筋–橈側手根屈筋–尺側手根屈筋間それぞれに指を入れながら，前腕回内外運動を行う。**f**：長母指屈筋のストレッチング：母指を下から把持し，前腕が回外し手関節が背屈するように母指を引っ張る。

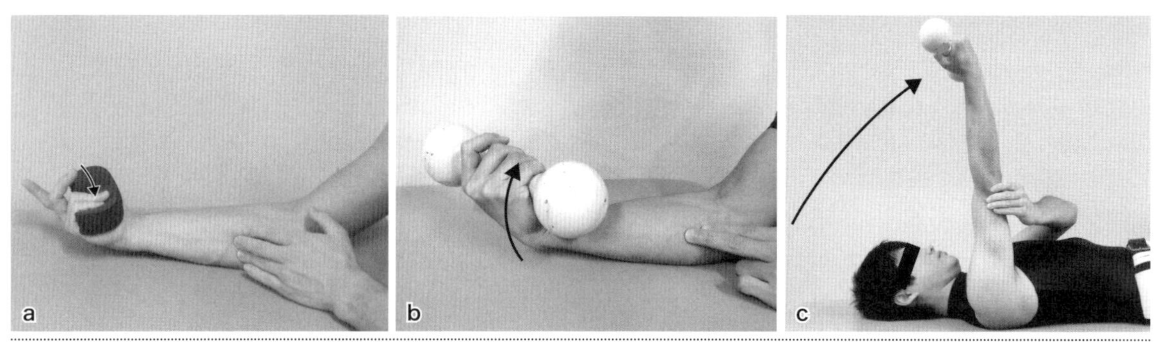

図5-4-16　尺側手根屈筋・上腕三頭筋のトレーニング
a：浅指屈筋のトレーニング：環指と小指をPIP関節から曲げるようにしながら，ゴムボールなどをつぶす。**b**：尺側手根屈筋のトレーニング：特に環指と小指に力を入れ，尺側より掌屈して重錘を持ち上げる。**c**：上腕三頭筋のトレーニング：前腕回外位で肘を伸展させ，重錘を持ち上げる。

■肘関節周囲筋機能の改善

- 肘の屈曲・伸展時痛消失後，浅指屈筋（図5-4-16a），尺側手根屈筋（図5-4-16b），上腕三頭筋をトレーニングする（図5-4-16c）。

c）競技復帰に向けたリハビリテーション

■胸郭・肩甲骨機能の改善

- 肩甲骨後傾・肩関節外旋可動域改善のため，大胸筋（図5-4-17a）や広背筋（図5-4-17b）のストレッ

図 5-4-17　肩甲骨・胸郭可動性の改善
a：大胸筋のストレッチング：四つ這いで手を身体の遠くにつき，体幹を回旋させるようにして大胸筋を伸ばす。**b：**広背筋のストレッチング：四つ這いで手を対側の手の前につき，体幹を横にずらすようにして広背筋を伸ばす。**c：**胸郭拡張・肩甲骨内転エクササイズ：四つ這いで片手をつむじにあて，体幹を回旋させながら肩甲骨を内転させ，天井をみる。

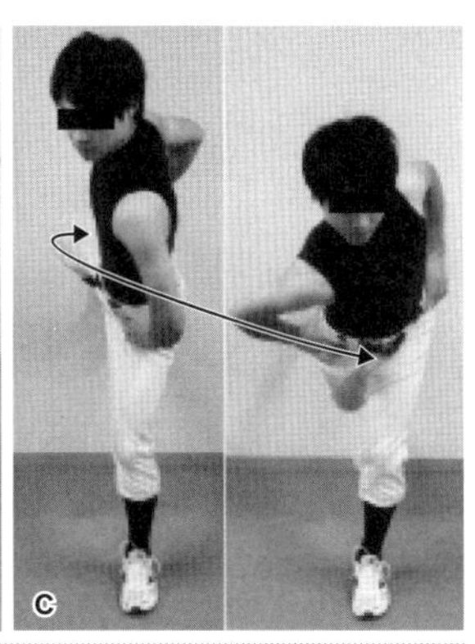

図 5-4-18　“ 肘下がり ” のフォームの改善
a：重心移動のエクササイズ：両手を頭の後ろに当てて胸を張る。体重を軸足に移した後，骨盤を回旋させるようにしながら踏み込み足に体重を移す。**b：**ストライド動作：立位姿勢から骨盤が後傾しないように片脚立位をとり，股関節を屈曲しながら足接地の動きを練習する。**c：**踏み込み足バランス：踏込み足で片脚立ちとなり，股関節を内外旋させ，骨盤を回旋させる。

チングを行う。

- 胸椎の伸展・回旋運動と肩甲骨内転・後傾運動を同時に行い，投球時に必要な胸郭・肩甲骨の可動性を獲得する（図 5-4-17c）。

■フォームの改善

- “ 肘下がり ” のフォームの改善
  - “ 上体の突っ込み ” の改善には，重心移動の練習（図 5-4-18a）を行い，軸足のニーイン（knee-in）の抑制とスムーズな骨盤の並進運動を獲得する。
  - 過剰な体幹側屈の改善には，軸足片脚立位から足接地までの動作（ストライド動作）（図 5-4-18b）を行い，骨盤後傾やインステップを修正する。
  - 足接地までの骨盤後傾やインステップがみられない場合には，踏み込み足の安定性を改善させることで体幹の過剰な側屈を抑制する（図 5-4-18c）。
- “ 手投げ ” のフォームの改善
  - “ 身体の開き ” の改善には，軸足による骨盤のコントロールが特に重要であり，軸足バランスの改善を図る（図 5-4-19a，b）。
  - 骨盤の回旋制限には，踏み込み足側の股関節の可動性や安定性を改善させる（図 5-4-19c，d）。

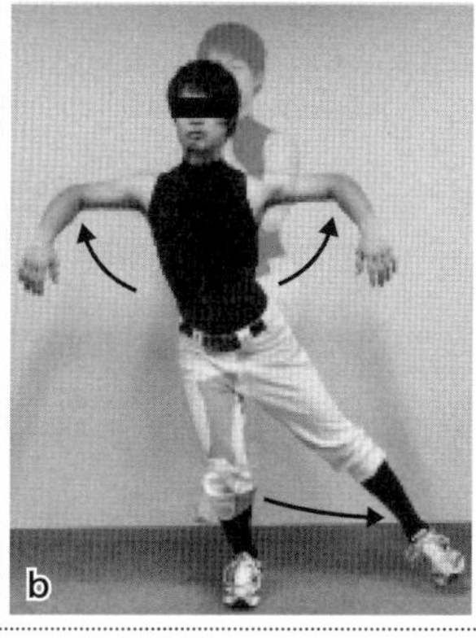

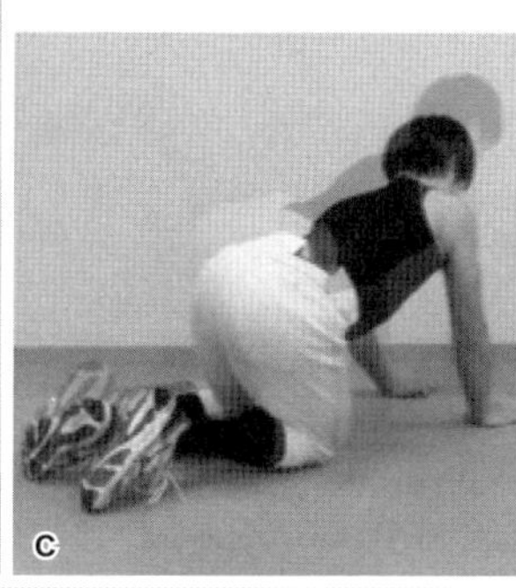

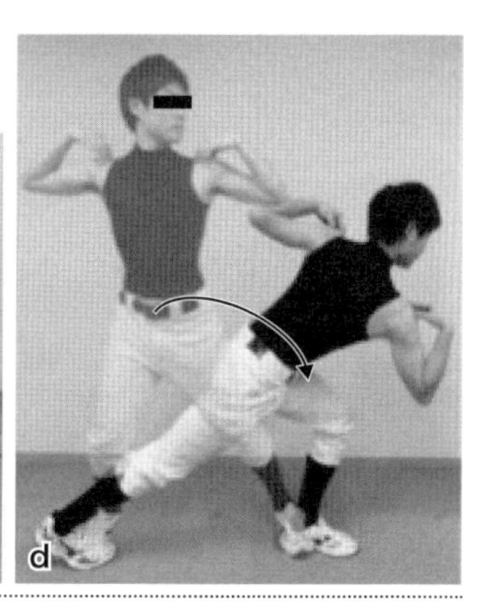

図 5-4-19　“手投げ”のフォームの改善
a：外方リーチ：軸足で片脚立ちとなり，外方に踏み込み足をリーチし，元の姿勢に戻る。体幹の側屈や骨盤の回旋を避け，踏み込み足が床につかないようにする。**b**：外方リーチ・上肢挙上：a の動きに加え，同時に両上肢も外転させ，両肩のラインまで肘を上げる。**c**：股関節後方のストレッチング：四つ這いの姿勢から，骨盤を側方に移動させ，股関節外側にストレッチが得られたところで，やや後方に引き，股関節後方をストレッチする。**d**：エルボー・トゥ・ニー：踏み込み足を1歩前に出し，手を肩に当て，骨盤を回旋させながら肘を膝につける。

表 5-4-1a　スローイングプログラム（野手）

	ステージ1	ステージ2	ステージ3	ステージ4	ステージ5	ステージ6	ステージ7
様　式	壁投げ	キャッチボール			ノック・守備		
距　離	10 m	塁間手前	塁間		1～3塁間（中継）		遠投（フリー）
球　数	20～30		40	50		60～80	フリー
強　度	5～6割	6～7割	7～8割			8～9割	フリー

表 5-4-1b　スローイングプログラム（投手）

	ステージ5	ステージ6	ステージ7	ステージ8
様　式	捕手を立たせて	捕手を座らせて		
球　数	30	40～50	60～80	フリー
強　度	7～8割	8～9割	9割	フリー
頻　度	週に1回	4日に1回	3日に1回	フリー

■段階的な復帰

- バッティングは肘関節周囲筋のトレーニングが疼痛なく行えた段階から，徐々に開始する。
- 素振りとトスバッティングから開始し，疼痛がなければ投げた球を打ち返す。
- 投球再開は以下のことに留意して，段階的に開始する（表 5-4-1a）。
  - ・コントロールを意識しなくてよい状況下（壁投げやネットスローなど）において，短い距離での投球から開始する。
  - ・次のステージへは，投球時の肘痛や投球後の肘伸展制限，翌日まで続く上腕や前腕の張りがすべてないことを確認してから移行する。
  - ・調子がよいなどの主観的な理由でステージを飛ばすことは，可能な限り行わない。
  - ・疼痛が出現した場合には，投球を一度休止し，画像所見の異常の有無や理学検査（圧痛・運動時痛・外反時痛）の消失を確認した後，1つ前のステージに戻して再開する。
  - ・腕の張りが出現した場合には，張りが消失した後，再度同様のステージの内容を行い，腕の張りが出

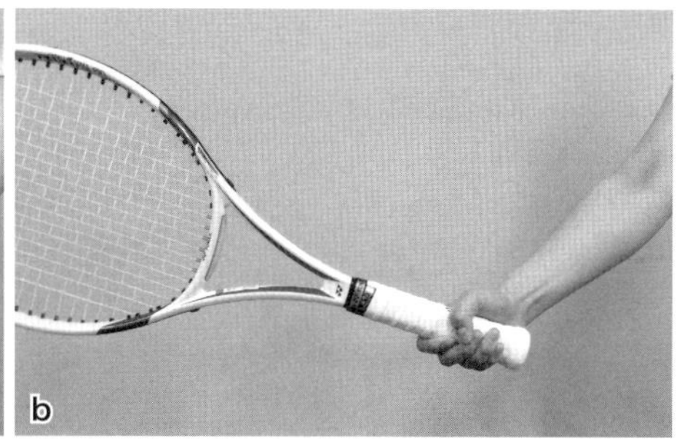

図 5-4-20 尺側グリップと橈側グリップ
a：尺側グリップ：環指・小指でラケットをしっかりと握り，示指・中指はリラックスした握り。b：橈側グリップ：示指・中指に力が入り，前腕橈側の筋の緊張が高い握り

現しなくなってから次へ進む。

- 野手も投手もステージ 4 までは同様のスローイングプログラムを行う。
- キャッチボールで塁間 50 球を 8 割の力で問題なく投げることができたら（ステージ 4），ポジション別の投球に移行する（表 5-4-1a，b）。
- 投手の投球再開時は，捕手を立たせて 30 球程度投げるようにし，問題がなければ，次回以降捕手を座らせて投げる。
- 遠投は再発の危険性が高いため，特別な必要がない場合，最後に行うようにする。
- 試合出場は，ポジション別の練習に入り，疼痛なく行えた球数の範囲内で，順に許可する。

5-4-2-3　外側上顆炎

1）発生機転・病態

- 外側上顆炎は短橈側手根伸筋（ECRB）の付着部症である。
- 同部位の関節内病変として，滑膜ひだの腕橈関節によるインピンジメントもあり，病態を複雑にしている。
- ECRB は腕橈骨筋や長橈側手根伸筋に表層から圧迫され[23]，かつ橈骨頭の異常運動により深層（関節側）からも圧迫される構造となっている。
- 小指・環指による握り（尺側グリップ）が行えないと，橈側優位の筋活動となり（橈側グリップ），ECRB の過活動を生じさせる（図 5-4-20）。

2）症状・診断

- 荷物を持つ，ふたを開ける，書字など日常生活にも支障をきたすことが多い。
- バックハンドストローク以外にも，スピンを強く使ったフォアハンドストロークやサーブでも，疼痛が出現する。
- 診断は外側上顆から ECRB の走行に沿った 1 ～ 2 cm 遠位までの部分の圧痛と前腕伸筋の収縮時痛（トムセンテスト，中指伸展テスト）を評価する。

3）治　療

- 治療の基本は保存療法であるが，難治例や関節内病変には，ECRB の切離や関節鏡手術などが行われる場合もある。

4）リハビリテーション

a）評価のポイント

- 外側上顆から ECRB の走行に加え，腕橈関節部の圧痛も確認する。

表 5-4-2　握力の健患比と復帰時期の目安

握力（健患比）	復帰時期（目安）
健側の 2/3 以上	0～1ヵ月
健側の 2/3 以下	1ヵ月以上
健側の 1/3 以下	2ヵ月以上

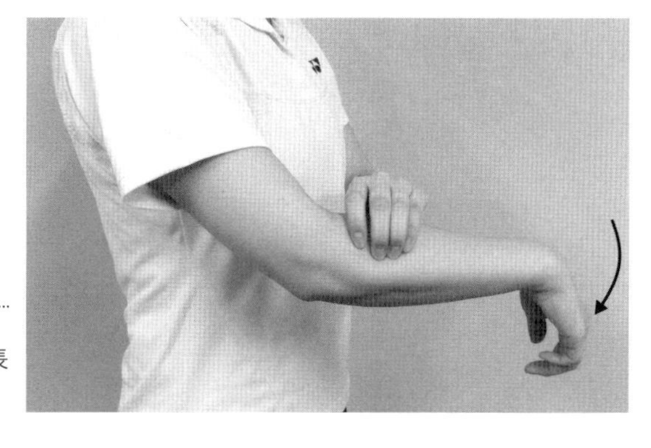

図 5-4-21　ECRB の柔軟性改善
圧痛部位を避け，腕橈骨筋–ECRB 間や ECRB–長橈側手根伸筋間に指を入れ，掌背屈を繰り返す。

- 外側上顆から ECRB にかけての腫脹や筋のトーンの低下の有無をみる。
- 疼痛誘発のテストとして，握力が有効であり，疼痛出現時の患側握力と健側握力の比から，復帰時期の推定が可能となる（表 5-4-2）。
- 遠位橈尺関節の可動性低下は橈骨頭の異常運動を惹起するため，遠位橈尺関節の可動性低下（回外制限）も確認する。

b）早期のリハビリテーション

■疼痛管理

- ADL 上の疼痛管理を徹底して行う。
- 回内位での把持動作は極力避け，回外位で下から物を持つように指導する。
- 痛みの出る動作は極力反対側で行い，避けられない場合は ADL 上でもエルボーバンドを使用する。
- 把握時の疼痛が消失するまで，スポーツ活動を制限する。

■前腕筋群の柔軟性改善

- 腕橈骨筋の柔軟性を改善する（図 5-4-15a，b）。
- 長橈側手根伸筋や ECRB の患部を避けた遠位部の柔軟性を改善する（図 5-4-21）。
- 回内屈筋群の柔軟性を改善する（図 5-4-15e，f）。

■前腕周囲筋機能の改善

- 把握時の痛みが消失したら，前腕周囲筋のトレーニングを行う。
- 前腕尺側のトレーニングを行うことで，手関節の安定性の改善と，尺側優位のグリップが可能となる。
- 小指・環指によるグリップトレーニングを行う（図 5-4-16a）。
- 尺側グリップのまま，掌屈運動（図 5-4-22a）・前腕回内運動（図 5-4-22b）と運動に変化をつけていく。
- ECRB の筋力トレーニングを行う（図 5-4-22c）。

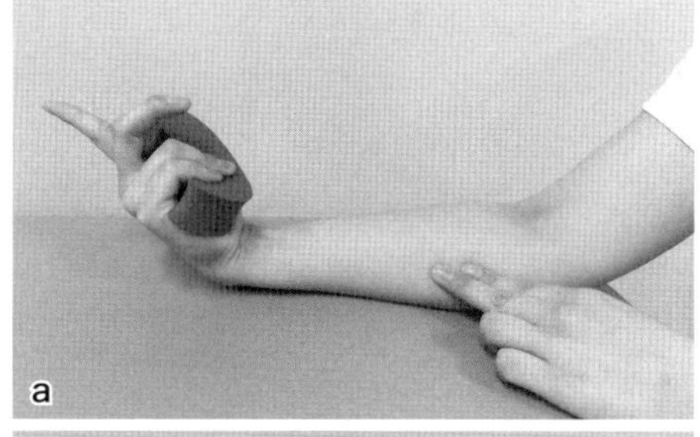

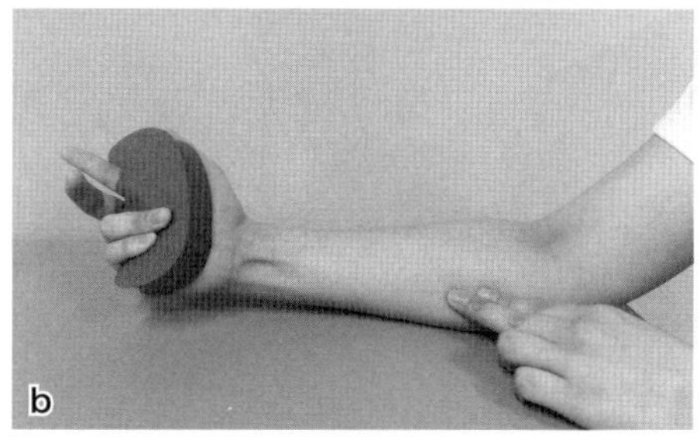

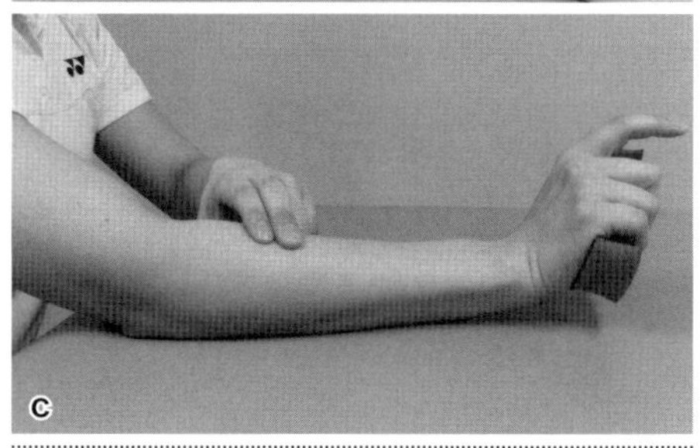

図 5-4-22　尺側グリップ下での前腕トレーニング
a：尺側手根屈筋のトレーニング：尺側グリップで前腕回外位を維持したまま，掌屈する。b：前腕回内外トレーニング：尺側グリップを維持したまま，前腕回内外運動を行う。c：ECRB のトレーニング：尺側グリップを維持したまま，手関節を背屈する。

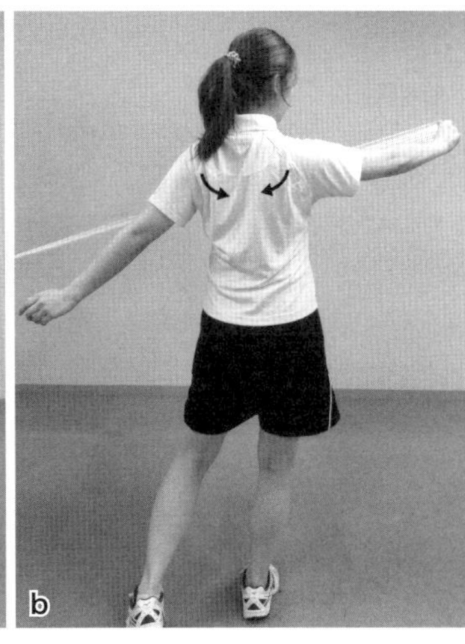

図 5-4-23　肩甲骨内転位でのテニス動作の獲得
a：フォアハンドストローク（テイクバック）：肩甲骨を内転しながらチューブを引き，テイクバックの練習を行う。b：バックハンドストローク（スウィング）：両肩甲骨内転を意識しながら，インパクトの位置までチューブを引く。c：サーブ（テイクバック–スウィング）：肩甲骨内転位を維持した状態で，インパクトの位置までチューブを引く。

表 5-4-3　テニスへの段階的復帰

テニス開始	形　式	時　間	頻　度	次の段階に上がる基準
0 週	壁打ち	5 分	1 回/週	前腕伸筋の張りや疼痛がないこと
1 週	ショートラリー，ストレートラリー	15 ～ 30 分	2 回/週	ストレートラリー 30 分で前腕伸筋の張りや疼痛がないこと
2 週	ラリー（クロスも可）	1 時間	2 回/週	前腕伸筋の張りや疼痛がないこと
3 週	サーブ（セカンド）	フリー	2 ～ 3 回/週	セカンドサーブで前腕伸筋の張りや疼痛がないこと
4 週	サーブ（ファーストも可）	フリー	フリー	ファーストサーブで前腕伸筋の張りや疼痛がないこと
5 週以降	フリー	フリー	フリー	

- ECRB の筋トーンが低下している場合には，負荷量や疼痛に十分注意する。

c）競技復帰に向けたリハビリテーション

■肩甲骨機能の改善

- 大胸筋のストレッチング（図 5-4-17a）を行い，肩甲骨の内転可動性を改善する。
- 肩甲骨内転のトレーニングを行い，肩甲骨の安定性を増大させ，前腕筋の過度な収縮を抑制する。
- チューブを引いた状態でのテイクバックやスウィングを行わせ（図 5-4-23a ～ c），テニス動作中における肩甲骨の安定性を高める。

■段階的な復帰

- テニスは以下のことに留意して，段階的に開始する（表 5-4-3）。
- 壁打ちから始め，ショート，ストレート，クロスラリーと段階的に距離を伸ばしていく。
- ストロークから開始し，サーブはその後に行う。
- 試合はセカンドサーブが問題なく行えた段階から徐々に許可する。
- 前腕伸筋の張りが出現した場合には，張りが消失してから再度同様の内容を行い，張りが出現しなくなってから次の段階に進む。
- 疼痛が出現した場合には，テニスを一度休止し，理学検査で圧痛・把握時痛・伸筋収縮時痛の消失を確認した後，1 つ前の内容に戻して再開する。

5 手関節・手部

大路 駿介（東京医科歯科大学スポーツ医歯学診療センター）

5-5-1 機能解剖

- 日常生活やスポーツでは，手関節や手部の正確で繊細な動きが求められる。
- 手関節部には橈骨，尺骨，そして 8 個の手根骨（近位手根骨，遠位手根骨）の計 10 個の骨がある（図 5-5-1）。
- 手関節は，主に橈骨手根関節，手根中央関節，手根間関節，下（遠位）橈尺関節により構成される（図 5-5-2）。
- 手関節の靭帯は橈尺骨と手根骨を結ぶ関節包内靭帯（橈骨手根靭帯，尺骨手根靭帯）と，手根骨同士を結ぶ手根間靭帯に分けられる（図 5-5-3）[1,2)]。
- 掌側橈骨手根靭帯は遠位橈骨の掌側から起こり，舟状骨，月状骨，有頭骨へ向かって走行する（橈骨舟状有頭骨靭帯，橈骨月状骨靭帯，橈骨舟状月状骨靭帯）。
- 橈骨舟状有頭骨靭帯と橈骨舟状月状骨靭帯は手関節背屈で伸張され，舟状骨の安定化にかかわる。
- 尺骨手根靭帯は三角線維軟骨複合体（triangular fibrocartilage complex：TFCC）の掌側縁，掌側橈骨月状靭帯，尺骨頭から起こり，月状骨，三角骨，有頭骨へ向かって走行する（尺骨月状骨靭帯, 尺骨有頭骨靭帯, 尺骨三角骨靭帯）。
- 近位手根骨には筋が付着しないため，手関節靭帯は手根骨間の協調的な運動に必要不可欠である。
- 手関節の背側の靭帯は，明瞭な構造ではなく関節包靭帯として関節包の一部を構成し，手関節掌屈の可動域に影響する。
- 手関節の運動にかかわる主な筋として，長橈側手根伸筋

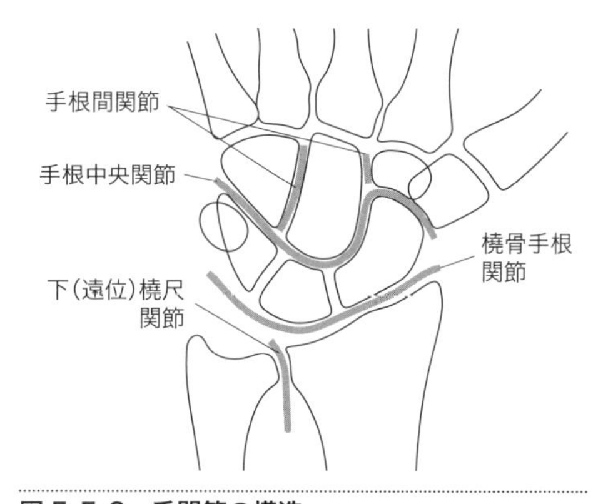

図 5-5-2 手関節の構造
手関節は主に橈骨手根関節，手根中央関節，手根間関節，下（遠位）橈尺関節により構成される。

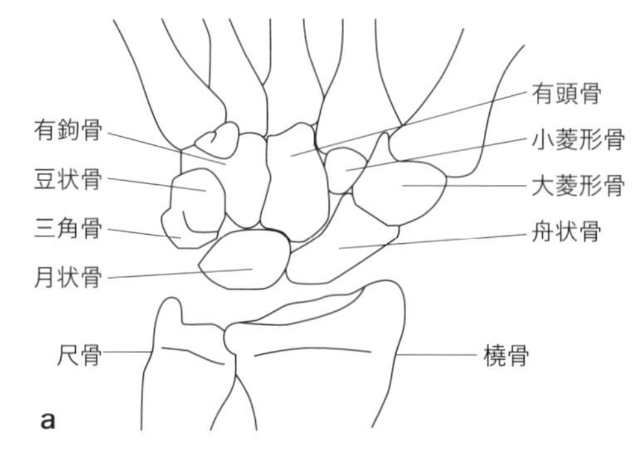

図 5-5-1 手関節を構成する骨（右側）
a：掌側，b：背側

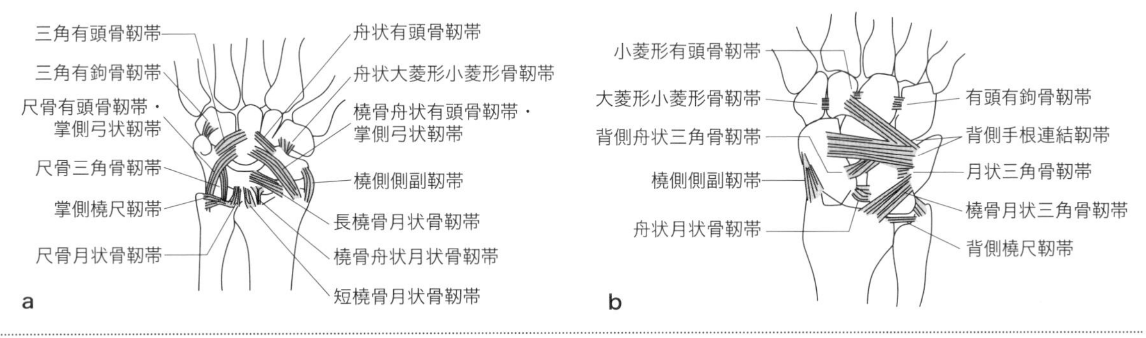

図 5-5-3　手関節の靱帯（右側）
a：掌側，**b**：背側（文献 2 をもとに作成）

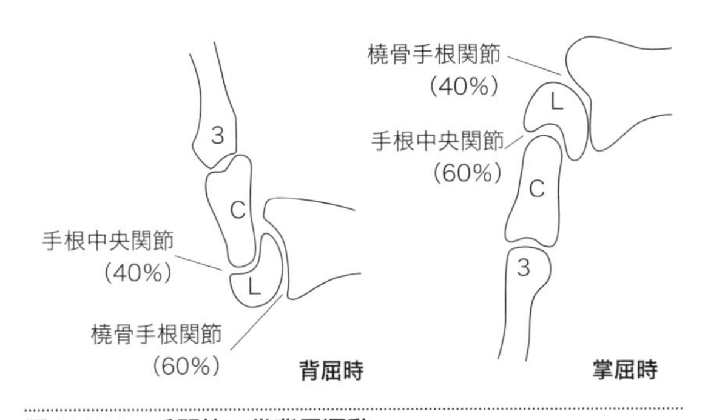

図 5-5-4　手関節の掌背屈運動
L：月状骨，C：有頭骨，3：第 3 中手骨

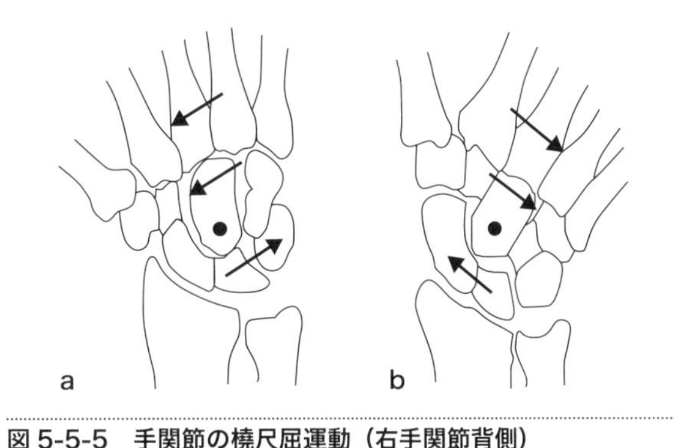

図 5-5-5　手関節の橈尺屈運動（右手関節背側）
a：手関節橈屈，**b**：手関節尺屈，●：回転中心（有頭骨），矢印：運動方向。近位の手根骨は手の動きと反対方向に動く。

(extensor carpi radialis longus：ECRL)，短橈側手根伸筋（extensor carpi radialis brevis：ECRB)，尺側手根伸筋（extensor carpi ulnaris：ECU)，橈側手根屈筋（flexor carpi radialis：FCR)，尺側手根屈筋（flexor carpi ulunaris：FCU）がある。

- 手関節の運動は，一般的に掌屈/背屈，橈屈/尺屈である。
- 前腕の回内/回外は手関節の運動に影響する。
- 手関節の運動は主に，橈骨手根関節と手根中央関節で生じ，手根間関節と下橈尺関節はこれら 2 つの関節を補助する（図 5-5-4，図 5-5-5)。
- 手関節の参考可動域は，掌屈約 90°/背屈 70°，橈屈 25°/尺屈 55°，回内外 90° である。

5-5-2　代表的なスポーツ外傷・障害とリハビリテーション

5-5-2-1　手関節靱帯損傷とその後の手関節不安定症

1）発生機転・病態

- アスリートの手関節靱帯損傷（いわゆる捻挫）は，プレー中に転倒して地面に手をついた際に発生することが多い（図 5-5-6)。
- 手関節に生理的許容範囲を超える動きが要求された時に，その外力に耐えきれず関節支持組織である靱帯や関節包，あるいは滑膜が損傷する。
- 手関節靱帯損傷は主に部分的な靱帯損傷を指すが，どの靱帯が損傷しているかを確認できないことも少なくない[3)]。

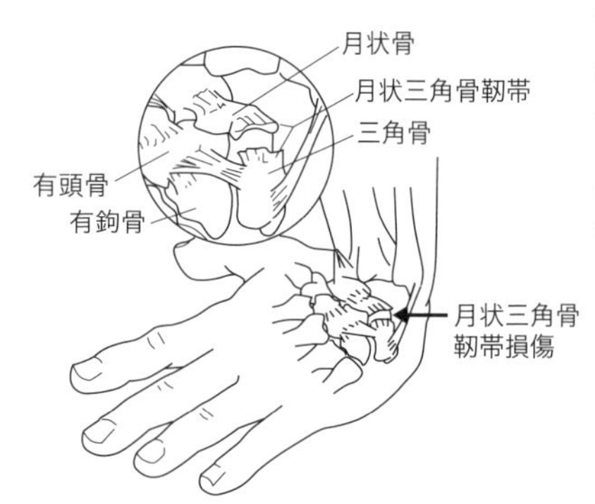

図 5-5-6　手関節靭帯損傷のメカニズム
手関節の過度な背屈と橈屈により，手根骨間の月状三角骨靭帯が損傷する。

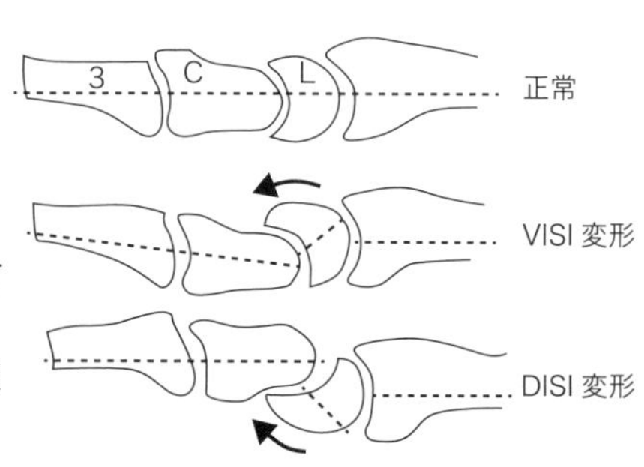

図 5-5-7　手根不安定症のタイプ
L：月状骨，C：有頭骨，3：第3中手骨
（文献4より改変）

- 靭帯の部分損傷であれば，1～2週の局所安静で治癒するが，過度なストレスを加え続けていると治癒が遅れるだけでなく，慢性的な手関節不安定症へと発展する。

2）症状・診断

- 手関節靭帯損傷の主な症状は，外傷性炎症症状と，関節支持機構の破綻による構造上の不安定性である。
- 外傷性炎症症状として，発赤，熱感，腫脹，疼痛がみられる。
- 受傷直後は疼痛のみで他の炎症所見は軽度だが，数時間の経過とともに出血や腫脹の増大を認め，その後は関節全体に浮腫も認めるようになる。
- 第 II 度，第 III 度の靭帯損傷では，靭帯の損傷もしくは断裂があり，関節の安定性が低下する。
- 代表的な手関節不安定性としては，月状骨が掌側へ傾く VISI（volar intercalated segmental instability）変形と，背側へ傾く DISI（dorsal intercalated segmental instability）変形がある（図 5-5-7）[4]。
- X 線画像にて骨の異常がないために，いわゆる手関節靭帯損傷と診断されたケースにおいて，MRI を確認すると 87％に骨折や骨挫傷を認めるとの報告などから，骨損傷などの他の疾患との鑑別が重要とされている[3,5]。

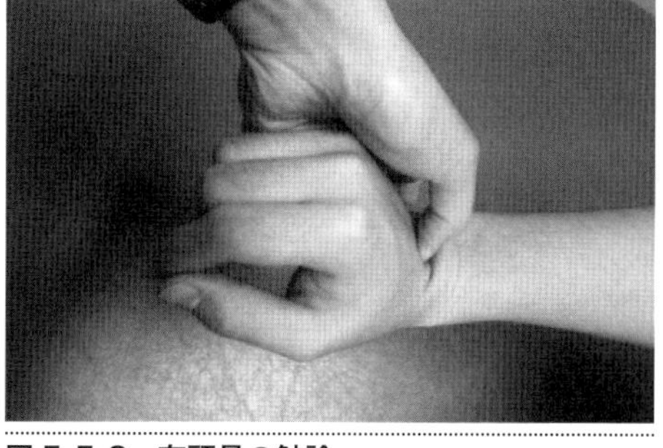

図 5-5-8　有頭骨の触診
手関節を背屈位にし，第3中手骨を手関節方向にたどると，くぼむところに有頭骨がある。

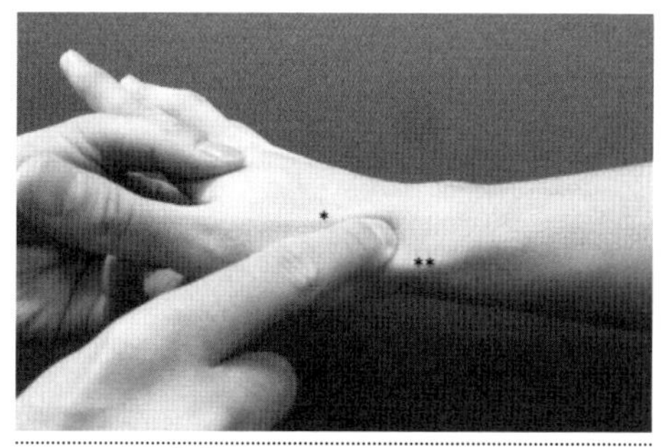

図 5-5-9　舟状骨の触診（解剖学的タバコ入れ）
長母指伸筋腱（*）と短母指伸筋腱（**）によって囲まれた解剖学的タバコ入れに圧痛があれば舟状骨骨折を疑う。

3）整形外科的検査

a）触診，圧痛テスト

- 手部の各ランドマークを触知，圧迫しながら形状の異常や左右差，痛みの有無を確認する。
- 手根骨靭帯損傷の場合，手根骨の触診が重要となる。手関節を背屈位にし，第3中手骨を手関節方向にたどると，くぼむ部位に有頭骨が位置するため，それを基準として周囲の手根骨を順番にたどるように触診する（図 5-5-8）。
- 橈側では，母指を外転させた際に短母指伸筋腱，長母指伸筋腱に囲まれたくぼみ（解剖学的タバコ入れ）に位置する舟状骨を基準にする（図 5-5-9）。

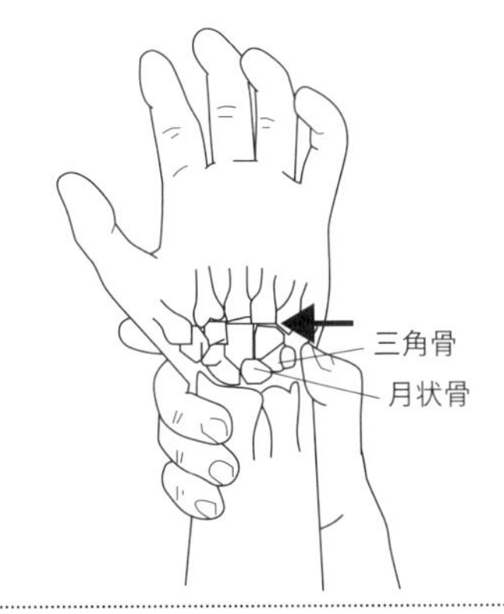

図 5-5-10　圧迫テスト
三角骨を尺側から橈側へ圧迫し，月状骨へのストレスを加える。

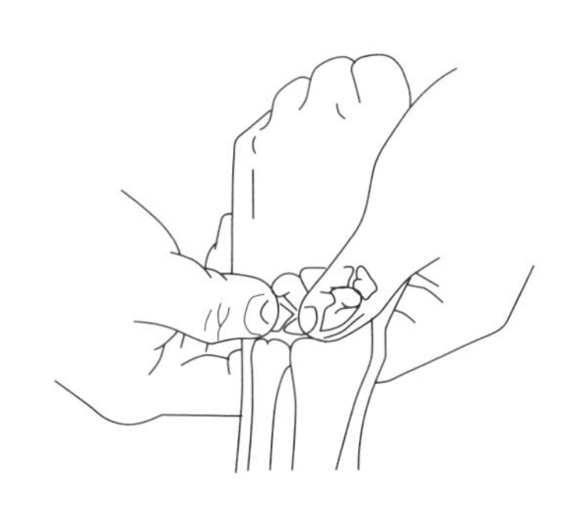

図 5-5-11　跳動テスト
隣接する手根骨同士を把持し，互いを押し付ける。不安定性，軟骨損傷，滑膜炎による疼痛を誘発できる。

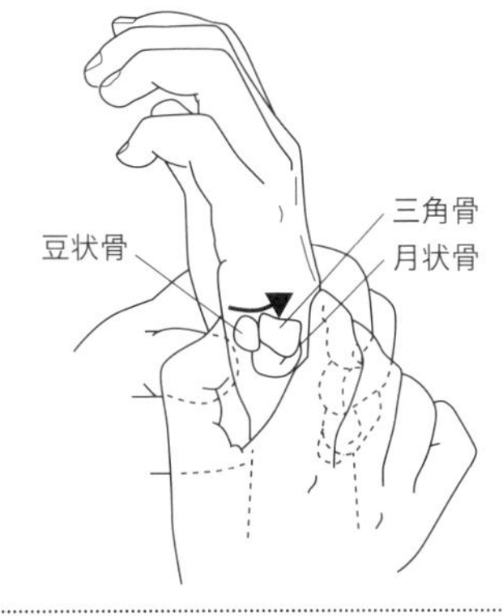

図 5-5-12　剪断テスト
隣接する手根骨同士を把持し，前後にこすり合わせるような力を加える。

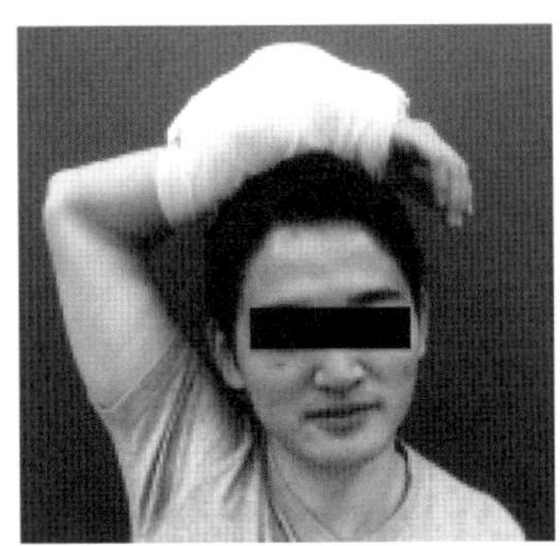

図 5-5-13　RICE 処置の例
手関節を心臓より高い位置に保持するように工夫する。

- 尺側では，尺骨頭から，遠位に三角骨，有鉤骨，第 5 中手骨と順に触れる。

b）不安定性テスト

- 不安定性のテストで加える力は圧迫，跳動，剪断力である（図 5-5-10 ～図 5-5-12）。亜脱臼によるクリックや痛みなどがあれば，不安定性を疑う。

4）治　療

- 手関節靭帯損傷の急性炎症症状に対して RICE 処置を行う（図 5-5-13）。
  R（rest：**安静**）：最低でも炎症反応がピークになる 48 時間は安静を保つ。
  I（ice：**冷却**）：一般的には 20 分程度であるが，手関節は関節が表層に位置しており，冷却時間は短めにしてもよい。
  C（compression：**圧迫**）：バンデージや弾性包帯を利用して圧迫する。
  E（elevation：**挙上**）：座位では頭部の上に，背臥位では枕などを利用して，いずれも心臓より高い位置に手関節を挙上する。
- 関節不安定性が残存すると上肢を使用するスポーツ動作に支障をきたすため，ギプスやシーネにより一定期間関節を固定し，損傷した靭帯の治癒を期待する。
- 不安定性が残存し動作が阻害される場合には手術が検討されるが，手根骨のアライメント変形に対する手術は不安定性が残存しやすい。

5）リハビリテーション

a）評価のポイント

- 手関節靭帯後では，炎症症状，関節可動域，筋力，動作を客観的に評価し，リハビリテーションのプロ

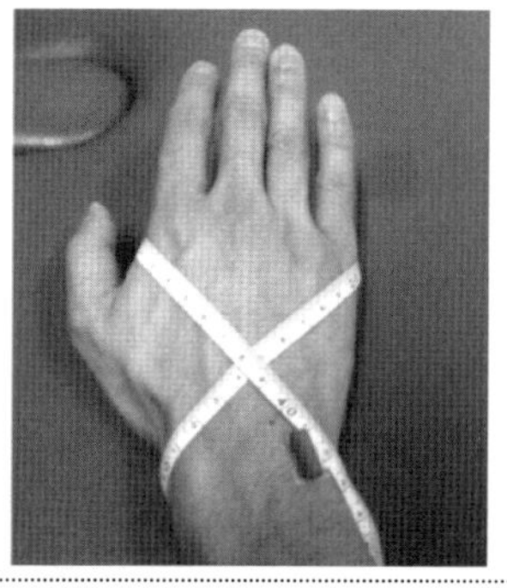

図 5-5-14　浮腫の評価（フィギュアエイト法） [6]
尺骨茎状突起の最突出部から手関節掌側を通り橈骨茎状突起の最突出部を通過した後，第 5 中手指節（MP）関節から第 2MP 関節を通過し，尺骨茎状突起まで戻る。

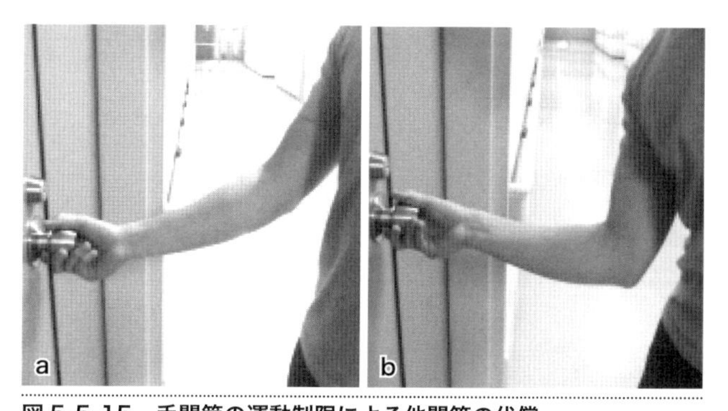

図 5-5-15　手関節の運動制限による他関節の代償
a：良好例，b：不良例。不良例では，手関節の背屈，前腕の回内外制限を代償するために肩関節外旋や体幹の側屈がみられる。

表 5-5-1　関節の生理的なエンドフィール

エンドフィール	感　覚	構　造	例
軟部組織性	たわみ	軟部組織の接近	肘関節屈曲（前腕と上腕の筋の軟部組織間の接触） ※萎縮がある場合は骨性
結合組織性	ばね	筋の伸張	膝関節を伸展しての股関節屈曲（ハムストリングスの弾力）
		関節包の伸張	手関節の底背屈
		靭帯の伸張	手関節の底背屈
骨　　性	衝突	骨と骨の接触	手関節の橈屈（橈骨茎状突起と舟状骨の接触） 肘関節の伸展（尺骨肘頭と上腕骨肘頭窩の接触）

表 5-5-2　関節の病的なエンドフィール

エンドフィール	内　容	例
軟部組織性	正常ではエンドフィールが結合組織性もしくは骨性である関節において起こる。何かが介在している感じがする	軟部組織の浮腫や滑膜炎
結合組織性	正常ではエンドフィールが軟部組織性もしくは骨性である関節において起こる	筋緊張の増加 関節包，筋，靭帯の短縮
骨　　性	正常ではエンドフィールが軟部組織性もしくは結合組織性である関節において起こる。骨性の制動を感じる	関節内の遊離体 骨折

グラムを計画し，適時効果を判定する。

- 炎症症状の評価では視診，触診で発赤，熱感の有無や左右差を確認する。浮腫の評価ではメジャーで周径を計測し数値化する（図 5-5-14）[6]。
- 関節可動域評価では，ゴニオメーターを用いて客観的に左右差や経時変化を確認する。関節運動中の固さやエンドフィール（最終域感）を感じとり，制限因子を推察する（表 5-5-1，表 5-5-2）。
- 筋力評価では，握力計やピンチ計を用いて客観的に左右差や経時変化を確認する。前腕や肘・肩関節の代償動作は測定値に影響するため，正しいポジションで計測する。
- 手関節靭帯損傷後の可動域の制限は，肘・肩関節に代償運動を生じさせ，他の関節に異常が生じることも少なくないため，日常生活動作も評価する（図 5-5-15）。

b) リハビリテーション

■炎症症状のコントロール

- RICE 処置を行いつつ，炎症期のピークを過ぎた段階から愛護的な関節可動域練習を開始し，炎症によ

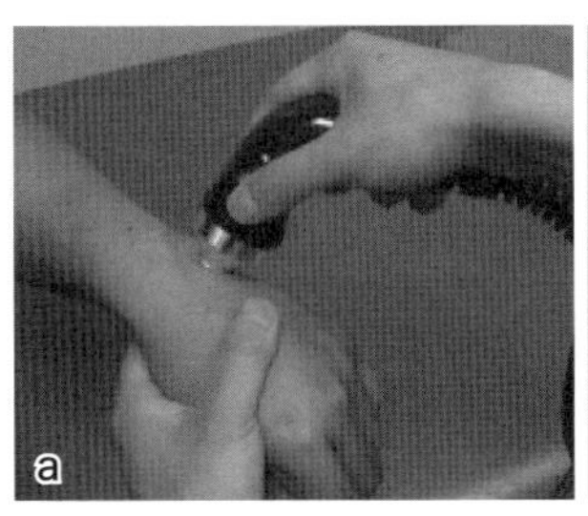
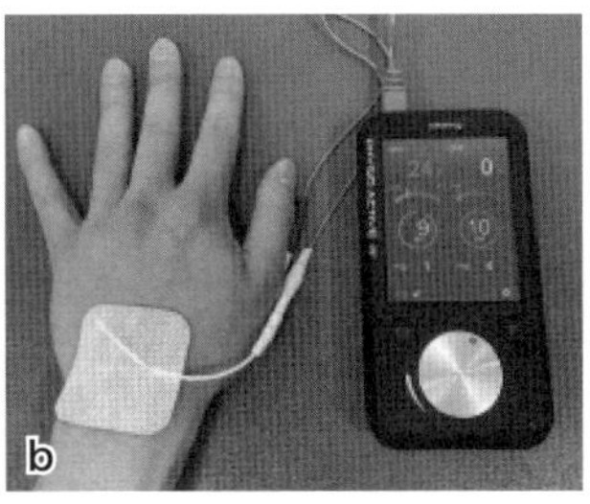
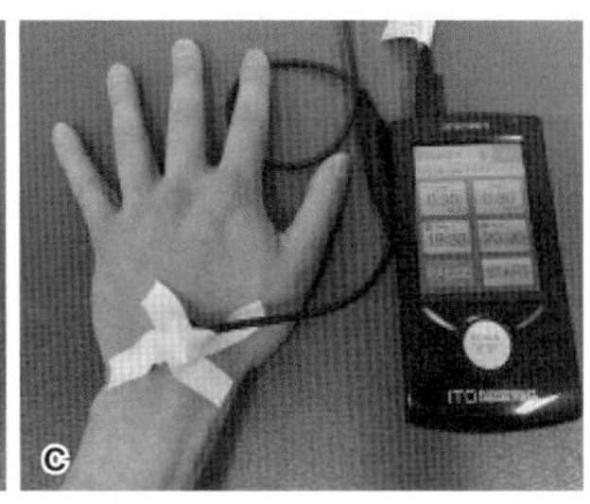

図 5-5-16　炎症症状軽減のための物理療法
a：超音波治療，b：電気治療（ハイボルテージ），c：骨折治療用超音波（low intensity pulsed ultra sound：LIPUS）

る貯留物の還流を促す。

- 超音波，電気治療を活用して炎症症状を軽減させる（図 5-5-16）。
- 無理な伸張によるストレスは，炎症を起こしている滑膜などを刺激し浮腫の軽減を阻害するため控える。

■関節可動域運動

- 初期では他動または自動介助による運動から開始する。
- 手関節の可動域練習は，愛護的にゆっくり関節を動かし，時間をかけて行う[7]（図 5-5-17）。

■筋力トレーニング

- 軽い等尺性収縮と弛緩を繰り返し行わせて，筋ポンプ作用による貯留物の還流を促す。
- 段階的にチューブやダンベルによる抵抗運動から，荷重位での筋力増強へ移行する（図 5-5-18）。

■競技復帰に向けたリハビリテーションおよび注意点

- 炎症の消失，可動域制限や筋力低下の有無を確認しながら徐々に競技復帰に向けた応用動作を行う（図 5-5-19）。
- 復帰に向けてはテーピングや装具を着用する（方法については第 6 章を参照）。
- Ⅰ度程度の軽い手関節靭帯損傷では，例えば足関節捻挫のように常に体重がかか

図 5-5-17　手関節可動域運動の一例
a：右手関節掌屈の他動的運動，b：右手関節背屈の他動的運動。他の関節の代償運動が生じないよう注意する。

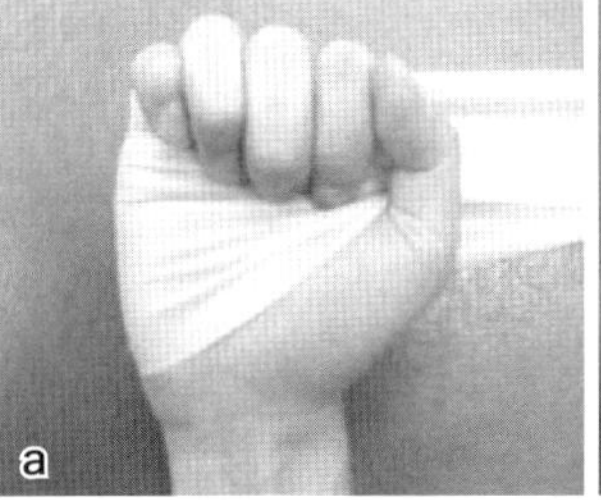
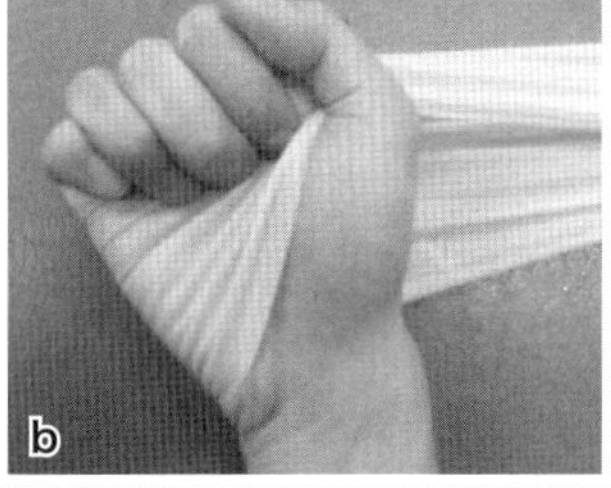

図 5-5-18　手関節の尺屈抵抗運動の一例
a：開始肢位，b：終了肢位。可動範囲，強度・回数・セット数などを調節しながら，痛みが生じない負荷で行わせる。

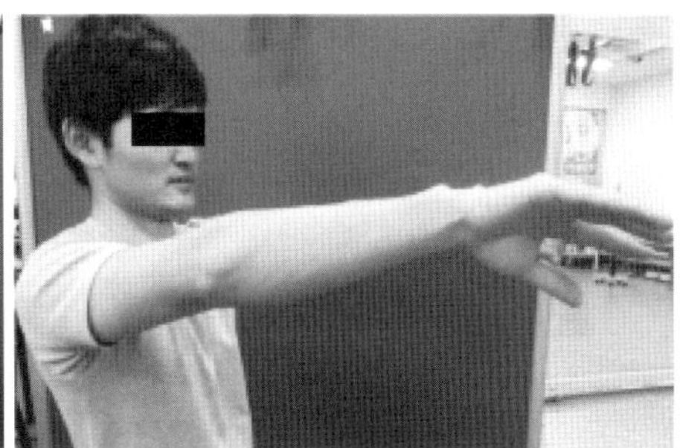

図 5-5-19　メディシンボールを利用したプライオメトリックトレーニングの例
ボールを胸の前で受け取った後，瞬時に返球することで掌屈・尺屈筋群の反射的な活動を高める。

ることがないため，症状を軽視して早期復帰してしまう選手が少なくない。

- 症状を軽視してテーピングの使用や装具の着用を守れない選手は，症状の重症化や不安定症のリスクが高まる。その場合は，症状が軽度であっても，競技復帰を遅らせる必要があるかもしれない。
- 手関節靭帯損傷と診断されても，骨折や脱臼が見逃されている場合があるため，その後の注意深い観察と適切な処置が必要である。

5-5-2-2　TFCC 損傷

1）発生機転・病態

- TFCC（三角線維軟骨複合体）は，手関節尺側の橈骨，尺骨，月状骨，三角骨にある靭帯と線維軟骨の複合体である[8]。
- TFCC の構成要素は三角線維軟骨（triangular fibrocartilage：TFC），メニスカス類似体（meniscus homologue：MH），掌・背側橈尺靭帯，尺骨月状骨靭帯，尺骨三角骨靭帯，尺側手根伸筋腱腱鞘床などである（図 5-5-20）[9]。
- 「TFCC = TFC + MH +周辺の靭帯や腱鞘による複合体」と考えると理解しやすい。
- TFCC は関節の安定化，緩衝，滑走に役立つ（表 5-5-3）。
- TFCC 損傷の主な発生機転は，転倒時に手関節背屈位で地面に手をつくことと，過度な前腕回内外で

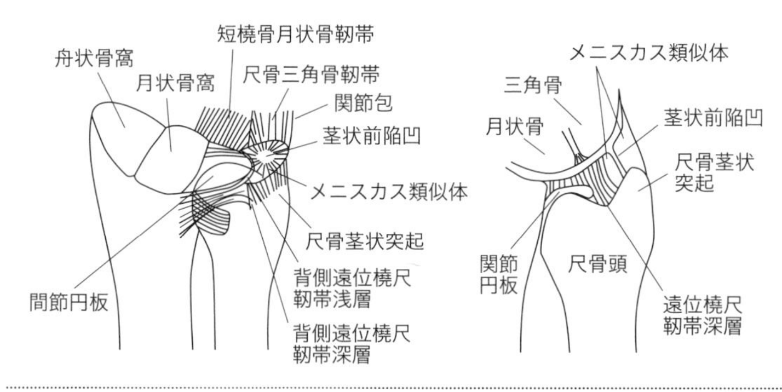

図 5-5-20　TFCC の構成要素

表 5-5-3　TFCC の主な機能

・遠位橈尺関節や尺骨手根関節の安定化
・尺骨手根関節の圧力に対する緩衝作用
・回内外，橈尺屈時の手根骨の滑走

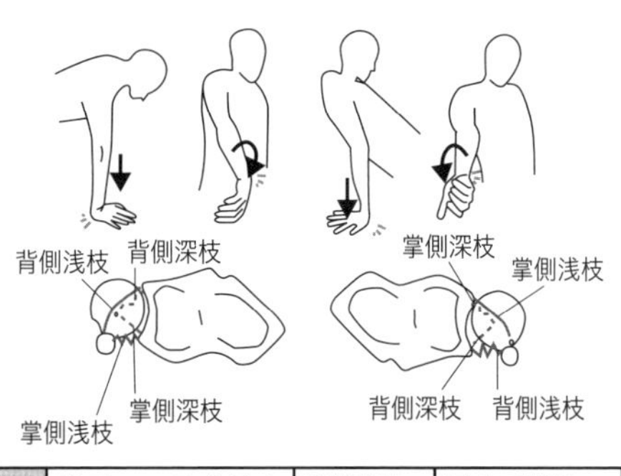

<table>
<tr><td rowspan="4">橈尺靭帯</td><td rowspan="2">浅層：尺骨茎状突起に付着する</td><td>背側浅枝</td><td>回内で緊張</td></tr>
<tr><td>掌側浅枝</td><td rowspan="2">回外で緊張</td></tr>
<tr><td rowspan="2">深層：尺骨小窩に付着する</td><td>背側深枝</td></tr>
<tr><td>掌側深枝</td><td>回内で緊張</td></tr>
</table>

図 5-5-21　受傷機転と橈尺靭帯伸張のパターン
（文献 10，11 をもとに作成）

表 5-5-4　Palmer 分類

クラスⅠ　新鮮断裂（外傷性）		
A	中央部	
B	尺側部	尺骨茎状突起骨折（+）
		尺骨茎状突起骨折（–）
C	遠位部損傷	
D	橈側損傷	尺側切痕骨折（+）
		尺側切痕骨折（–）
クラスⅡ　変性断裂（尺骨突き上げ症候群）		
A	TFCC 摩耗	
B	TFCC 摩耗+月状骨・尺骨軟骨変性	
C	TFCC 穿孔+月状骨・尺骨軟骨変性	
D	TFCC 穿孔+月状骨・尺骨軟骨変性+月状三角骨間靭帯穿孔	
E	TFCC 穿孔+月状骨・尺骨軟骨変性+月状三角骨間靭帯穿孔+尺骨手根関節症	

あり，受傷機転によって損傷しやすい靭帯が異なる（図5-5-21）[10,11]。

- 転倒による外傷性断裂と，前腕回内外による変性断裂に，大きく分けられる（表 5-5-4）。

2）症状・診断

- 症状は手関節尺側部痛，前腕回内外の可動域制限，握力の低下，遠位橈尺関節不安定性などである。
- TFCC は単純 X 線で確認することができないため，関節造影，MRI で確認される[12]。
- Palmer 分類（表 5-5-4）[13] による診断が一般的であり，クラス I の A タイプが最も多いとされている[14]。
- ただし，手関節尺側部の痛みを主症状とする疾患・症候は他にも尺側手根伸筋腱鞘炎，遠位橈尺関節不安定症，尺骨突き上げ症候群などがあり，専門家による鑑別が必要である。

3）整形外科的徒手検査

- 主な徒手検査は，TFCC ストレステスト（図 5-5-22）と，フォビア（fovea）サイン（図 5-5-23）である[15,16]。
- TFCC ストレステストは，前腕を他動的に回内外しながら手関節最大尺屈位で軸圧を加えるもので，陽性徴候は尺側部痛である。
- フォビアサインは手関節尺側の窩部を押した時に圧痛があれば陽性となる。

4）治　療

- TFCC 損傷の治療は，機能不全状態の TFCC の機能を高めることを目的に，保存療法または手術療法が選択される[9]。
- 初期は保存療法が一般的であるが，早期復帰を望むアスリートに対しては早期の手術療法も有効である[17]。
- 橈骨付着部付近での断裂などでは保存療法の効果が低いとされている（表 5-5-5）[18]。
- 手術療法は重症度分類に基づいて，切除術，縫合術，または尺骨短縮骨切術などが選択される。

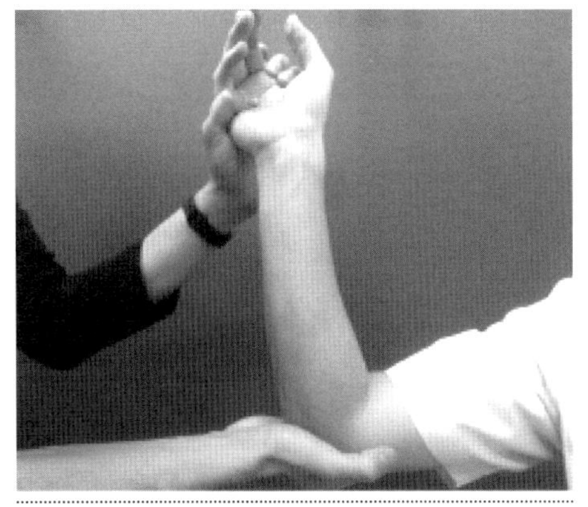

図 5-5-22　TFCC ストレステスト
他動的に回内外をしながら，手関節最大尺屈位で軸圧を加える。尺側部痛が出現した場合に陽性とする。（文献 15 をもとに作成）

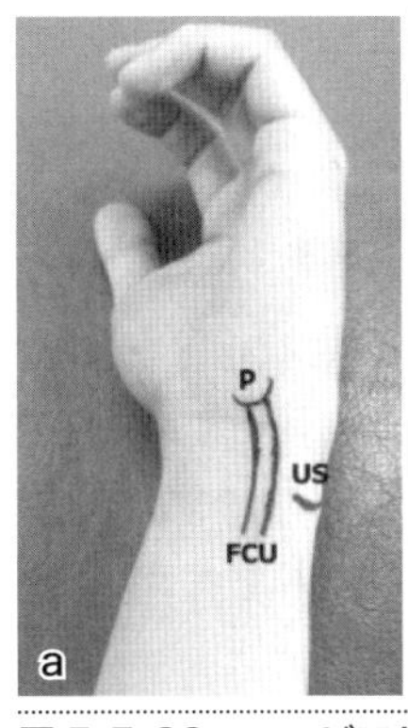

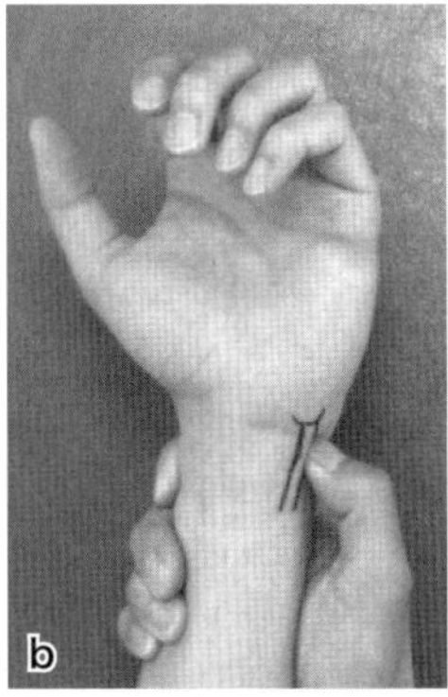

図 5-5-23　フォビアサイン
a：フォビア（fovea）は尺骨茎状突起（US）と尺側手根屈筋（FCU）の間，遠位は豆状骨（P），近位は尺骨頭の掌側面の間である。b：圧痛があればフォビアサイン陽性となり，TFCC 損傷を疑う。（文献 16 をもとに作成）

表 5-5-5　保存療法の効果が低い TFCC 損傷

・橈骨付着部付近での断裂
・固有 TFC 片が断裂部で弁状になっている例
・尺骨付着部周辺での損傷

5）リハビリテーション

a）評価のポイント

- TFCC 損傷の評価では，組織の治癒を妨げないことが重要である。
- 尺骨手根関節の軸圧ストレスや前腕の回内外ストレスによって症状を悪化させないように注意する。
- 炎症症状，関節可動域，筋力，動作能力の評価方法については，手関節捻靭帯損傷の評価のポイントの項を参照。

表 5-5-6　TFCC 損傷のリハビリテーションの流れ

治療法		装具	固定期間	関節可動域練習	筋力増強練習	競技復帰
保存療法		長上腕ギプス →手関節固定サポーター	2～3 週	ギプス除去後	ギプス除去後	6～10 週
手術療法	切除術	スプリント固定	1 週	固定除去後	固定除去後	4～5 週 ※体操やボクシングは 8～10 週
	縫合術	長上腕ギプス →短上腕ギプス	2 週 →2 週	ギプス除去後	8 週	12 週以降
	尺骨短縮骨切術	スプリント固定 →短上腕ギプス	1 週 →6 週	ギプス除去後	骨の治癒後	8～12 週

- 日常生活では，ドアノブを回す動作が障害されやすいため，代償運動を含めて評価する。
- ハイレベルなアスリートは，重症度が増すにつれて保存療法に対する理解を得にくい[17]。
- 最適な治療は，損傷の重症度，痛みの程度，競技とレベル，シーズンなどにより判断されるため，これらの問診は重要な評価ポイントとなる。

b）保存療法によるリハビリテーション

（表 5-5-6）

- 保存療法の初期では患部の安静と固定が重要になる。
- 急性外傷後は，前腕の回内外を生じさせないように，肘関節を含めたギプス固定が推奨される[18]。
- 肘関節 90° 屈曲位で長上腕ギプス（シーネ）により 2～3 週間固定する。
- その後，手関節固定用のサポーターやスプリントに変更する。
- 痛みの軽減に合わせて握力の強化や手関節掌背屈運動を許可していく。
- 前腕回内外の開始時期は医師とともに慎重に判断する。
- 6～10 週程度でのスポーツ復帰を目指す[18]。
- 外傷後は，ギプス固定期間中や除去後に手指の拘縮予防を目的としたシックスパック・エクササイズを指導する（図 5-5-24）。
- TFCC の運動にかかわる尺側手根伸筋と尺側手根屈筋に機能低下が生じやすいため，ストレッチングを行う（図 5-5-25）。
- 尺側手根屈筋と小指外転筋は豆状骨を起点として手根骨の安定化につながるため，トレーニングを行う

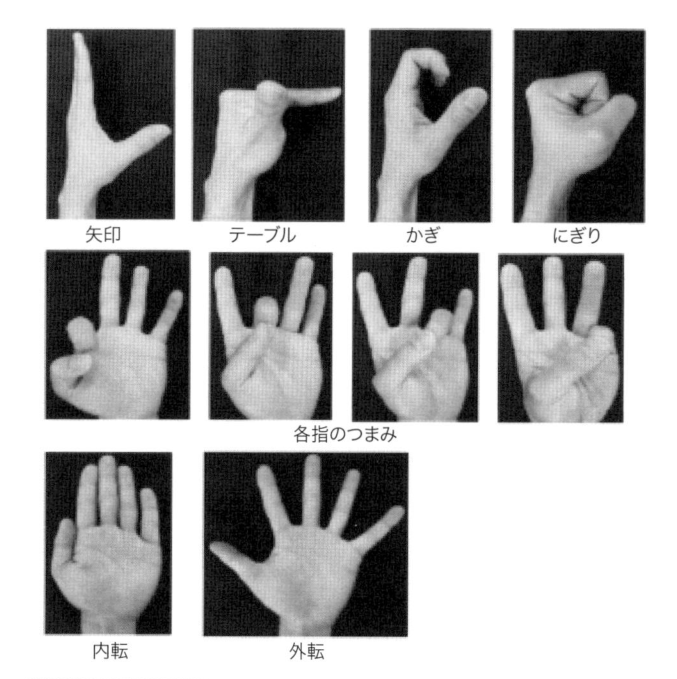

図 5-5-24　シックスパック・エクササイズ
手関節の運動を起こすことなく手内在筋による運動を行うように指導する。

図 5-5-25　尺側手根伸筋・屈筋のストレッチング
a：尺側手根伸筋のストレッチング：一方の手で尺側手根伸筋を把持し，もう一方の手で第 5 中手骨底を把持し，手関節を撓屈させる。b：尺側手根屈筋のストレッチング：一方の手で尺側手根屈筋を把持し，もう一方の手で豆状骨を把持し，手関節を撓屈させる。

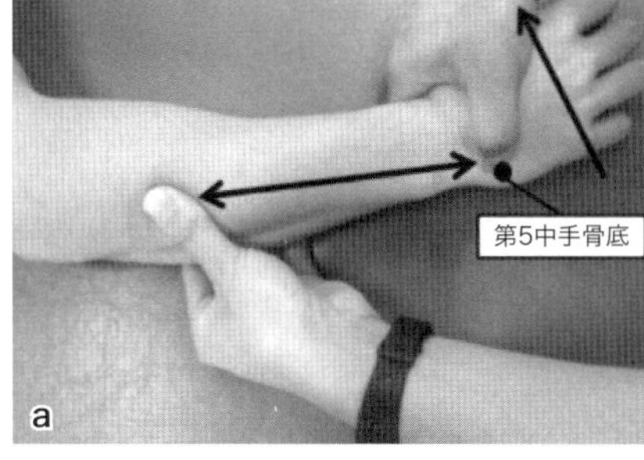

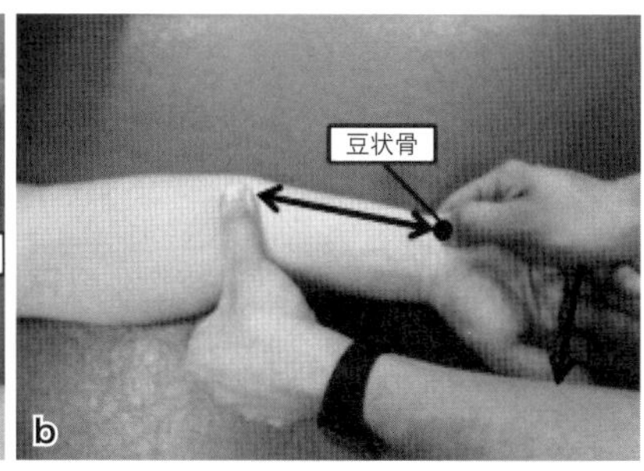

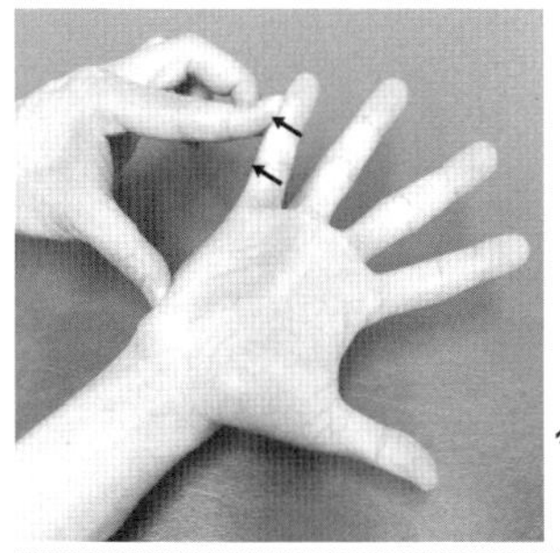

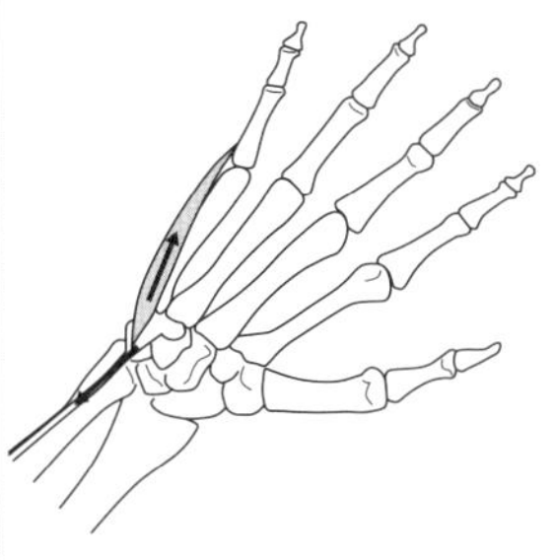

図 5-5-26　小指外転筋と尺側手根伸筋のトレーニング
小指外転筋（小指外転）と尺側手根屈筋（手関節尺屈）の収縮によって豆状骨を起点に手根骨を安定させる。

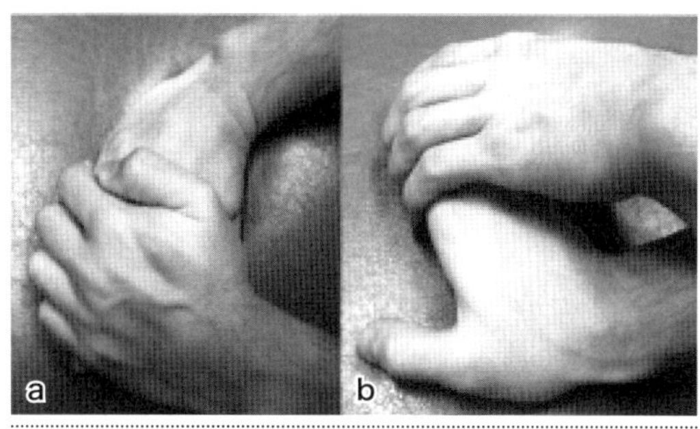

図 5-5-27　他動的な手関節可動域運動
a：手関節橈屈，b：手関節尺屈

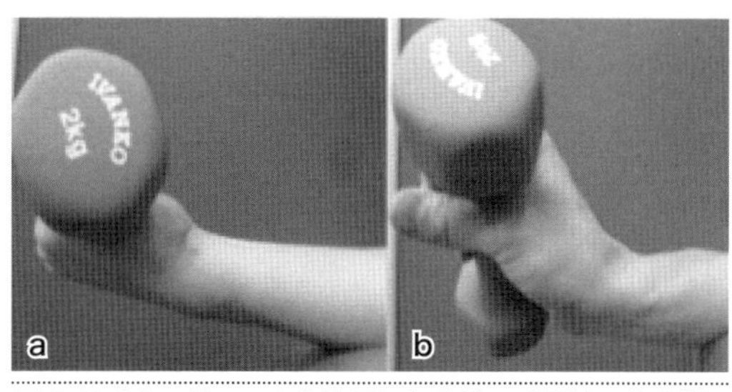

図 5-5-28　ダンベルを使用した前腕，手関節の筋力増強トレーニング
a：手関節底屈，b：手関節背屈

(図 5-5-26)。

- 手関節固定期間中や，前腕の回内外動作を制限している期間には，代償運動による肩関節周囲の過剰な筋活動が起こりやすいため[19]，肩甲帯や肩甲上腕関節を含めてケアする。

c）手術後のリハビリテーション（表 5-5-6）

- 切除術後は，1 週間のスプリント固定の後，関節可動域運動や軽負荷での筋力トレーニングを開始する。
- 3 週後から段階的に，参加スポーツの特異性を考慮した動作トレーニングを開始する。
- 4 ～ 5 週での復帰を目指すのが一般的であるが，体操やボクシングなどの TFCC に強い軸圧がかかるスポーツは 8 ～ 10 週を要する[17]。
- 縫合術後は，長上腕ギプスにより肘関節 90° 屈曲位，前腕回内外中間位で 2 週間固定し，その後短上腕ギプスに変更し 2 週間固定する。
- その後，ギプスを除去し段階的に関節可動域練習やストレッチングを開始する（図 5-5-27，図 5-5-28）。
- 8 週程度から筋力増強トレーニングを開始し，12 週以降のスポーツ復帰を目指す。
- 尺骨短縮骨切術後は，1 週間のスプリント固定の後に短上腕ギプスに変更し，さらに 6 週間固定する。その後，段階的な関節可動域練習やストレッチングを開始する。
- 8 ～ 12 週間で骨の癒合が確認されれば，スポーツ復帰を段階的に許可する[17]。

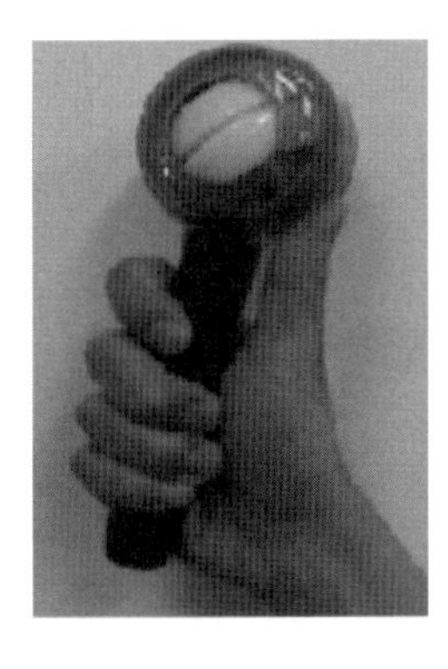

図 5-5-29　神経筋協調性トレーニング①
パワーボールなどで手関節に多方向の負荷をかけ神経筋の協調性（反射性の筋活動）の改善を図る[20]。

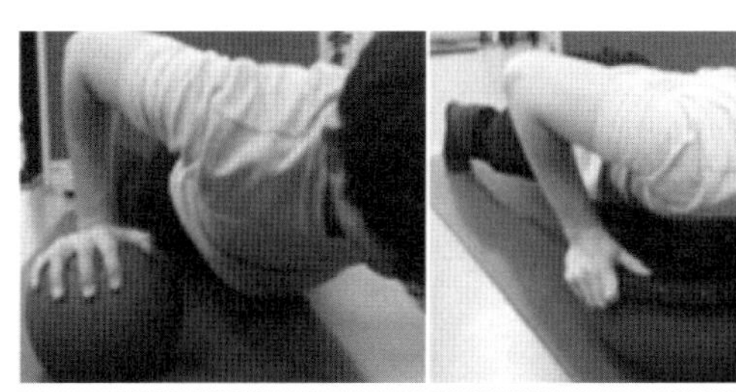

図 5-5-30　神経筋協調性トレーニング②
不安定環境下での支持トレーニングにより手関節の神経筋協調性（動的安定性）の改善を図る。

図 5-5-31　プッシュアップトレーニングの指導
a：尺側への過剰な荷重，b：修正位

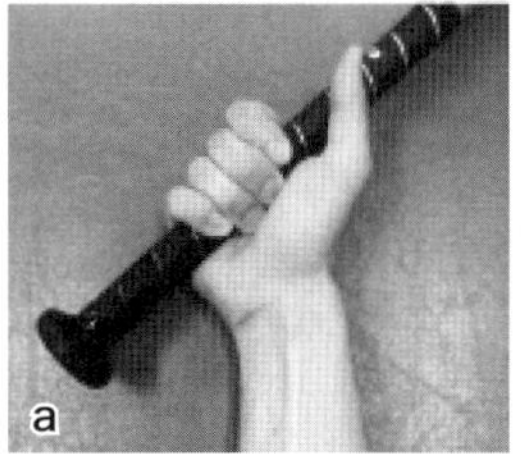

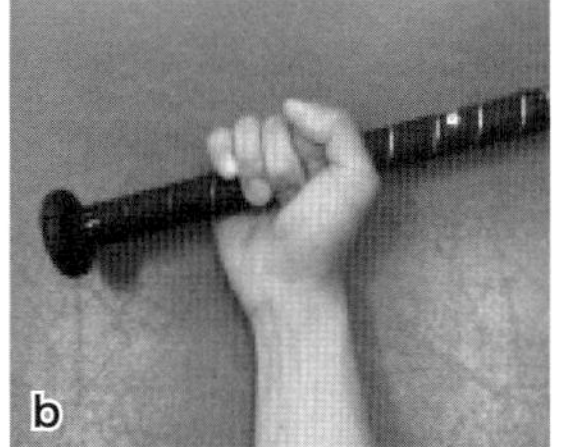

図 5-5-32　バットのグリップ法指導
a：第 4，5 指優位なグリップによる手関節尺屈，b：第 2，3 指優位なグリップによる手関節尺屈コントロール

d）競技復帰に向けたリハビリテーション

- 競技復帰に向けて，関節可動域，筋力に加えて神経筋の協調性（反射性の筋活動や動的な安定性）を改善させる[20]（図 5-5-29，図 5-5-30）。
- 普段よく行うトレーニングや，手関節の競技に特異的な使い方について指導する（図 5-5-31）。
- テニスや野球では，手関節の過度な尺屈を防ぐことや，小指側のグリップを抜くような指導によって，TFCC へのストレスの軽減を図る（図 5-5-32）。

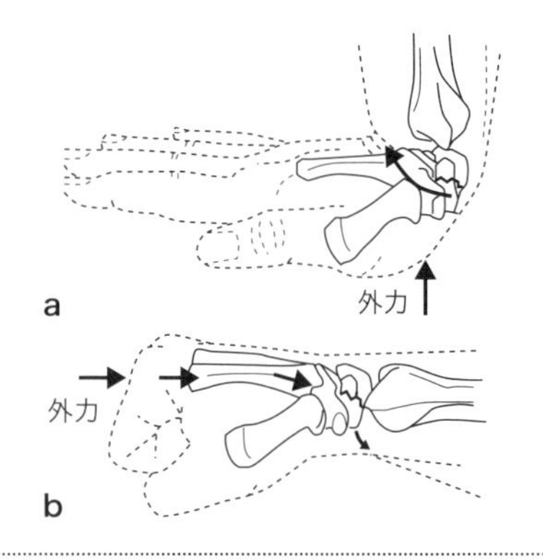

図 5-5-33　舟状骨骨折の受傷機転
a：手関節背屈位（過伸展）で手掌が地面についた際に，舟状骨と床面での圧迫・剪断力によって生じる。b：パンチした際に，舟状骨が橈骨の背側に衝突して生じる。第 1 中手骨から舟状骨へ伝わる掌側への外力と，橈骨からの剪断力による。（文献 22 より改変）

5-5-2-3　舟状骨骨折

1）発生機転・病態

- 舟状骨骨折はスポーツ外傷による手根骨骨折のなかで最も多い。
- 主な受傷機転としては，手関節背屈位（過伸展）で手掌が地面についた際に舟状骨と床面での圧迫・剪断力によって生じる場合と，ボクシングなどのパンチで舟状骨が橈骨の背側に衝突して生じる場合があり，前者が約 80％を占める[21]（図 5-5-33）[22]。
- 舟状骨骨折の特徴は，症状が比較的軽いことである。そのため，スポーツの種目によっては続行が可能なことから，医療機関へ

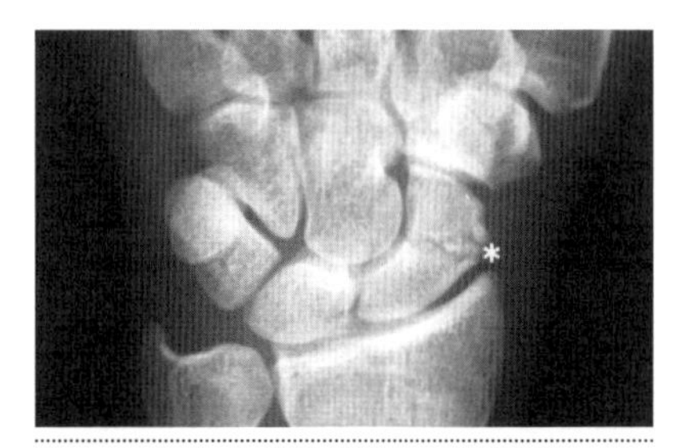

図 5-5-34　舟状骨骨折の X 線画像
＊印の部分に骨折を認める。

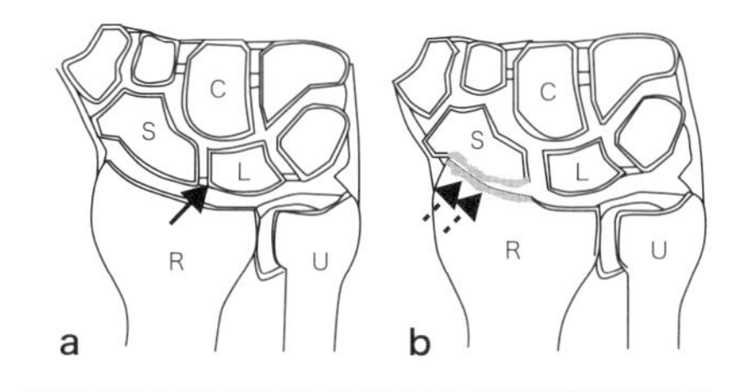

図 5-5-35　SNAC wrist
a：正常な手根骨の位置関係（矢印）。**b**：SNAC wrist。S：舟状骨，L：月状骨，R：橈骨，U:尺骨。橈骨–舟状骨間の関節症（破線矢印）と手根骨の配列の乱れを認める。

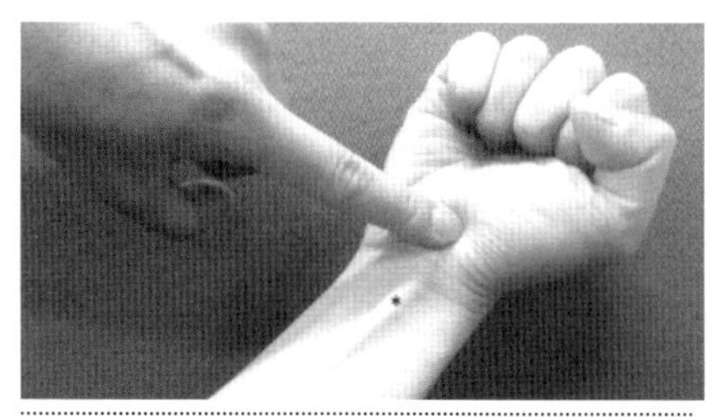

図 5-5-36　舟状骨結節の触診
橈側手根屈筋腱（＊）の延長上に舟状骨結節を触れることができる。圧痛があれば舟状骨骨折を疑う。

表 5-5-7　Herbert 分類

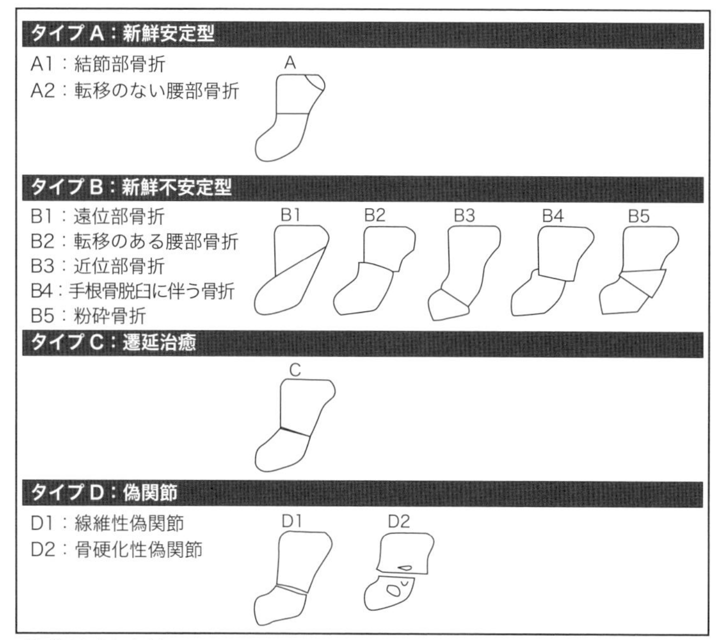

タイプ A：新鮮安定型	A1：結節部骨折 A2：転移のない腰部骨折
タイプ B：新鮮不安定型	B1：遠位部骨折 B2：転移のある腰部骨折 B3：近位部骨折 B4：手根骨脱臼に伴う骨折 B5：粉砕骨折
タイプ C：遷延治癒	C
タイプ D：偽関節	D1：線維性偽関節 D2：骨硬化性偽関節

（文献 26 より改変）

の受診が遅れ，手術療法が必要になる陳旧例になりやすい[23)]。

- 受傷後数日間の X 線では骨折線が不明瞭で骨折と診断されないことがあり，遷延治癒・偽関節となる場合がある（図 5-5-34）。
- 近位の舟状骨骨折は，血行が比較的少ないために偽関節を生じやすい。
- 偽関節が長期化すると舟状骨による支持性が低下し，手根配列が乱れ，SNAC（scaphoid nonunion advanced collapse）wrist と呼ばれる変形性関節症へと移行しやすい（図 5-5-35）[24)]。

2）症状・診断

- 主な症状は痛み（圧痛，運動時痛，軸圧痛），腫脹，握力低下である。
- X 線，MRI，CT 画像によって骨折を早期に発見し，骨挫傷の程度や，骨皮質の変化を詳細に評価することができる[25)]。
- 骨折の重症度分類として Herbert 分類が用いられることが多い（表 5-5-7）[26)]。

3）整形外科的徒手検査

- 舟状骨の圧痛テストを行う。
- 解剖学的タバコ入れ（図 5-5-9）と，舟状骨結節（図 5-5-36）を触知し圧痛を確認する。
- 母指から舟状骨への軸圧痛がある場合，舟状骨骨折の疑いがより高まる[27)]。

4）治　療

- 骨片転位の少ない骨折では保存療法が適応となる。
- 骨転位が明らかなケースや，陳旧例では手術療法が適応となる。
- 保存療法では，ギプスで基節骨まで固定するサムスパイカキャスト（thumb spica cast）で 8 ～ 12 週間固定することが多い[28)]。

- 固定期間は骨折のタイプによって異なり，横骨折では約 6 週間，斜骨折では約 12 週間が一般的である。
- 画像を確認して骨癒合の所見を認めるまで固定を継続する。
- 手術療法では，主に経皮スクリューによる固定が行われる。
- 手術療法の利点は，強固な固定によって早期にリハビリテーションを開始できることと，高い癒合率が期待できることである[29]。
- 手術療法後の固定は約 4 ～ 6 週間程度であるが，骨癒合の程度によって変動する。
- 舟状骨骨折後の偽関節例で変形を伴うケースは，SNAC 変形を矯正した後に，骨移植・スクリュー固定術や血管柄付き骨移植術などが選択される。

5）リハビリテーション

a）評価のポイント

- 骨癒合を妨げることなく，良好な可動域と筋力を獲得するためには，炎症症状や画像所見を医師とともに確認しながら，関節可動域や筋力などの機能を経時的に評価することが重要である。

表 5-5-8　舟状骨骨折後のリハビリテーションプログラム

フェイズ	エクササイズ		セット数と反復数
I （1 ～ 3 週）	関節可動域 （ストレッチング）	手関節の自動運動：掌屈/背屈，前腕の回内/回外，母指屈曲/伸展（図 5-5-37）	10 回 1 セットを 1 日 3 回，1 回のストレッチングは 20 ～ 30 秒
	筋力	対側の上肢による等尺性収縮：手関節の掌屈/背屈，橈屈/尺屈運動（図 5-5-38）	10 回 1 セットを 1 日 2 回，10 秒維持
		軽負荷のチューブによる抵抗運動	10 ～ 20 回を 1 ～ 3 セット
	プライオメトリック トレーニング		
II （4 ～ 8 週）	関節可動域 （ストレッチング）	I と同様	I と同様
	筋力	グリップ/ボール握り	10 ～ 15 回を 1 ～ 3 セット
		プッシュアップ（指立て→手掌）（図 5-5-41）	15 ～ 20 回を 1 ～ 3 セット
		手関節掌屈/背屈（リストカール/リストエクステンション）	3 ～ 10 回を 1 日おき
		タオル絞り/手関節捻り運動	10 ～ 15 回を 1 ～ 3 セット
		中等度負荷のチューブによる抵抗運動	10 ～ 20 回を 1 ～ 3 セット
		健康ボール握り（図 5-5-40）	2 分間
	プライオメトリック トレーニング	重量の少ないボールの投球とキャッチング	15 ～ 20 球
III （8 ～ 12 週）	関節可動域 （ストレッチング）	I と同様	I と同様
	筋力	ハンドグリッパー（1 ～ 4.5 kg）（図 5-5-39）	10 回を 1 ～ 3 セット
		強負荷レジスタンスバンドによる抵抗運動	10 ～ 20 回を 1 ～ 3 セット
	プライオメトリック トレーニング （表 5-5-9）	サッカースローイング（2 ～ 4 kg のメディシンボール）	6 ～ 8 回を 3 セット
		片手ボール投げ（1 ～ 4 kg のメディシンボール）	5～8回を1～2セット，2回/週
		片手ボールキャッチング（1 ～ 3 kg のメディシンボール）	5～8回を1～2セット，2回/週
		メディシンボールのチェストパス	10 ～ 20 回を 1 ～ 3 セット
		漸進的プッシュアップ：クラッピング・プッシュアップ，ショック・プッシュアップ（図 5-5-42）	段階的に，10 回を目安に

（文献 30 より改変）

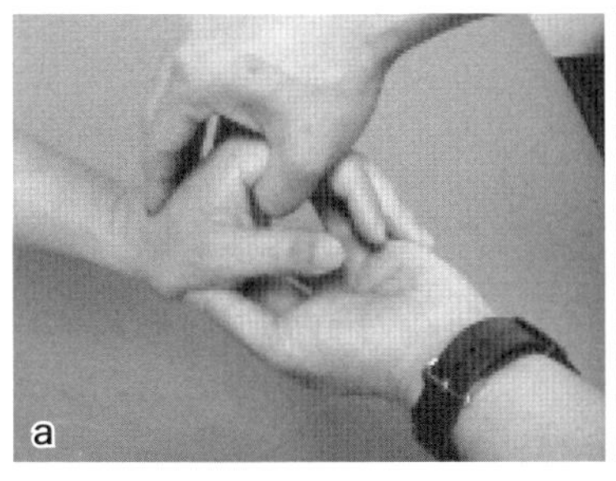
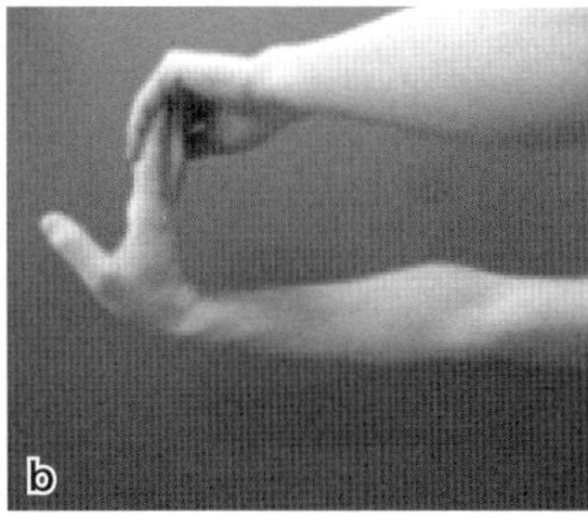
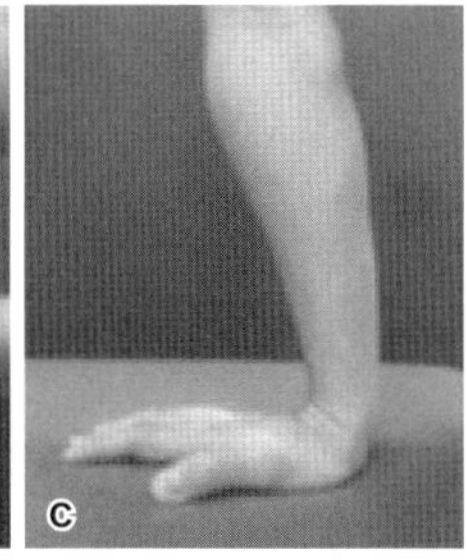

図 5-5-37　手関節の可動域運動
a：愛護的な自動−他動的背屈，b：非荷重位での他動的背屈（ストレッチング），c：荷重位での背屈

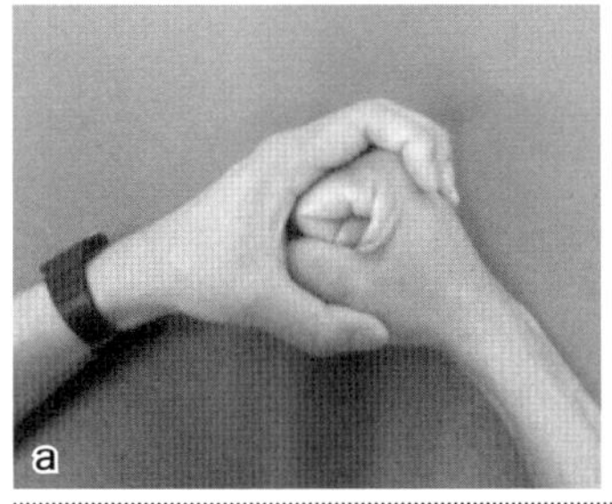
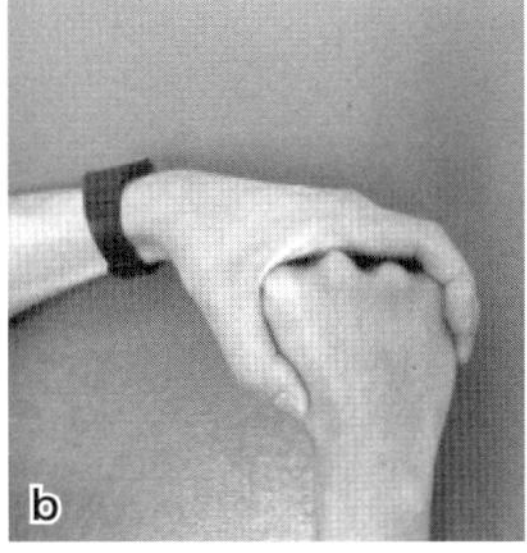

図 5-5-38　手関節周囲筋の等尺性収縮
a：右手関節の掌屈・背屈，b：右手関節の橈屈・尺屈

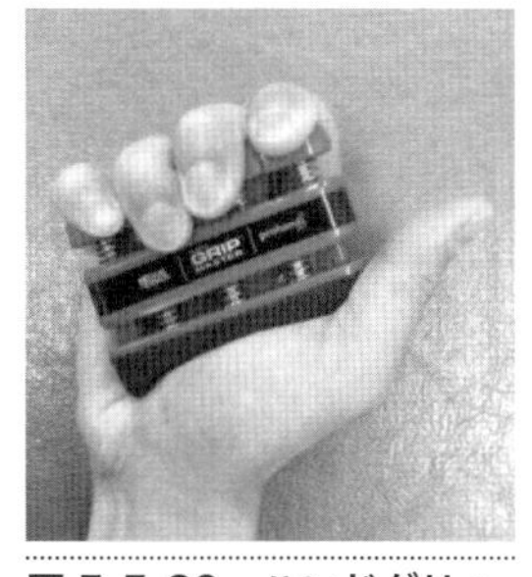

図 5-5-39　ハンドグリッパーによる握力トレーニング
指 1 本につき約 3 kg

図 5-5-40　ゴルフボールグリップ
手掌で転がすことによって手指の巧緻性を改善させる。

- 炎症症状，関節可動域，筋力，動作能力の評価方法については，手関節靱帯損傷の評価のポイントの項を参照。
- 関節可動域や筋力は骨癒合所見を確認した後に評価を開始する。
- 受傷からの期間や，競技種目，ポジションなどの競技特性は，復帰時期を判断するための重要な情報であるため，詳細を確認する。
- 自覚症状が比較的軽いことがあるため，練習や試合への参加を自己判断してしまうアスリートは少なくないため，病態・予後，治療に対する理解度を確認する。
- また，復帰判断における本人と家族・指導者との関係性についても確認しておく。

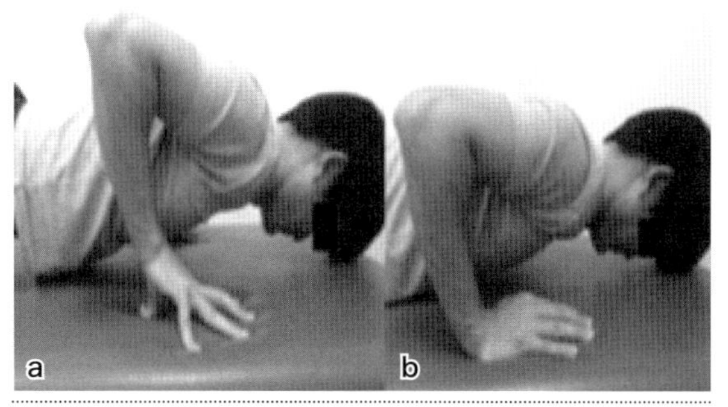

図 5-5-41　プッシュアップ
a：指立て，b：手掌接地。受傷機転である手関節背屈は慎重に行う。

b）リハビリテーション

- 舟状骨骨折後のリハビリテーションには大きく 3 つのフェイズ（段階）がある（表 5-5-8）[30]。
- 関節可動域運動や筋力トレーニング，プライオメトリックトレーニング（プライオメトリクス）は，画像上で骨癒合が確認されてから段階的に開始，進行する。
- 関節固定中は拘縮予防のために手指の運動を行わせるが，斜骨折では手指運動により骨折部に離解ストレスが加わるため，医師とともに慎重に判断する。
- 関節可動域運動は自動的な非荷重位エクササイズや愛護的な自動−他動的背屈から開始し，段階的に他動的もしくは荷重位でのエクササイズへと進める（図 5-5-37）。

表 5-5-9　プライオメトリックトレーニングの内容

エクササイズ		内　容	強度
メディシンボール・エクササイズ	メディシンボール・チェストパス	胸の前でボールを両手で持つ。パートナーに向かってパスをする。パートナーからパスを受け取ったら，ただちに素早いパスを行う	低
	サッカースローイング	サッカーのスローイング動作を壁に向かってできる限り遠くに行う	中
	片手ボール投げ	脚を前後に開き，片手でボールを把持し，全身を使って投げる	中
	片手ボールキャッチング	膝立ちになり，片手は壁やベンチに置き身体を支える。パートナーから手に向かってボールを投げてもらい，キャッチする	中
プッシュアップ・エクササイズ（図 5-5-42）	クラッピング・プッシュアップ	肩幅でプッシュアップ姿勢をとる。素早いプッシュアップをした後，空中で手を叩いて，開始姿勢に戻る	強
	ショック・プッシュアップ	15 cm 前後のボックス上でプッシュアップ姿勢をとる。地面に落ちる衝撃を吸収して，再びボックス上に戻る	強

（文献 30 より改変）

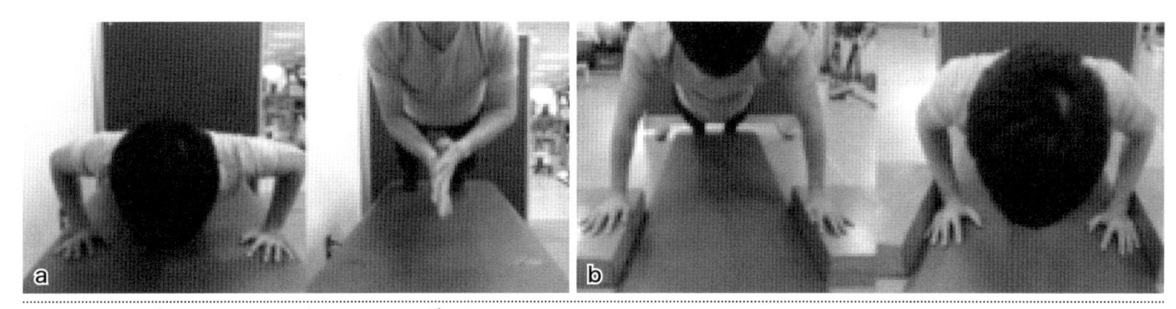

図 5-5-42　プライオメトリックトレーニング
a：クラッピング・プッシュアップ，b：ショック・プッシュアップ

- 筋力トレーニングは抵抗の弱い等尺性収縮から開始し，段階的に抵抗負荷や運動範囲を増大させる（図 5-5-38）。
- ハンドグリッパーやゴルフボールなどの器具を用いて握力や手指巧緻性を高める（図 5-5-39，図 5-5-40）。
- プッシュアップなどで荷重位での筋力増強を図る際には，受傷機転でもある手関節背屈を慎重に行う（図 5-5-41）。

c）競技復帰に向けたリハビリテーション

- スポーツ復帰に向けてプライオメトリックトレーニングを取り入れる（表 5-5-9）。
- プッシュアップを用いたプライオメトリックトレーニングでは大きな背屈が要求される。受傷の記憶から不安を訴えるケースがあるため，負荷を段階的に増大するように環境を工夫する（図 5-5-42）。
- SNAC 変形を合併した舟状骨偽関節の術後は，変形性関節症を悪化させないよう負荷の増大を慎重に判断する。
- 長期の固定により，患部外の機能低下や全身持久力の低下も生じうるため，全身的なトレーニングを指導する。
- スポーツへの完全復帰時期は，保存療法が 15.5（6 ～ 26）週，手術療法が 6.4（2 ～ 20）週がおおよその目安とされている[29]。
- 手関節や手指の機能が完全に回復する前に復帰する選手も少なくないが，十分な骨癒合が得られ，手関節機能や全身機能が受傷前の状態に戻った後に復帰することが理想である[23]。

5 部位別スポーツ外傷・障害のリハビリテーション
6 股関節・大腿部

相澤 純也（順天堂大学保健医療学部理学療法学科）

5-6-1 機能解剖

- 股関節は寛骨臼蓋のソケットと大腿骨頭のボールからなる多軸性の球関節である。
- 股関節運動は屈曲/伸展，外転/内転，外旋/内旋の 3 軸運動として表現され，これらが複合した分回し運動がある。
- 股関節の適切な安定性と可動性は，スポーツ動作において良い姿勢とバランスを保つために欠かせない。
- 臼蓋と大腿骨頭の関節面が適合し安定していれば，スクワット，ジャンプ着地，カッティングなどの動作中に股関節が大きく速く動いても，臼蓋内で骨頭が過度に移動しにくい。
- 臼蓋と骨頭の間の適合性や安定性は骨・軟骨の形状，関節唇，関節包，周囲筋の状態によって変化する（図 5-6-1）。
- 股関節自体の安定性は骨頭に対する臼蓋の深さによるところが大きい。
- 臼蓋形成の不全（図 5-6-2）があると臼蓋外側の狭い関節面に力が集中することで関節軟骨へのストレスが増大し，股関節運動中に骨頭が不安定になりやすい[2)]。
- 大腿骨の頸体角や前捻角（図 5-6-3）の異常によっても関節軟骨や関節唇への力学的ストレスは増大する。

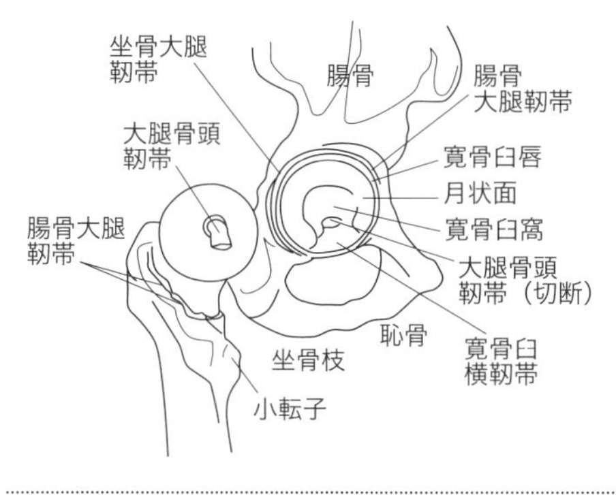

図 5-6-1 正常股関節（右側）の構造
（文献 1 より引用）

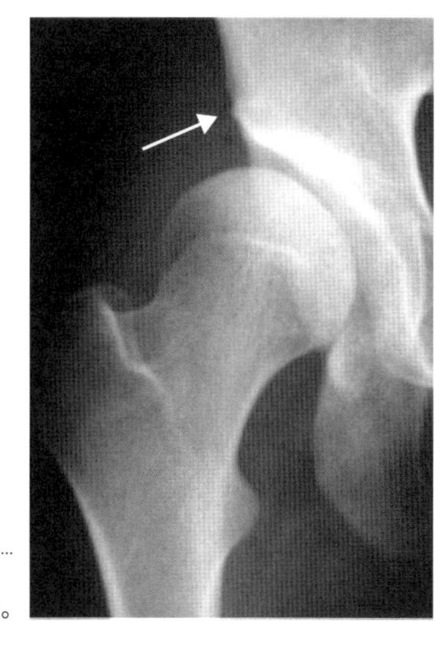

図 5-6-2 寛骨臼蓋（右側）の形成不全
大腿骨頭を覆う臼蓋のかぶり（矢印）が浅い。

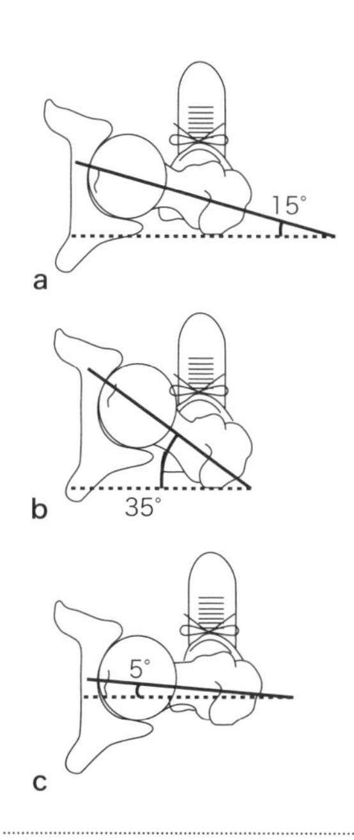

図 5-6-3 大腿骨の前捻角
a：正常前捻，b：過度の前捻，c：後捻（文献 1 より引用）

表 5-6-1 股関節の密封性，陰圧がバイオメカニクスに与える影響

・臼蓋と大腿骨頭が直に接触することを防ぎ，軟骨層の保護に寄与する
・関節液が加圧され関節の潤滑性が高まる
・関節牽引に対して骨頭位置を臼蓋内に安定させる

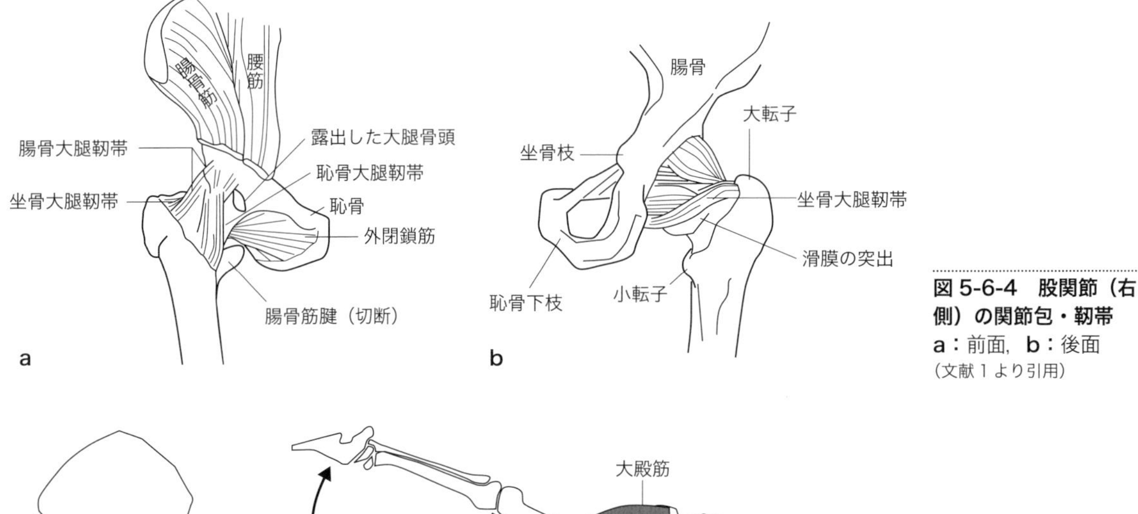

図 5-6-4　股関節（右側）の関節包・靭帯
a：前面，**b**：後面
（文献 1 より引用）

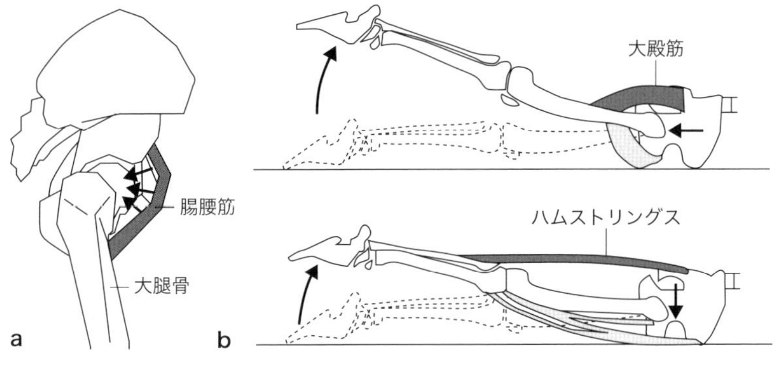

図 5-6-5　腸腰筋や大殿筋の活動は大腿骨頭の前方不安定性を抑制する
a：腸腰筋の収縮は骨頭を前方から押すように働く。**b**：上：股関節伸展運動中に大殿筋が活動し股関節軸を安定させている。下：ハムストリングスが優位に働くと関節軸が安定せずに大腿骨頭の前方移動が生じやすい。
（文献 7 より引用）

- 臼蓋と骨頭の接触面には関節にかかる力を緩衝・分散する関節軟骨が特徴的に分布しており，歩行周期の踵接地や立脚終期で大きな負荷がかかりやすい部分は厚くなっている。
- 股関節唇は臼蓋の深さを補い骨頭の安定性を高めている。
- 股関節唇は大腿骨頭の周りを包み込んでおり関節包内の密封性や陰圧の保持に役立ち，股関節のバイオメカニクスに良い影響をもたらす（表 5-6-1）[3,4]。
- 股関節包を取り巻く 3 つの靭帯は骨頭の安定性に大きくかかわる（図 5-6-4）。
- このなかで腸骨大腿靭帯は最も強く[5]，前述した関節唇とともに大腿骨頭の過度な前方移動や，大腿骨の異常な外旋を制動している[4, 6]。
- 股関節の周囲筋は，すべてが協調的に活動してスポーツ動作中の骨頭の安定性や，身体各部の相対的な位置関係（アライメント）をコントロールしている。
- 股関節伸展運動において腸腰筋や大殿筋の活動は大腿骨頭の前方不安定性を抑制する（図 5-6-5）[7]。
- 片脚着地時に大殿筋や股関節外旋筋群の活動が不十分だと，体幹の回旋や膝の外反･回旋が過度に生じ，股関節が屈曲・内転・内旋位になりやすい（図 5-6-6）。
- スポーツにおける負荷の高い動作では，身体にかかる負荷と，筋の機能や許容能力のバランスが崩れると関節構成体や筋に傷害が生じやすい。
- 比較的弱い負荷であっても筋機能に問題があると慢性的な傷害が表面化しやすくなる。
- 股関節にかかる圧迫力の大きさや速さは動作によって異なり，歩行や階段昇降では体重の 2 ～ 3 倍かかり，スポーツ動作ではさらに増大する。
- 20 cm 程度の台から前方や側方への片脚ジャンプ着地時の最大垂直床反力は平均で体重の約 4 倍に達

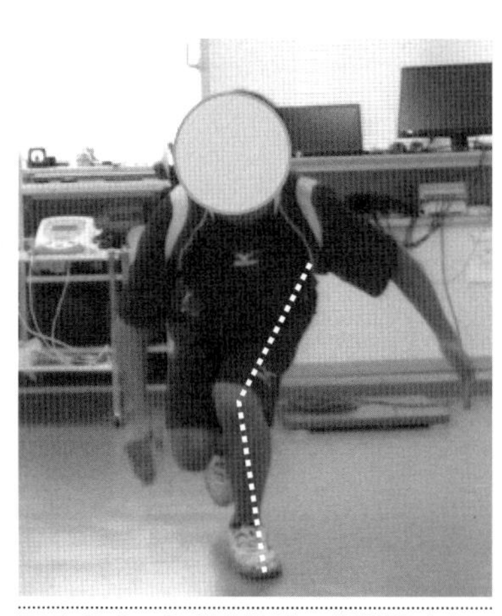

図 5-6-6　片脚着地時の股関節内転・内旋パターン

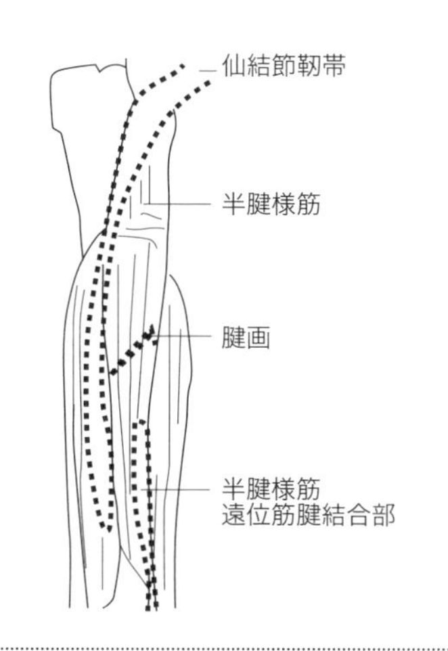

図 5-6-7　ハムストリングスの筋・腱（左大腿の後面）

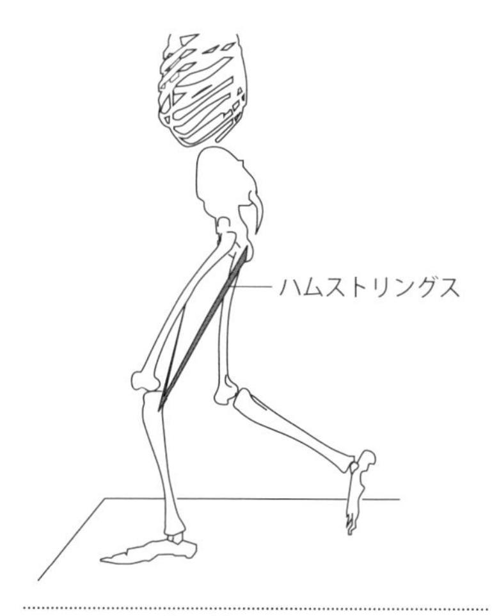

図 5-6-8　片脚着地時のハムストリングスの走行

し，その到達時間は初期接地からわずか 40 〜 60 ミリ秒である[8)]。

- 股関節への負荷は下肢筋による緩衝能力不足，過体重，臼蓋大腿関節の可動域異常などによってさらに増大する。
- ハムストリングスは坐骨結節から大腿後面や下腿近位部に付着しており，大腿二頭筋長頭・短頭，半膜様筋，半腱様筋で構成される（図 5-6-7）。
- 体幹前傾位での着地動作において，ハムストリングスは伸張性に活動して骨盤の前傾や回旋をコントロールしている（図 5-6-8）。
- 肉離れが発生しやすい大腿二頭筋長頭の解剖学的特徴を以下に述べる[9, 10)]。
  - ・股関節と膝の 2 つの関節にまたがり，他の筋と協調しながら骨盤，大腿，下腿の動きをコントロールしている。
  - ・短縮すると骨盤後傾, 股関節伸展, 膝屈曲, 下腿外旋を生じさせ, これらと逆の運動を伸張性活動によって制動している。
  - ・ハムストリングスのなかで 2 番目に大きい筋断面積を有し，遊離腱と筋腱結合部からなる長い近位腱をもつ。
  - ・近位腱は坐骨結節の後外側に付着し，表層線維は仙結節靭帯にも付着する。
  - ・遊離腱とは筋線維束の付着がない部分であり，筋線維が腱に付着する部分は筋腱結合部という。
  - ・筋腱結合部は比較的長く，筋の長さの 60％に及ぶ。
  - ・筋腹は遠位外側に向かって走行しており，双羽状の外見をしている。
  - ・筋線維は遠位腱の内側や腱膜に結合している。
  - ・遠位腱は筋長の 60％に及ぶ長さをもち，かつ広い。扇状の腱膜は筋腹の遠位外側を覆っており，一部短頭にも及ぶ。
  - ・遠位の筋腱結合部は筋長の 40％に及ぶ。
  - ・大腿深動脈からの血流を受けており，補助的に下殿動脈，内側大腿回旋動脈，外側下膝動脈の血流がある。腱は筋腹と比べると血液供給が乏しい。

表 5-6-2　ハムストリングス肉離れのリスクファクター

- 年齢（加齢）
- 人種（黒人）
- 性別
- 競技レベル
- プレーポジション
- 腰痛
- 筋疲労
- 股関節屈筋，脊柱起立筋，ハムストリングスのタイトネス
- 腰椎，骨盤，股関節の運動性低下
- 神経の緊張
- 大腿四頭筋とハムストリングの筋力インバランス
- 多裂筋や腹横筋などの体幹ローカル筋の活動不足
- 不十分なウォームアップ
- トレーニングプログラムの変更もしくは強度向上
- 高いランニング速度
- ランニングのテクニック，バイオメカニクスの乏しさ
- 膝前十字靭帯損傷や腓腹筋肉離れの既往

表 5-6-3　ハムストリングス肉離れが発生しやすい動作

- スプリント（ダッシュ）
- ランニング
- ランジ
- ハムストリングスを過度に伸張するダンス，ヨガ，格闘技
- キック

5-6-2　代表的なスポーツ外傷・障害とリハビリテーション

5-6-2-1　ハムストリングス肉離れ

1）発生機転・病態

- ハムストリングス肉離れは代表的なスポーツ傷害であり，大腿後面の筋・腱，筋膜に変形許容レベルを超える過度な伸張性負荷がかかり，組織に断裂，出血，炎症が生じるものである。
- リスクファクターとしては，年齢（加齢），高い競技レベル，腰椎・骨盤・股関節の運動性低下，ランニングテクニックの乏しさ，膝前十字靭帯損傷や腓腹筋肉離れの既往などが挙げられている（表 5-6-2）。
- 陸上競技，サッカー，ラグビー，アメリカンフットボールなどで発生しやすく，スポーツに関連した急性のハムストリングス肉離れの発生率は 6 ～ 25％である [11～13]。
- スプリントやランジが要求される競技やポジションの選手でより発生しやすい（表 5-6-3）[14]。
- 陸上競技では，短距離系でより発生しやすく，大腿二頭筋長頭の損傷が多い [15,16]。
- サッカーでは大半が非接触型の急性肉離れであり，大腿二頭筋長頭に発生しやすく，半膜様筋，半腱様筋の損傷は少ない [11,17]。
- スプリント中の急性の肉離れは大腿二頭筋長頭の筋腱結合部に生じやすい。
- 稀ではあるが，坐骨結節に付着する近位腱が剥離することがある。
- 完全剥離は水上スキー，ダンス，ウエイトリフティング，アイススケートなどで，股関節屈曲，膝伸展しながらハムストリングスに強い遠心性収縮が生じることで発生しやすい [18]。
- ハムストリングスはスプリント中のスウィング後期から接地直前で最も強く活動し，遠心性収縮や，遠心性収縮から求心性収縮への変換が生じており，この時期にハムストリングスが損傷しやすいとされている [18～21]。
- 伸張速度が比較的遅い過度なストレッチングでは半膜様筋が損傷されやすく，ダンサーでは膝伸展位での大きく速い股関節屈曲運動により半膜様筋の遠位遊離腱が損傷されやすい [22]。
- 筋のダメージは炎症反応を引き起こし浮腫，発熱，発赤，痛みの原因となる。

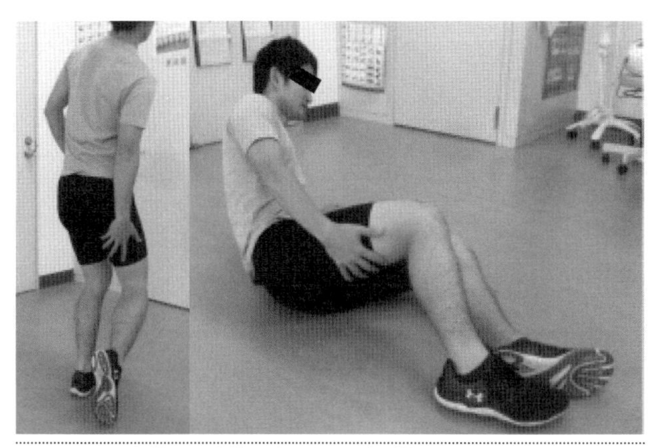

図 5-6-9　肉離れ発生後の痛みをかばう様子
骨盤後傾，膝屈曲位で大腿後面に手を当てている。

表 5-6-4　症状回避姿勢・動作（症状誘発動作は逆）

- ・腰椎屈曲，骨盤後傾，膝屈曲
- ・平地での低速歩行，損傷側の歩幅減少
- ・2 足 1 段パターンでの階段昇降
- ・症状誘発動作後の安静

表 5-6-5　ハムストリングス肉離れ発生後 24 時間の症状パターン

- ・朝に筋の硬さや痛みを感じる
- ・エクササイズ・スポーツ開始時の筋の硬さや痛み
- ・症状は活動レベルに応じて増大し，活動後も痛みは残る
- ・睡眠は阻害されないことが多い

表 5-6-6　肉離れの重症度

グレード I	組織にごく微細な分離があるが，痛みが軽度で筋力や可動域の低下はない
グレード II	筋線維の分離があり，筋力や機能が低下している
グレード III	筋の完全な分離があり，筋力や機能が失われている

- 腱損傷は筋付着部での過度な牽引力によって発生し，無理に動作を繰り返すと断裂や炎症がさらに進行する。
- 腱は筋腹と比べると血液供給が乏しいため，ストレスがかかり続けると治癒が不十分となり，変性が進むと組織の適応不良が進行し，慢性的な腱症につながる。
- 断裂が坐骨結節の線維軟骨に及ぶと，骨と腱の間に水分が貯留し治癒を阻害する。腱付着部において骨皮質の欠損も生じる。
- 基質の破壊や未成熟，低酸素状態による侵害受容器への刺激や，血管や神経組織の浸潤は慢性的な痛みにつながる。

2）症状・診断

- 病歴の聴取と検査によって正確に診断したうえでマネージメントプランを立てることは，再受傷のリスクを減らしながら早期にスポーツ復帰を果たすために重要である。
- 急性のハムストリングス肉離れでは，大腿後面に急に痛みを訴え，プレー続行が困難となるか，大腿後面に手を当てるなどの様子が確認できる（図 5-6-9）。
- 受傷後はハムストリングスの伸張，収縮，収縮様式変換，圧迫を回避する姿勢や動作が観察される（表 5-6-4）。
- 受傷後初期では斑状出血，腫脹，筋の圧痛を認め，膝屈曲や股関節伸展の自動運動や抵抗運動で怖さや痛みを訴える。
- 近位腱が断裂する重症例では，大腿近位後面や殿部の急激な痛みとともに断裂音を感じ，明らかな皮下出血や，筋腹隆起の遠位化を認めることがある。
- 受傷後 24 時間は特徴的な症状を示す（表 5-6-5）。
- 肉離れの重症度は臨床所見と画像所見の特徴を組み合わせて 3 段階に分類されることが多い（表 5-6-6）[23]。

表 5-6-7　代表的な MRI 所見と診断および予後

1	T2 強調画像での高輝度変化の有無	有→筋損傷あり
		無→別の診断，MRI 域値以下の損傷，より早いスポーツ復帰が可能
2	筋腱結合部の断裂を含む損傷	→比較的重度な損傷があり，リハビリテーション期間がより長い
3	大腿二頭筋の損傷か，それ以外の損傷か	→大腿二頭筋の場合は再発しやすく，リハビリテーション期間がより長い
4	遊離腱付着部の単独損傷はリハビリテーション期間がより長い	
5	冠状断画像で損傷ボリュームが大きいケースは予後が不良で，再発率が高い	
6	高輝度変化の大腿長軸方向の長さは予後に関連する	

表 5-6-8　大腿後面に痛みを訴える他の疾患

- 他の股関節疾患
- 末梢神経疾患（梨状筋症候群）
- 仙腸関節疾患
- 大殿筋坐骨包炎，骨端症
- 坐骨結節剥離，筋骨化
- 大腿後部のコンパートメント症候群
- 他の肉離れ（大内転筋，大腿筋膜張筋・腸脛靭帯）
- 膝後部の疾患（半月板損傷，ベーカー嚢腫）

表 5-6-9　医師に紹介するべきサインや症状

- 姿勢を変えても痛みが変化しない：感染，腫瘍
- 坐骨神経障害，進行性の痛み，大腿部の張り・浮腫：コンパートメント症候群
- 筋痛を伴う暗色尿，筋力低下：横紋筋融解症
- サドル型知覚麻痺：馬尾症候群
- 明らかな外傷：骨折
- 腫瘍の既往：転移性疾患
- 発熱，悪寒：感染，腫瘍
- 急性の腸・膀胱障害
- 皮膚分布に従わない両下肢の進行性感覚異常：馬尾症候群

- 筋腱結合部の損傷の程度は肉離れの重症度を判断するために重要である。
- 画像による重症度判定には超音波や MRI が使用される。
- 超音波では検査者のスキルによって所見が変わるため，MRI がゴールドスタンダードとされている[24)]。
- MRI 所見と，臨床症状の重症度や再受傷率には関連がある[25)]。
- プロやエリートの選手では，損傷の場所や重症度をより詳細に確認したうえで，予後を推察し離脱期間や復帰許可を判断する必要があるために，MRI が使用されることが多い（表 5-6-7）[25〜27)]。
- MRI での基本的な所見は T2 強調画像における高輝度変化であり，これは水腫を示す。
- MRI の読影では筋，筋腱結合部，遊離腱に高輝度変化がないか左右を比べながら注意深く確認する。
- 多くのケースでは水腫が筋間に広がっており，これは筋膜損傷を示す。
- 高輝度変化は筋腱移行部に認めるケースが多く，大腿二頭筋では境界に認めることもある。
- 臨床的には触診および画像所見で損傷部が坐骨結節に近いほどスポーツ復帰までの期間が長い[28)]。
- T2 強調画像で低輝度変化がなければ血腫の形成がほとんどないか，なかったことを示す。
- 大腿後面の痛みがあっても MRI 所見が不明なことがあり[11)]，これは MRI の感度を下回るわずかな筋損傷によるものと考えられ，このようなケースではスポーツ復帰までの期間は比較的短い[29)]。
- 大腿後面痛を訴える疾患は複数ある（表 5-6-8）。
- 肉離れ以外の重篤な疾患を疑わせるサインや症状がある場合には，速やかに専門の医師に紹介する（表 5-6-9）。

3）整形外科的徒手検査

- 徒手検査は大腿後面の関連痛などを除外し，ハムストリングス損傷を鑑別する手助けとなる。
- 治癒過程の推察や，治療効果判定の材料にもなる。

図 5-6-10　自動膝伸展テスト
背臥位，股関節 90° 屈曲位から膝を自動的に伸展させ，下腿の変化角度を計測している。

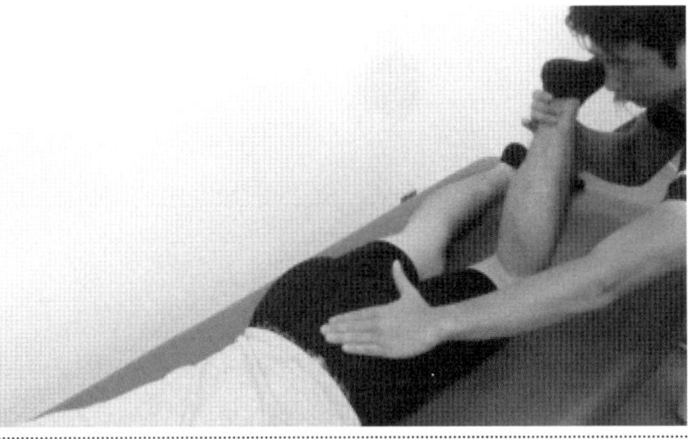
図 5-6-11　ハムストリングスの筋力テスト
腹臥位で下腿を外旋させながら膝を屈曲させて，外側ハムストリングスの筋力をテストしている。

a）圧痛テスト

- 患者を腹臥位とし，起始から停止にかけてハムストリングスの各筋を母指で一定の圧で押しながら痛みの有無を確認する。
- 左右で比較しながら，明らかな圧痛がある筋や範囲を記録する。
- 坐骨結節などの骨指標からの距離も記録する。
- 明らかな，もしくは左右差のある圧痛を訴えた場合には，組織の損傷，炎症，変性が疑われる。
- 腓腹筋や大腿筋膜腸筋・腸脛靭帯にもスティフネスや疲労による圧痛が生じうるため確認しておく。

b）他動関節可動域テスト

- 患者を背臥位とし，ゴニオメータや傾斜計を使用して他動的な股関節屈曲（膝屈曲位），下肢伸展挙上，膝伸展（股関節 90° 屈曲位）の可動角度を計測する。
- 患者の表情をみながら，下肢を愛護的に操作して過度な伸張を避ける。
- 筋の単なる伸張感とは異なる局所の違和感，怖さ，痛みや可動域の左右差があれば，損傷，修復過程，柔軟性不足が疑われる。

c）自動膝伸展テスト

- 患者を背臥位とし，股関節 90° 屈曲で膝を自動的に伸展させる（図 5-6-10）。
- ハムストリングスの局所の違和感や痛み，可動域左右差があれば損傷，修復過程，柔軟性不足が疑われる。
- 非受傷側との差が 30° 以上あるケースは 20° 以下のケースと比べて予後が悪いといわれている。

d）筋力テスト

- 患者を腹臥位とし，膝を自動的に屈曲させる。
- 大腿二頭筋をより活動させるためには下腿外旋位で膝を屈曲させる（図 5-6-11）。
- 半膜様筋，半腱様筋をより活動させるためには，下腿内旋位で膝を屈曲させる。
- 腰椎伸展や骨盤前傾の代償運動に注意し，コントロールさせる。
- 局所の痛みや違和感があれば損傷，修復過程，リモデリング不足が疑われる。
- 痛みなどがなく抵抗力が弱い場合や明らかな左右差がある場合には，筋力低下を疑う。

e）スランプテスト（slump test）

- 患者を端座位とし，頸椎を含めて脊柱を前屈・前傾させる。足を背屈させたまま，痛みを訴えるまで膝をゆっくりと他動的に伸展する。

- 痛みを訴えた時点の膝角度を記録する。
- 両側実施する。
- 頸椎の伸展で症状が変化するかを記録しておく。
- 頸椎の屈伸にかかわらず大腿後面に痛みを訴えた場合にはハムストリングス損傷が疑われる。
- 頸椎の伸展で症状が和らぐ場合には神経の緊張による影響を疑う。
- ハムストリングスに受傷既往が複数回ある場合には，神経緊張の徴候を示す場合がある。

f）テイキングオフザシューテスト（taking off the shoe test）

- 患者を立位とし，片側の股関節を約90°外旋させ，膝を20～25°屈曲させる。
- 踵から靴を脱ぐように，膝を強く曲げて踵を床に押しつけながら，反対側の足の方に引くように指示する（図5-6-12）[30]。
- 大腿二頭筋部に鋭い痛みがあれば損傷を疑う。

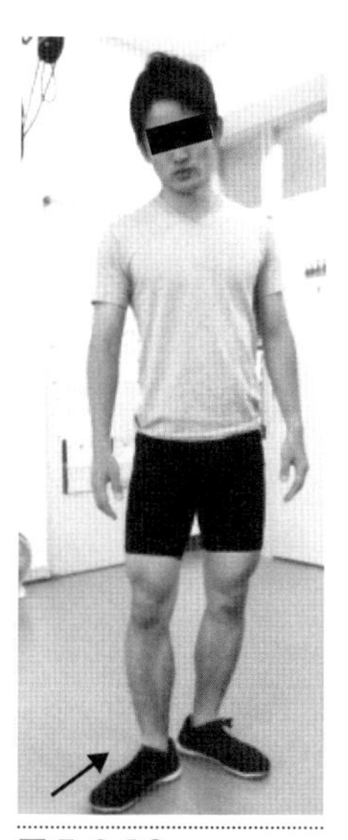

図5-6-12
テイキンングオフザシューテスト

4）治　療

- ハムストリングスの修復において重要なことは，炎症を最適化し，変性を最小限に留め，再生を促しつつ線維化を生じさせないことである。
- 炎症のコントロールのために抗炎症薬，筋弛緩薬，鎮痛薬が用いられる。
- 抗炎症薬は受傷後急性期でより効果的である。
- 損傷組織の低酸素環境を改善し，筋再生を促すために高気圧酸素治療が用いられる。
- 瘢痕組織の形成を最小限に留めるため血腫穿刺除去することがある。
- ハムストリングスの部分損傷や腱症に手術が用いられることは稀である。
- 坐骨結節からの急性完全剥離に対しては修復手術が適応となり，受傷後可及的早期に行うことが推奨されている[31]。

5）リハビリテーション

- ハムストリングス肉離れ受傷後のリハビリテーションの主目的は，2次的な損傷や，安静に伴う問題を予防しながら，安全なスポーツ復帰に要する柔軟性，運動性（神経筋コントロール），筋力，持久力を再獲得させることである。
- ハムストリングス肉離れの再受傷率は1/6～1/3と高い[13,17,32]。
- 再損傷ケースでは初回受傷と比べてスポーツ復帰できるまでの期間がより長い[33]。
- 再受傷リスクを高める理由としては，不完全な治癒（MRIで治癒が確認できない），瘢痕組織の形成，神経筋コントロール不足の残存，機能的な代償の残存がある。
- 復帰後は再受傷予防がカギとなり，手厚いメディカルサポートやマンツーマンでのリハビリテーションが重要になる。
- 復帰許可の判断に画像所見を用いることが推奨されている。
- ダンサーなどの半膜様筋の遠位遊離腱損傷は，サッカー選手やスプリンターでの遠心性収縮による損傷と比べて受傷前レベルへの回復により長い期間を要する[20,34,35]。このタイプの肉離れを受傷したアスリートには，復帰までの期間が比較的長いことを説明しておくべきである。
- 修復術後のリハビリテーションでは，組織の炎症，治癒，リモデリングを考慮して段階的にモビライゼー

表 5-6-10　完全剥離に対する修復術後のリハビリテーションの各ステージ

0～2週	急性治癒期
2～6週	治癒・修復期
6～12週	修復期
12～16週	リモデリング期
16～24週	リモデリング・筋力強化期
24週以降	スポーツ特異期

表 5-6-11　痛みの問診のポイント

O (onset)	いつから始まったか？
P (provoking/alleviating factor)	誘発，緩和因子は？
Q (quality)	質は？
R (radiation)	放散痛は？
S (severity)	程度は？
T (timing)	時間帯は？

ション，荷重，腰椎・骨盤安定化，筋力強化などを進めていき，約6ヵ月以降からスプリントを含めたスポーツに復帰させていく（表 5-6-10）。

a）評価のポイント

- 痛み，姿勢・アライメント，柔軟性，腰椎・骨盤安定性，筋パフォーマンス・筋力，呼吸・腹圧，生活動作，スポーツ動作などを，損傷部の怖さや痛みが伴わない範囲で評価する。
- 年齢の高い選手や肉離れの既往をもつ選手では，リスクファクターについてより注意深くスクリーニングや評価を行う[36]。
  - 痛み：OPQRST（表 5-6-11）を確認（5-6-2-20　股関節唇損傷の項も参照）。痛みの程度を 100 mVAS（ビジュアルアナログスケール）で数値化する。腰痛は，腰椎骨盤の安定性や，歩行時の大腿二頭筋過活動と関連するため，必ず確認する。
  - 姿勢，アライメント：背臥位，座位，立位で特に腰椎，骨盤，大腿の位置関係をチェックし，ハムストリングス負荷への影響を推察する。骨盤前傾につながる腰部筋や大腿筋膜張筋の緊張状態（硬度）も確認する。
  - 柔軟性：ハムストリングスだけでなく，骨盤前傾を増大させる腸腰筋や大腿筋膜張筋などの柔軟性について，正常範囲との違いや左右差を確認する。
  - 腰椎・骨盤安定性：座位，四つ這い，立位などで，四肢運動を組み合わせながら腰椎・骨盤の動きを確認し，腹横筋・腹斜筋群の活動を触知する。
  - 筋パフォーマンス：ハムストリングス，殿筋群，腸腰筋などの筋活動タイミング，短縮位活動性，代償運動を確認する。
  - 筋力：等尺性と等運動性の筋力を筋機能計測装置で計測する。ハムストリングスの最大筋力だけでなく，膝や股関節の主動筋と拮抗筋のバランスや，左右差を評価する。
  - 呼吸，腹圧：胸郭の過大な挙上や拡大を観察し，胸式呼吸が優位となっていないかチェックする。吸気時の下腹部，側腹部の硬さから腹部内圧を推察する。
  - 基本生活動作：立ち上がり，着座，歩行，階段昇降などでハムストリングスの活動を回避もしくは，過剰に使用している動き（骨盤前傾過大，膝のプルバックなど）を確認する。
  - 基本スポーツ動作：スクワット，ランジ，ジャンプ着地，スプリント中にハムストリングスの活動を回避，もしくは過剰に使用している動き（骨盤前傾過大，膝のプルバック，同側股関節屈曲不足，対側股関節伸展不足など）を確認する。

b）受傷後のリハビリテーション

- 損傷組織の炎症，治癒過程を考慮しつつ，受傷後2～4日の急性炎症期では腫脹や痛みのコントロールを優先させる（表 5-6-12）。

- 炎症が軽減した後は，ハムストリングスへの負荷を増大させる異常なバイオメカニクスや，腰椎・骨盤不安定性や柔軟性の低下に焦点をあてる。
- 亜急性期もしくはリモデリング期では，愛護的な下肢伸展挙上などでハムストリングスに適切なテンションをかけながら，瘢痕組織におけるコラーゲン線維のリモデリングや整列化を促す。
- その後，痛みのない範囲でのストレッチングやモビライゼーションを開始する。

表 5-6-12 受傷後初期の炎症コントロール

・安静，活動性コントロール
・コールドパック，ホットパック，圧迫，挙上
・超音波
・電気刺激
・斜面歩行，階段昇降の回避
・運動連鎖を構成する他の部位のメカニクスの変化を修正（下肢や体幹の可動域や運動性）
・軟部組織モビライゼーション，筋膜リリーステクニック
・股関節や膝の動きをよくするためのエクササイズ（痛みのない範囲）

- ストレッチングやモビライゼーションによって，ハムストリングスだけでなく，動作中の骨盤前傾につながる股関節屈筋群（腸腰筋，大腿筋膜張筋，中殿筋前部）の柔軟性を高める（図 5-6-13，図 5-6-14）。
- すべての筋が柔軟である必要はなく，ハムストリングスの長さ・張力関係に影響し，負荷を増大させる腰椎伸展，骨盤前傾・回旋をコントロールするための柔軟性を獲得させる視点をもつ。
- 亜急性期から損傷ハムストリングスの収縮エクササイズを開始し，筋萎縮の予防に努める。
- 等尺性収縮に続いて，求心性や遠心性の収縮エクササイズを，徐々に負荷を増しながら進めていく（図 5-6-15）。
- 低負荷であっても伸張位で筋を収縮させることで，高い効果が期待できる。
- 股関節内外転などの前額面上の運動は矢状面の運動よりもハムストリングスへの伸張ストレスが小さいため，早期から損傷組織に適度な負荷をかけることができ，素早い運動を許可しやすい（図 5-6-16）。
- これによって，股関節や膝の運動にかかわる主動筋と拮抗筋の神経筋協調性の再教育を促す。
- 筋力トレーニングでは，単純な負荷量よりも股関節や膝の運動変換や安定性の質を重視し，腰椎−骨盤−股関節複合体の安定性やバイオメカニクスの改善につなげる。
- 個々の筋の強さよりも主動筋，補助筋，拮抗筋の不均衡や，左右差の軽減を図る。
- 腹臥位での股関節伸展運動において，大殿筋とハムストリングスの活動タイミングをチェックし，殿筋活動の遅延や，筋長短縮位での弱化がある場合には殿筋のトレーニングを行う（図 5-6-17）。腰背筋の過活動による腰椎伸展や回旋の代償運動に注意する。
- これらのエクササイズが痛みなく可能になった後に，ハムストリングスがより伸張されるポジションで

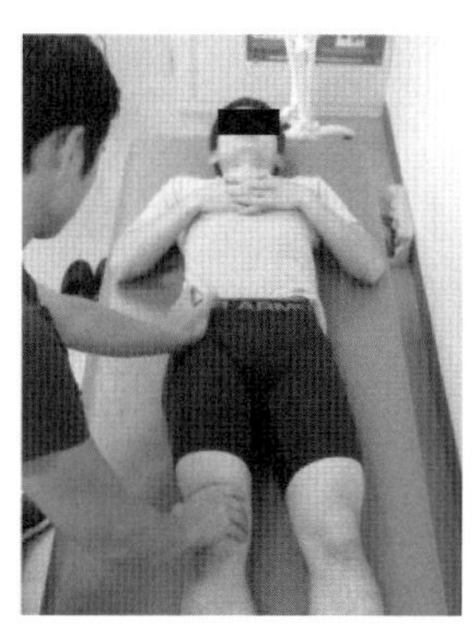

図 5-6-13 大腿筋膜張筋のモビライゼーション
患者を背臥位，股関節軽度内転・外旋位とし，大腿筋膜張筋を横断マッサージしている。

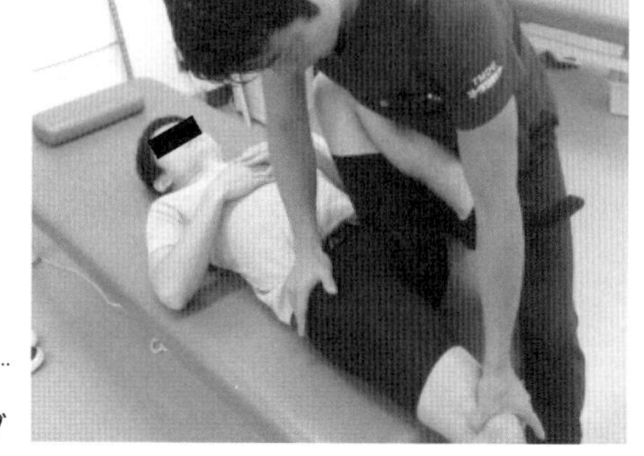

図 5-6-14 腸腰筋のストレッチング

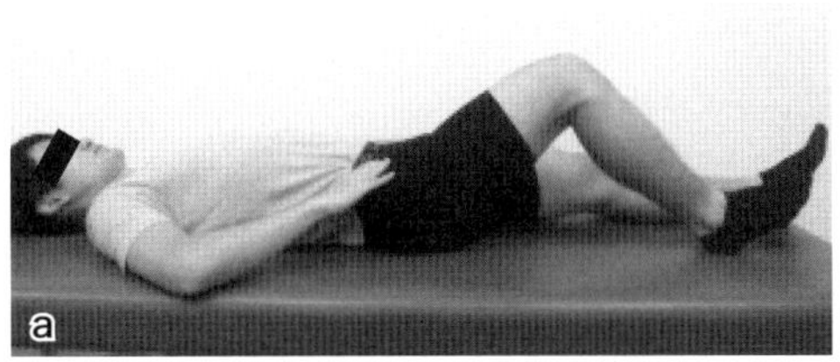

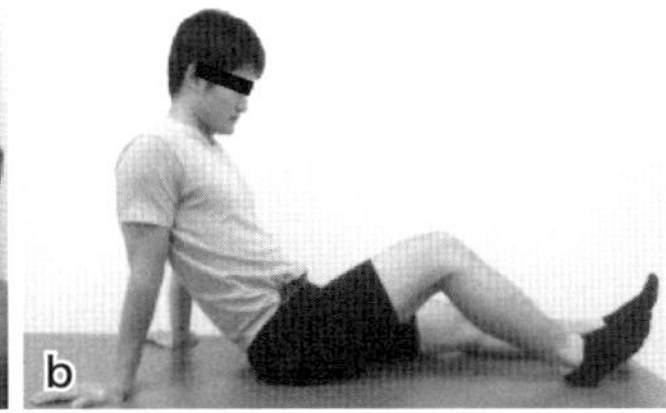

図 5-6-15　ハムストリングスの段階的な収縮エクササイズ
a:臥位ヒールスライド（自動介助），**b**:座位ヒールスライド（自動介助），**c**:レッグカール（自動介助），**d**:レッグカール（抗重力自動），**e**：レッグカール（抵抗下）

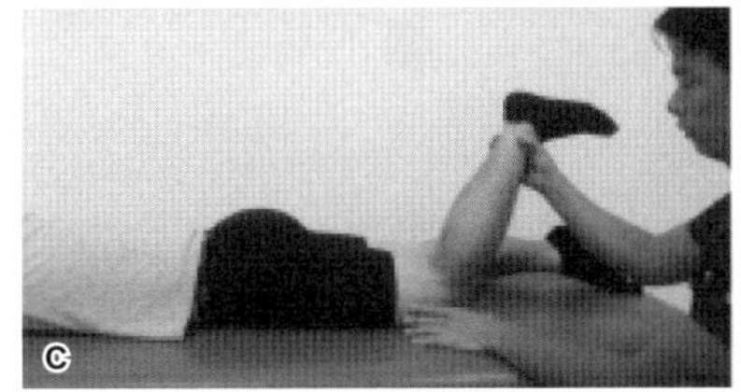

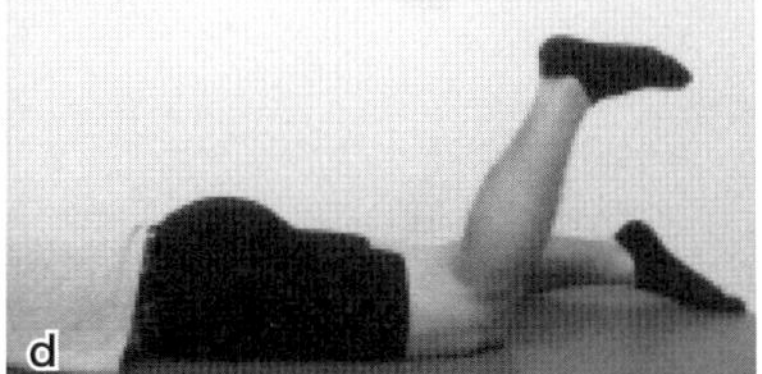

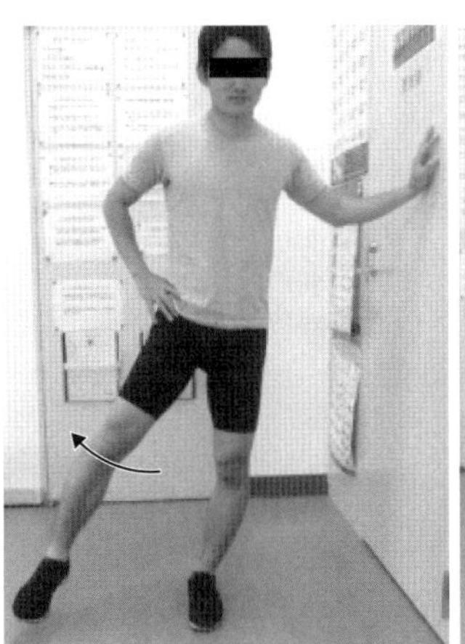

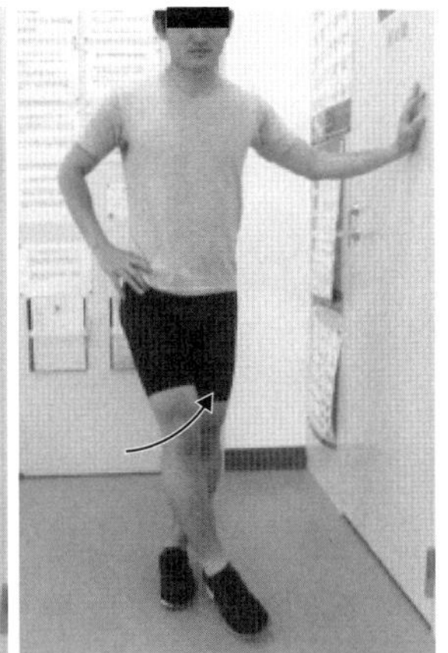

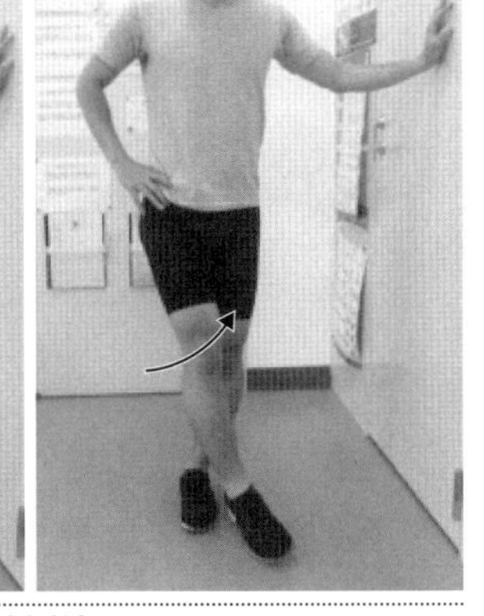

図 5-6-16　股関節内外転運動（立位）

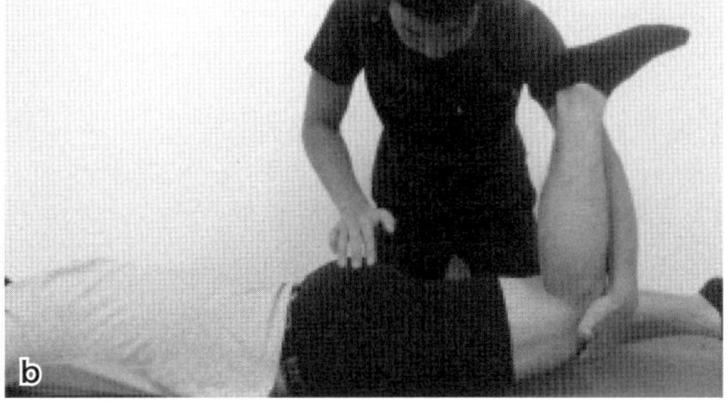

図 5-6-17　大殿筋活動トレーニング
a：腹臥位・膝伸展位での股関節伸展運動で大殿筋とハムストリングスの硬度を触知しながら，活動のタイミングを確認・アドバイスしている。**b**：腹臥位・膝屈曲位で大殿筋短縮位で収縮させている。

の遠心性収縮エクササイズへと段階的に進めていく。

- 関節角度は徐々に広げるように指導する。
- 筋力強化が目的ではなく，組織治癒やリモデリングを促す適切な負荷刺激と神経筋コントロールであるため，代償動作に注意する。
- 亜急性期からはシンプルな骨盤安定化エクササイズも開始する。
- 膝立て臥位や端座位で，骨盤の前後傾，回旋，傾斜をコントロールさせながらニュートラルポジションを学習させる（図 5-6-18）。学習できたら，プランクポジションなどでも保持できるように指導する（図 5-6-19）[37]。
- このようなポジションで保持できるようになったら，ハムストリングスに違和感や痛みが生じない範囲で，よりダイナミックな動作課題でも骨盤のポジションを保持できるようにしていく（図 5-6-20）。
- 歩行やステップアップではハムストリングスの過度な伸張性活動をコントロールするために，周期ごとに骨盤前傾・回旋軽減，遊脚側股関節屈曲増大，支持側股関節伸展増大，膝のプルバック軽減を口頭指

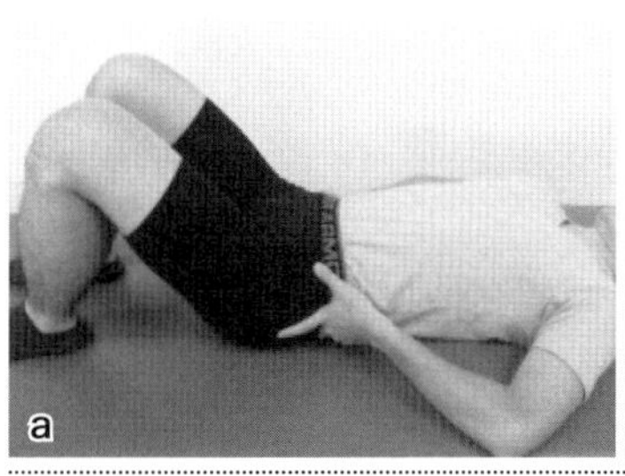

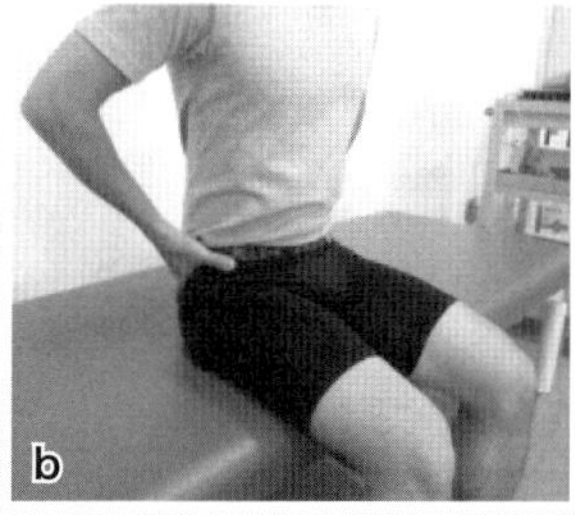

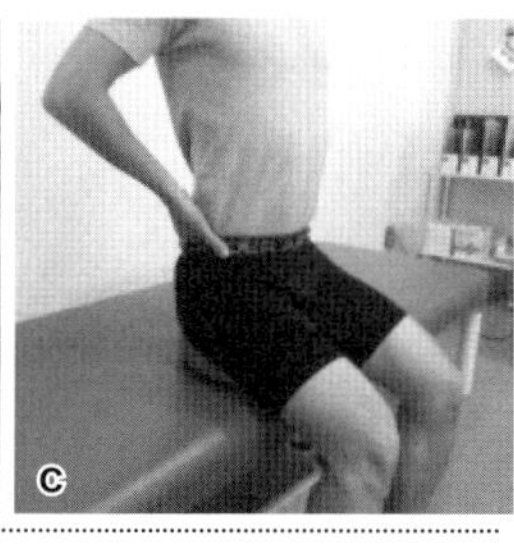

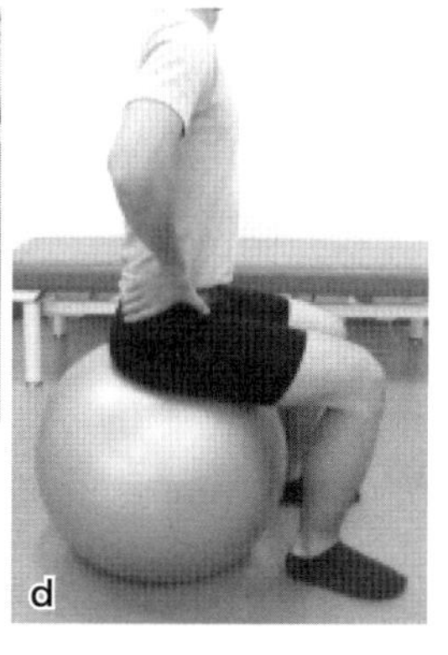

図 5-6-18　腰椎・骨盤のアライメントコントロール
臥位（a），ベッド上座位（b），バランスディスク上座位（c），スイスボール上座位（d）で，骨盤の前後傾，回旋，傾斜をコントロールさせる。前後傾は上前腸骨棘 - 後上腸骨棘ラインで確認する。本人に骨盤の骨突起部を触知させ骨盤のポジションをモニタリングさせる。

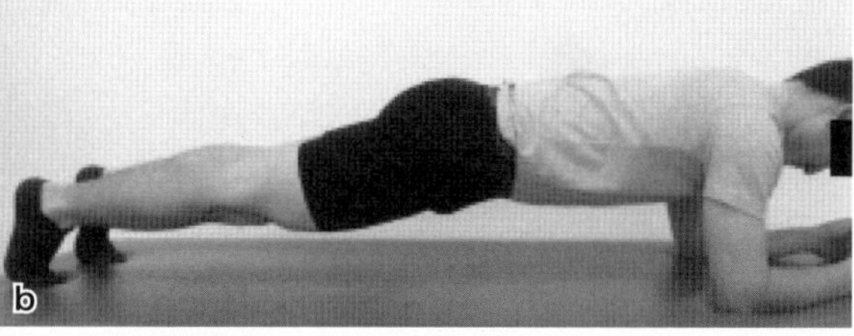

図 5-6-19　プランクポジションでの腰椎・骨盤のアライメントコントロール
a：膝屈曲位，b：膝伸展位

図 5-6-20　ダイナミックポジションでの腰椎・骨盤のアライメントコントロール
a：両脚バックブリッジ，　b：片脚バックブリッジ，c：スケーティング

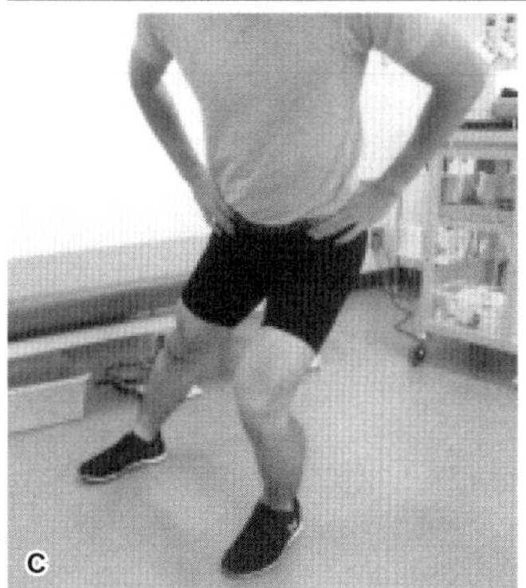

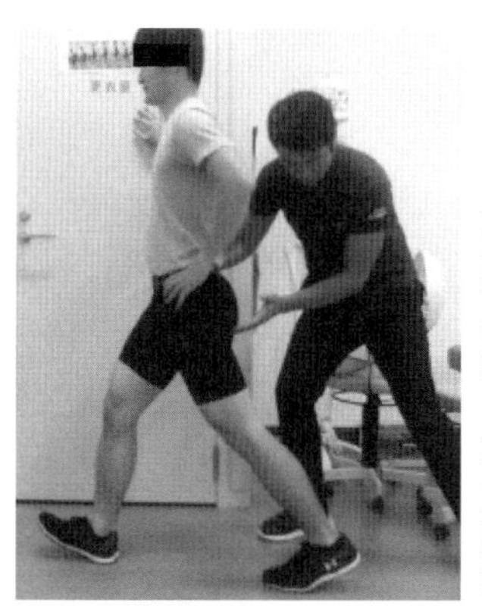

図 5-6-21　歩行中の運動コントロール
歩行周期に分けて，口頭指示や徒手誘導により骨盤前傾・回旋軽減，遊脚側股関節屈曲増大，支持側股関節伸展増大，膝プルバック軽減を指導している。

示や徒手誘導，鏡でのフィードバックによって指導する（図 5-6-21）。

- すべてのエクササイズにおいて，伸張位での遠心性筋活動を含め，肉離れが発生した特異的な状況を反映させるように計画する。

表 5-6-13　スプリント動作中のハムストリングス肉離れの発生メカニズムを考慮したプログラムの例

1	伸張性活動下でのストレッチング	ハムストリングスの伸張性活動下での柔軟性と耐容能を向上（コラーゲン線維などの適応促進）
2	腸腰筋トレーニング 腰椎・骨盤安定化エクササイズ	遊脚側の股関節屈曲の遅延や，過度な膝伸展を修正（股関節屈曲増大と腰椎伸展・骨盤前傾コントロール）
3	腸腰筋・大腿筋膜張筋・中殿筋前部のストレッチング 腰椎・骨盤安定化エクササイズ	支持側の股関節伸展不足の修正（骨盤前傾コントロール）
4	腰椎骨盤安定化エクササイズ	骨盤の過度な前傾と，遊脚側への回旋を軽減
5	スウィング中の四頭筋活動コントロール	スウィング後期の膝伸展モーメントを抑制

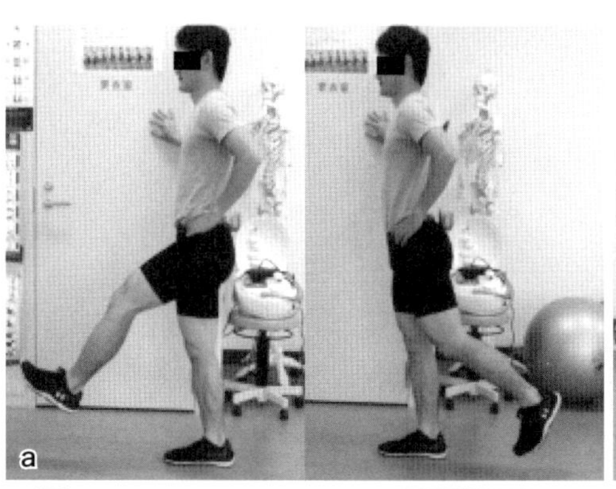

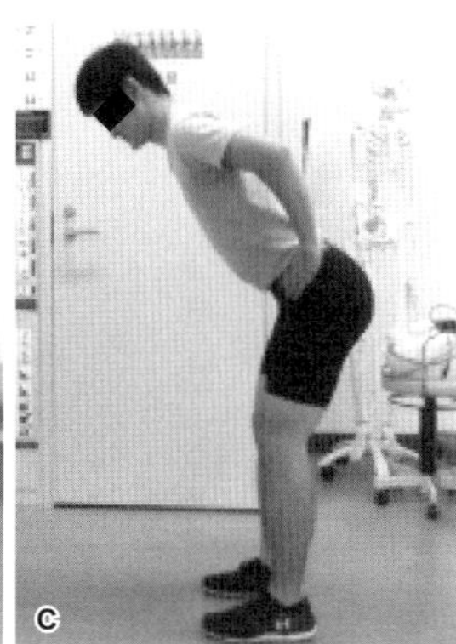

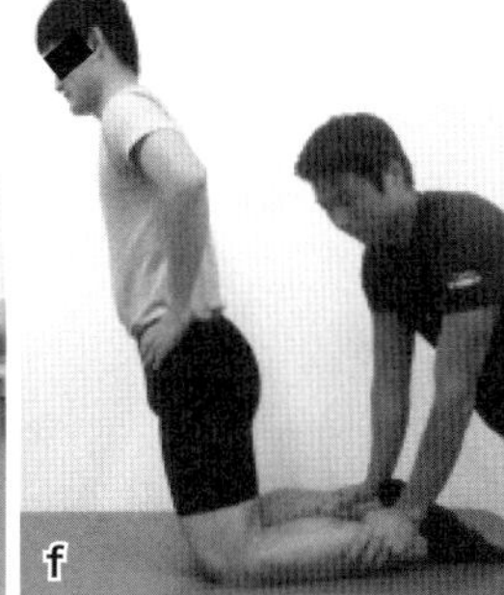

図 5-6-22　ハムストリングスの遠心性収縮トレーニング
a：下肢スウィング，**b**：後方スケーティング，**c**：グッドモーニング，**d**：片脚グッドモーニング，**e**：ランジ，**f**：ノルディックハムストリング

c）競技復帰に向けたリハビリテーション

- 亜急性期を過ぎて，抵抗下での遠心性収縮が痛みなく可能となれば，スポーツ特異的な動作でハムストリングスのさらなるリモデリング，伸張，強化を図る。
- 不適切なリハビリテーションや時期尚早なスポーツ復帰は，練習や試合の不参加期間の延長や，再損傷につながる。
- ハムストリングス肉離れの既往がある選手や比較的高齢の選手は，再発率が高いため復帰基準をより厳しく設定する。
- 再損傷率が最も高いのはスポーツ復帰後 2 週間である。
- 復帰に向けてスプリント動作などにおけるハムストリングス肉離れの発生メカニズムを考慮してプログラムを作成し，スウィング後半から接地直前のバイオメカニクスを変化させ，ハムストリングスへの過度な遠心性収縮や伸張負荷の軽減を図る（表 5-6-13）。
- ランニング中，大腿二頭筋長頭はハムストリングスのなかで最も筋長が長くなり，一方，半膜様筋には最も高いパワーが発生している。

- 大腿二頭筋長頭と半膜様筋の損傷には病態力学的な違いがあるため，大腿二頭筋長頭では伸張性を高めることに重点を置き，半膜様筋では強化がより重要になる。
- その他のエクササイズは，ハムストリングスの十分な伸張位での強い遠心性活動や，遠心性活動から短縮性活動への素早い変換を取り入れたものを指導する（図 5-6-22）
- エクササイズ中は股関節屈曲時に骨盤が過度に前傾しないように殿筋や下腹部筋の活動をコントロールさせる。
- 遠心性エクササイズは，骨盤が安定していることを確認しながら，スピードを段階的に上げて，スキップ，ホッピング，ランニング・スプリントなどのパワフルな動きを取り入れていく（図 5-6-23）。
- 参加スポーツの特異性を考慮して，ジャンプ着地，キック，ダンス要素も取り入れていく。

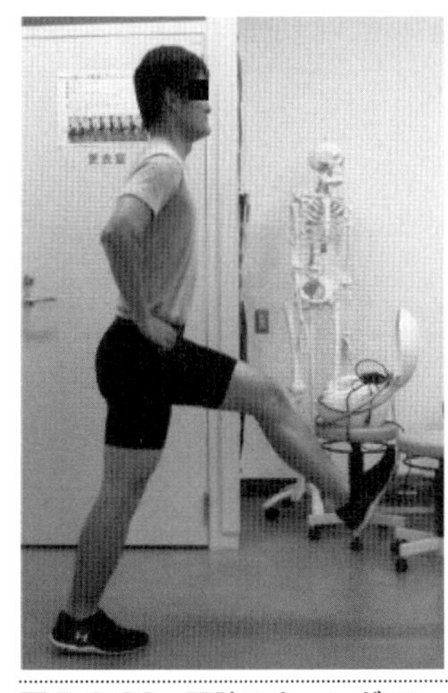
図 5-6-23　下肢スウィングアンドスキップ

- 復帰後も，再受傷予防を目的としたこれらのトレーニングや体幹安定化エクササイズは継続するように指導し，オフシーズンであっても適切な姿勢，柔軟性，体重を維持させる。

5-6-2-2　股関節唇損傷

1）発生機転・病態

- テニスやサッカーでは，急なストップや方向転換の際に股関節の過度な屈曲，屈曲・内転・内旋，回旋が要求される。
- テニスで下肢をクロスさせたバックハンドでは，急激な荷重とともに屈曲・内転・内旋が生じやすい（図 5-6-24）。
- 関節唇は，このようなスポーツ動作の際に大腿骨頭と臼蓋に挟み込まれ，回旋や牽引のストレスを受けて損傷しやすい。
- ハイレベルなテニスプレーヤーでは，その 8 ～ 27％に骨盤・股関節・鼠径部の傷害を認め，鼠径部痛（グローインペイン）を訴えるアスリートの約 25％に関節唇損傷を認めると報告されている[38]。
- 大腿臼蓋インピンジメント（femoro-acetabular impingement：FAI），臼蓋形成不全，関節包弛緩，関節軟骨摩耗があると関節唇はより損傷されやすい（表 5-6-14）。
- 股関節に構造的異常がなくても，過度な反復ストレスを受けている場合や，筋機能が低く機能的に関節が不安定な場合は，関節唇が損傷されることがある。
- 関節唇損傷の大半は関節内側の前部や前上部に認められる[39]。
- 屍体の研究では股関節屈曲・内転・内旋位で関節唇前外側（前上方）部の歪みが増大しやすく，伸展・外旋

図 5-6-24　テニスのバックハンドにおける右股関節の屈曲・内転・内旋パターン

表 5-6-14　関節唇損傷の主な寄与因子

大腿臼蓋インピンジメント	大腿と臼蓋の構造異常により，衝突するまでのクリアランスが減る。大腿骨が変形するキャムタイプと，臼蓋が変形するピンサータイプがある
臼蓋形成不全	大腿骨頭に対する臼蓋ソケットの被覆が小さく，股関節の骨性安定性を低下させる
関節包弛緩	関節安定性の低下がストレスの吸収能力を低下させ，関節唇に異常なストレスと病変を引き起こす。関節唇損傷により関節安定機能が低下し，腸骨大腿靭帯への過大なストレスを生じさせ，前方関節包をさらに弛緩させる

位では後側部の歪みが増大しやすい[40]。最大屈曲や最大伸展が生じなくても，外転や外旋によって関節唇前部には伸張歪みが生じやすい[41]。

- 過大な股関節外旋ストレスは，腸骨大腿靭帯や前方関節包の弛緩を招くとともに，関節唇損傷の主な原因となる[42]。
- 関節唇損傷には主に 4 つのタイプがある（図 5-6-25）。

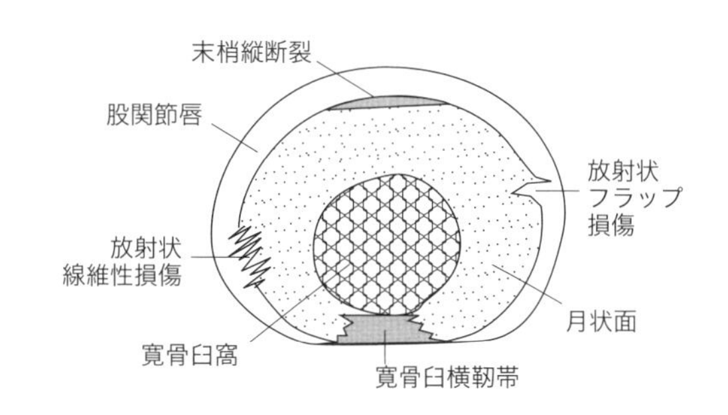

図 5-6-25　関節唇損傷の主なタイプ
（文献 43 より改変）

  - ・放射状フラップ損傷：最も一般的なタイプで関節唇の自由縁の分裂
  - ・放射状線維性損傷：関節の退行性変化に関連して生じる自由縁の擦り切れ
  - ・末梢縦断裂：最も珍しいタイプ。関節唇の末梢側への縦方向損傷
  - ・異常移動性損傷：関節唇の分離（肩の Bankart 損傷のような状態）
- 関節軟骨の変性（変形性関節症）を伴うケースは珍しくない。股関節痛や内旋・屈曲可動域制限は，軽度から中等度の股関節症の予測因子とされている。

2）症状・診断

- 正確な診断は股関節唇損傷に対する適切なマネージメントや, その後の早期スポーツ復帰に欠かせない。
- 病歴を注意深く聴取したうえで，身体検査や画像検査によって適切な治療やマネージメントのための手がかりを得る。
- MRI は診断を確かめる手助けとなる。関節鏡は股関節内病変の診断確定に有用であるが，侵襲的であるため使用されるケースは多くはない。
- MR 関節造影は関節包内に造影剤を注入した後に MRI を撮影する画像診断法である。関節唇の損傷部に造影剤が入り込むため微細な損傷を確認でき，その感度は比較的高い。
- 病歴の聴取では痛みについて OPQRST を忘れずに確認する（表 5-6-11）。症状が誘発される主な動作にはツイスティングや深いしゃがみこみなどがある（表 5-6-15）。歩行では罹患側の負荷を減らすためのトレンデレンブルグ（Trendelenburg）現象，ショックを吸収するための膝屈曲の増大，歩幅の減少がみられるかもしれない。安楽な姿勢や状況を確認することは自己管理指導に役立つ（表 5-6-16）。
- 画像所見は整形外科や放射線科の医師の読影結果とともに必ず確認する。
- 関節唇損傷の関連病歴，寄与因子に関する聴取も重要である（表 5-6-14，表 5-6-17）。
- 他に股関節痛の原因となりうるものは関節内外に複数あることを理解しておく（表 5-6-18）。
- 診断の際には主なクリックや痛み，可動域制限などの関節唇損傷に特徴的なサインと症状の有無や程度

表 5-6-15　股関節唇損傷の症状を誘発しやすい動作

- ツイスティング，ピボッティング
- 深いしゃがみこみ
- 足を組む動作（靴紐を結ぶ時など）
- 歩行
- 階段昇降
- 着座動作

表 5-6-17　股関節唇損傷の関連病歴

- 変形性関節症もしくは関節軟骨変性
- 大腿骨頭すべり症，ペルテス病
- 関節包弛緩
- 大腿臼蓋インピンジメント症候群
- 臼蓋形成不全
- 過伸展損傷

表 5-6-19　股関節唇損傷の主なサインと症状

- 股関節のロッキング，クリック，キャッチング感
- 鼠径部や股関節深部の痛み
- 股関節のスティフネス
- 不安定感，崩れる感じ（giving-way）
- 痛みによる股関節可動域制限
- 関節内病変によって鼠径部，殿部，大転子部，大腿部，膝内側にも痛みが生じうる

を確認する（表 5-6-19）。1 日の症状のパターンを把握することも重要である（表 5-6-20）。

- 股関節の問題にとどまらない重篤な疾患を疑うサインと症状（表 5-6-21）を理解し，もし確認した場合には専門の医師へ迅速に紹介する。

表 5-6-16　股関節唇損傷患者における安楽な状況

- オープンパックポジション（股関節屈曲，外転，外旋位）での安静
- 股関節牽引（離解）
- 医師の判断による抗炎症薬や筋弛緩薬の使用

表 5-6-18　股関節痛の原因

- 関節軟骨変性
- 弾発股
- 挫傷，打撲傷
- 恥骨骨炎
- 梨状筋症候群
- 滑液包炎（大転子，坐骨殿筋，腸腰筋）
- 腰椎関連痛
- 仙腸関節関連痛
- 腸腰筋などの屈筋の肉離れ
- 内転筋肉離れ

表 5-6-20　股関節唇損傷の 24 時間の症状パターン

- 朝は股関節の硬さを感じやすい
- 時間が経つと荷重痛が増すなど関節唇損傷の反応が増強
- 1 日の終わりには圧痛と痛みが増強
- 睡眠時は安楽肢位を探すことが難しい

表 5-6-21　医師へ紹介したほうがよいサインと症状

- 急性の股関節痛と下記の症状の合併は感染症，腫瘍，化膿性関節炎，骨髄炎，他の炎症性疾患を示す可能性がある
  - ○ 発熱，悪寒
  - ○ 寝汗
  - ○ 急激な体重減少
  - ○ 夜間痛
  - ○ 静脈内薬物乱用
  - ○ 腫瘍の既往
  - ○ 免疫システム低下
- 明らかな外傷と，あらゆる動きに伴う痛み。外旋位での脚短縮を伴い，荷重歩行ができない：骨折
- コルチコステロイドの使用やアルコール乱用：虚血性壊死
- 咳，くしゃみ，抵抗下シットアップでの明らかな痛み：ヘルニア
- 痛くて荷重ができない：大腿骨頭すべり症，ペルテス病
- 保存治療や理学療法で改善しない

3）整形外科的徒手検査

- 検査者が患者の下肢を操作して大腿骨を介して関節唇にストレスを与え，痛みや運動制限などの陽性徴候を確認することで，関節唇の損傷を疑うことができる。
- 関節唇病態に対するテストの大半は腰仙椎や股関節外の病態を含めた全体的な情報を与えるものであり，それぞれのテストで感度と特異度は異なる。
- いずれのテストでも健側での所見と比較することが不可欠である。

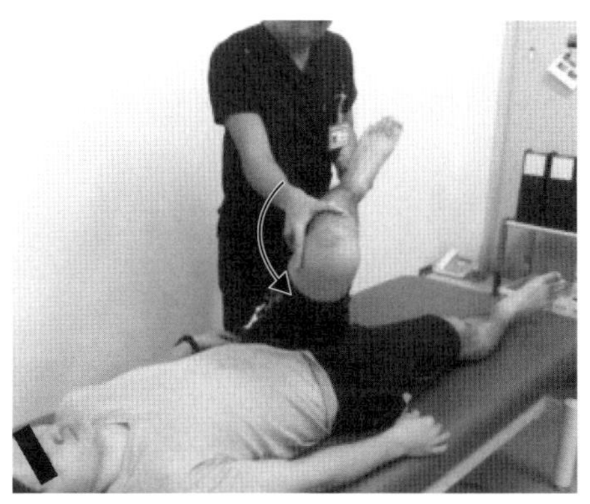

図 5-6-26　前方インピンジメントテスト
患者を背臥位とし股関節を90°屈曲位もしくは最大屈曲位として，他動的に内転・内旋する。

図 5-6-27　FABER テスト
患者を背臥位とし，検査側の外果を反対側の下腿に乗せて股関節を他動的に屈曲・外転・外旋する。

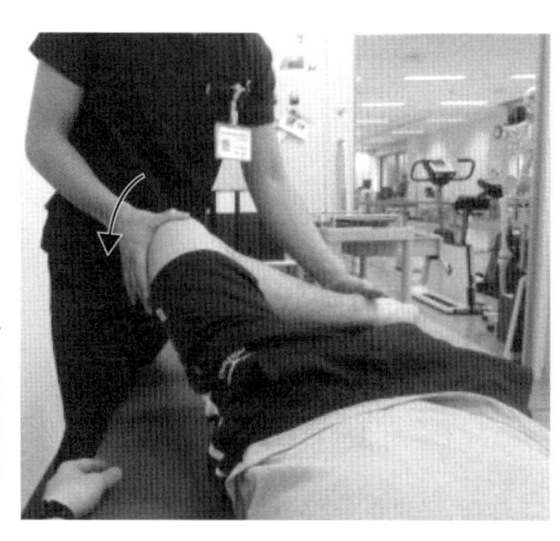

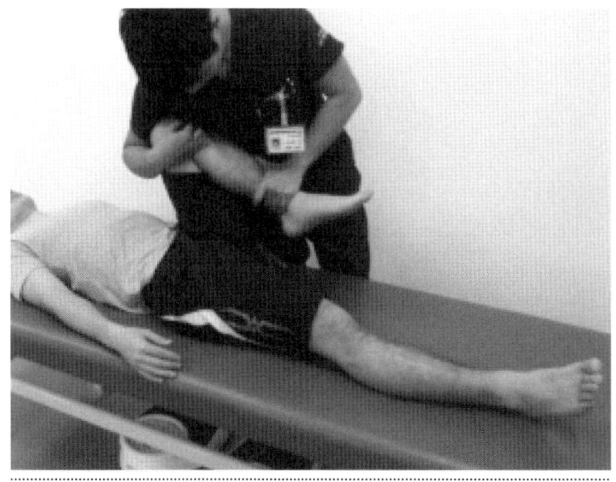

図 5-6-28　スカウアリングテスト
患者を背臥位とし，検者が股関節を屈曲・内転させ抵抗を感じ取る。抵抗を与えたまま，屈曲を保ちつつ外転させる。回旋は中間位を保つ。

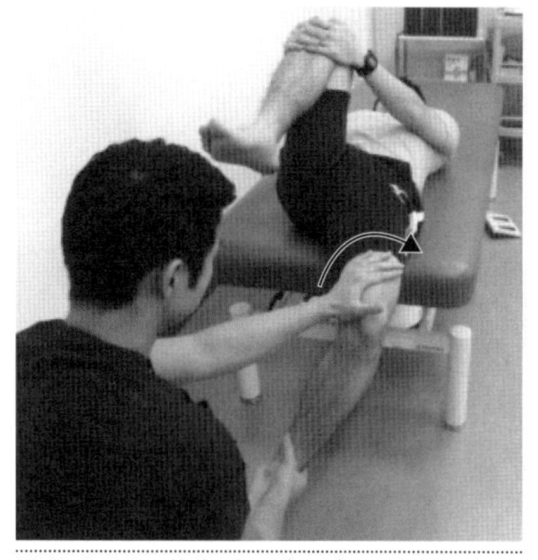

図 5-6-29　後方インピンジメントテスト
患者を背臥位とし，下肢をベッドからはみ出させ，股関節最大伸展位のまま他動的に外旋・外転する。

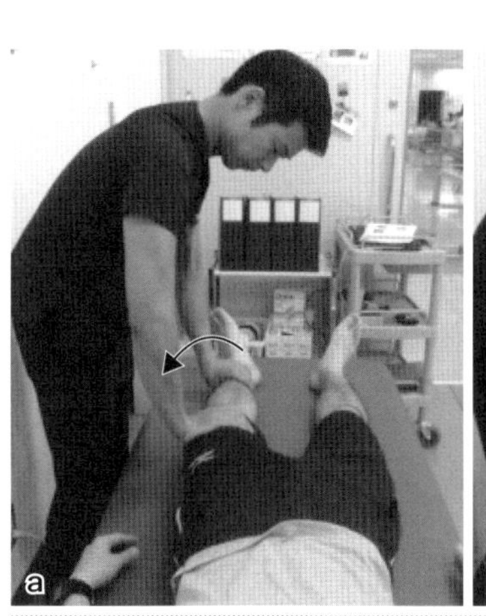

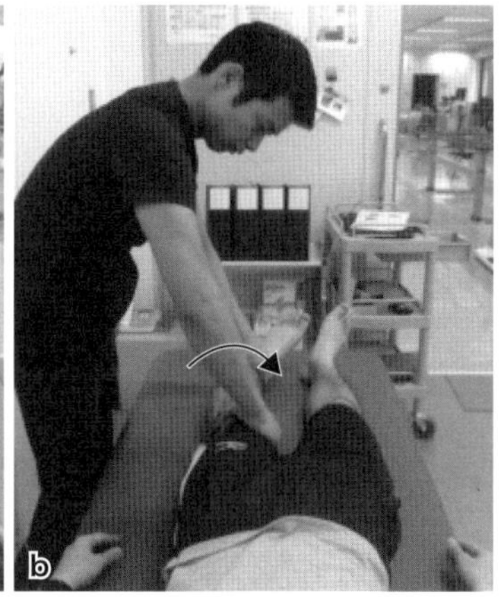

図 5-6-30　ログロールテスト
a：外旋，**b**：内旋。患者を背臥位とし，股関節中間位，膝伸展位で大腿を他動的に回旋する。

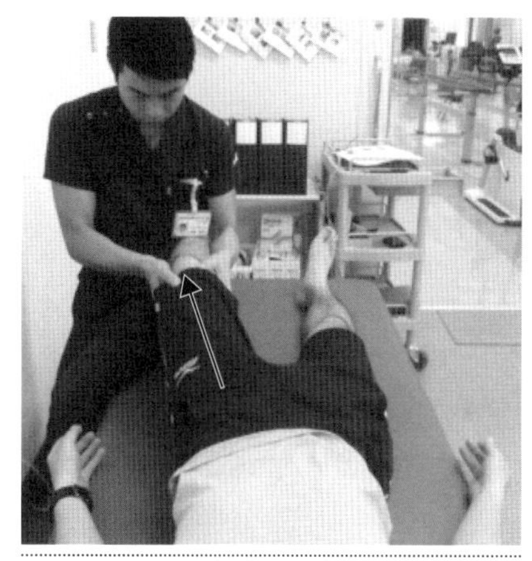

図 5-6-31　長軸離解テスト
患者を背臥位とし，リラクセーションを促しつつ，大腿を長軸方向に引き臼蓋から骨頭を離解させる。

表 5-6-22　股関節唇損傷に対する主な関節鏡視下手術

切除術	骨の形態異常がない，関節唇辺縁の損傷
修復術	臼蓋連結部からの関節唇の剥離，大きな損傷
再建（移植）術	関節唇の重度変性や低形成

a）関節内損傷に対するテスト

- **前方インピンジメントテスト**（図 5-6-26）[44]：陽性サインは鼠径部痛と可動域制限である。これらは大腿骨頸部と臼蓋縁に関節唇が挟み込まれることで生じる。
- **FABER**（flexion, abduction, external rotation ）**テスト**（図 5-6-27）[45, 46]：陽性サインは脛骨粗面とベッドの距離の左右差もしくは鼠径部痛である。これらは大腿骨頭が前方に移動し前方関節唇が圧迫されることで生じると考えられている。関節内病変に対する感度は比較的高い。
- **スカウアリングテスト**（scouring test）（図 5-6-28）：陽性サインは外転操作中の関節内クリック，鼠径部痛，患者の恐怖心である。これらは大腿骨頸部と臼蓋縁の間で関節唇がこすられることで生じる。他には股関節前内側の筋（長内転筋，恥骨筋，腸腰筋，縫工筋，大腿筋膜張筋）の挟み込みによっても生じうる。
- **後方インピンジメントテスト**（図 5-6-29）[47]：陽性サインは鼠径深部の痛みであり，これは後方関節唇へのストレスによるものと考えられている。

b）関節包弛緩に対するテスト

- **ログロールテスト**（図 5-6-30）：陽性サインとしては，骨頭が前方移動することで前方関節唇が臼蓋縁と骨頭に挟み込まれてクリックが生じる。前方関節包に弛緩があると外旋の制動が低下し，外旋可動域が過大となり左右差を認める。
- **長軸離解テスト**（図 5-6-31）：陽性サインは過大な離解と患者の不安である。関節包の硬さがあると動きが悪く，痛みは和らぐ。

4）治　療

- 診断後はまず安静・免荷，内服薬，リハビリテーションなどの保存療法で経過をみることが多い。
- 関節唇の損傷部には微小血管の拡張や増生のような血管反応が生じるが，関節側の関節唇には血管分布がほとんどないため，関節唇自体の自然治癒能は低い。
- このため，構造異常を伴う進行性の症状に対しては外科的治療が選択されることがある。
- 関節鏡視下で行われる主な手術には切除術，修復術，再建術があり，それぞれ適応は異なる（表 5-6-22）。
- 再建術は修復不可能なケースに対して腸脛靭帯などを移植する手術である。
- 比較的小さな損傷に対する関節鏡視下手術の成績は良好であるが，明らかな退行変性があると成績は不良になりやすい。

5）リハビリテーション

- 関節唇の損傷もしくは修復術後のリハビリテーションでは，関節唇の治癒過程を阻害せず，また 2 次的な損傷を招かないために，まずは歩行補助具の使用，物理療法，関節モビライゼーション，異常歩容改善，活動コントロールにより痛みと炎症症状の軽減を図る。
- また，臼蓋–大腿関節の不安定性やインピンジメントにつながる機能異常と基本的なアプローチについて人体模型，動画，デモンストレーションなどを用いて事前に教育しておく。
- 痛みや炎症症状の軽減を確認した後は，可動域異常，筋不均衡（左右差），異常運動パターンの修正と再教育を目的としたアプローチを開始する。
- スポーツ復帰に向けた最終段階ではスポーツに特異的な姿勢・動作において，臼蓋内での骨頭の動的安定性を高めつつ，臼蓋–大腿関節の異常なアライメントを動的にコントロールさせるなどの競技復帰に向けたリハビリテーションを段階的に進める。

a）評価のポイント

痛み，関節可動域，筋インバランス，静的・動的アライメントなどを股関節の怖さや痛みが伴わない範囲で評価する。

- **痛み：**OPQRST を確認。痛みの程度については VAS で数値化して経時変化をみる。
- **リラクセーション状態：**呼吸（腹式あるいは上部胸式）や筋緊張（筋・腱の硬度を触知，被動性を確認）を確認する。筋が弛緩しやすい安楽な肢位を確認する。
- **基本肢位でのアライメント：**背臥位，座位，立位でのアライメントを確認し伸張筋，弛緩筋を推察する。
- **関節可動域：**腰椎，股関節，膝を中心に正常範囲との違いや，左右差を確認する。
- **筋の不均衡：**筋力の左右差や，代償運動を確認する。
- **脚長差：**骨盤傾斜や股関節内・外転位拘縮による機能的脚長差を確認する。機能的に長い下肢は外反位（valgus position）に，短い側は内反位（varus position）になりやすい。
- **腰椎股関節複合体の安定性：**腹横筋活動を触知する。座位，四つ這い，立位での四肢運動などで腰椎骨盤の動きを確認する。
- **基本スポーツ動作：**スクワット，ランジ，ジャンプ着地中の体幹傾斜，股関節屈曲・内転・内旋，膝外反，足部回内などを確認し，活動不全筋を推察する。
- **応用スポーツ動作：**実際の環境や器具を考慮して動作を確認する。主観的なパフォーマンスも確認する。

b）受傷後のリハビリテーション

- 痛みや炎症をコントロールするために必要性やニーズに応じて杖（松葉杖，ロフストランドクラッチ）の使用や，歩行量およびスポーツ動作の制限を検討する。
- 股関節周囲筋のリラクセーションや，関節包のストレッチング，関節唇のストレス軽減を目的に大腿骨を長軸方向に牽引して股関節を離解させるモビライゼーションを行う（図 5-6-32）。怖さや痛みを伴う場合は行わない。
- 股関節を安定させ痛みの軽減を図る目的で股関節ストラップが用いられることがある[48]。
- 関節可動域の制限を改善するためにストレッチングを行う。可動角度の左右差や過大に着目する。股関節屈筋，外旋筋，内転筋群が短縮しやすい（図 5-6-33）。

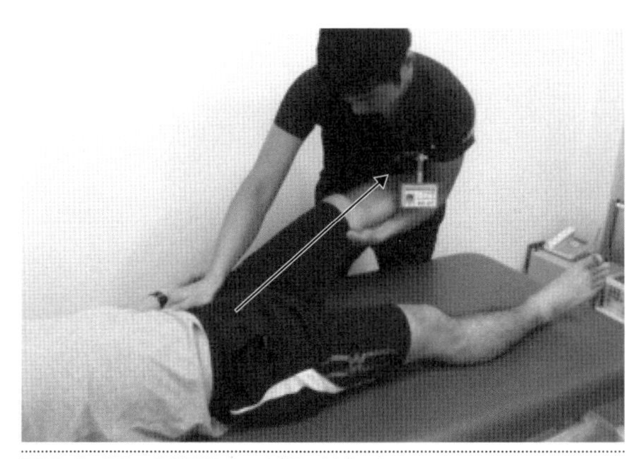

図 5-6-32　股関節のモビライゼーション
大腿骨を長軸方向に牽引して股関節を離解させる。

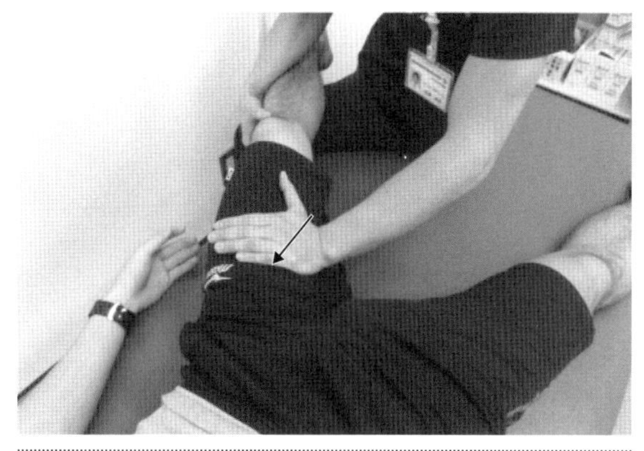

図 5-6-33　股関節内転筋群のストレッチングとモビライゼーション
股関節を外転させ，各内転筋を小指球で圧迫する。

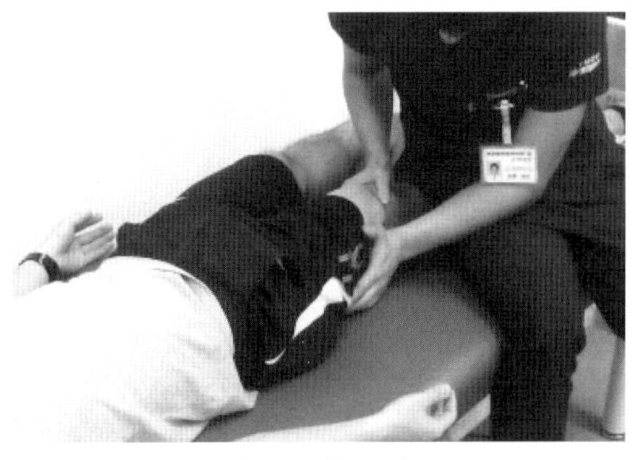

図 5-6-34　腸脛靭帯のモビライゼーション

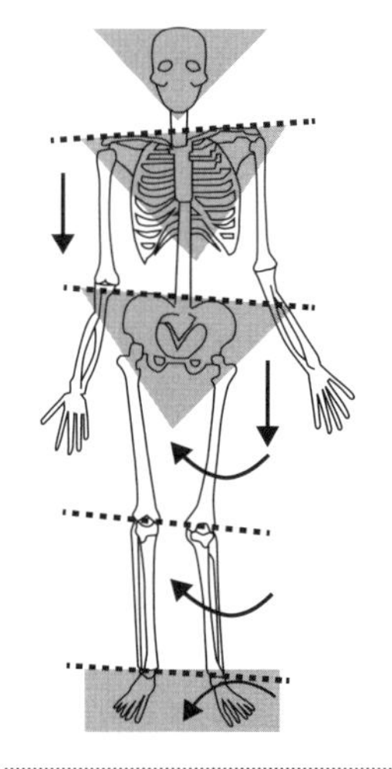

図 5-6-35　機能的脚長差による左下肢の外反位

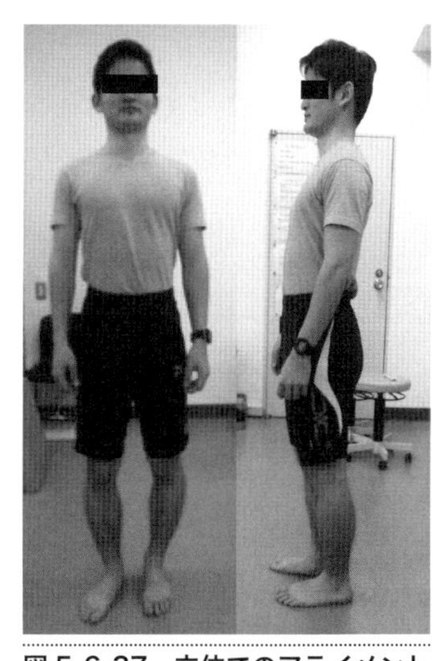

図 5-6-37　立位でのアライメント異常
右足部前方位置，トーアウト（toe-out），骨盤左回旋，スウェイバック（sway-back）を認める。

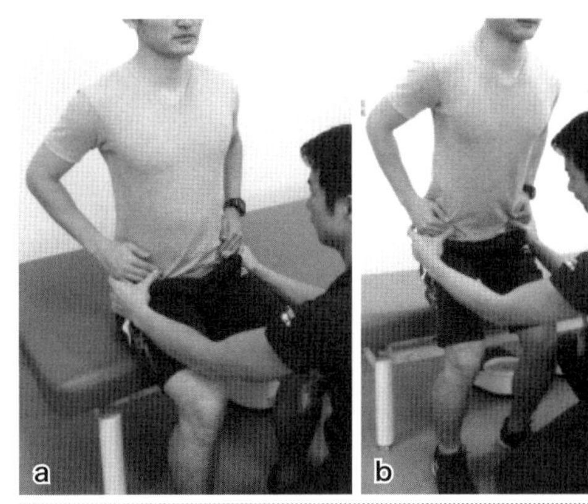

図 5-6-36　腹横筋収縮トレーニング
a：座位，b：スクワットポジション

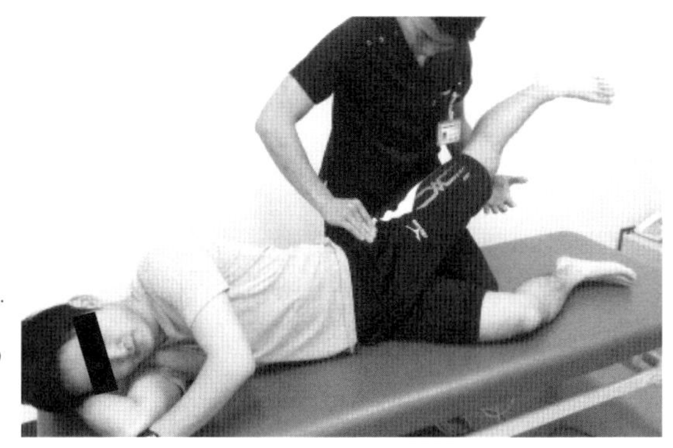

図 5-6-38　股関節外転トレーニング
股関節外転位を保持させ，中殿筋と大腿筋膜張筋の硬度や活動タイミングをチェックする。骨盤回旋，腰椎伸展，股関節屈曲などの代償運動も確認する。

- 機能的な脚長差があれば内・外転筋群のストレッチング，モビライゼーションやポジショニングで修正を図る（図 5-6-34）。機能的に長い方は立位で大腿が内旋しやすく，短い方は外旋しやすい（図 5-6-35）。過度な外旋位は骨頭の前方不安定性の原因となりやすい。
- 腰椎股関節複合体の安定性を向上させるために腹横筋などの体幹深部筋の収縮をトレーニングする（図 5-6-36）。腰部伸展筋群の過活動を抑制することも重要である。
- 股関節の不安定性やインピンジメントにつながりうるアライメント異常を背臥位，座位，立位で確認し，修正し再教育する（図 5-6-37）。骨盤のアライメントは上前腸骨棘や腸骨稜などを触知させてフィードバックする。
- 筋の力や発揮のタイミングの異常や左右差を改善するために筋機能のトレーニングを行う。股関節前部のストレス軽減に作用する中殿筋，外旋筋群（梨状筋，双子筋，外閉鎖筋），大殿筋，腸腰筋のトレーニングが特に重要である（図 5-6-38）。両足荷重位では反対側の内転筋の活動も股関節内転内旋の不安定性の軽減に役立つ。腸腰筋は屈曲 0 ～ 15° で骨頭を寛骨臼に圧迫し股関節の安定性を高めるように働く[49]。大腿筋膜張筋，腸脛靭帯は内転に伴い大転子を内側に圧迫し，股関節を安定させる[50]。
- FAI を有する患者は平地歩行でトレンデレンブルグ現象や，これを代償するデュシェンヌ（Duchenne）

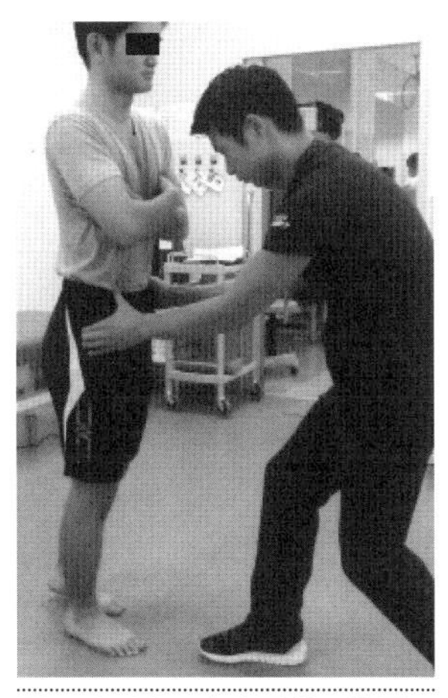

図 5-6-39　歩容異常の修正
腰椎，骨盤，大腿のアライメントをフィードバックしながら修正させる。体幹や股関節周囲の筋活動も学習させる。

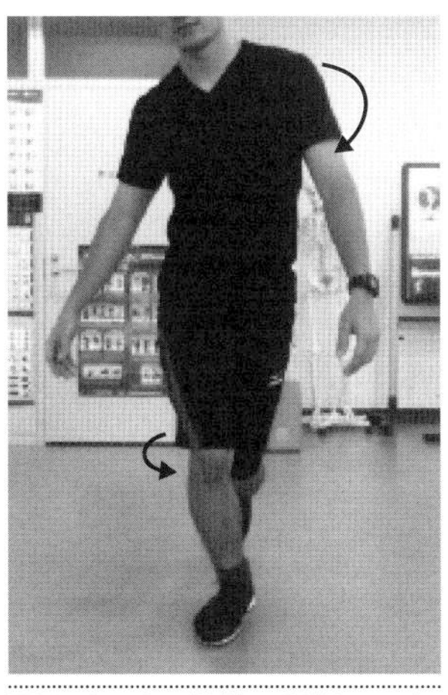

図 5-6-40　体幹・骨盤のスクリュー

図 5-6-41　テニスのラケットスウィングにおけるアライメントコントロール指導
バックハンドでの股関節内転・内旋抑制

現象がみられることが多い[51)]。股関節の不安定性を増大させる歩容異常に対して，中殿筋や体幹筋の活動をコントロールさせながら修正を図る（図 5-6-39）。

c）競技復帰に向けたリハビリテーション

- 基本的なスポーツ動作（スクワット，ランジ，ステップランディング，ジャンプ着地など）において股関節の過度な屈曲・内転・内旋につながる外反位（図 5-6-6）や体幹・骨盤のスクリュー（図 5-6-40）を修正する。
- トレーニング中はアライメントとともに殿筋群，腸腰筋，内側広筋，腹横筋の活動を意識させる。
- スクワットやジャンプ着地は両足動作から始め，患側の殿筋群とともに反対側の内転筋の活動を意識させる。
- 段階的に応用的なスポーツ動作（ツイスティング，ピボッティング，カッティングや，これらの組み合わせ）におけるアライメントや筋活動のコントロールをトレーニングする。
- 体幹深部筋の着地前（空中）における先行活動を意識させる。
- 最後には個々の参加スポーツの模擬動作を行わせながら，アライメントなどの修正を図る。
- 動画を用いて患者にフィードバックしながら指導していく。
- 例えば，下肢をクロスさせたバックハンドでの屈曲・内転・内旋運動や，フォアハンドでの過度な股関節伸展・外旋運動をコントロールするように指導する（図 5-6-41）。
- アライメントコントロールがパフォーマンスを一時的に変化，低下させる場合もあるため，選手やコーチの考えを尊重する。
- 股関節の緊張を緩和するために，痛みがない動きのなかで他の種目の運動要素を取り入れたクロストレーニングも指導する。

5-7 部位別スポーツ外傷・障害のリハビリテーション 膝関節

中田 周兵，鈴川 仁人（横浜市スポーツ医科学センター）

5-7-1 機能解剖

5-7-1-1 大腿脛骨関節（関節運動，支持機構）

- 膝関節の屈曲伸展運動は，単純な蝶番関節ではなく，転がり運動と滑り運動の複合運動である。膝伸展時，大腿骨は脛骨上で前方へ転がりながら後方へ滑る（屈曲時は逆の動き）。これにより，大腿骨が脛骨上から逸脱することなく，大きい可動域を持つことができる。
- 膝関節は，最大伸展位では周囲の靭帯や関節包の緊張などによって回旋方向の可動性は制限される。一方，屈曲位ではある程度の可動域を持ち，膝屈曲 90° における内外旋のトータル可動域は 40 ～ 45° とされる[1)]。一般的に，外旋可動域の方が内旋可動域よりも大きく，ほぼ 2 対 1 の比率である。
- 大腿脛骨関節は，大腿骨と脛骨の骨適合性に乏しい関節であるため自由度が高く，関節の安定性は周囲の軟部組織（靭帯や筋腱）に依存している。
- 大腿脛骨関節の静的安定性に寄与する主要な靭帯は，前十字靭帯（anterior cruciate ligament：ACL），後十字靭帯（posterior cruciate ligament：PCL），内側側副靭帯（medial collateral ligament：MCL），外側側副靭帯（lateral collateral ligament：LCL）である。
- ACL は，大腿骨外側顆の顆間窩壁から脛骨高原の前顆間区に向かって斜めに走行し，大腿骨に対する脛骨の前方移動と内旋を制動している。また ACL は，膝関節運動に伴い付着部間距離が変化することで靭帯線維の形状変化が起こり，関節角度ごとに制動機能を担う線維が変化するという特徴を持つ。それらは脛骨付着部の位置関係から前内側線維束（anteromedial bundle：AMB）と後外側線維束（posterolateral bundle：PLB），さらには AMB と PLB の間にある中間束（intermediate bundle：IMB）の 3 つの線維束に分類されている[2)]（図 5-7-1）。
- 半月板は，大腿骨顆部と脛骨関節面との間隙を覆うように内外側に存在する線維軟骨である。表面が凹形をなしていることから，半月板も関節適合性の向上に寄与している。内側半月板は，C 字状の形態を示し，辺縁部を関節包や内側側副靭帯深層により固定されているため，可動性が小さい。一方，外側半

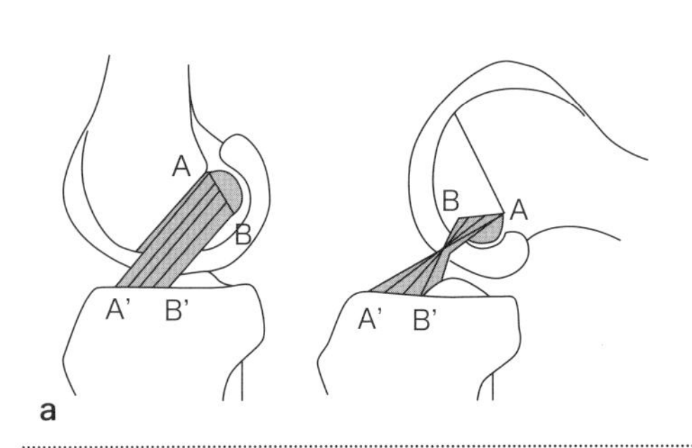

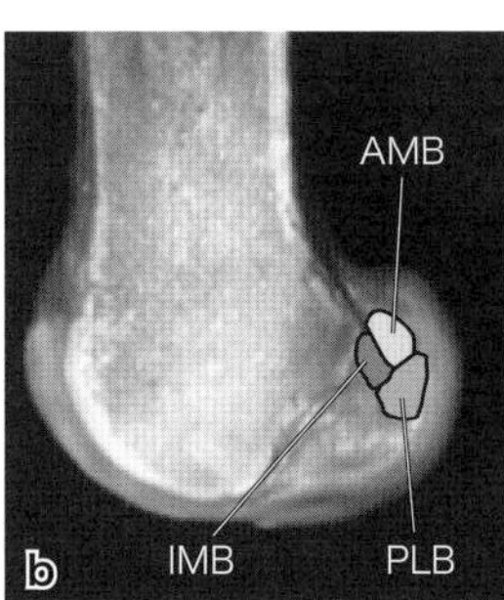

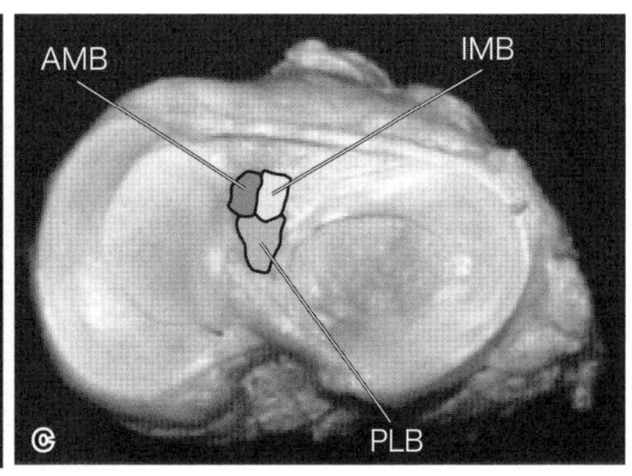

図 5-7-1 膝関節運動中の ACL 線維の形状変化 (a) と ACL 付着部の大腿骨側 (b) と脛骨側 (c)
（札幌医科大学整形外科 大坪英則医師より提供）

月板は，O 字状の形態を示し，中節から後節の移行部（膝窩筋腱溝）の関節包付着が欠損しているため，内側半月板に比べて可動性が大きい。

- 大腿脛骨関節の動的安定性に寄与する主要な筋は，大腿四頭筋とハムストリングスである。
- 大腿四頭筋は，大腿直筋，内側広筋，外側広筋，中間広筋の４筋からなり，合流して大腿四頭筋腱を形成し，膝蓋骨を介して膝蓋腱として脛骨結節に付着する。また，大腿四頭筋腱の内外側部は膝蓋骨の両端を下降し，直接脛骨結節の両側に付着する。
- ハムストリングスは，半腱様筋，半膜様筋，大腿二頭筋からなり，半腱様筋は縫工筋，薄筋とともに鵞足を形成し膝の内側部を安定させ，半膜様筋は膝窩部近位の内側（深鵞足）に付着し，後内側から安定性に貢献している。大腿二頭筋は，長頭と短頭が共通腱を形成し腓骨頭に付着し，すぐ前方に存在する腸脛靱帯と共同して膝の外側部を安定化している。

5-7-1-2　膝蓋大腿関節（関節運動，支持機構）

- 膝蓋大腿関節は，大腿骨滑車に膝蓋骨がはまり込む構造になっており，特に膝関節屈曲位では適合性が高まる。一方，伸展位では適合性が低下し，軟部組織（靱帯や筋腱）による支持が重要となる。
- 膝は生理的に外反位にあるため，膝蓋骨に対しては外方への力が生じている。それに抗する支持組織としては，筋では内側広筋，靱帯では内側膝蓋大腿靱帯（medial patellofemoral ligament：MPFL）が重要な役割を担う。
- 膝蓋骨を支持する軟部組織の拘縮や過緊張，筋機能不全によって，膝蓋骨アライメントや膝蓋骨運動の軌跡（トラッキング）は変化する。特に，膝蓋骨を外方へ牽引する筋の柔軟性低下や内側広筋の収縮不全，MPFL の損傷などにより膝蓋骨は外方に偏位しやすい。
- 膝蓋骨アライメントは，大腿脛骨関節のアライメントにも影響を受ける。Q 角が増大する膝関節外反や下腿外旋アライメントは，膝蓋腱による膝蓋骨の外方牽引力が高まるため，膝蓋骨外方偏位を生じやすい。

5-7-2　代表的なスポーツ外傷・障害とリハビリテーション

5-7-2-1　前十字靱帯損傷

1）発生機転・病態

- ACL 損傷は，国内においては年間で約２万件発生しているとされている。高橋ら[3]は国内の中高生における膝前十字靱帯損傷の実態を調査し，学年別では高校２年生の受傷率が最も高く，競技別では男性で高校生のサッカー，女性で高校生のバスケットボールの発生件数が多いと報告した。
- 発生率は，男性に比べ女性で２～４倍も高く[4]，思春期以降に性差が出現してくることから[5]，第２次性徴による身体的変化が影響を及ぼしている可能性が示唆されている。
- 受傷機転は，接触型と非接触型に分かれる。接触型は膝に直接外力が加わって受傷するパターンで，非接触型は他者との接触がない状況で受傷するパターンである。競技種目によってその割合は異なるが，ACL 損傷全体の 70％以上は非接触型の損傷である[6]。
- ACL 損傷は，受傷状況の詳細な問診によりある程度診断可能であるといわれており，受傷時の典型的な症状としては，関節内のポップ音と呼ばれる断裂音と膝崩れ（giving way）である。

- 受傷時の関節肢位（どちらの方向に捻ったかなど）や受傷後の関節可動域制限（ロッキング）などの情報から，半月板損傷などの合併症の有無を判断する。

2）症状・診断

- 関節血症は重要な理学所見であり，関節穿刺により血腫を認めた場合には高い確率でACL損傷が疑われる。
- ACL損傷の確定診断には，MRI検査が有用である。損傷したACLは矢状断像もしくはACLの走行に一致した斜矢状断像により描写されやすく，連続性の途絶もしくは膨化が認められれば，ACL損傷と診断される。
- MRIではACL損傷の2次的所見として，大腿骨外側顆および脛骨高原後方に骨挫傷（bone bruise）が認められることが多い。また，単純X線により脛骨外側顆の剥離骨折（Segond骨折）が確認されれば，ほぼ100% ACLが損傷していると考えてよい。

3）整形外科的徒手検査（図5-7-2）

ACL損傷の検出には，ラックマンテスト（Lachman test），ピボットシフトテスト（pivot shift test），前方引き出しテストの3つの徒手検査が一般的である。メタアナリシスによると，ラックマンテストは，感度と特異度ともに高く，ピボットシフトテストは特異度が高い検査である一方で，前方引き出しテストは感度と特異度ともに低い検査であると報告された[7]。

- **ラックマンテスト**[8]：背臥位で膝軽度屈曲位（15～20°）とし，一方の手で大腿部を把持し，他方の手で下腿近位端を前方へ引き出す。脛骨の前方移動量とエンドポイントを評価する（エンドがはっきりせず柔らかい場合は陽性）。
- **ピボットシフトテスト**[9]：ACL損傷を検出する徒手検査。背臥位で膝伸展位とし，一方の手で足部を把持し，軽度内旋する。他方の手を下腿近位外側に当て外反力を加えながら屈曲すると，完全伸展位からの初期屈曲域で脛骨の前方亜脱臼が生じる。さらに屈曲すると約30°で外顆の前方亜脱臼が急激に整復される。
- ［参考］**マクマレーテスト（McMurray test）**[10]：半月板損傷を検出する徒手検査。背臥位で膝関節深屈曲位を開始肢位として，内側半月板に対しては下腿外旋位，外

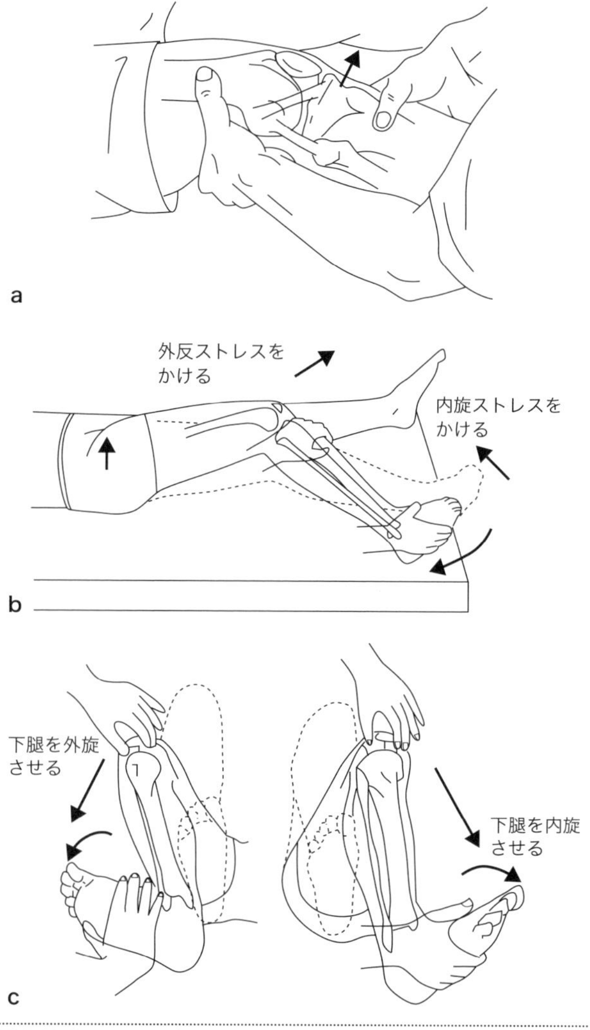

図5-7-2　a：ラックマンテスト，b：ピボットシフトテスト，c：マクマレーテスト
cの左：内側半月板，右：外側半月板

側半月板に対しては下腿内旋位のまま伸展する。陽性の場合，関節裂隙にクリックを触知する。

4）治　療

- スポーツへの復帰を希望しない場合や，活動レベルを下げてレクリエーションレベルの活動を希望する場合には，保存療法が選択されることもある。
- ACL が損傷した状態で放置すると，2 次的に半月板損傷や軟骨損傷の危険性が高まり，長期的には変形性膝関節症のリスクにも影響することから，保存療法の適応には限界がある。
- 基本的に競技レベルのスポーツ活動への復帰を希望する場合には，手術療法による靭帯再建が必須となる。
- 手術療法は，自家腱を移植して再建する方法が一般的である。再建術は，骨付きの膝蓋腱を用いた BTB 法と，半腱様筋腱と薄筋腱を組み合わせた STG 法の 2 つの術式が代表的であり，それぞれの術式にはメリットとデメリットが存在する。

5）ACL 再建術後のリハビリテーション

a）評価のポイント

- 術後早期は，手術侵襲による炎症の管理が重要である。腫脹が残存している場合，関節可動域制限や筋機能の低下に繋がるため，膝蓋跳動テストや窪み検査（indentation test）[11] で関節内の腫脹をこまめにチェックする（図 5-7-3）。
- 炎症の沈静化が図れたら，早急に正常歩行の獲得を目指す。術後に散見される異常歩行は，足部外側に荷重が偏位しつま先を外に向けたトーアウト（toe-out）歩行である。この動作不良は，下腿の過外旋や大腿二頭筋の過緊張を生じさせ，膝関節伸展制限に繋がる。

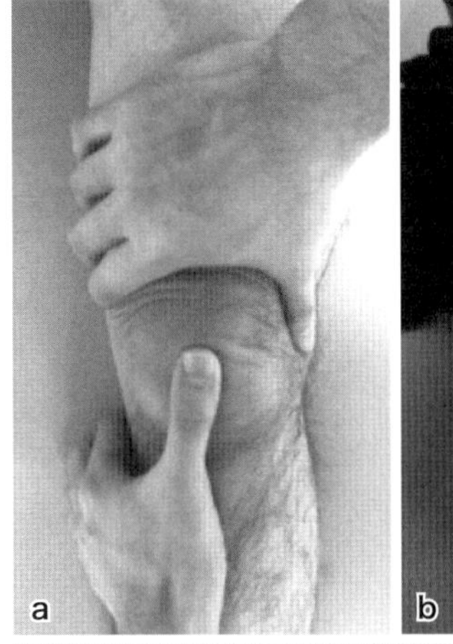

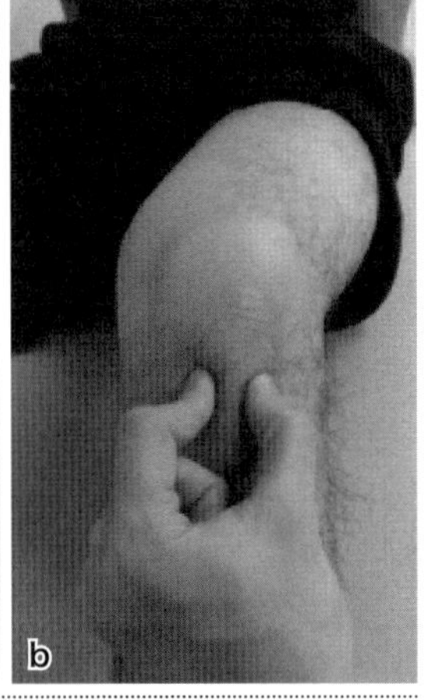

図 5-7-3　腫脹の確認方法
a：膝蓋跳動テスト：膝蓋骨上部を片方の手でつかんで貯留液を下方へ押し出し，もう一方の手で膝蓋骨を大腿骨に押しつける。腫脹が認められる場合には，膝蓋骨が浮いているように跳動する。**b**：indentation test：膝関節を他動的に屈曲させ，膝蓋腱の両脇の窪みが消失しているか否かを評価する。腫脹の程度が強いほど，浅い屈曲角度で窪みが消失する。

- 正常歩行の獲得後は，再建靭帯に対するストレス [12] を考慮しつつ荷重動作の負荷を上げていく（図 5-7-4）。また，エクササイズの選択とともにその動作パターンも合わせて評価することが重要である。エクササイズ終了後には関節内炎症の程度を評価し，実施した内容が過負荷ではなかったかを判断する。
- ジョギングは，片脚スクワットや前方ホップ動作にて十分な安定性を得られたら開始する。その後，競技特性に応じた各種スポーツ動作の獲得

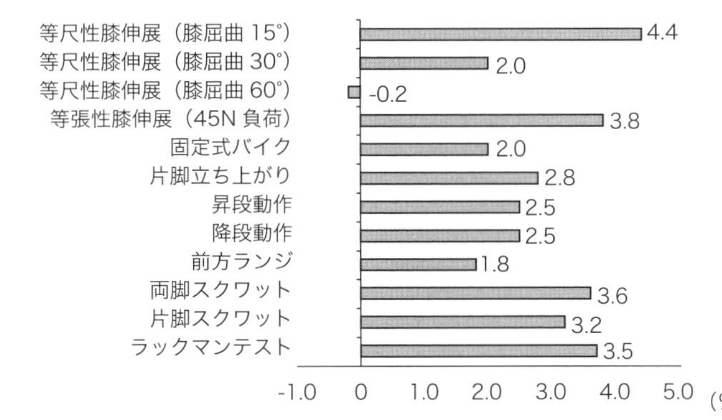

図 5-7-4　各エクササイズ中の ACL の歪みの最大値
開放性運動連鎖（OKC）の場合，屈曲角度が大きければ ACL の歪みは生じない一方，浅い屈曲角度では大きな歪みを生じる。閉鎖性運動連鎖（CKC）の場合も，深い屈曲角度では歪みは小さく，浅い屈曲角度では大きくなるのは同様だが，最大値は OKC より小さい傾向にある。

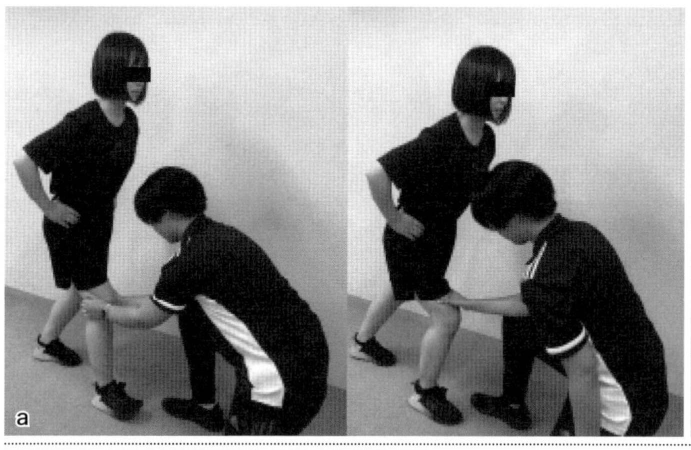

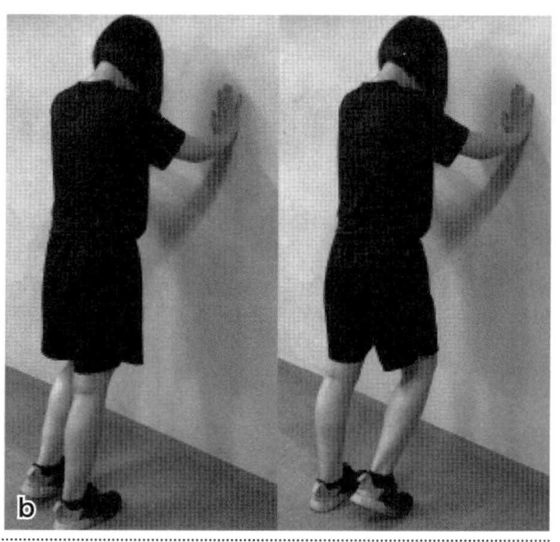

図 5-7-5 正常歩行獲得のためのエクササイズ
a：立脚期前半：踵接地時の内外側ハムストリングスの収縮バランスと，荷重応答へ移行する際の大腿四頭筋の収縮を確認する。
b：つま先離地：その場での足踏みにて踵離地時のヒラメ筋と腸腰筋による受動的な膝屈曲が得られているか確認する。

に進むが，特に減速動作やカッティング，ジャンプ着地動作は，再受傷リスクが高いため詳細に評価する。また，用具の使用やコンタクト動作などもスポーツ復帰までに十分確認しておく。

b）術後早期のリハビリテーション

- **炎症管理**：炎症の遷延化は，内側広筋機能の低下や可動域制限に繋がるため，徹底的なアイシングや物理療法により早急に炎症を沈静化させる。
- **可動域獲得**：膝周囲筋の筋スパズムを解消させながら自動介助運動にて可動域を拡大させていく。他動的に可動域を拡大させることは，逆に筋緊張を上げてしまう可能性がある。
- **大腿四頭筋機能**：大腿四頭筋セッティングによって筋収縮の改善を図る。術直後は特に内側広筋の収縮不全が生じやすいため，治療的電気刺激（TES）なども併用するとよい。
- **正常歩行の獲得**：歩行は，立脚相の前半（初期接地～荷重応答期）と後半（立脚終期～前遊脚期）をそれぞれ練習する。前半は，踵接地時の内外側ハムストリングスの収縮バランス（外側ハムストリングス優位になりやすい），そこから荷重応答へ移行する際の大腿四頭筋（特に内側広筋）の収縮を確認する。後半は，ヒラメ筋と腸腰筋の機能により受動的な膝屈曲が得られているか（ハムストリングスの過活動が生じてないか）注意する（図 5-7-5）。

c）ジョグ開始時期のリハビリテーション

- **運動負荷の増大**：両脚スクワットやランジ動作から開始し，徐々に片脚スクワットへ発展させていく（図 5-7-6）。良好なアライメントを保持できない場合（片脚スクワット時のニーインを制御できないなど）は，その動作を遂行する機能（可動域，筋機能など）を有していないことが考えられるため，再評価して機能改善のためのアプローチを行う必要がある。
- **ジョギングの獲得**：ジョギングをスムーズ

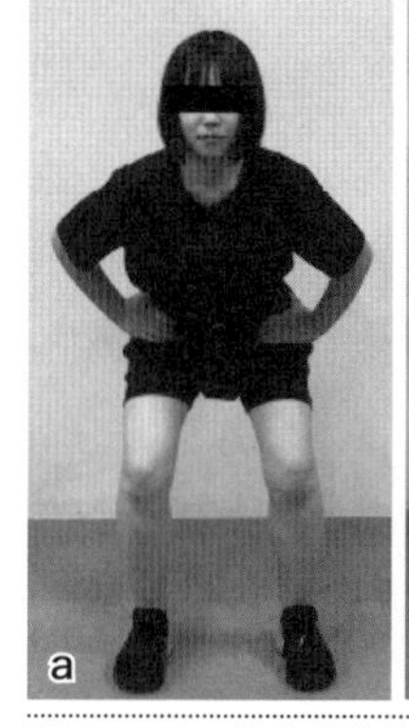

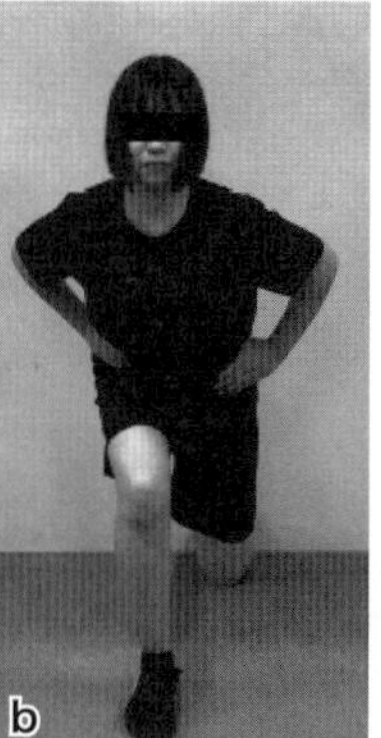

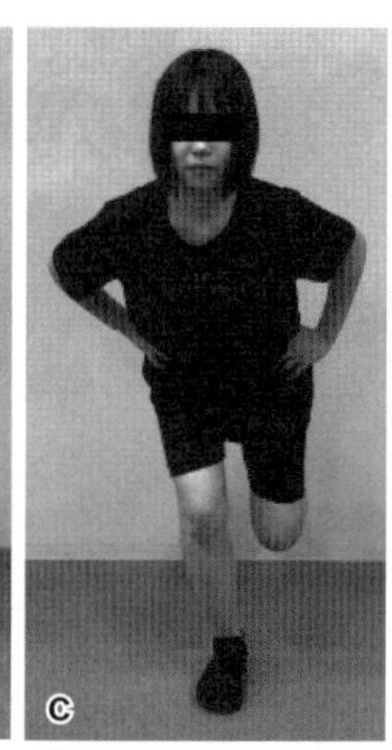

図 5-7-6 基本動作練習：両脚スクワット（a），前方ランジ動作（b），片脚スクワット（c）
つま先–膝–股関節を一直線にし，膝関節に過度な内外反や回旋運動が生じないようにする。

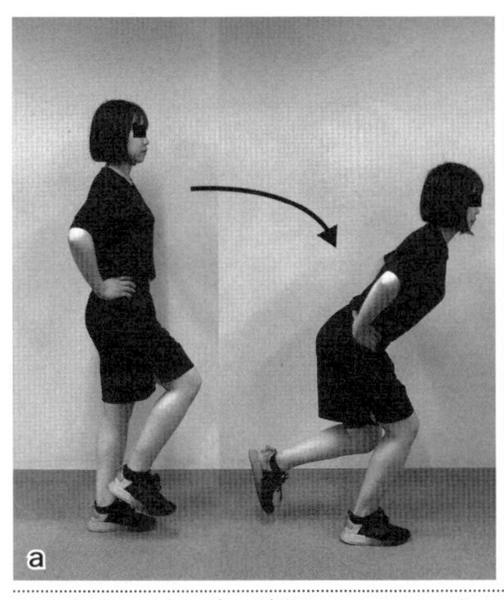

図 5-7-7　ジョギング獲得のためのエクササイズ：前方ホップ（a），膝曲げ歩行（KBW）（b）
安定性だけではなく，荷重に対するハムストリングスや大腿四頭筋の収縮も合わせて評価する。また，KBW ではつま先離地時に蹴り出しが十分行われているかも重要なポイントである。

図 5-7-8　スポーツ特性を考慮した動作の獲得：ハンドボール（a），コンタクト競技（b）
a では，右上肢にボールを持つことで着地時の体幹左傾斜が生じている。

に獲得させるために，準備動作として前方ホップ動作や膝曲げ歩行（knee bent walking：KBW）におけるアライメントや安定性を評価する（図 5-7-7）。

d）競技復帰時期のリハビリテーション

- **スポーツ動作練習**：競技復帰に向けてジャンプやカッティング，さらには各競技の特性を考慮したスポーツ動作の練習を開始する（図 5-7-8）。上肢の操作を伴う競技（ハンドボールやラクロスなど）は，上肢の動きによって動作不良が引き起こされることもあるため，競技復帰前に必ず用具を使用した状態での動作を確認する。またコンタクトを伴う競技の場合には，外乱を加えた際にも良好なアライメントを保持できるか十分確認する。

5-7-2-2　膝伸展機構障害（オスグッド–シュラッター病，ジャンパー膝）

1）発生機転・病態

- オスグッド–シュラッター病（Osgood–Schlatter disease：OSD）[13]は，脛骨結節の骨化核および表層の軟骨が部分的に剥離骨折を起こしたものであり，骨成熟と脛骨結節に対する伸張ストレスとのアンバランスによって発症する。
- 脛骨結節の発育過程は以下の 4 期に分類される（図 5-7-9）。① cartilaginous stage：骨化核の出現前，

② apophyseal stage：舌状部に骨化核が出現，③ epiphyseal stage：脛骨結節の骨化が脛骨骨端に癒合しているが脛骨結節の表層は軟骨で覆われている，④ bony stage：骨端線が閉鎖。

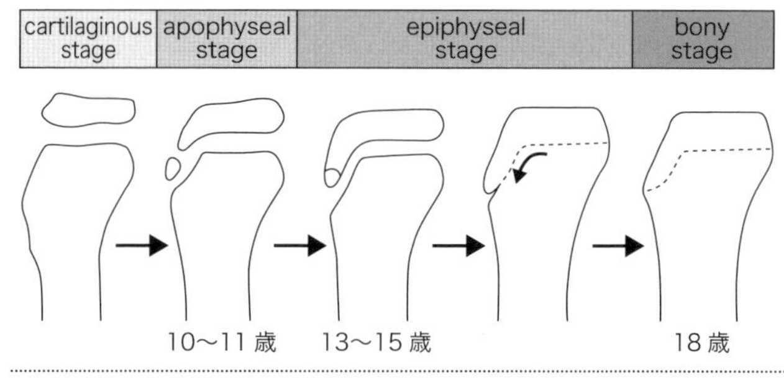

図 5-7-9　脛骨粗面の発育過程
（文献 12 より引用）

- apophyseal stage や epiphyseal stage では，脛骨結節部が軟骨や骨化核で形成されているため，力学的に脆弱である。
- apophyseal stage は，身長の年間伸長量が急激に増加する時期（growth spurt）とおよそ一致し，骨の成長に対して筋腱の成長が追いつかず，相対的に筋腱が短縮しやすい時期である。そのため，脛骨結節への伸張ストレスが増大しやすく，OSD 発症リスクが高い時期といえる。
- ジャンパー膝は，バレーボールやバスケットボールのようにジャンプや着地動作を繰り返すスポーツに多く発生する。
- 疼痛発生部位は，大腿四頭筋の膝蓋骨付着部から膝蓋腱の膝蓋骨付着部，膝蓋腱実質，膝蓋腱の脛骨付着部に及び，そのなかでも膝蓋腱の膝蓋骨付着部（膝蓋骨下極）が最も多いと報告されている。
- 疼痛が慢性化している症例では，MRI 上で腱の変性が認められることもあり，治癒までに長期化する例も少なくない。

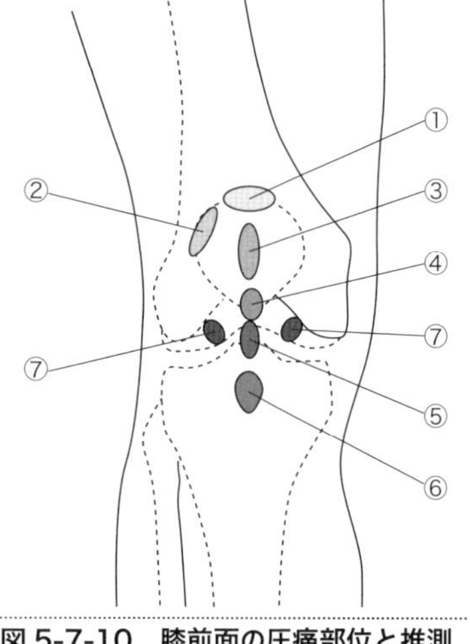

図 5-7-10　膝前面の圧痛部位と推測される疾患
①大腿四頭筋腱炎，②分裂膝蓋骨，③膝蓋軟骨軟化症，④ Sinding Larsen-Johansson 病，ジャンパー膝（付着部），⑤ジャンパー膝（腱実質），⑥オスグッド−シュラッター病，⑦膝蓋下脂肪体炎（文献 12 より引用）

2）症状・診断

- 主訴は，OSD とジャンパー膝ともに膝前面の疼痛である。
- 初期には，スポーツ活動後の疼痛のみであるが，重症度が徐々に進んでいくとスポーツ活動中や開始前にも疼痛が出現してくるようになり，スポーツ活動に支障が出てくる。炎症が増大すると日常生活や安静時にも疼痛が出現する。
- OSD の診断には，一般的に単純 X 線が用いられ，病期は以下の 3 つに分類される。初期：脛骨結節の淡い透亮像を示すもの，進行期：骨片の分離もしくは分節化を示すもの，終末期：骨片の遊離を示すもの。
- 圧痛は，脛骨結節に局在せず，膝蓋腱部や脛骨結節の末梢，膝蓋下脂肪体にまで及ぶこともある。
- ジャンパー膝は，スポーツ活動時の膝前面痛の主訴に加え，膝蓋骨下端の膝蓋腱付着部の圧痛によって診断され，他の膝前面の圧痛とは鑑別する必要がある[14]（図 5-7-10）。
- 症状が進行し，膝蓋腱の部分断裂を起こした場合や，慢性化し変性した場合には MRI にて描出され，確定診断となる。

3）治　療

- OSD の治療は，一般的に保存療法が選択される。その際は，脛骨の発育段階を考慮する必要があり，特に apophyseal stage と epiphyseal stage では，遺残骨片を形成せずに治癒が得られることが最終目標である[15]。

- apophyseal stageは，炎症所見や運動時痛の消失に加え，脛骨結節の圧痛が消失するまではスポーツ活動への復帰は許可しないことが推奨される。
- epiphyseal stageでは，骨化核が剥離してくるリスクはほぼないため，脛骨結節に圧痛が残存している場合でも，運動時痛が消失すれば徐々に運動を開始していく。
- bony stageでは骨の発育は完了しているため，炎症所見が消失した段階で運動時痛をコントロールしながら徐々に運動は開始してもよい。ただし，遺残骨片がすでに膝蓋腱内に遊離してしまっている場合，疼痛が長期化することも多く，外科的な処置が必要なこともある。
- ジャンパー膝の治療も，一般的には保存療法が選択される。疼痛の発生している部位は，膝蓋骨下端の膝蓋腱付着部であることが多いが，脛骨結節や膝蓋下脂肪体などにも痛みが及んでいることもある。
- 特定の動作で疼痛を訴える場合は，動作不良による膝蓋腱へのストレス集中が関与している。そのため，局所安静により一時的に疼痛が軽減したとしても，動作不良に対するアプローチを行わなければ，多くの場合で症状は再燃する。
- 保存療法に抵抗する症例に対しては，多血小板血漿（platelet-rich plasma：PRP）療法や手術療法の検討がされる場合もある。

4）リハビリテーション

a）評価のポイント

- OSDでは，単純X線画像により脛骨の発育段階を確認する。画像がなければ，年間の伸長量を問診することによって，おおまかな発育段階を把握する。
- 膝蓋腱や脛骨結節に対する伸張ストレスを引き起こす大腿四頭筋（特に大腿直筋）の柔軟性低下は必ず評価する必要がある。
- 膝伸展モーメントは重心の後方化によって増大し，下腿前傾不足，骨盤後傾，胸椎後弯，肩甲骨外転などが関連する。これらに問題がある場合には，個別にアプローチが必要である（図5-7-11）。
- 膝蓋腱の張力は，膝蓋骨アライメントに影響を受けるため，詳細な評価が必要である（図5-7-12）。特にジャンパー膝の好発部位である膝蓋腱の膝蓋骨付着部は，膝蓋骨の後傾によってストレスが集中するため[16]，健側と比較して膝蓋骨後傾アライメントが生じていないかを見落とさないように注意する。

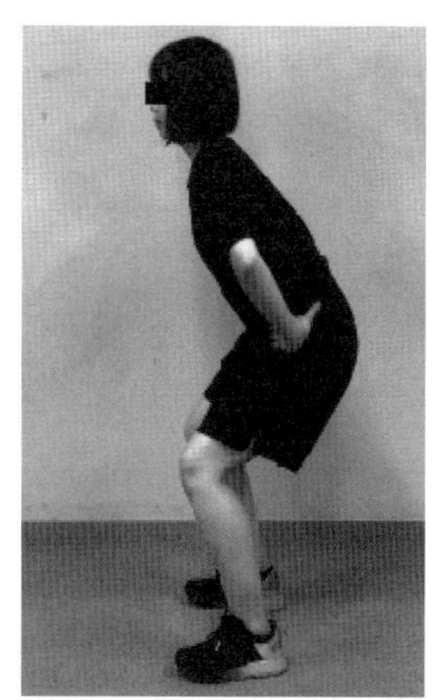
図5-7-11　重心の後方化に関与するアライメント不良
下腿前傾不足，骨盤後傾，胸椎後弯，肩甲骨外転などにより重心位置は後方に偏位する。

b）OSD，ジャンパー膝に対するリハビリテーション

- **炎症管理**：炎症所見が認められる時期には，運動量の制限とアイシングの徹底，物理療法の併用により炎症管理に努める。
- **筋柔軟性の改善**：膝蓋腱や脛骨結節に対する伸張ストレスの直接的な原

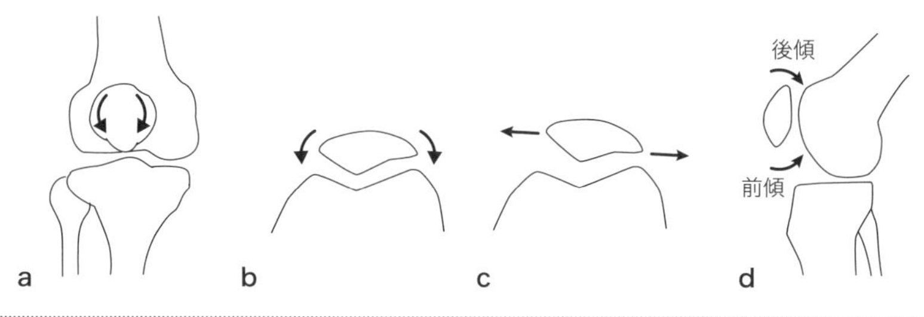

図5-7-12　膝蓋骨アライメントの評価方法
a：前額面回旋，b：内・外方傾斜，c：内・外方偏位，d：前・後傾

因である大腿四頭筋（特に大腿直筋）の柔軟性を改善させる。また動作時には，ハムストリングスの柔軟性低下が骨盤後傾，足関節背屈可動域制限が下腿前傾不足の原因となり後方重心を引き起こすため，それらの柔軟性の改善も重要である。

- **膝蓋骨アライメントの修正**：膝蓋骨は上方偏位かつ後傾していることが多い。また，骨盤後傾位を伴う後方重心で運動している場合が多いため，大腿直筋の柔軟性は低下しやすい。大腿直筋のストレッチングなどで柔軟性を改善することにより，膝蓋骨アライメントを修正する（図 5-7-13）。
- **広筋群筋機能の改善**：大腿直筋の過活動が生じている場合や膝蓋骨が外上方偏位している場合には，広筋群のなかでも特に内側広筋の活動が低下していることが多いため，大腿四頭筋セッティングでその収縮を促す。
- **基本動作練習**：広筋群の収縮が改善したら，スクワット動作など荷重下での運動時にも同様に確認していくが，特に重心の前後位置に注意して練習していく。骨盤後傾や胸椎後弯の問題が大きい場合は，骨盤前傾位を保持する練習や胸椎伸展ストレッチングなどにより改善させた後に，良好なスクワット動作の獲得を目指す（図 5-7-14）。
- **スポーツ動作練習**：サッカー選手を例にすると，OSD の発症には柔軟性の左右差や，不良なキック動

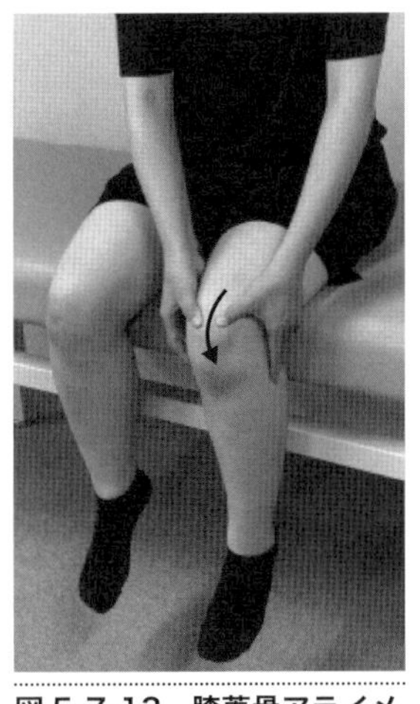

図 5-7-13　膝蓋骨アライメントの修正方法
膝関節を屈伸させながら，膝蓋骨上端（大腿直筋付着部）を下方に押し込み膝蓋骨の上方偏位・後傾アライメントを修正していく。

図 5-7-14　骨盤前傾，胸椎伸展を意識した動作の習得：ウォールスクワット
できるだけ壁に近づいた状態でオーバーヘッドスクワットを行う。胸椎の伸展可動性や股関節屈曲の柔軟性を求められるため，後方重心になりやすい選手は獲得したい動きである。

図 5-7-15　オスグッド-シュラッター病（OSD）症例のキック動作の特徴
踏み込み足の下腿前傾が不十分で重心位置は後方にあり，ボールインパクト時には骨盤が過度に後傾している。また全体として，矢状面上の運動となっており，水平面上の運動が少ないキック動作となっている。

作が影響している可能性が高い[17)]。キック動作の特徴としては，踏み込み足の下腿前傾が不十分で重心が後方に残ったままであることや，ボールインパクト時に骨盤が後傾位であること，さらに踏み込みからボールインパクトまでの骨盤回旋運動が不足していることが挙げられた[17)]（図 5-7-15）。そのため，復帰に向けての競技特性に応じた動作の改善も重要なポイントである（図 5-7-16）。

図 5-7-16　キック動作の軸足機能向上を意識したエクササイズ
左上肢で壁をしっかり押すことで体幹の固定を意識しつつ，踏み込み時の軸足側の股関節回旋運動（外旋位→内旋）を獲得させる。

5-7-2-3　ランニング障害（鵞足炎，腸脛靱帯炎）

1）発生機転・病態

- 鵞足炎は，ランニングやジャンプ，切り返し動作などを繰り返すことにより，鵞足を形成する筋群に過度な負担が生じ，鵞足の脛骨付着部やその近位に存在する滑液包に炎症が生じ，疼痛を引き起こす。
- 発症の原因としては，膝外反アライメント，下腿過外旋，鵞足に付着する筋群のタイトネスが関与するが，特定の動作により疼痛を訴える場合は，動作不良が大きく影響している。
- 膝が内側を向き，つま先が外側を向く，いわゆる「ニーイン・トーアウト（knee-in toe-out）」によって鵞足炎が惹起されるといわれているが，鵞足に付着する筋の走行によりその作用は異なるため，十分鑑別する必要がある。
- 腸脛靱帯炎は，膝外側部の運動時痛と大腿骨外側上顆周辺の圧痛が特徴的であり，中長距離の陸上選手に多く，ランニング障害の代表的な疾患である。
- スポーツ動作時に，腸脛靱帯が大腿骨外側上顆の上を繰り返し通過し摩擦が生じることで，両者の間に存在する血管と神経に富んだ脂肪組織が炎症を起こすことが，本疾患の病態と考えられている。
- 発症の原因としては，ランニングフォームの不良が関与していると報告されており[18)]，競技復帰時期にはフォームの評価も必要である。

2）症状・診断

- 鵞足炎は，付着部の炎症である場合，筋収縮や伸長に伴う疼痛が誘発されることが多い。鵞足には，縫工筋，薄筋，半腱様筋の 3 つの腱が付着しているため，それぞれの作用方向に抵抗もしくは伸長を加えることで，主たる原因となっている筋を特定できる。
- 滑液包の炎症の場合には，腫脹が生じていることがあり，また鵞足と MCL との間に生じる過度な摩擦が原因であるため，鵞足を圧迫した状態で膝関節を屈伸すると疼痛を誘発しやすい。
- スポーツ領域の疾患のなかで鵞足炎と症状が似ており特に鑑別が必要なものは，内側半月板損傷や内側側副靱帯損傷である。その診断は徒手検査を基本とし，急性期であれば関節内の腫脹や膝外反ストレステストにおける不安定性の有無で鑑別が可能である。
- 腸脛靱帯炎は，大腿外側や大腿骨外側上顆付近に疼痛を訴えるが，局所の熱感や腫脹を呈することは少ない。

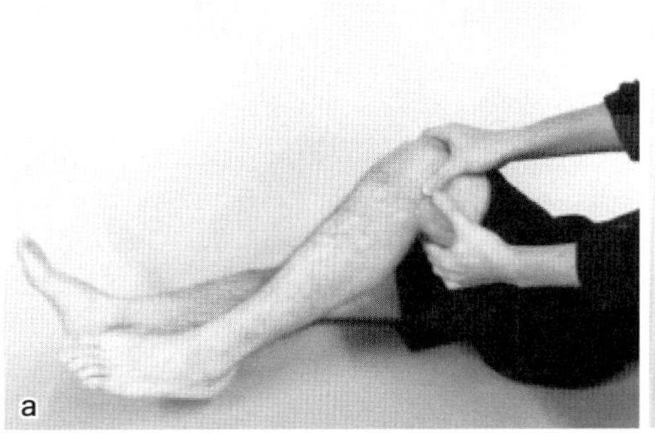
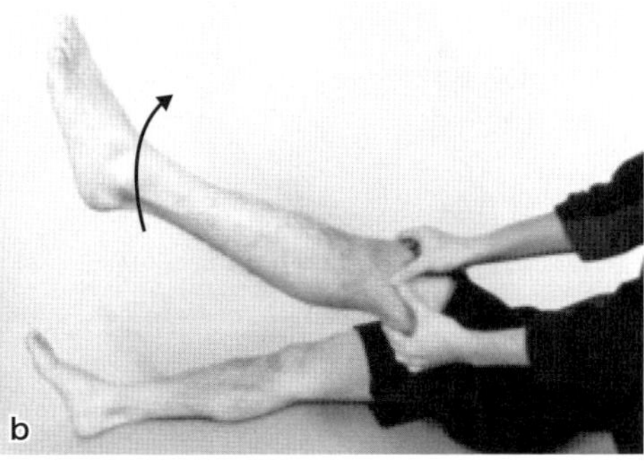

図 5-7-17
ノーブル圧迫検査
背臥位にて，大腿骨外側上顆のやや上の腸脛靭帯を指で圧迫しながら（a）膝関節を自動的に伸展させ（b），疼痛が誘発されれば陽性である。

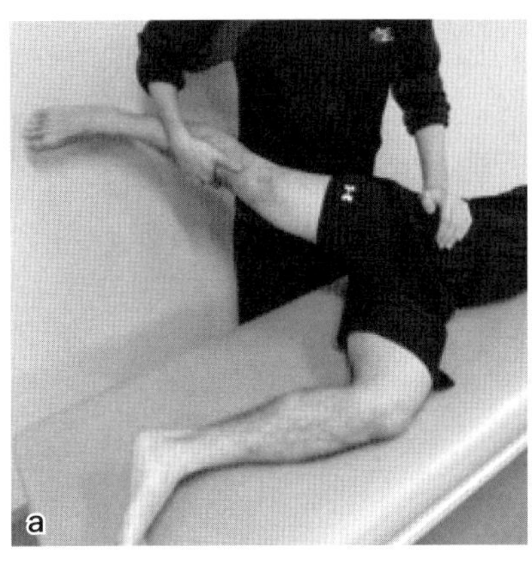
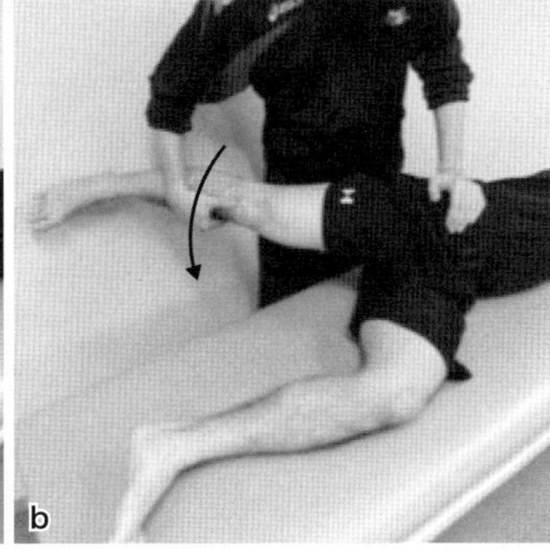

図 5-7-18　オーバーテスト
側臥位で股関節を外転・伸展位から（a）内転させる（b）。内転制限がある場合に陽性となる。

- 疼痛の訴えは，歩行やランニング，ADL 上での降段動作など様々な場面であるが，典型的には接地後の膝関節屈曲 20 ～ 30° における荷重動作で大腿外側に疼痛を訴える。
- 同様に大腿骨外側の疼痛を訴える疾患に膝窩筋腱炎があり，鑑別が必要である。

3）整形外科的徒手検査

- **ノーブル圧迫検査（Noble compression test）**[19]：腸脛靭帯炎に対する徒手検査。背臥位にて，大腿骨外側上顆のやや上の腸脛靭帯を指で圧迫しながら膝関節を自動的に伸展させ，疼痛が誘発されれば陽性である（図 5-7-17）。
- **オーバーテスト（Ober's test）**[20]：腸脛靭帯炎の場合には，腸脛靭帯のタイトネス評価であるオーバーテストが重要である。側臥位で股関節を外転・伸展位から内転させる検査で，内転制限がある場合を陽性とする（図 5-7-18）。

4）治　療

- 鵞足炎に対しては，疼痛の主たる原因となっている筋腱のストレッチングや，膝関節外反や下腿外旋のようなアライメント不良を修正し，鵞足部へのストレスを軽減させていく。
- さらに，鵞足部への伸張ストレスが増加する「ニーイン・トーアウト」などの動作不良の修正を進めていく。荷重下の運動では，運動連鎖を考慮して患部外へのアプローチも重要である。足部のアライメント不良が問題となっている場合には，インソールの使用も検討する。
- 腸脛靭帯炎に対しては，腸脛靭帯へ付着する筋のストレッチングによって腸脛靭帯の緊張を減じることが重要である。また，膝関節内反アライメントは腸脛靭帯の緊張を高めるため修正が必要である。
- 競技復帰に向けて，ランニングフォームなど動作の評価も必要である。特に，疼痛が出現するフェーズのアライメントをチェックし，腸脛靭帯へのストレスに繋がる異常動作を抽出し修正する。特に，立脚

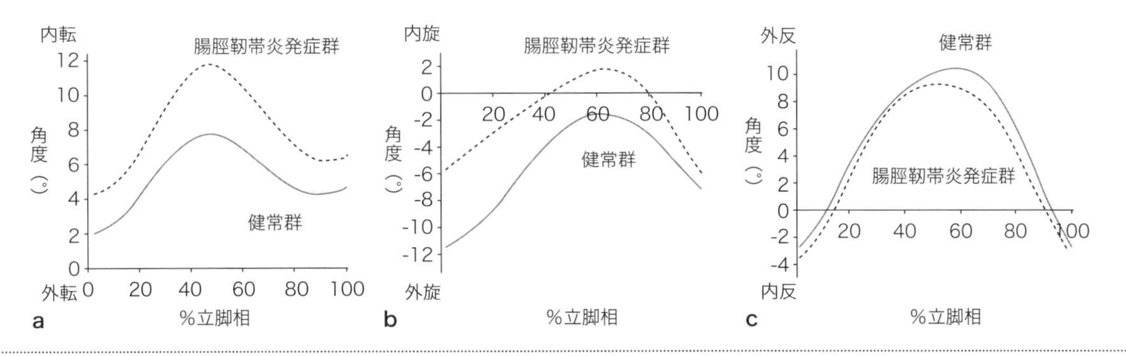

図 5-7-19　走行中の立脚相における下肢キネマティクス：股関節（a），膝関節（b），足関節（c）
腸脛靭帯炎発症群は健常群に比べ，立脚相の股関節内転角度と膝関節内旋角度の最大値が有意に大きく，足関節外反角度の最大値は小さい。（文献 14 より引用）

期における股関節内転角度，膝関節内旋角度，後足部内反角度の増大[18]が関与しているため（図 5-7-19），患部外の評価も重要である。

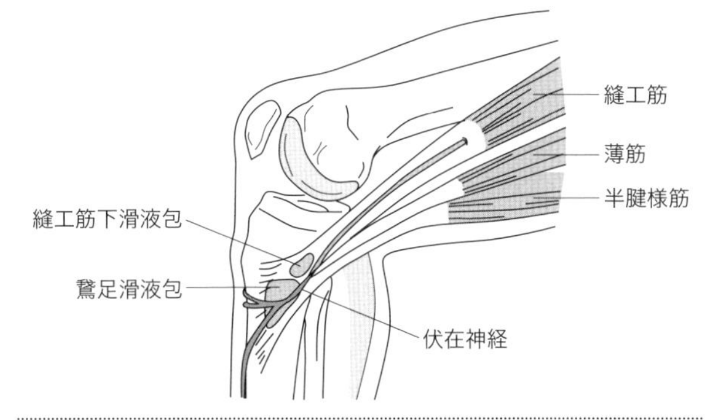

図 5-7-20　鵞足を構成する各筋の付着部と走行および滑液包
（文献 14 より引用）

5）リハビリテーション

a）評価のポイント

- 膝関節アライメント不良は，筋腱に対するストレスの原因となるだけでなく，動作不良を引き起こす要因となるため，詳細に評価していく。膝関節アライメントの評価は，Q 角を指標としやすいが，脛骨結節の位置は膝関節内外反や下腿回旋などによって変化するため，注意が必要である。
- 鵞足炎の場合には，責任病巣を把握する必要がある（図 5-7-20）。解剖学的な位置関係を把握し，各筋の走行に沿って伸張もしくは抵抗負荷を加えた際の疼痛の誘発や，滑液包の圧痛を確認する。
- 動作不良によって疼痛が出現している場合，動作の評価に加えて，荷重下での安定性評価をすることで，動作不良の要因となっている関節を特定していく（図 5-7-21）。体幹，骨盤，大腿，下腿，足部に外乱を加えることで，どの部位の安定性が低下しているかを確認し，アプローチの優先順位を決定していく。ただし，複数箇所の安定性が低下しアプローチすべきポイントが複数箇所ある場合には，補助的手段（インソールなど）も検討しておく。

b）鵞足炎に対するリハビリテーション

- **炎症管理**：軽度の炎症症状であれば，運動量や強度を調整しながらアイシングや物理療法で管理できるが，運動に支障が出るほどの炎症症状であれば，運動を休止することが望ましい。
- **筋柔軟性の改善**：鵞足炎では，鵞足に付着する筋のうち主な原因となっている筋のストレッチングを，筋の走行を考慮して行う。また，鵞足包の炎症が生じていた場合，鵞足周囲の滑走不全が生じていることがあり，炎症消失後に徒手的に「ほぐす」ことで効率的に柔軟性を獲得できる（図 5-7-22）。
- **アライメントの修正**：膝関節外反や下腿外旋アライメントに対しては，大腿二頭筋や外側広筋の柔軟性を回復させたうえで，徒手操作による下腿内旋誘導により，正常な回旋アライメントを獲得する（図

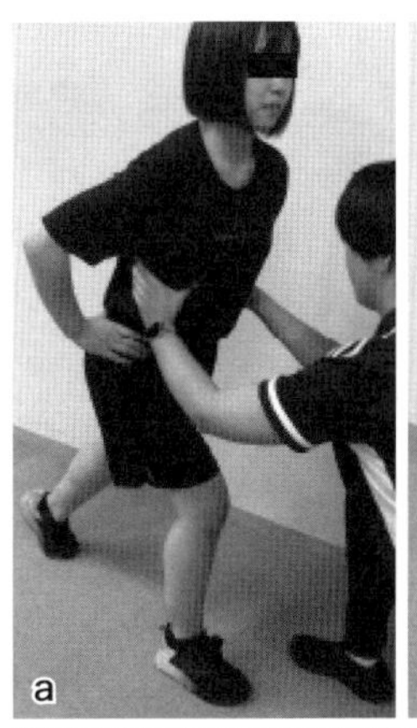
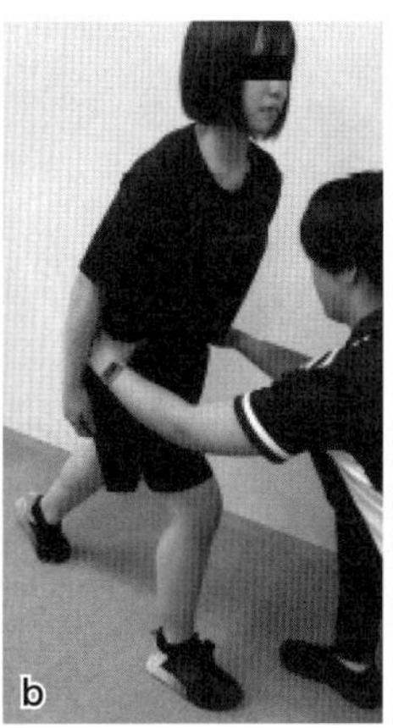
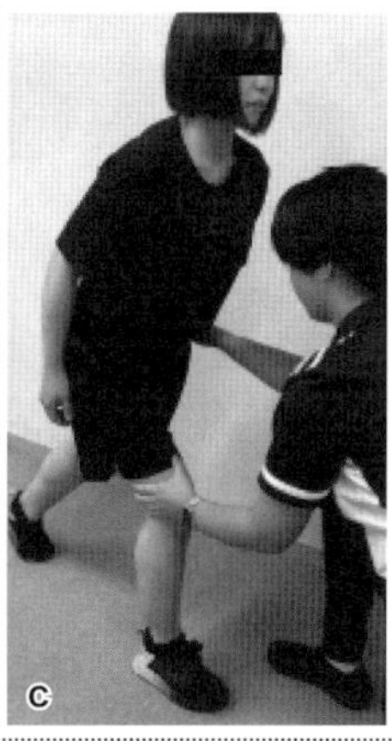
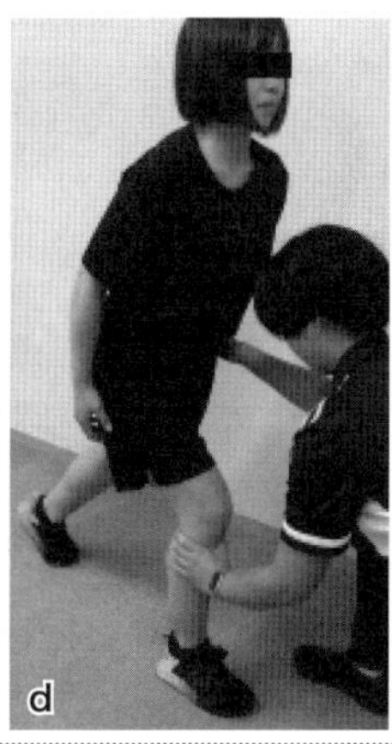
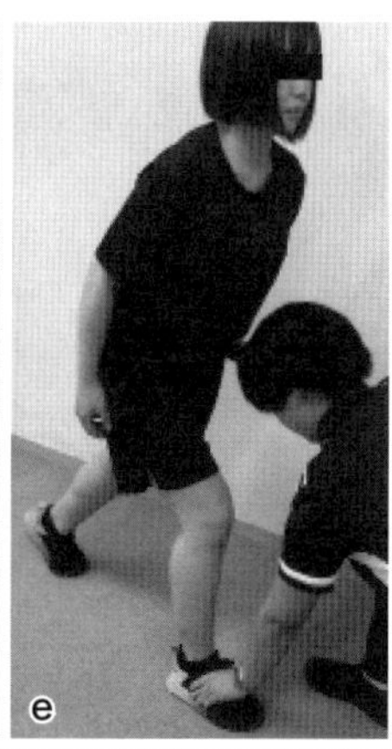

図 5-7-21　荷重下での安定性評価
体幹（a），骨盤（b），大腿（c），下腿（d），足部（e）に外乱を加えることで，どの部位の安定性が低下しているかを確認し，アプローチの優先順位を決定していく。

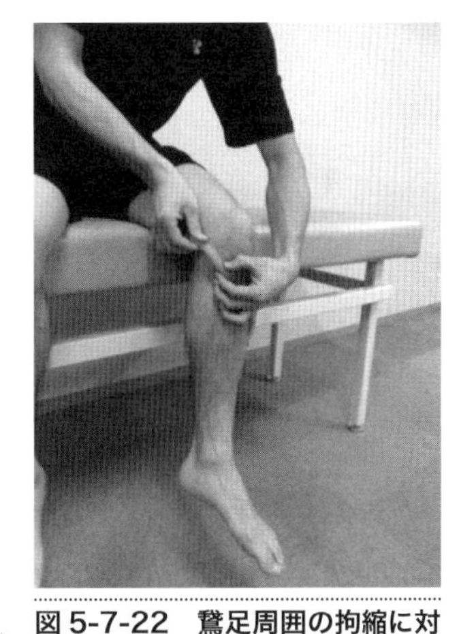

図 5-7-22　鵞足周囲の拘縮に対する徒手療法
鵞足包から鵞足を浮き上がらせるようにつまみほぐす。

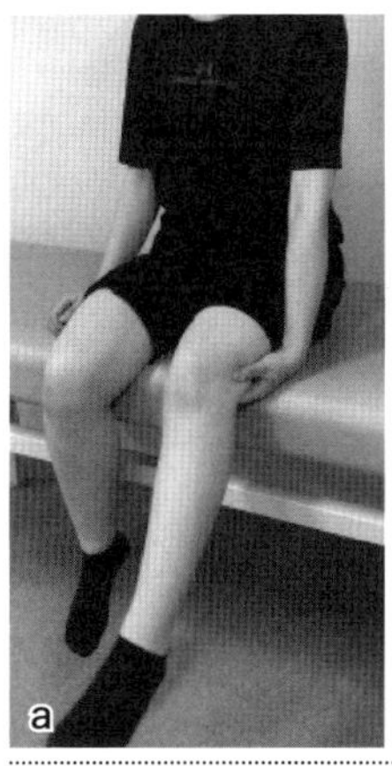
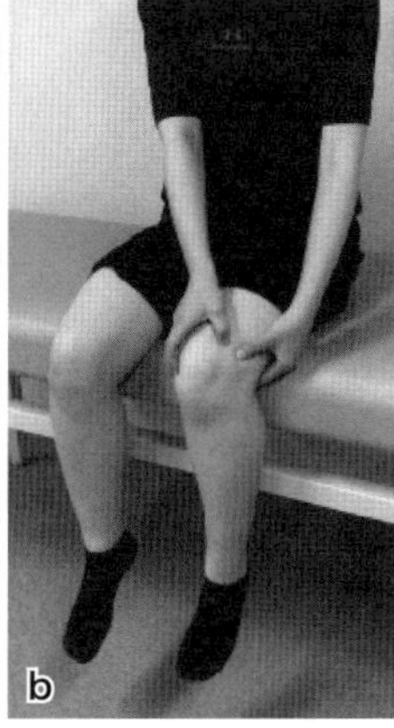
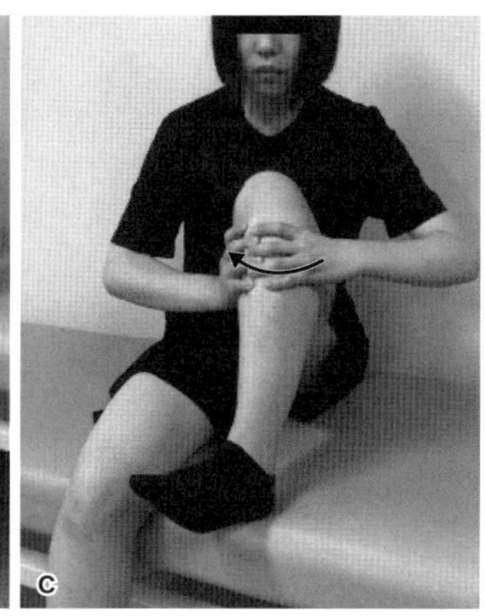

図 5-7-23　下腿外旋アライメントの修正：大腿二頭筋ほぐし（a），外側広筋ほぐし（b），徒手操作による下腿内旋誘導（c）

5-7-23)。

- **患部外へのアプローチ**：膝関節のアライメント修正後には，患部外機能の向上を目指す。「ニーイン・トーアウト」の肢位では，股関節は屈曲位かつ内転・内旋位であるため，股関節外旋筋群と伸展筋群を協調的に働かせることが重要である（図 5-7-24）。内側縦アーチの降下により「ニーイン・トーアウト」が惹起されている症例では，筋機能だけではアーチの保持を回復することが難しい場合が多く，インソールの使用も検討する。
- **スポーツ動作練習**：競技復帰に向けては，実際の動作中に鵞足部へストレスが生じる「ニーイン・トーアウト」の動作不良の改善が必要である。基本的

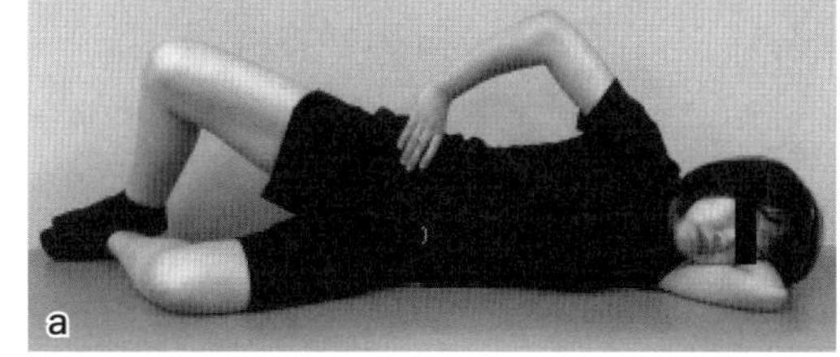

図 5-7-24　股関節外旋筋トレーニング（a）と片脚ヒップリフト（b）
「ニーイン・トーアウト」の動作の改善のため，股関節機能の向上を図る。特に股関節外旋筋機能および外旋筋群と伸展筋群の協調的な運動が重要である。

な両脚スクワットから始め，サイドランジや片脚スクワット，各種スポーツ動作につなげていくことで，競技復帰後の再発を防ぐ（図5-7-25）。

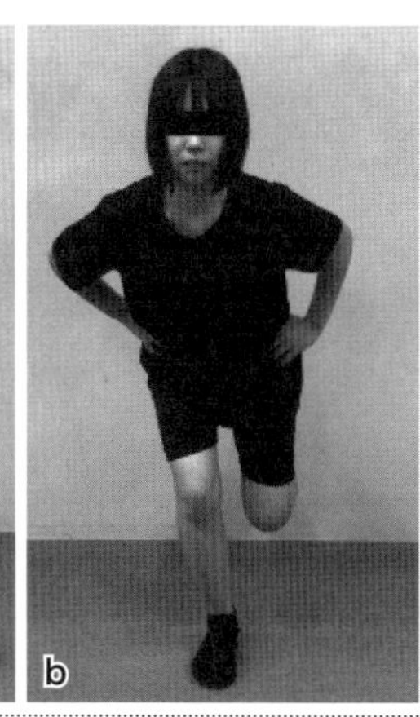

図 5-7-25　サイドランジ（a）と片脚スクワット（b）
競技復帰に向けて，基本動作からスポーツ特性を考慮した動作において「ニーイン・トーアウト」の不良動作が生じないようにする。

c）腸脛靭帯炎に対するリハビリテーション

- **炎症管理**：軽度の炎症症状であれば，運動量や強度を調整しながらアイシングや物理療法で管理できるが，運動に支障が出るほどの炎症症状であれば，運動を休止することが望ましい。
- **筋柔軟性の改善**：腸脛靭帯炎では，大腿筋膜張筋など腸脛靭帯へ付着する筋のストレッチングにより腸脛靭帯の張力を減じることが重要である。腸脛靭帯と大腿骨外側上顆周囲との間の滑走不全が生じている場合は，徒手的に解消していく必要がある（図5-7-26）。
- **アライメントの修正**：膝関節内反アライメントは，鵞足周囲の滑走不全や腓腹筋内側頭，半膜様筋の過緊張など脛骨内側の筋群の柔軟性低下が関与しているため，それらを改善していく（図5-7-27）。
- **患部外へのアプローチ**（図5-7-28）：患部外の問題として，股関節内転と後足部内反が腸脛靭帯炎の発症に関連しているため，これらに対してアプローチが必要である。股関節内転に対しては中殿筋の強化によって股関節を中間位に保持できるようにする。後足部内反に対しては，内果から踵骨内側にかけての軟部組織（屈筋支帯，足趾屈筋腱など）の拘縮に

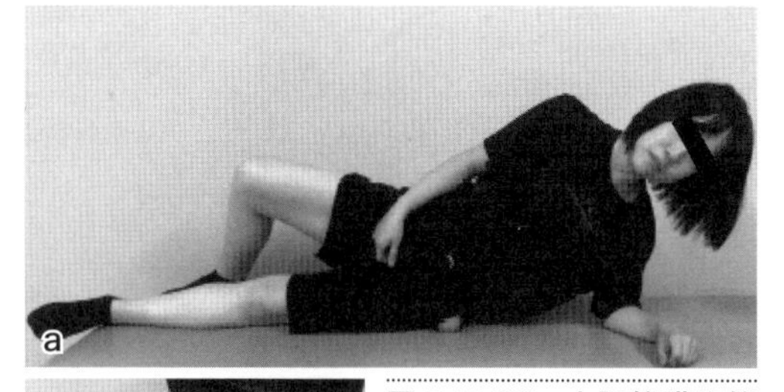
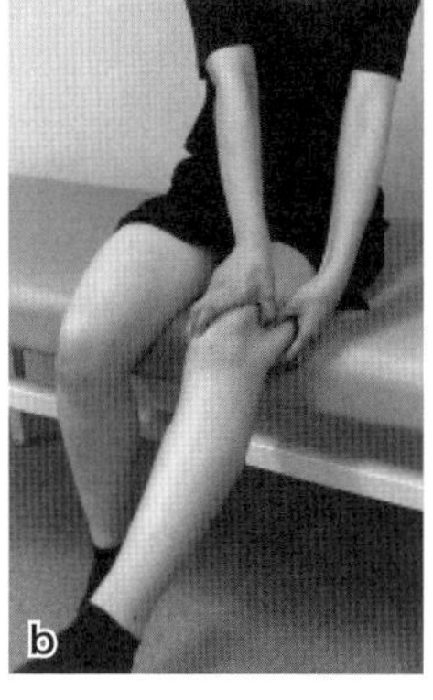

図 5-7-26　大腿筋膜張筋ほぐし（a）と腸脛靭帯-外側広筋間に対する徒手療法（b）

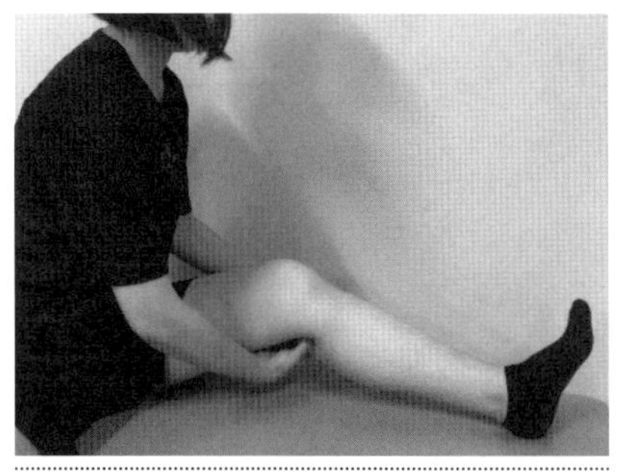

図 5-7-27　膝関節内反アライメントの修正
腓腹筋内側頭から半膜様筋の周囲の柔軟性低下が生じていることが多いため，徒手的にほぐしていく。

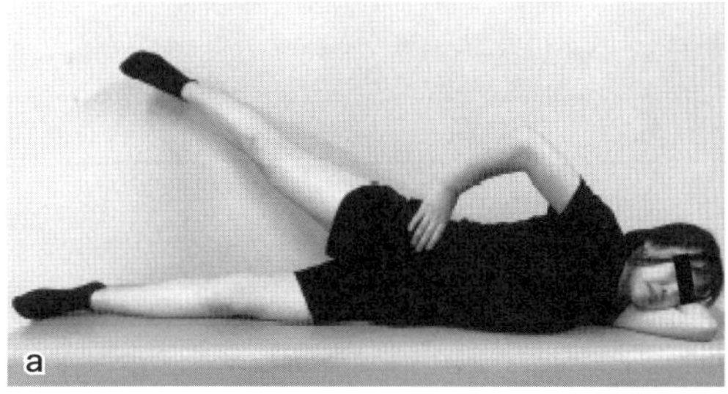
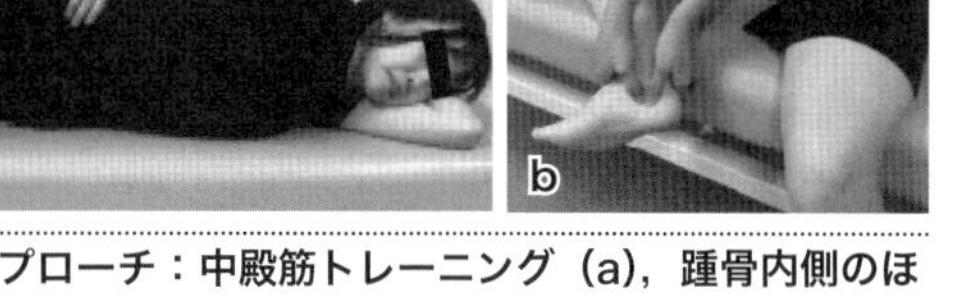

図 5-7-28　患部外へのアプローチ：中殿筋トレーニング（a），踵骨内側のほぐし（b）
中殿筋の強化によって立脚期において股関節を中間位に保持できるようにする。踵骨内側の軟部組織（屈筋支帯，足趾屈筋腱など）を徒手的に「ほぐす」ことで後足部の外反可動性を回復させる。

より，踵骨の外反可動性が低下していることが原因であることが多く，それらを徒手的に「ほぐす」ことで可動性を回復させる。また，荷重下での安定性評価（図 5-7-21）において体幹機能の安定性が低下していると判断された場合，座位における左右への重心移動に問題がある場合が多い。左右の坐骨へのスムーズな重心移動と，それに合わせた胸郭の左右シフト，腰背部筋の過剰な活動が生じていないか確認するとよい（図 5-7-29）。

- **スポーツ（ランニング）動作練習：**まずは片脚立ちを獲得したうえで，足踏み動作における動作不良を修正する（図 5-7-30）。その後，片脚ホップなどジョギングの基本動作から開始し，徐々にランニング動作に近づけていく。特に，前額面上のアライメント不良が腸脛靭帯炎の発症に関与することから，前方もしくは後方からフォームを十分に評価し，股関節内転（対側骨盤の降下）や足部回外が生じていないか確認する。

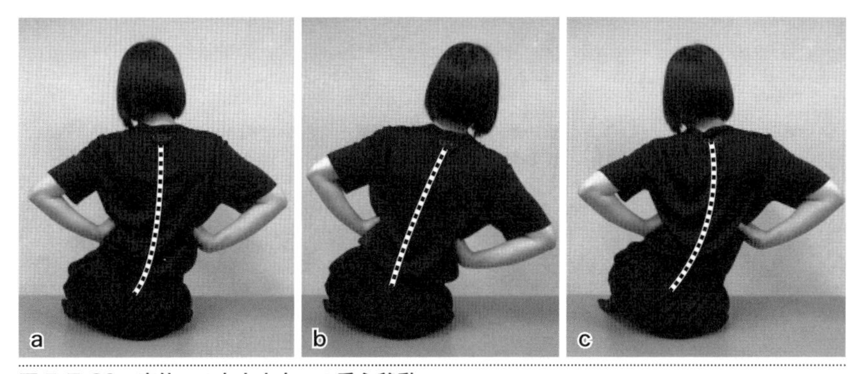

図 5-7-29　座位での左右方向への重心移動
a：右の坐骨で体重を支持する際に，胸郭の右シフトと正常な立ち直りが出現。b：体幹の右側屈によって，強引に右の坐骨に重心を移動させている。c：左腰背部（腰方形筋など）の過剰な活動によって左坐骨を持ち上げている。

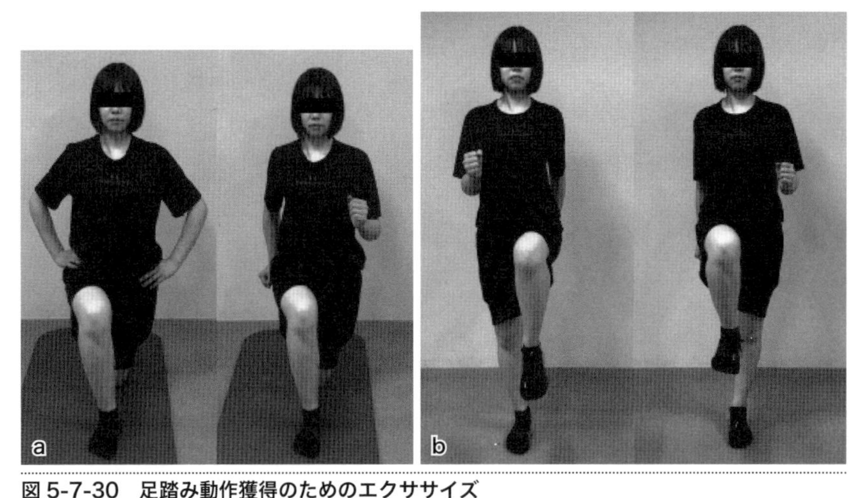

図 5-7-30　足踏み動作獲得のためのエクササイズ
a：インラインランジ：体幹や骨盤を安定させたまま，足を一直線上に置いたランジ姿勢をキープする。余裕があれば腕の振りを追加する。b：片脚立ち：対側股関節を屈曲 90° 位まで持ち上げる。*写真では，左脚支持の際に骨盤の側方偏位と対側への側屈が出現している。

5 部位別スポーツ外傷・障害のリハビリテーション

8 足関節・足部・下腿部

玉置 龍也（横浜市スポーツ医科学センター）

5-8-1　機能解剖

5-8-1-1　解剖学（骨構造，靭帯組織）

- 足部の名称について，距骨と踵骨を後足部，舟状骨・楔状骨・立方骨を中足部，中足骨以遠を前足部と呼ぶ。
- 脛骨，腓骨，距骨がなす関節を距腿関節，距骨と踵骨がなす関節を距骨下関節，後足部と中足部がなす関節をショパール関節，中足部と前足部がなす関節をリスフラン関節と呼ぶ。
- 距骨は前方が広く，後方が狭い台形の形状であり，距腿関節は背屈位で骨性に安定し，底屈位では靭帯や筋による安定性を要する（図 5-8-1，図 5-8-2）。
- 各靭帯には特定の方向の関節運動を制御する役割がある（以下，制動する運動方向）。
  - ・前距腓靭帯：距腿関節における距骨の前方偏位[1～5]，内旋[6]，内がえし[6]。
  - ・踵腓靭帯：距骨下関節の内がえし[6]。
  - ・三角靭帯：距腿関節における距骨の外旋[7]，外がえし[7,8]，距骨下関節における外転[8]，外がえし[8]。
  - ・前脛腓靭帯：距腿関節の外旋[9～11]（脛腓間に離開が生じることでストレスとなる）。
- 過度な関節運動は，靭帯に大きな張力を生じさせ，外傷・障害の発生につながる。

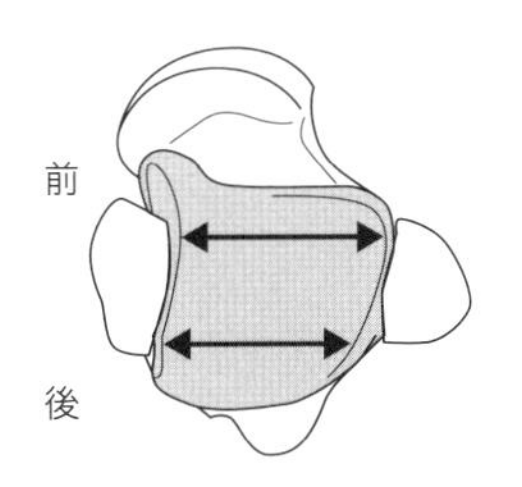

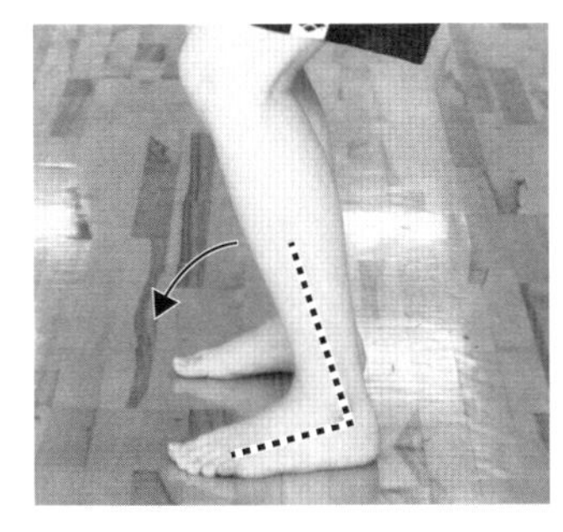

図 5-8-1　足関節の骨構造
距骨の関節面は前方が広く，背屈位で骨性に安定する。

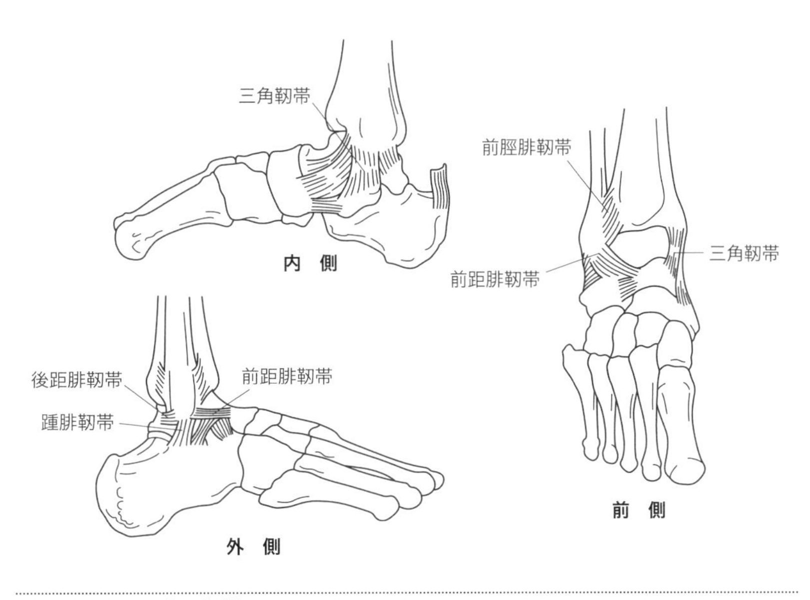

図 5-8-2　足関節の靭帯

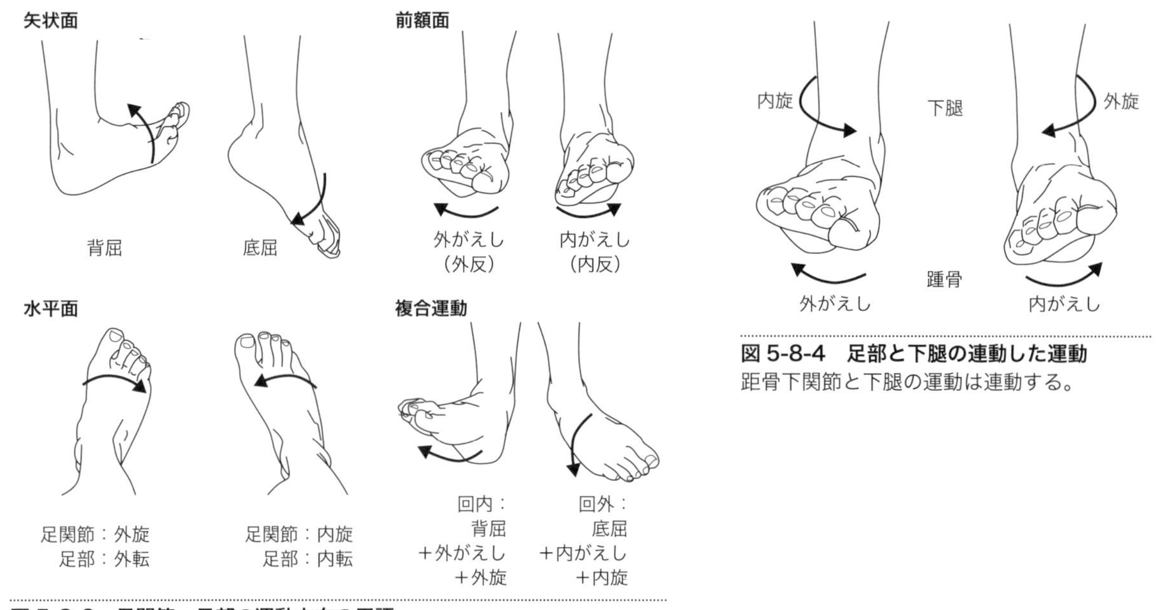

図 5-8-3　足関節・足部の運動方向の用語

図 5-8-4　足部と下腿の連動した運動
距骨下関節と下腿の運動は連動する。

5-8-1-2　運動学（関節運動，靭帯機能）

- 矢状面での運動は足関節，足部とも背屈/底屈，前額面では足関節，足部とも外がえし/内がえし，水平面では距腿関節，距骨下関節で外旋/内旋，ショパール関節やリスフラン関節で外転/内転，複合運動としての背屈・外がえし・外旋（外転）の組み合わせを回内，底屈・内がえし・内旋（内転）の組み合わせを回外と呼ぶ（図 5-8-3）。
- 足関節の底屈運動は同時に足部の内転や内がえし運動を含み，背屈運動は同時に足部の外転や外がえし運動を含む。
- 内反，外反は前額面上の内がえし，外がえしと同方向の運動であるが，生理的な運動から逸脱した病的な運動を指す用語として用いられ，本書でも運動学用語としては内がえし，外がえし，疾患名や受傷機転としては内反，外反の用語を用いる（図 5-8-3）。
- 距骨下関節の外がえし運動と下腿の内旋運動[12]，距骨下関節の内がえし運動と下腿の外旋運動は連動して生じる（図 5-8-4）。
- 歩行や走行の立脚期前半に距骨下関節外がえし運動と下腿内旋運動，内側縦アーチの低下が生じ，立脚期後半に距骨下関節内がえし運動と下腿外旋運動，内側縦アーチ高の上昇が生じる[13～16]。

5-8-2　代表的なスポーツ外傷・障害とリハビリテーション

5-8-2-1　シンスプリント（脛骨過労性骨膜炎）

1）発生機転・病態

a）発生機転

- オーバーユースにより生じるスポーツ障害であり，「筋膜の牽引」や「脛骨への力学的負荷」が原因とする説がある。
  - ・筋膜の牽引[17]：筋（長趾屈筋，ヒラメ筋，後脛骨筋）の活動により，脛骨骨膜に沿った筋膜の付着部に歪みを生じる（図 5-8-5）。

・脛骨への力学的負荷[18]：運動での力学的ストレスによって骨外傷が起こり，脛骨が過剰なリモデリング反応を生じる。

- ランナーに発生が多く[19,20]，男性より女性で発生率が高い[19]。
- 股関節の内旋可動域が大きいこと[20,21]や足部内側縦アーチの低下（舟状骨の降下）[22〜25]，接地直後のスキルの違い[26]などの身体要因に加え，トレーニング要因（強度や時間，頻度）や環境要因（靴，路面）が組み合わさることで生じる多因子性の疾患とされる。

b）病　態

- 脛骨内側の遠位 1/3 〜 1/2 の範囲に広がる筋や骨膜，骨髄の炎症に伴う疼痛がみられる。

2）症状・診断

a）症　状

- 脛骨内側に沿ってびまん性の痛みと腫張が存在する。
- 運動時の痛みは，症状が軽度の場合は運動直後や運動開始直後に出現するが，重度の場合は運動中の痛みでパフォーマンスに支障をきたす。

b）診　断

- MRI，骨シンチグラフィーや，局在する圧痛の存在により疲労骨折と鑑別される。
- MRI では筋や骨膜に沿って高信号領域がみられ（図 5-8-6a），重度の場合は骨髄内に高信号がみられる（図 5-8-6b）。
- 骨疾患や虚血性疾患を除外したうえで，脛骨内側縁に沿って生じる運動中や運動後の痛みがあり，同部位に圧痛が存在する症状をもってシンスプリントと診断される。

3）整形外科的徒手検査

- 疾患に特異的な徒手検査はない。

4）治　療

- 保存療法が第 1 選択であり，海外では観血的治療（筋膜切開術）の報告[27]もあるが行うことは稀である。
- 運動中の疼痛により競技に支障が出るほど症状が重度の場合は荷重運動を休止し，競技自体に支障がな

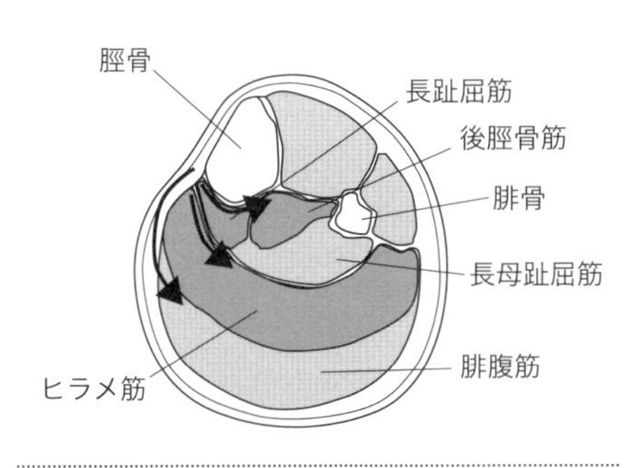

図 5-8-5　下腿の横断図
底屈筋群の筋膜は脛骨の骨膜に付着し，筋の収縮により付着部には歪みが生じる。

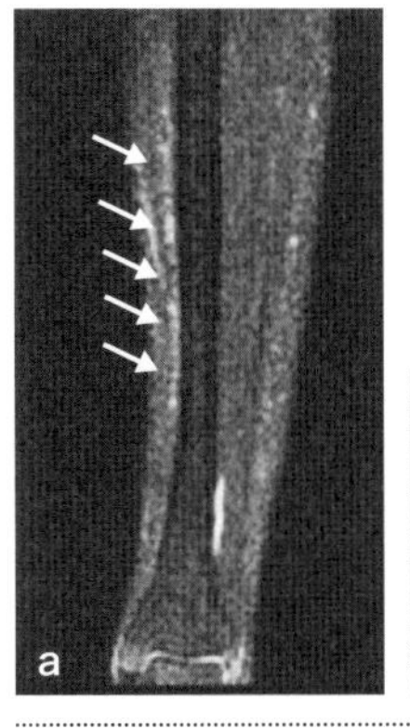

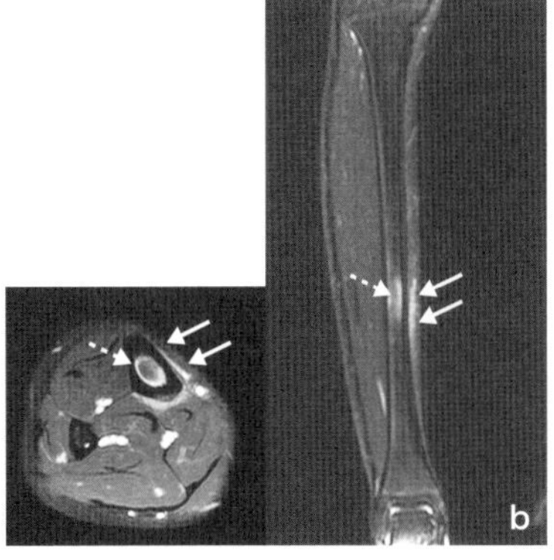

図 5-8-6　シンスプリント症例の MRI
a：部分休止にて回復した軽症例：骨膜周囲に高信号領域（矢印）がみられる。**b**：1 ヵ月の走行休止を要した重症例：骨髄内に高信号領域（破線矢印）がみられる。

いほど症状が軽度の場合はトレーニング量の調節により負荷を軽減し，スポーツ活動を継続しながら治療を行うこともある。

- 物理療法のなかでもショックウェーブ療法は早期復帰に有効とされる[28,29]。

5）リハビリテーション

a）評価のポイント

■問　診

- その場で再現ができない症状の様子(疼痛の出現場面や程度，消失までの時間)について詳細に把握する。
- 障害発生に関連する環境要因（練習環境やシューズ），トレーニング要因（競技種目，練習内容，頻度）についても確認する。

■疼　痛

- 負荷や条件を変えて症状を評価し，症状が出現する運動，動作やフェイズ，痛みの程度を把握し，リハビリテーション実施の参考とする。
- 圧痛：脛骨内側の骨膜，後内側縁の筋膜，内側縁後方の筋を触知し，痛みの生じる部位（組織）を評価する。
- 運動時痛：抵抗下の運動では足趾屈曲時の長趾屈筋の収縮で痛みを訴えることがある。
- 荷重時痛：スクワット（両脚→片脚），カーフレイズ（両脚→片脚），ホップ（着地を健側→患側）などを行い，疼痛の出る運動レベル（負荷の大きさ）を評価する。

■関節可動域

- 荷重時の衝撃緩衝機能に重要な関節運動（距骨下関節・ショパール関節外がえし，足関節背屈，下腿内旋）について他動的な可動域を評価する。

■筋　力

- ランニング動作の接地時に活動する筋を中心に，足関節背屈・底屈，膝関節屈曲，股関節伸展・外転・外旋・内転などの筋力評価を行う。

■動作分析

- 疾患の発生メカニズムを推察するために，動作分析により動作時の患部への負荷を推定する（競技復帰に向けたリハビリテーションの項で詳述）。

b）早期のリハビリテーション

■炎症管理

- 運動後のアイシングにより新たな腫張の抑制，モビライゼーションにより残存した腫張の除去を図る。
- 脛骨上に腫張がみられる場合はアイスマッサージを行い，腫張を骨膜上から筋や関節などの可動する部分へ向けてモビライゼーションする。

■底屈筋群の柔軟性改善

- 長趾屈筋，後脛骨筋，ヒラメ筋などの柔軟性を改善し，筋膜にかかるストレスを軽減する（図 5-8-7）。

■足部の機能改善

- 内側縦アーチの可動性（楔状骨周囲，母趾中足基節関節），外側縦アーチのアライメントと安定性（立方骨周囲），距骨アライメントを改善し，足部外がえし運動による接地時の足部の衝撃緩衝機能を高める（図 5-8-8）。

■筋機能の向上

ランニングの接地場面に活動する筋を中心にトレーニングを行う。

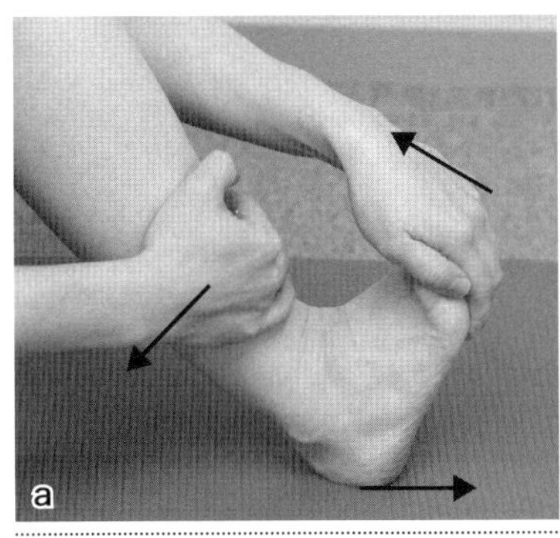
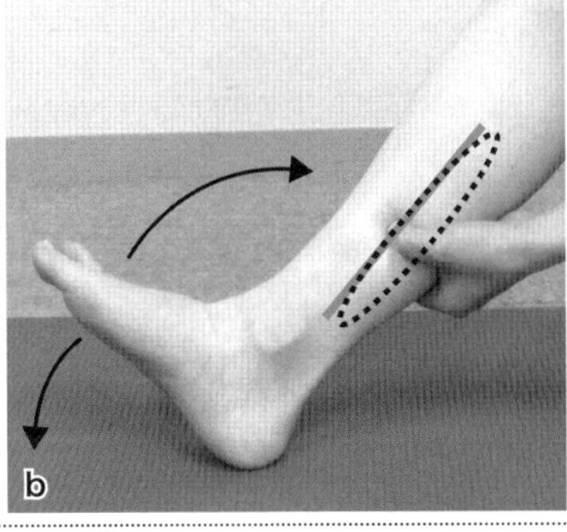

図 5-8-7　下腿底屈筋の柔軟性改善のための運動
a：深部底屈筋群ストレッチング：踵を床につけ，距骨の滑り運動を促す。**b：**ヒラメ筋のほぐし：ヒラメ筋と長趾屈筋の間を指で押して足首を動かす。**c：**ヒラメ筋のストレッチング：膝を曲げて足首を伸ばす。

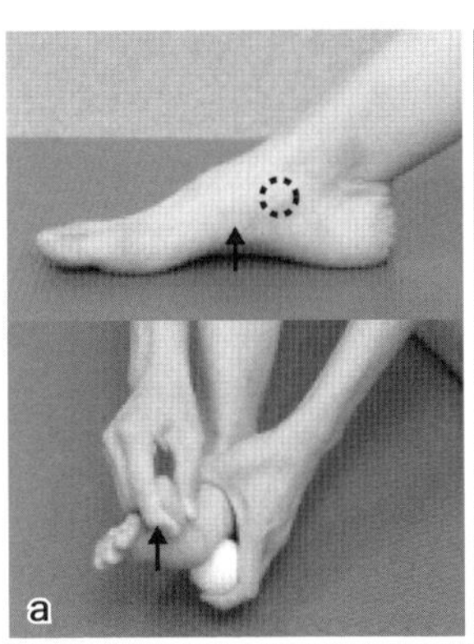
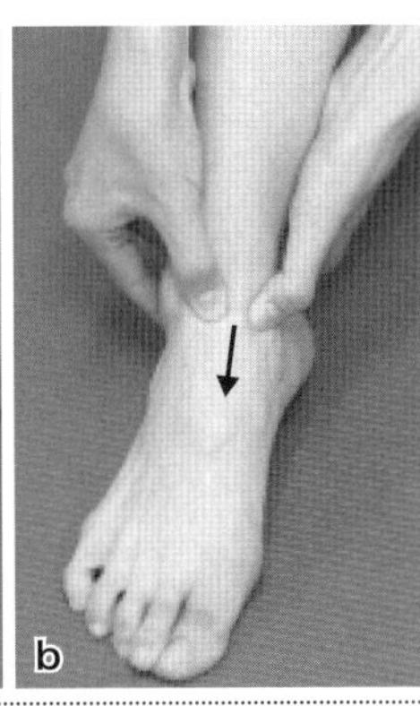
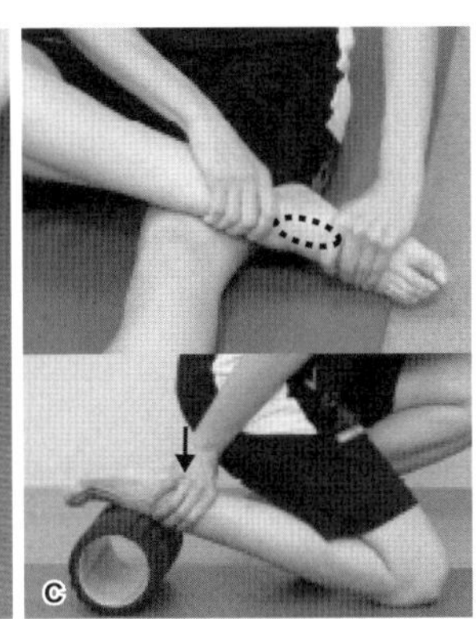
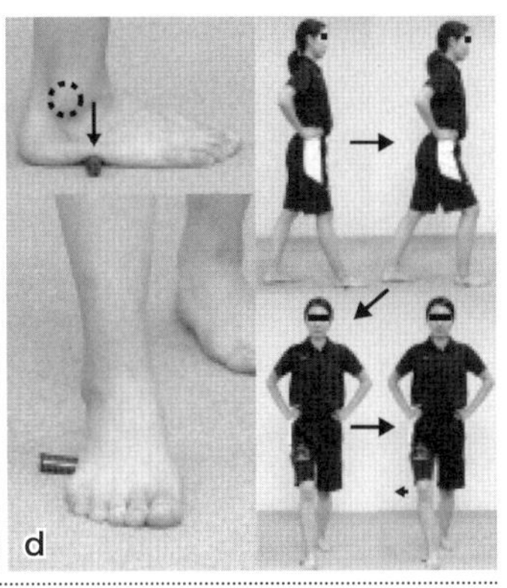

図 5-8-8　足部アーチの衝撃緩衝機能改善のための運動
a：土踏まずほぐし：楔状骨（丸印で示した舟状骨のやや前）の下側をゴルフボールや指で押さえ，母趾を上下に動かす。**b**：距骨モビライゼーション：内くるぶしの前側の隙間に指を置き，つま先を下げながら距骨を前方に押し出す。**c**：底屈ストレッチング：足首の前内側を伸ばし，距骨の滑り運動を促す。**d**：青竹踏み＋ニーアウトスクワット：外果前縁の位置で棒を踏み，スクワット動作を行い，最後に膝を外に開く。

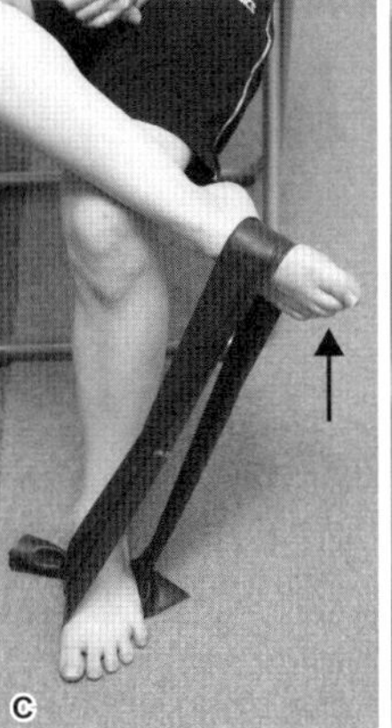
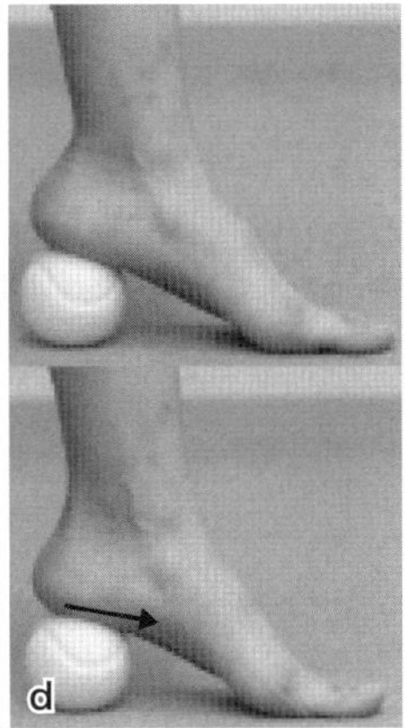

図 5-8-9　筋機能向上のための股関節・足関節・足部トレーニングの実例
a：サイドプランク・ヒップドロップ：体幹の側屈が生じないよう意識する。**b：**片脚ヒップリフト：内転筋との協調性を高めるには膝にバランスディスクやタオルなどの物を挟む。**c：**後脛骨筋トレーニング：足趾を底屈せず行うことを意識する。**d：**ショートフットエクササイズ：踵を足趾に近づけ足部を短縮し，アーチを上昇させることを意識する。

- **股関節：**大殿筋や中殿筋の筋収縮を改善し，ハムストリングや内転筋との筋活動の協調性を高める（図5-8-9a，b）。
- **足関節・足部：**ランニング動作の荷重応答のフェイズに急激な足部の外がえしを伴う例では，後脛骨筋や足趾底屈筋群の筋機能低下を伴う内側縦アーチの安定性低下とアーチ高の低下が生じている場合があるため，個別にトレーニングを行う（図5-8-9c，d）。

c）競技復帰に向けたリハビリテーション

■動作分析

シンスプリントでは，足部の急激な外がえしを伴う下腿内傾，膝内方移動（股関節内転）の不良アライメントを生じるケースと，膝屈曲が不足し衝撃緩衝が不十分な接地により大きな衝撃を受けているケースが多く見られるため，動作時の不良アライメントと異常なランニングメカニズムの双方について評価を行う。

- 足部の急激な外がえしを伴う下腿や膝の不良アライメントを生じる場合（図5-8-10a，b）は，中・後足部の外がえし運動や下腿内旋の制限により代償的に下腿内傾が生じていることが多いため，これらの制限を改善し本来の関節運動の連動による母趾球荷重を行い，良好なアライメントによる動作を再獲得する。
- 膝屈曲が不足した衝撃緩衝が不十分な接地を行っている場合（図5-8-10c）は，対側のテイクオフのバウンディング（飛び跳ねた離地）や患側のフットストライクからミッドスタンスでの膝屈曲姿勢，全

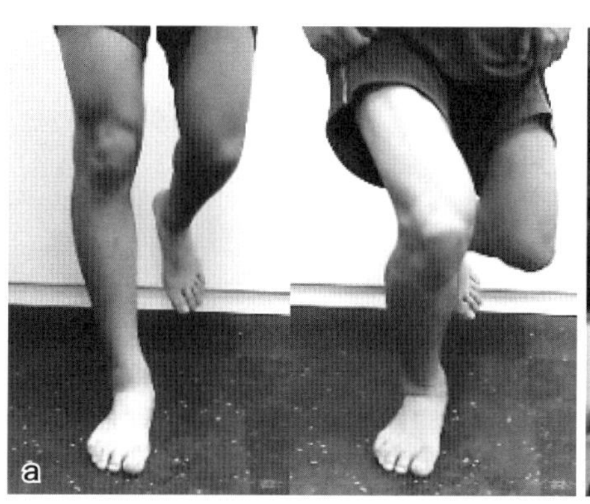

図5-8-10　シンスプリント症例に対する動作分析のポイント
a：下腿の傾斜や外旋，足部外転を伴う母趾球への荷重姿勢。b：足部の急激な外がえしを伴う軽度シンスプリント症例のランニング動作。c：膝屈曲が不足し，衝撃の大きい接地を伴う重度シンスプリント症例のランニング動作。

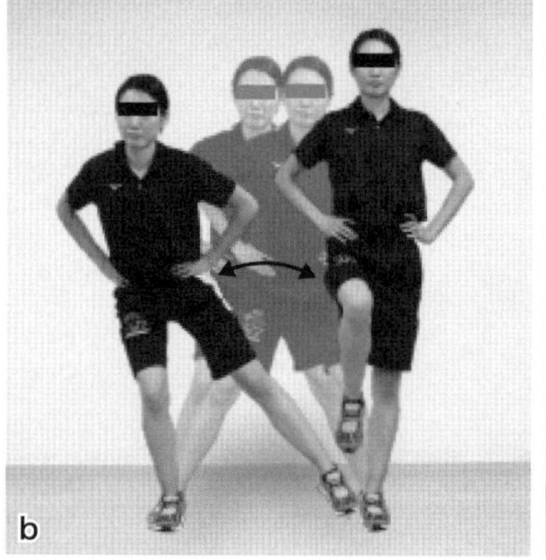

図5-8-11　ランニング動作改善のためのトレーニング
a：ステアステップ：台を踏みつけ股関節の伸展運動で一気に重心を持ち上げる。b：サイドスクワット＋片脚立ち：横への荷重移動をバランスを保ちながら制御する。c：シングルレッグホップ（着地）：接地時に足首を固定し，膝屈曲姿勢で地面を踏みつける。

身の姿勢制御などに着目し，必要な筋機能の改善（図 5-8-8a, b）や荷重トレーニングによる動作練習（図 5-8-11）を行う。
- 足部内側縦アーチの過剰な低下は，足部外転や下腿の内方傾斜が生じることで筋の伸張による負荷を招くため，インソールやテーピングによるアーチサポートを検討する。

■荷重トレーニング

ランニングの接地直後の床反力パターンの変化が発症につながることから[26]，対側から患側の体重移動や患側接地時の姿勢制御に着目したトレーニングを行う。

- **ステアステップ：**昇段時にハムストリングの収縮と股関節伸展運動，体幹の姿勢保持を意識する（図 5-8-11a）。
- **サイドスクワット＋片脚立ち：**側方への重心移動を股関節筋群の収縮により制御する（図 5-8-11b）。
- **シングルレッグホップ：**接地時の足関節の固定と膝屈曲姿勢を意識して，地面を踏みつけ，連続して跳び上がる（図 5-8-11c）。
- **フォーム練習**（フォワードホップ，2 ステップ，バウンディングなど）：衝撃吸収と力発揮の切り替えのタイミングを意識し，徐々にスムーズに連続した動作として行えるように進め，走動作につなげる。

5-8-2-2　足関節捻挫

1）発生機転・病態

a）発生機転

- 内反捻挫は，足に対する横方向の大きな力や外側に荷重した場合の床反力により，足に内がえし（内反）モーメントが加わり，前距腓靭帯や踵腓靭帯を損傷することで生じる（図 5-8-12a）。
- 方向転換動作や着地動作で受傷することが多く，地面の不整に足をとられる，人の足を踏む，接触を受けるなどのアクシデントによって生じやすい。
- 外反捻挫は，足先が地面に固定されたまま脛を内側に捻ったり，下腿が外部からの衝突により内側に倒れるなどして，足部の外転を強制されることで，距腿関節に外旋方向への力が加わり，三角靭帯や前脛腓靭帯を損傷することで生じる（図 5-8-12b）。

b）病　態

- 内反捻挫では前距腓靭帯の損傷が起こりやすく，踵腓靭帯や前脛腓靭帯を損傷する場合もある。
- 外反捻挫では三角靭帯や前脛腓靭帯の損傷が多く，内果や外果の骨折を伴うこともある。
- いずれの捻挫も靭帯損傷のみでなく，関節包や腱などの軟部組織や距腿関節内の軟骨，靭帯の付着する骨部などに損傷を生じる場合がある。

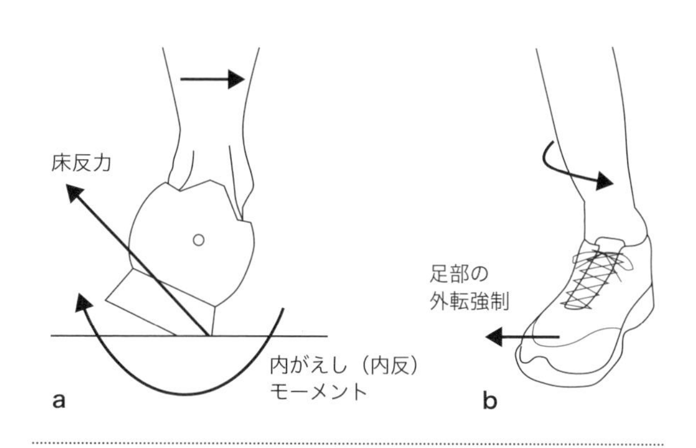

図 5-8-12　足関節捻挫
a：足関節内反捻挫，b：足関節外反捻挫

2）症状・診断

a）症　状

- 急性期では腫張と疼痛が症状の中心であり，疼痛により可動域制限や跛行（荷重制限）が生じる。

- 亜急性期以降では，軟部組織のタイトネスや足部・足関節アライメントの不良による２次的な可動域制限が生じて，疼痛の原因となる。
- その他に，位置覚の障害や筋の反応時間の遅延[30,31]，全身の姿勢制御機能の低下[32,33]，底屈筋力の低下[31,34]などが生じる。

b）診　断

- 靭帯損傷の程度により，重症度分類がされる。
  - ・グレードⅠ：靭帯が伸張された状態で大きな損傷はなく，わずかな腫れと圧痛があり，皮下出血や構造的な関節不安定性，機能不全（可動域制限や筋力低下）などはない（目安として徒手検査に左右差なしか，あってもわずか）。
  - ・グレードⅡ：前距腓靭帯の損傷で，中程度の皮下出血や明らかな腫れと圧痛があり，中等度の関節不安定性を有する（前方引き出しテストに明らかな左右差）。
  - ・グレードⅢ：前距腓靭帯と踵腓靭帯の損傷で，強い腫張，圧痛と皮下出血があり，関節不安定性や荷重制限がある（前方引き出しテスト，内反ストレステストともに明らかな左右差）。
- 画像検査では，前方引き出しストレスや内反ストレスを加えたＸ線画像（ストレスＸ線）で，脛骨に対する距骨の前方移動量や傾斜角度を測定し，靭帯損傷の程度の目安とする（図 5-8-13）。

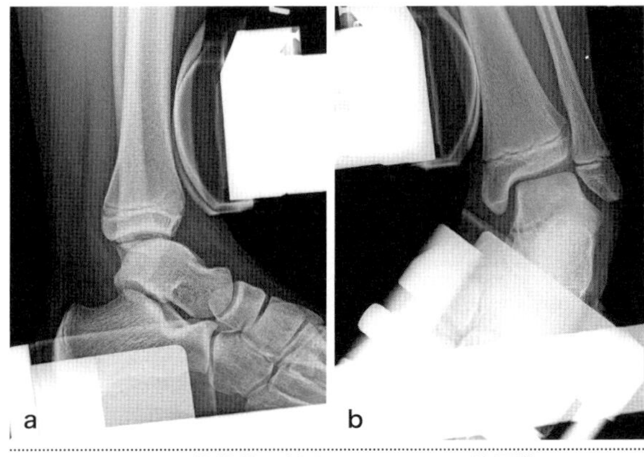

図 5-8-13　足関節捻挫に対するストレスＸ線画像
健患差を比較し靭帯損傷の程度の目安とする。**a**：前方引き出しストレス，**b**：内反ストレス

3）整形外科的徒手検査

損傷が疑われる組織に対して，テストを選択して行う。

- **前方引き出しテスト**：前距腓靭帯や三角靭帯（図 5-8-14a）。
- **内反ストレステスト**：前距腓靭帯や踵腓靭帯（図 5-8-14b）。
- **外旋ストレステスト**：前脛腓靭帯（図 5-8-14c）。

4）治　療

- **処置**：患部の保護のために，グレードⅡ以上で腫張や疼痛が著しい場合にはシーネやキャストなどの装具やテーピングにより固定し，荷重時痛が著しい場合は松葉杖を用いて荷重制限（免荷）を行う。

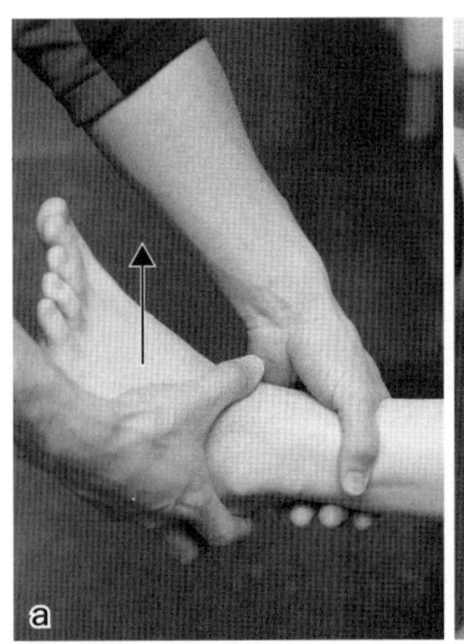

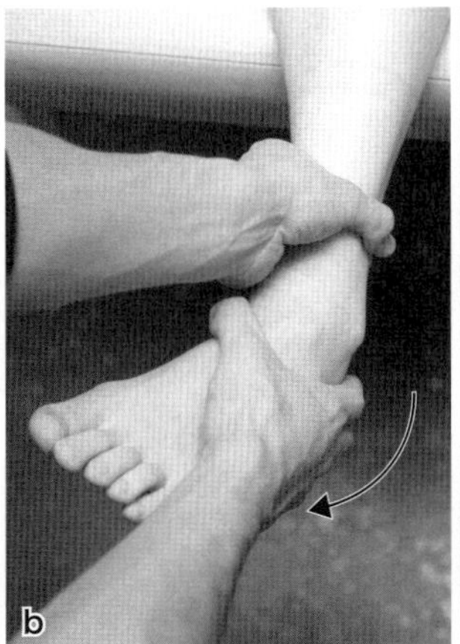

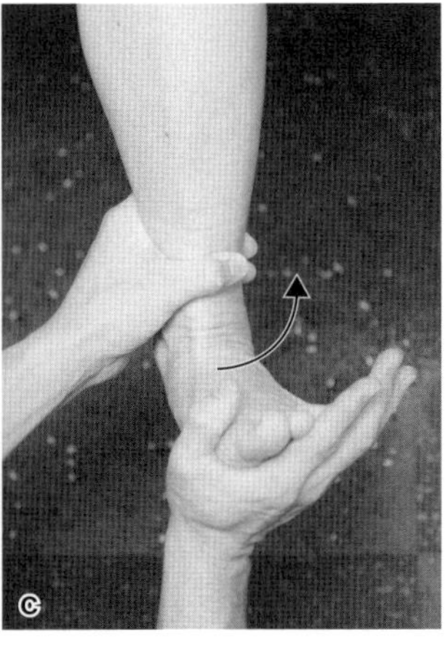

図 5-8-14　足関節捻挫に対する徒手検査
a：前方引き出しテスト：軽度底屈位で踵部を前方に引き，前方移動量とエンドフィール（最終域感）を評価する。**b**：内反ストレステスト：足部を回外させ，運動範囲とエンドフィールを評価する。**c**：外旋ストレステスト：足関節に外旋方向への力を加え，痛みの出現を確認する。

・特に重傷の初回捻挫では，3週以上の軽度背屈・外がえし位固定により靭帯機能が回復するため[35)]，処置の選択は条件や状況をふまえて慎重に行う必要がある。

- **観血的治療**：靭帯の損傷による関節不安定性が著しく運動に支障を残す場合は，観血的に靭帯再建術を施行する場合がある。

5）リハビリテーション

a）評価のポイント

■疼　痛

負荷や条件を変えて症状を評価し，症状が出現する運動，動作やフェイズ，痛みの程度を把握し，リハビリテーション実施の参考とする。

- **圧痛**：靭帯や腱を中心に触診するが，関節内の腫張が著しい場合は関節全体に圧痛が出現する。
- **運動時痛**：他動運動，自動運動，抵抗下の運動における痛みを確認する。
- **荷重時痛**：立位，スクワット，カーフレイズを両脚や片脚で行い，負荷の変化による痛みの出現と運動の可否を確認する。

■関節可動域

急性期では疼痛による制限，亜急性期以降では2次的な障害による制限を評価する。

- 急性期では，可能な運動内容を判断するために主に背屈，底屈の制限を評価する。
- 亜急性期以降では，足部を中間位のまま背屈，底屈に誘導した場合の，可動域とエンドフィール（最終域感）の左右差を評価する（正常なエンドフィールは靭帯性の堅い感触）。
- 足関節の運動に付随する距骨下関節外がえし，ショパール関節外がえし・内転の可動域を評価する。
- すでに荷重運動を開始している場合は，スクワット動作において足部を内・外転中間位に保ちながら足関節の十分な背屈を行えるかを評価する。

■筋　力

背屈，回外，回内，足趾屈曲，足趾背屈などにおいて筋力発揮（manual muscle testing：MMT）の程度を確認し，底屈（カーフレイズ）では下腿三頭筋の十分な収縮を行えるかを触知して確認する。

b）受傷後のリハビリテーション

■急性期

初期のリハビリテーションは炎症症状の管理と患部への負荷の管理が中心となる。

- **炎症管理**：炎症反応による熱感と腫張を最小限にとどめ，組織回復を促すよう配慮する。
  - ・内外果周囲に腫張が残留すると腱や支帯の癒着が生じ，2次的な可動域制限や疼痛を生じるため，果部の形状に合わせたU字パッドを用いる。
  - ・荷重時に足部に浮腫が貯留することを防ぐため，圧迫のための弾性包帯は足部まで覆うように巻く。
  - ・物理療法：組織損傷に対して治癒促進効果のある超音波（非温熱作用）や微弱電流を用い，浮腫が著しい場合は感覚閾値で高圧電流を使用する。
- **負荷の管理**:患部の保護と荷重量の調整を行い，組織治癒を妨げない範囲で負荷を加えるよう配慮する。
  - ・患部の保護：初回捻挫であるか否か，組織損傷の程度や症状によって，装具やテーピングにより固定し，荷重時痛が著しい場合は松葉杖を用いて免荷を行う（治療の項を参照）。
  - ・歩行指導：荷重が可能であれば，原則は患側を常に前に置いた形の歩行から行い，片脚スクワットが可能な程度であれば健側を前に出し（最初はストライドは狭める），片脚カーフレイズが可能な程度

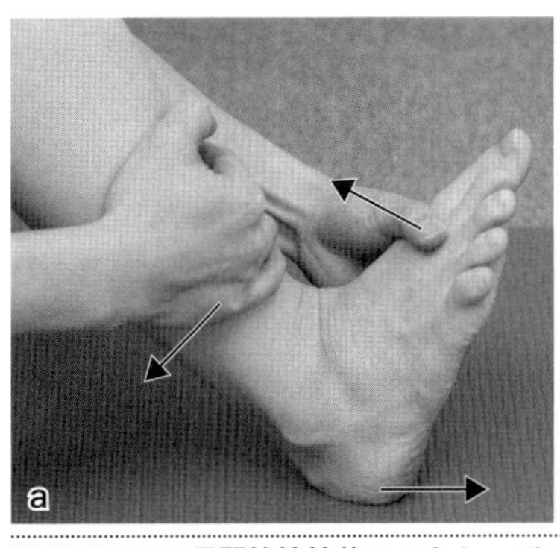

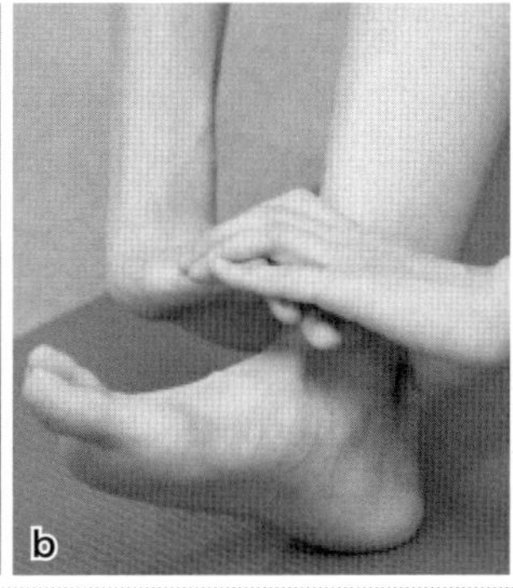

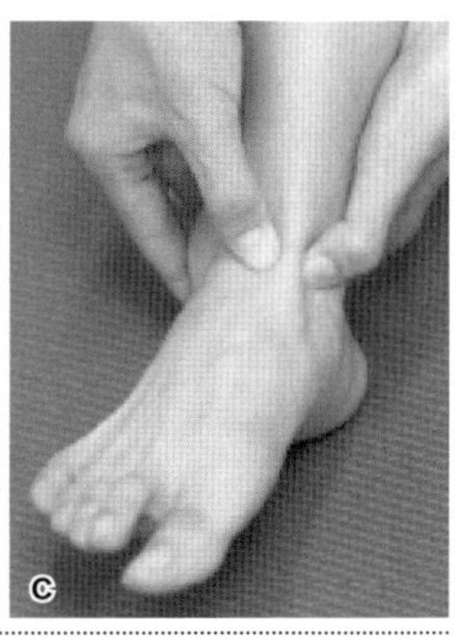

図 5-8-15　足関節捻挫後のストレッチング
a：背屈ストレッチング：踵を床につけ，距骨の滑り運動を促す。b：後方軟部組織モビライゼーション：特に長母趾屈筋腱は足関節の腫脹によりタイトネスを生じやすい。c：前方軟部組織モビライゼーション：特に前脛骨筋腱は足関節や前脛腓間関節の腫脹によりタイトネスを生じやすい。

であれば通常歩行を試す。

■亜急性期

組織治癒の促進および機能低下の予防のために，物理療法，残存する腫脹の除去，可動域，筋力回復を行う。

● **物理療法**

・組織治癒の促進：急性期から引き続き微弱電流，高圧電流を使用する。

・体液循環の促進：温水浴や交代浴，電気刺激，超音波（温熱作用）などで体液循環を促し，治癒過程の促進と残存腫張の軽減を図る。

● **腫張対策**

・足部挙上＋足関節運動：足部を心臓より高い位置に保ち，足部や足関節の軽度の運動により環流を促す。

・腫張モビライゼーション：温熱療法や関節運動後も残存する腫張や浮腫を関節周囲の可動部分に押し出して吸収を促す。

● **ストレッチング**：痛みの程度に合わせて徐々に行う。

・背屈ストレッチング：理想的な関節運動の誘導と負荷低減のために徒手的に自動介助して行い，徐々にタオルでの牽引，荷重位でのストレッチに進める（図 5-8-15a）。

・底屈ストレッチング：足部の内がえしを避け，伸筋腱を伸ばすようにまっすぐに誘導する（図 5-8-8c 上）。

・ストレッチングで足関節の前後に詰まり感を生じる場合は，関節周囲の筋腱組織のモビライゼーションを行う（図 5-8-15b，c）。

● **筋力回復**

・足趾の運動：荷重を十分に行えない場合，タオルギャザーやショートフットエクササイズ（図 5-8-9d）を行い，足趾や足部内在筋の筋力を維持，改善する。

・足関節の運動：痛みを生じない範囲の可動域と負荷でチューブなどを用いた背屈，底屈，外がえし，内がえし方向のエクササイズを行う（受傷肢位に近い姿勢で行う運動は痛みや不安感がないことを確認する）。

・患部外の運動：通常歩行を行えない場合，股関節・膝関節筋群の機能維持のためのトレーニングも行

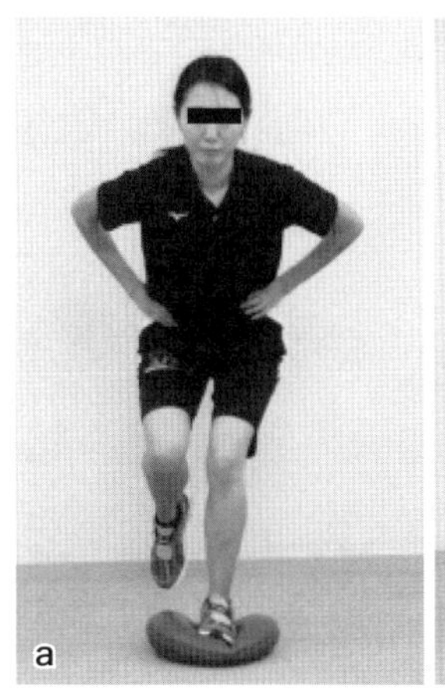
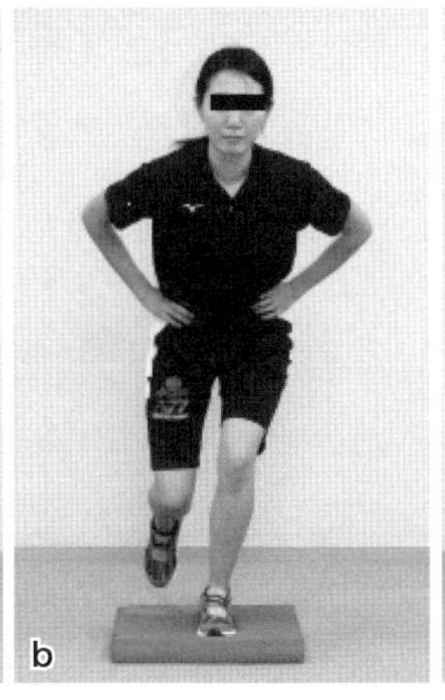
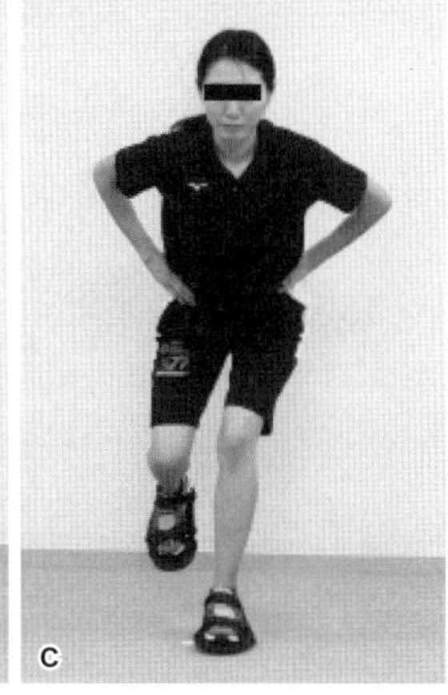

図 5-8-16　用具を用いたバランストレーニング
a：バランスディスク，**b**：バランスパッド，**c**：バランスシューズ。バランスディスク上の運動から，バランスパッド上へのホップ動作，バランスシューズを着用した動作トレーニングへ移行し，動的なバランス能力を向上させる。

う（図 5-8-9a，b など）。

c）競技復帰に向けたリハビリテーション

■亜急性期以降の復帰期

段階的に荷重運動を行う。

- **青竹踏みスクワット**：立方骨降下による外側縦アーチの機能低下を改善する（図 5-8-8d）。
- **足関節トレーニング**：各方向への筋力発揮に問題がないことを確認したうえで，荷重時痛が出ない範囲で両脚や片脚でのカーフレイズ（膝伸展位，膝屈曲位），踵歩きなどのトレーニングを行う。
- **荷重動作トレーニング**：荷重量（両脚→片脚），運動方向（前後→横），順序（健側→患側）などの設定により段階的な負荷となるように配慮して，スクワット動作や前方・側方への踏み込み動作，ステップ動作，ジャンプ動作などを行う。
- **バランストレーニング**：バランスディスクやバランスパッド，バランスシューズなどを用いて，姿勢制御機能の再獲得を図る（図 5-8-16）。

■競技への復帰段階

スポーツの基本動作や競技動作を徐々に開始し復帰を目指す。

- 陸上スポーツでの基本動作は，動作時の痛みの有無と安定した動作の遂行を目安として開始する。
  - ・ウォーキング：片脚カーフレイズが痛みなく安定して実施可能。
  - ・ジョギング：前方への踏み込み動作が痛みなく安定して実施可能。
  - ・ランニング：患側での片脚ホップ動作（図 5-8-11c）が痛みなく安定して実施可能。
  - ・ステップや方向転換（前後）：前方へのランジやホップ動作が痛みなく安定して実施可能。
  - ・ステップや方向転換（左右）：側方へのランジやホップ動作が痛みなく安定して実施可能。
- 再受傷の予防対策：関節不安定性が残存する場合にはテーピングやブレースを使用し，足部アーチの影響でバランスを崩しやすい場合はインソールを使用する。

5-8-2-3　足底腱膜炎

1）発生機転・病態

a）発生機転

- オーバーユースによるスポーツ障害であり，陸上競技選手やランニング愛好家に発生が多いが，バスケットボールなど急激なストップが多い競技にも発生がみられる。

- 足関節背屈可動域の低下により，踵骨の底屈（相対的な足部の背屈）が生じることで足底腱膜に負荷が加わりやすい[36)]。

b）病　態

- 骨棘の生成に関連して，伸張と圧迫の異なる負荷が原因として考えられている。
  - **伸張負荷**[37)]：足部アーチを支持する足底腱膜が荷重運動により伸張を繰り返すことで組織変性を主とする慢性病変が生じる。
  - **圧迫負荷**[38)]：接地時に踵の圧迫を繰り返すことで，踵骨への腱膜付着部の組織変性や骨棘を生じる。

2）症状・診断

a）症　状

- 踵部内側の痛みが中心であり，足底腱膜に沿った痛みを訴えることもある。
- 起床直後の足の接地による痛みが特徴的であり，軽度の場合は運動開始時に痛みが出現するが，運動継続に伴い消失する。
- 症状が悪化すると運動後にも痛みを訴え，重度になると運動中に痛みが悪化することで競技に支障が生じる。

b）診　断

- 足底腱膜の付着部である踵骨隆起の内側に圧痛を認める。
- 足底腱膜には腫張・発赤・熱感などの炎症所見はみられないことが多い。
- Ｘ線では踵部に骨棘を認めることもあるが，痛みを訴えないこともあり，症状とは必ずしも一致しない。

3）整形外科的徒手検査

- **ウィンドラステスト**[39)]（図 5-8-17a，b）：特異度が 100％であり[40)]，陽性の場合に足底腱膜炎を有する可能性がかなり高いが，感度が低いため（非荷重位 13.6％，荷重位 31.8％）[40)]，陰性であっても足底腱膜炎の可能性は除外できない。

4）治　療

- 保存療法による治療を行い，症状が重度で運動中の疼痛により競技に支障が出る場合は荷重運動を休止する。
- 症状が軽度で競技自体に支障がない場合には，トレーニング内容の選択や負荷量の調節によりスポーツ

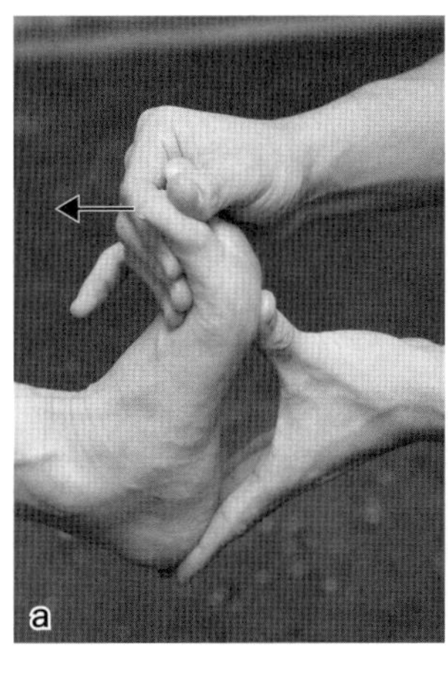

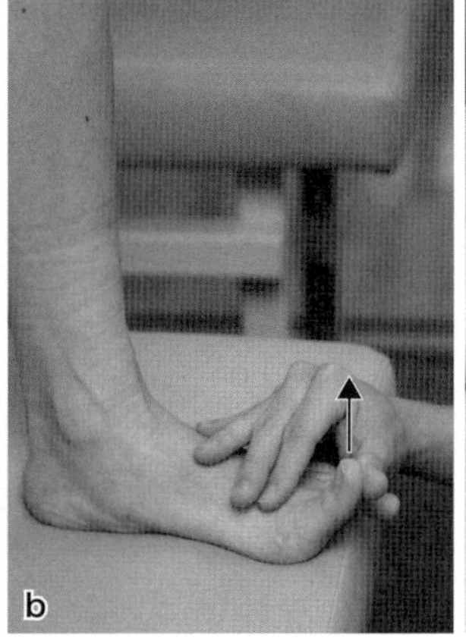

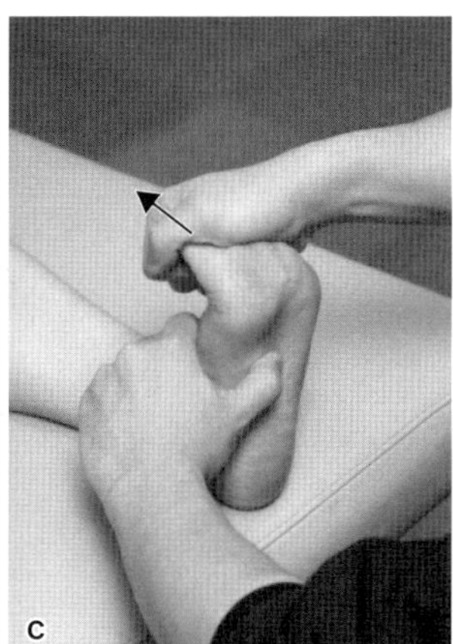

図 5-8-17　足底腱膜の疼痛誘発テストとウィンドラス機構評価
a：ウィンドラステスト（非荷重）：足趾を背屈し，疼痛の出現を確認する。**b**：ウィンドラステスト（荷重）：荷重位で足趾を背屈し，疼痛の出現を確認する。**c**：ウィンドラス機構の確認テスト：足趾の背屈に伴い，足底腱膜の緊張が得られることを触知する（内側，外側ともに確認）。

活動を継続することもある（例：離地時の疼痛に対してはジャンプやスピードを上げたランニングを繰り返す運動を避け，着地時の疼痛に対しては方向転換や急激なストップ，着地を含む運動は避ける）。

- 薬物療法としては，ステロイド注入が一時的な疼痛の減弱には有効とされ[41]，長期にわたり慢性化した場合や疼痛が著しい場合に選択肢となる。
- 足底腱膜炎に対するショックウェーブ療法は，収束型，拡散型のいずれも治療効果が認められており[42, 43]，治療の選択肢となる。

5）リハビリテーション

a）評価のポイント

■問　診

- その場で再現ができない症状の様子(疼痛の出現場面や程度,回復までの期間)について詳細に把握する。
- 障害発生に関連する環境要因（練習環境やシューズ），トレーニング要因（競技種目，練習内容，頻度）についても確認する。

■疼　痛

負荷や条件を変えて症状を評価し，症状が出現する運動，動作やフェイズ，痛みの程度を把握し，リハビリテーション実施の参考とする。

- **圧痛**：踵骨隆起内側や足底腱膜実質を触知し，どの部位（組織）に痛みが生じるかを確認する。
- **荷重時痛**：前方への踏み込み動作で，離地と着地のいずれで疼痛が強いかを確認する。

■ウィンドラス機構

足関節中間位で足趾を背屈した状態で足底腱膜の内側と外側を触知し，緊張や弛緩の程度を確認する（図5-8-17c）。

- 足底腱膜の圧迫による，足趾の他動背屈に対する抵抗感の変化を評価する。
- 外側縦アーチの降下による第4，5趾のリスフラン関節の背屈制限やショパール関節内転制限（外転位）は，足底腱膜外側部のウィンドラス機構の機能を低下させ，内側部分に偏った負担を生じる（図5-8-18）。

■関節可動域

足関節底屈・背屈制限，足趾背屈制限，距骨下関節外がえし，ショパール関節外がえし・内転 ，足趾底屈の制限について評価し，動作中に足底腱膜に伸張ストレスを生じる不良アライメント（外側縦アーチの低下や内側縦アーチの過剰な降下など）や異常動作（下腿内傾，足部外転など）との関連を検討する。

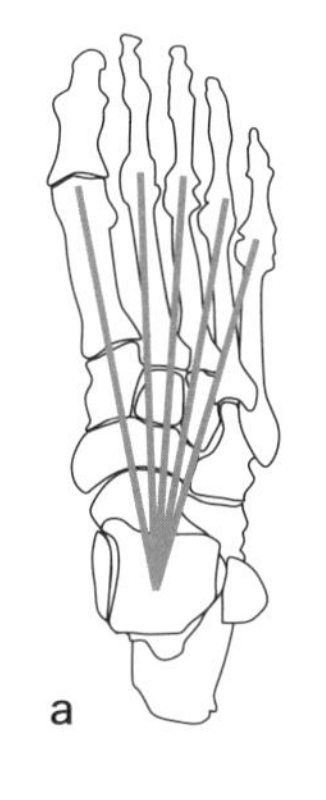

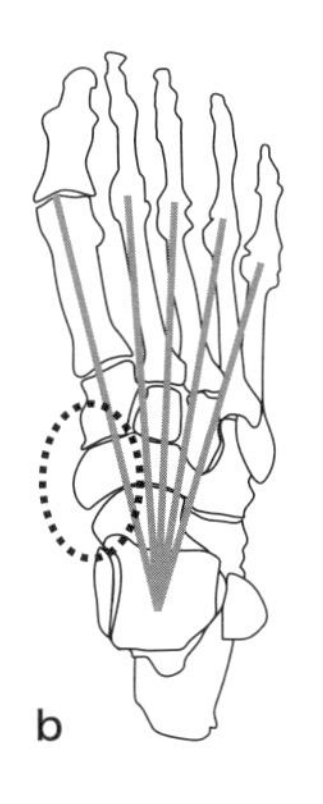

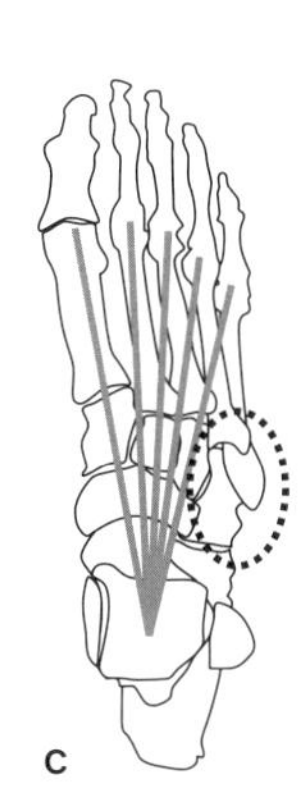

図5-8-18　足部アライメントと足底腱膜炎へのストレスモデル
a：理想的な状態：内外側バランスのよい理想的な足底腱膜の緊張。b：内側縦アーチの低下：ショパール関節外転による足底腱膜外側の緊張低下や内側荷重量の増加による足底腱膜内側の過度の緊張。c：外側縦アーチの低下：足底腱膜外側の緊張低下と内側の相対的な緊張増大

■筋　力

足部アーチの支持に貢献する足関節，足部の筋力を中心に，ランニング動作の姿勢の安定に関与する膝関節，股関節，体幹の筋力に至るまで，全身的な評価を要する。

■動作分析

疾患の発生メカニズムを推察するために，動作分析により動作時の患部への負荷を推定する（競技復帰に向けたリハビリテーションの項で詳述）。

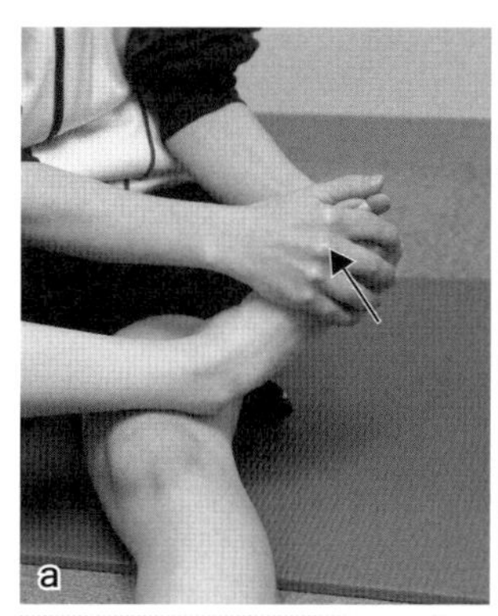

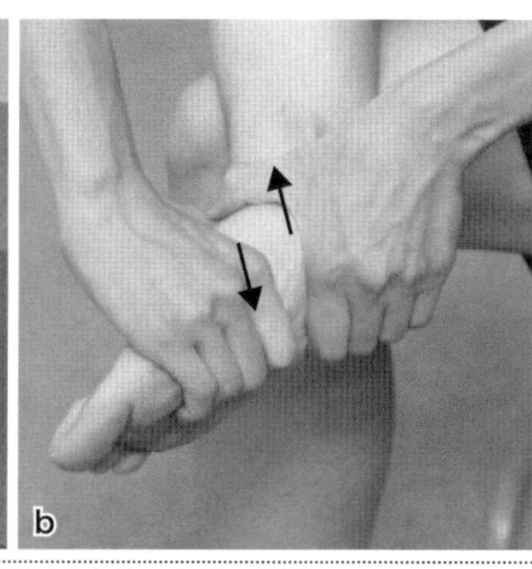

図 5-8-19　ショパール関節の可動域改善のための運動
a：ショパール関節内転制限改善のための腓骨筋腱のストレッチング：踵を太ももや床に引っかけて，前足部を持ち上げる。**b**：ショパール関節外がえし制限改善のための楔状骨のモビライゼーション：舟状骨を足首側に持ち上げ，楔状骨を牽引しながら引き下げ，雑巾を絞る要領で動かす。

b）早期のリハビリテーション

■関節可動域の改善

患部に直接張力を増す筋腱の緊張緩和やアーチ構造を正常化するための可動性を回復するためのストレッチングを選択する。

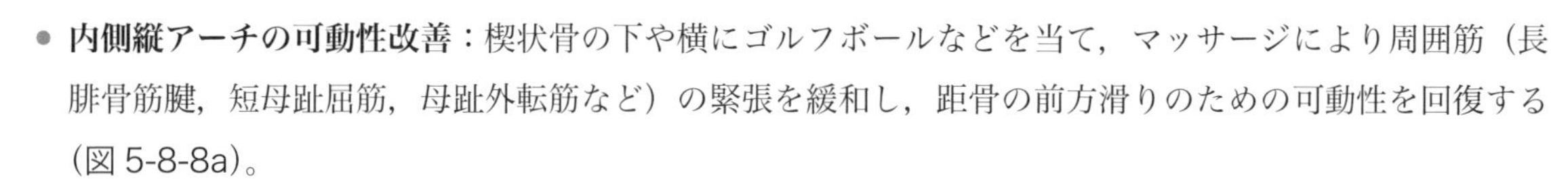

- **内側縦アーチの可動性改善**：楔状骨の下や横にゴルフボールなどを当て，マッサージにより周囲筋（長腓骨筋腱，短母趾屈筋，母趾外転筋など）の緊張を緩和し，距骨の前方滑りのための可動性を回復する（図 5-8-8a）。
- **足関節底屈制限，距骨前方滑り運動の改善**：伸筋腱が通る足関節前内側を意識したストレッチングを行う（図 5-8-8b，c 下）。
- **外側縦アーチのアライメント，安定性改善**：青竹踏みスクワットなどで外側縦アーチを挙上して外がえし運動を誘導し，下腿内旋との連動を促す（図 5-8-8d）。
- **足関節背屈制限，距骨後方滑り運動の改善**：距骨の後方滑り運動を誘導し（5-8-15a），足関節（図 5-8-7c）や中足趾節関節（図 5-8-7a）をストレッチする。
- **ショパール関節の可動域改善**：内側縦アーチが過剰に低下する場合，ショパール関節内転制限や楔状骨の可動性低下を改善したうえで（図 5-8-19），上記運動を行う。

■筋機能の向上

足底腱膜の負担軽減を目的としてアーチを支持するための筋力や，ランニング時の立脚期に動作を安定させる目的で股関節筋力に対するトレーニングを行う。

- 足底腱膜全体の緊張を得るために，足趾の背屈や足部の外がえしの筋力強化を行い，カーフレイズ動作や接地動作でも力を発揮できるようにトレーニングする（図 5-8-20，5-8-11c）。
- ランニングの接地時の荷重応答や立脚期の安定性に関与する股関節筋機能の向上を図る（図 5-8-9a, b，図 5-8-11a，b）。

■インソールやヒールパッド

- 日常生活での痛みがある場合は，早期に作製することで疼痛改善に短期的な効果がある[44]。
- 内側縦アーチ，外側縦アーチの両方を形成できるインソールを選び，足部のアライメントと内外側の荷重バランスを保つように配慮する。

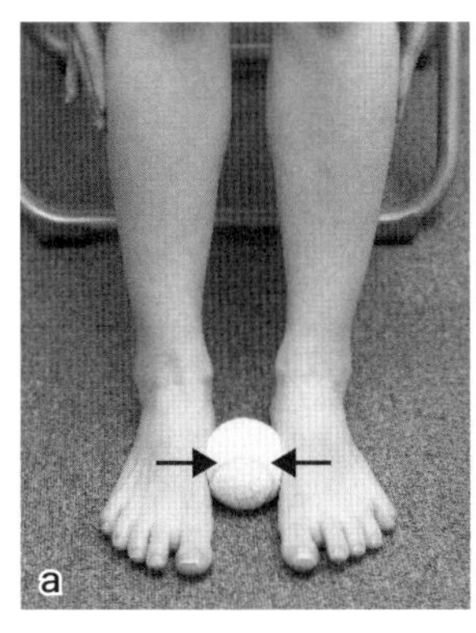

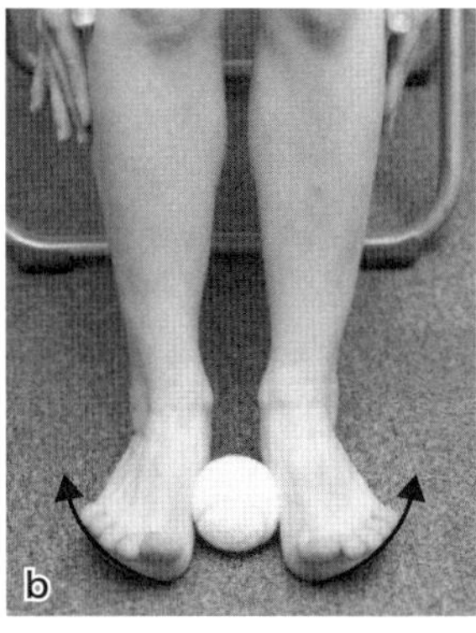

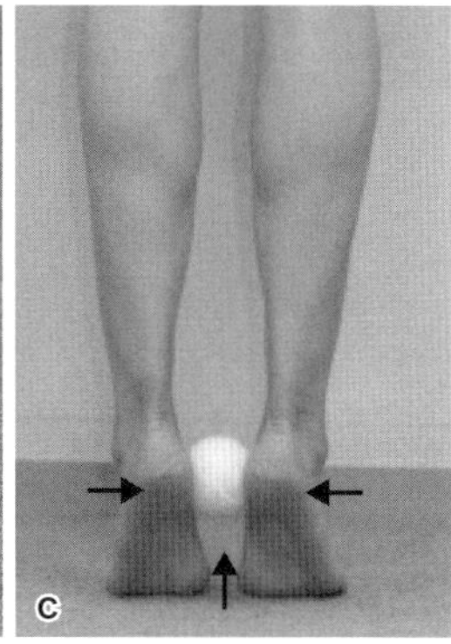

図 5-8-20　外がえしの筋力強化
a，b：足趾背屈＋外がえし：土踏まずの位置でボールを挟んだまま (a)，足趾背屈と足部外がえし方向に力を入れる (b)。足部の外側を持ち上げることを意識する。
c：ボール挟みカーフレイズ：くるぶしの位置でボールを挟んだままカーフレイズを行う。

c）競技復帰に向けたリハビリテーション

■動作分析

実際の歩行やランニング，ステップなどの移動動作において，足底部へのストレスを生じやすい姿勢や動作の特徴を捉える。

- **足底腱膜の内側に伸張ストレスが加わりやすい動作**：中・後足部の外がえし運動の制限を補償するための動作や内側アーチの過剰な低下による異常動作が問題となる。
  - ・中・後足部の外がえし運動の制限を補償する立脚期における下腿の内傾
  - ・内側アーチの過剰な低下による立脚期や離床時の足部外転
- **足底腱膜踵骨付着部に圧迫ストレスが加わりやすい動作**
  - ・ランニングにおけるオーバーストライド（身体より前方での接地）
  - ・後足部での接地パターン
  - ・後方重心によるストップや方向転換での接地

■荷重トレーニング

前方への重心移動に伴い，自然に母趾球側に荷重が移るようにトレーニングを行う。

- **青竹踏みスクワット**：外側縦アーチを挙上することで，ハイアーチでは足部外がえし運動の改善，偏平足では横アーチの形成を図る（図 5-8-8d）。
- **前後開脚スクワット**：重心の前方移動を行いながらスクワットを行い，足関節・足部の外がえし，足趾背屈の方向に力を入れることを意識する。
- **フォーム練習**（前方ホップ，2 ステップ，アンクルホップ，バウンディングなど）：衝撃吸収の安定と力発揮のタイミングを意識し，走動作につなげる。

■競技への復帰段階

運動を休止した場合は，スポーツの基本動作や競技動作を徐々に開始して復帰を目指す。

- 歩行や前方への踏み込みが痛みなく可能となった時点で，ジョギングを開始する。
- 離地時の痛みが強かった場合は，ランニングやジャンプを繰り返す運動は後に回す。
- 接地時の痛みが強かった場合は，着地や方向転換，急激なストップなど，強い踏み込みを伴う運動は後に回す。

6 テーピングの実際

小山 貴之（日本大学文理学部体育学科）

6-1　テーピングの基礎知識

6-1-1　目　的

テーピングは主に関節を安定させるために皮膚上に種々のテープを貼る行為をいい，通常はスポーツ活動中に使用されるため, アスレティックテーピングとも呼ばれる。テーピングは装具療法と同様の役割があり, さらに個々の傷害程度に合わせてテープの種類や位置，本数などを調整することができるため，幅広く使用されている。テーピングの目的は大きく３つある。

①予防：外傷歴がない場合でも，あらかじめその競技において頻度の多い外傷に対して，予防的にテーピングを行う。特に突き指の多いバレーボールや，足関節捻挫の多い球技種目などで予防を目的にテーピングが行われる。

②応急手当：外傷直後の応急手当として，テーピングを使用して患部の固定と安静を図る。外傷後は患部の腫脹が強くなることが予測されるため，患部を１周するようなテーピングは腫脹を助長させて循環障害を引き起こす危険性があり，巻き方に注意が必要である。

③再発予防のテーピング：外傷後の段階的なリハビリテーションの過程で競技復帰に向けての部分練習を開始する時期や，実際に競技復帰する際に，再発を予防する目的でテーピングを行う。靭帯損傷後で関節不安定性が残存している場合などによく用いられる。

6-1-2　効　果

6-1-2-1　制動・固定効果

テープを貼ることで関節の特定の動きを任意に制限することができる。特に靭帯損傷に伴う関節不安定性に対して，テーピングによりその軽減を図る（例：足関節外側靭帯損傷に対するスターアップサポートテープ)。

6-1-2-2　圧迫効果

患部を皮膚上から圧迫したり，患部にストレスを加えている筋を圧迫したりするのにテーピングが用いられる（例：ハムストリングスの肉離れに対する圧迫テーピング，上腕骨外側上顆炎に対する前腕伸筋群の圧迫テーピング)。

6-1-2-3　疼痛の軽減

関節を制動したり圧迫したりすることで，疼痛を誘発させるような患部へのストレスが軽減し，疼痛を和らげることができる。

6-1-2-4　精神的な安心感

皮膚上にテープを貼ることで感覚受容器からのフィードバックが高まり，安心感につながる。精神的な安心感を得るには，正確かつフィットしたテーピングの実施が必要である。

6-1-3　テーピング施行時の注意点

6-1-3-1　解剖学的・運動学的知識

テーピングを正確に実施するには，テーピングを行う部位の解剖学的構造や運動学を理解する必要がある。さらに受傷機転や損傷組織の役割など，外傷に関する知識を合わせて理解しなければならない。

6-1-3-2　機能評価

テーピングを実施する前に必ず選手の身体状態を把握するための機能評価を行う。前回実施からの変化や実施日の状態を把握することで，より適切なテーピングを行うことができる。また実施後にも機能評価を行い，関節不安定性や疼痛が軽減されているかの効果判定を行うことも重要である。

6-1-3-3　テーピングの応用

本章で解説するテーピングは基礎的な方法であり，テープの幅や種類，本数，張力などを，機能評価から得られる身体状態に合わせて調整する必要がある。

6-1-3-4　皮膚のトラブル

テープを皮膚上に貼るため，擦過傷や接触性皮膚炎，水疱，テープの粘着剤によるアレルギーなどを起こすことが少なくない。過去のテーピングによる皮膚トラブルの有無を確認したり，摩擦が生じやすい部位にはワセリンパッドを当てるなど，注意が必要である。

6-1-3-5　固定力の低下

テーピングは長く使用するほど緩くなり固定力が落ちる。固定力の落ちたテーピングを使用し続けると再受傷につながる可能性もある。場合によってはハーフタイムなどに再度巻き直すなどの処置が必要となる。

6-1-4　テーピングの準備

6-1-4-1　テープの種類

①**非伸縮テープ：**通称ホワイトテープと呼ばれる非伸縮性のテープで，関節制動や固定を行う際に用いられる。13 mm，25 mm，38 mm，50 mm の幅が市販されており，部位や目的により使い分ける。

②**伸縮テープ：**非伸縮テープほどの固定性はないが，可動性の大きい関節や軽度の固定性を得る場合に用いられる。25 mm，50 mm，75 mm の幅が市販されており，ハードタイプと手で切ることが可能なソフトタイプがある。

③**アンダーラップ：**肌を保護する目的で各種テープと皮膚の間に巻くテープで，粘着性がないため粘着スプレーを皮膚に噴霧したうえで使用する。アンダーラップはテープ貼付部位の皮膚全体をできる限り均一の厚みで覆うように巻く。

④**その他：**シールタイプのキネシオロジーテープは通常の伸縮テープよりも薄く，関節運動の妨げになりにくい。直接皮膚に貼り，主に筋のサポートや軽度の運動制限を目的に使用されている。レーヨン素材で作られたロイコテープは非伸縮性のホワイトテープよりも強固で，強い固定性を必要とする場合に用いられる。

6-1-4-2　準備する物品

適切にテーピングを行うため，準備しておくべき物品を挙げておく。

テープ各種，テーピングシザース，テープカッター，粘着スプレー，リムーバー（粘着除去）スプレー，ワセリン，ヒールアンドレースパッド，ラバーパッドなど（図 6-1）。

図 6-1　準備する物品

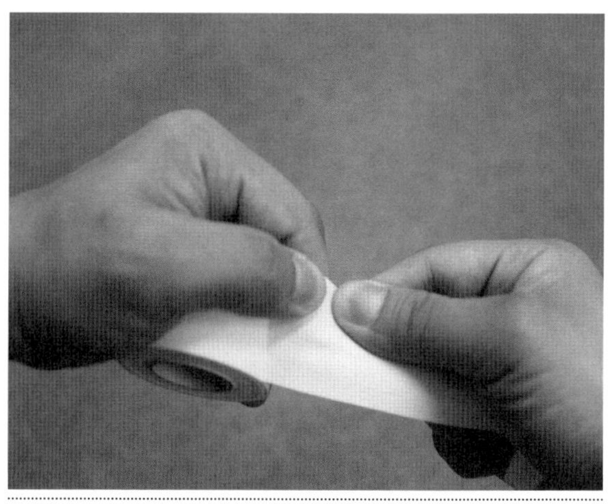
図 6-2　テープの切り方

6-1-5 テープの切り方，貼り方，剥がし方

①**テープの切り方：**非伸縮テープを切る場合は，片手でテープのロールを把持し，両手の母指と示指を用いてロールから数センチメートルの位置でテープを持つ。テープを軽く長軸方向に引っ張った状態で，ロール把持側の手を手前に素早く引き，剪断力を加えることでテープを切る。患部周辺であることから，テープを切る際に皮膚を強く圧迫しないように気を付ける。ハードの伸縮テープは手では切れないため，必ず安全なテーピングシザースを使用する（図 6-2）。

②**貼り方：**目的とする位置・方向にテープを貼ることが重要であり，特に非伸縮テープは長軸方向に正しく張力を加えないと容易にしわやたるみが生じるので注意する。テープを重ねて貼る場合は半分ずつずらして貼り，均一の厚さとなるようにする。上腕や前腕，大腿，下腿部などでテープを 1 周巻くような場合，当該部位の筋を収縮させた状態でテープを貼ることで循環障害を予防する（図 6-3）。

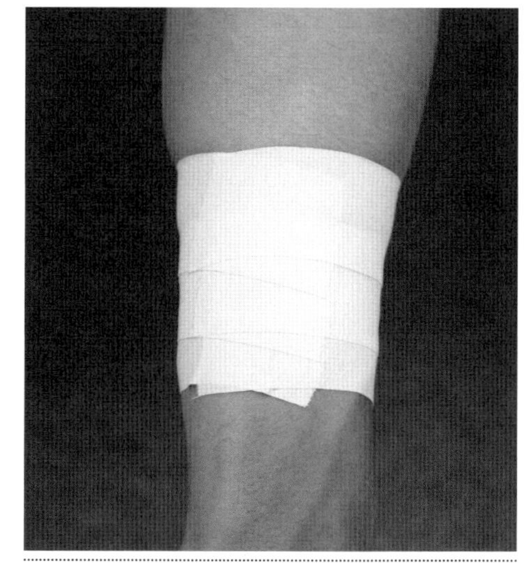
図 6-3　テープの貼り方

③**剥がし方：**直接皮膚に貼ったテープは，片方の手で皮膚を押さえながらゆっくりと剥がす。剥がしにくい場合は無理をせず，リムーバースプレーを使用する。皮膚への接着が強固でない場合は，テーピングシザースやテーピングカッターを使用してテープを切断したうえで剥がす。テープを取り除いた後，皮膚の擦過傷や水疱，炎症，アレルギー症状などがないか確認する（図 6-4）。

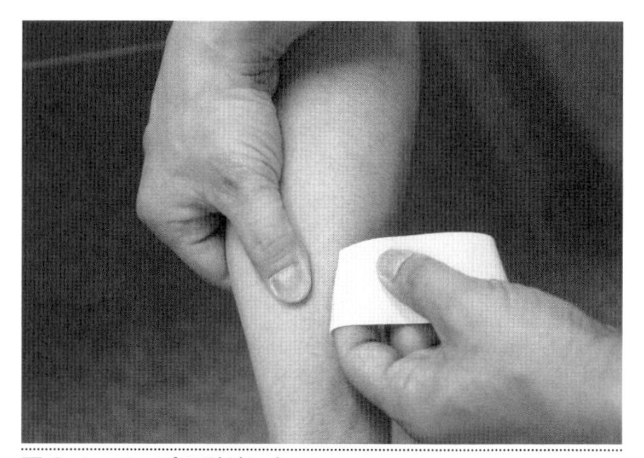
図 6-4　テープの剥がし方

6-2　テーピングの実際

6-2-1　肩関節

6-2-1-1　肩関節前方脱臼に対するテーピング

使用テープ：75 mm 幅の伸縮テープ

a. 肩関節は軽度外転・内旋位とし，上腕部および反対側胸部にアンカーテープを貼る。

b. スパイラルテープ 1：上腕部アンカーの前面から内側を通って上方に向かい，肩前面を回って胸部アンカーテープに貼る。

c. スパイラルテープ 2 ～ 3：必要に応じてテープをずらしながら，肩前面を覆うように貼る。

d. 上腕部と胸部にアンカーテープを貼る。

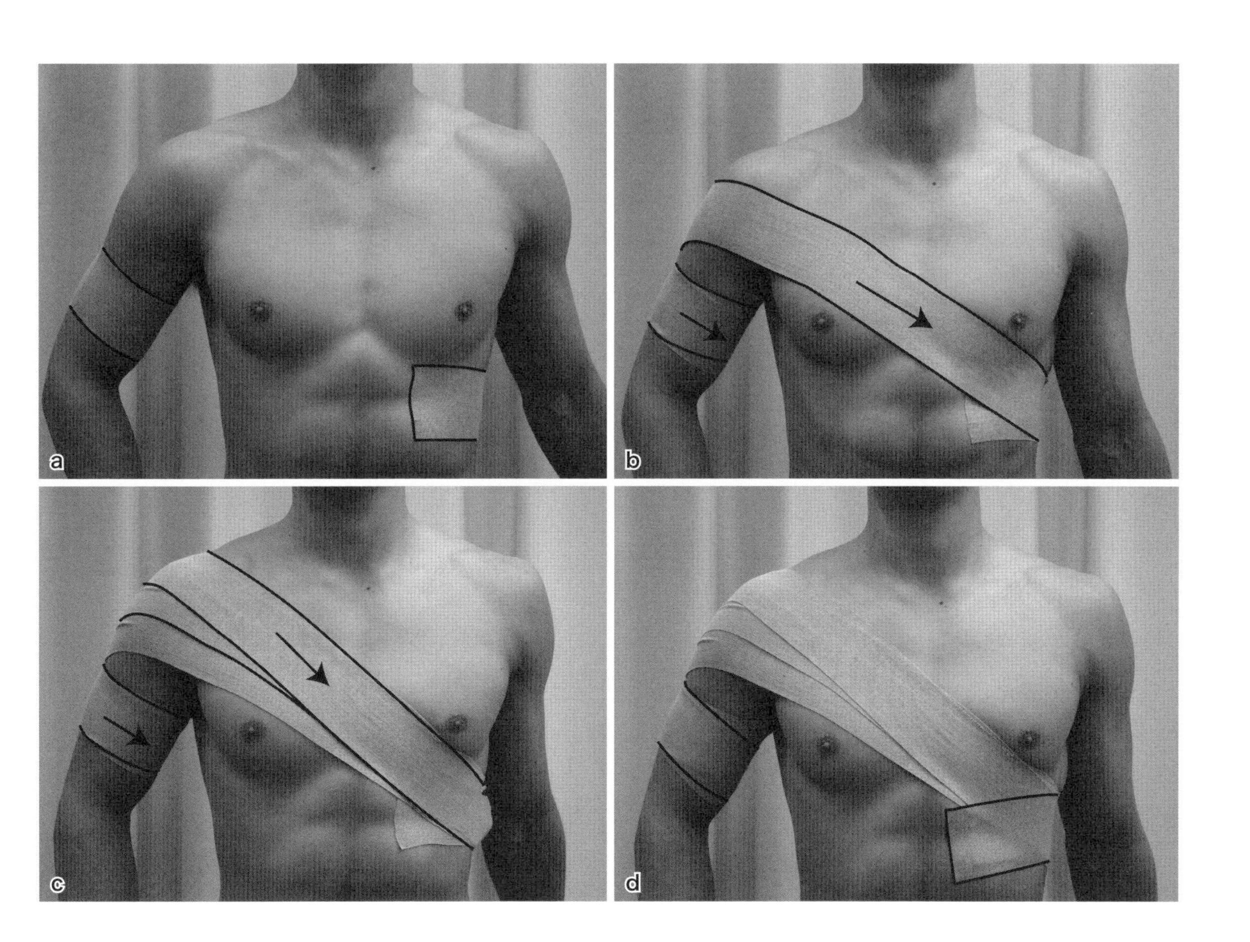

6-2-1-2　肩関節不安定性に対するテーピング

使用テープ：75 mm 幅の伸縮テープ

a．上腕部にアンカーテープを貼る。

b．上腕部アンカーの前面から内側を通って上方に向かい，肩前面を回って反対側の胸部に向かう。

c．反対側胸部の背面を通って肩後面に向かい，上腕部前面に戻る。

d．テープをずらしながらｂ，ｃを１～３セット行い，肩全体を覆うように貼る。ｂ～ｄをテープを切らずに連続して行う。

e．上腕部にアンカーテープを貼る。

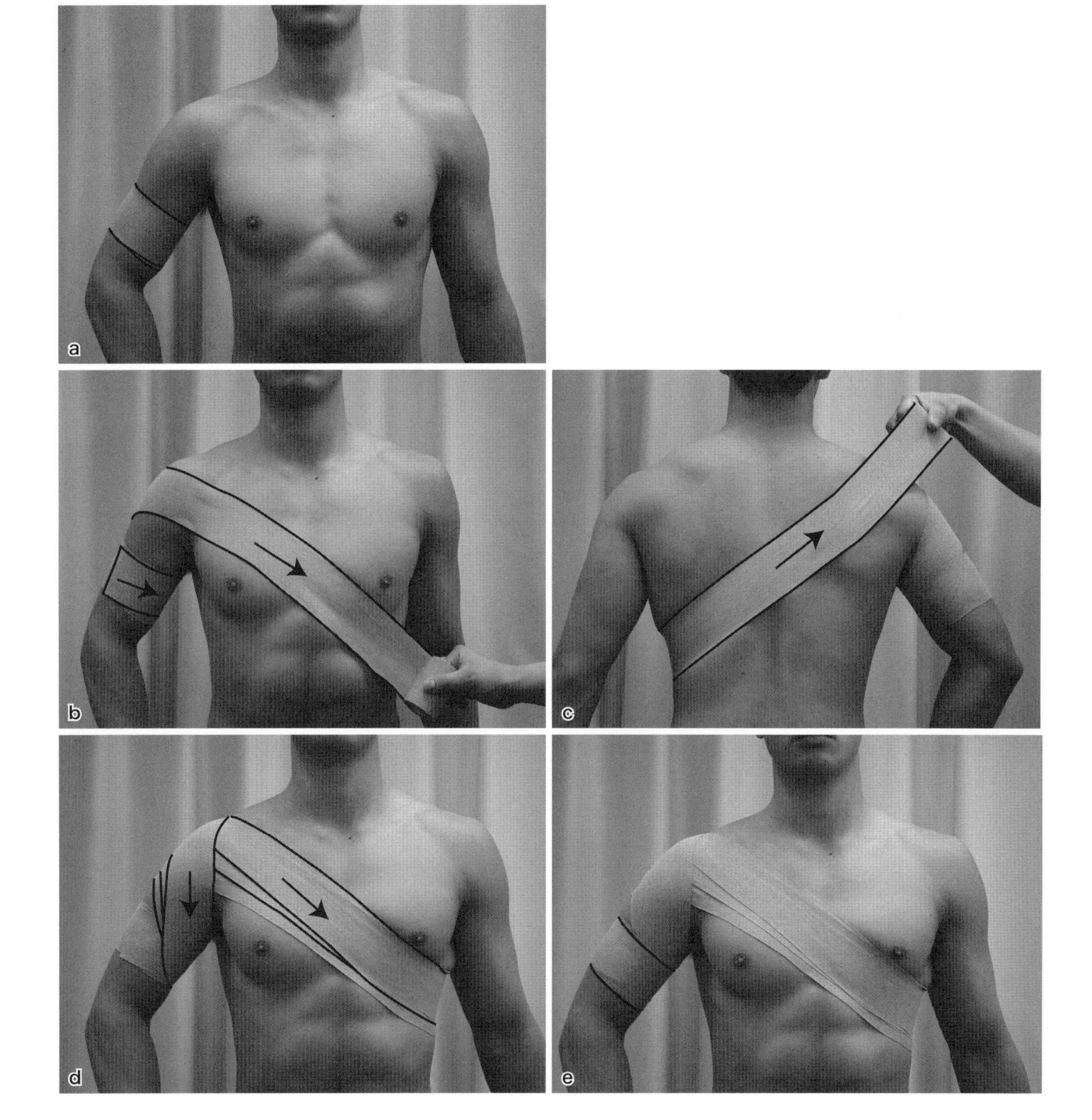

6-2-1-3　肩鎖関節捻挫に対するテーピング

使用テープ：75 mm 幅の伸縮テープ

a. 上腕部および胸部の前面から背面にかけてアンカーテープを貼る。

b. サポートテープ 1：上腕前面から肩前面を通り，テープで圧迫を加えながら肩鎖関節を覆い，胸部背面のアンカーテープに貼る。

c. サポートテープ 2：上腕外側から肩外側を通り，テープで圧迫を加えながら肩鎖関節を覆い，胸部上面のアンカーテープに貼る。

d. サポートテープ 3：上腕後面から肩後面を通り，テープで圧迫を加えながら肩鎖関節を覆い，胸部前面のアンカーテープに貼る。3 本のサポートテープは肩鎖関節上で交差させる。

e. 上腕部と胸部のアンカーテープを貼る。

f. 胸部アンカーテープの両端を押さえるように胸部前面と背面を結ぶ水平のアンカーテープを貼る。

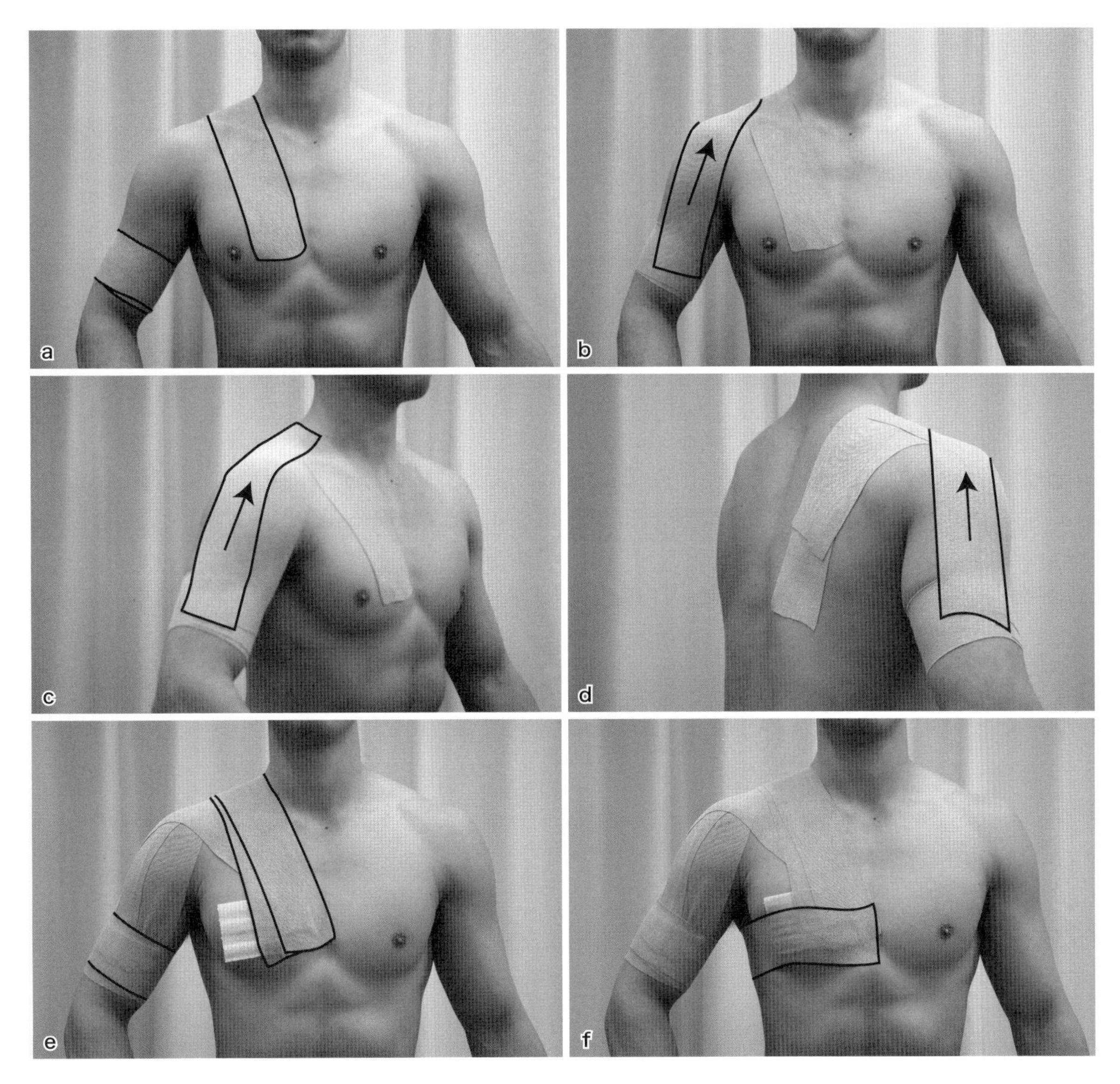

6-2-2　肘関節

6-2-2-1　内側側副靱帯（MCL）損傷に対するテーピング

使用テープ：アンダーラップ，50 mm 幅の伸縮テープ，38 mm 幅の非伸縮テープ，ソフト伸縮テープ

a. 肘関節は軽度屈曲位とし，アンダーラップを前腕中央から上腕中央まで巻き，MCL に対して等間隔となるように前腕部と上腕部にアンカーテープを貼る。

b. MCL を通るように縦サポートテープを貼る。

c. MCL の位置で交差するように X サポートテープを貼る。

d. さらに強固なサポートが必要な場合には，非伸縮テープを用いて縦サポートと X サポートをくり返す。

e. 前腕部と上腕部にアンカーテープを貼る。

f，g. ソフト伸縮テープを用いて全体をラッピングする。

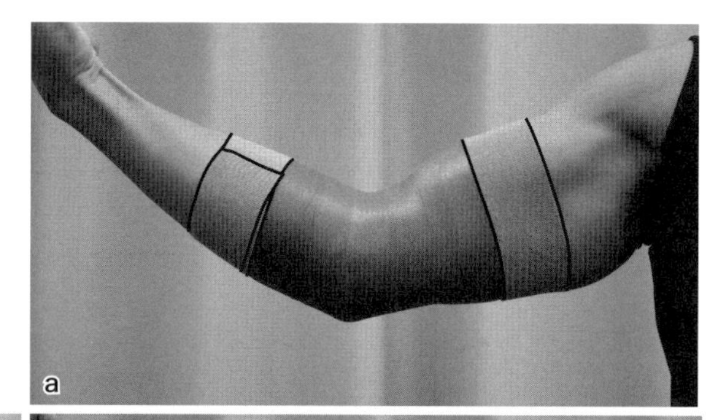

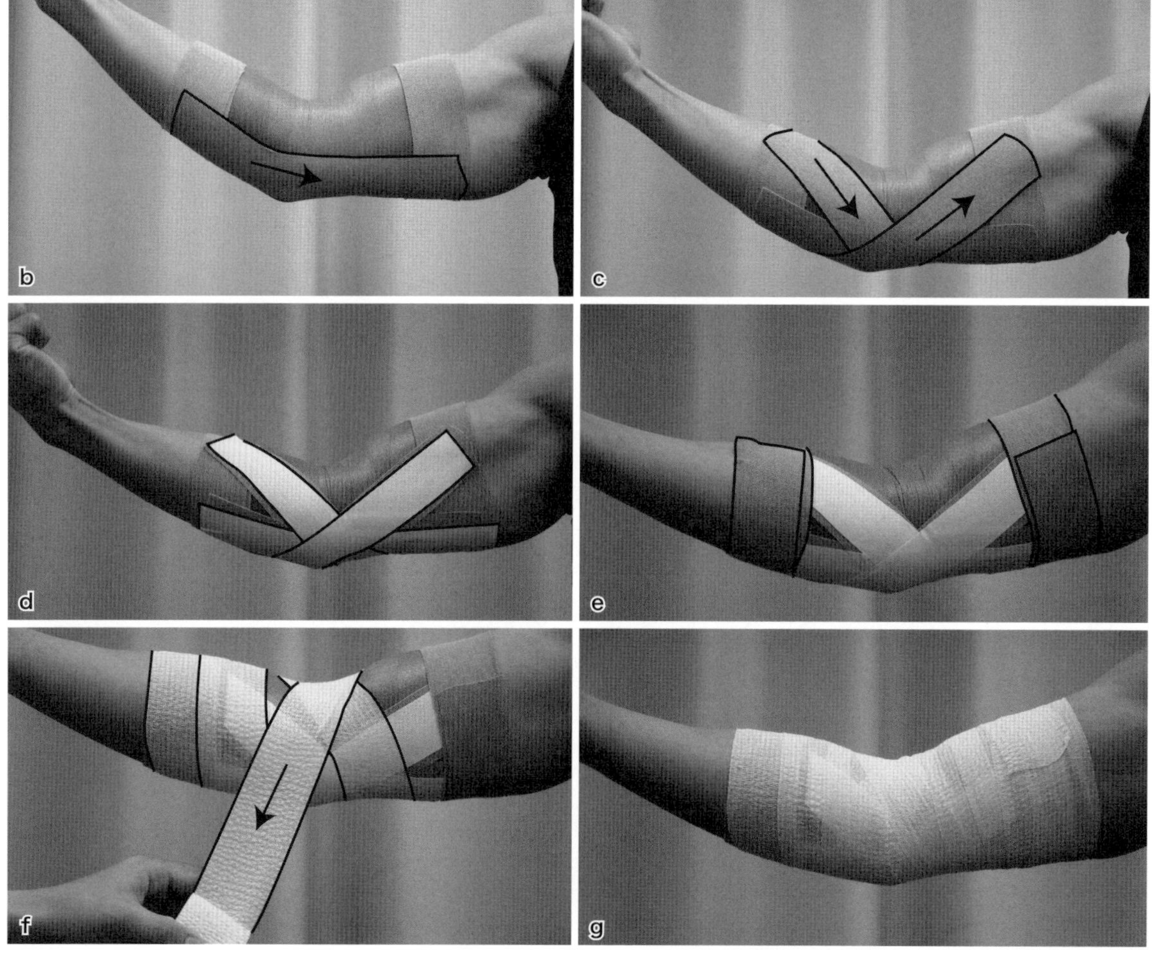

6-2-2-2　過伸展損傷に対するテーピング

使用テープ：アンダーラップ，50 mm 幅の伸縮テープ，75 mm 幅の伸縮テープ，ソフト伸縮テープ

a. 肘屈曲位（伸展時痛を誘発しない範囲）でアンダーラップを巻き，前腕部と上腕部に 50 mm 幅伸縮テープでアンカーを貼る。
b. 75 mm 幅伸縮テープの先端中央に切れ目を入れてスプリットし，上腕部のアンカーテープに貼る。
c. テープに張力を加えた状態で適度な長さに切り，先端中央に切れ目を入れてスプリットし，前腕部のアンカーテープに貼る。
d. さらに強固なサポートが必要な場合には，50 mm 幅伸縮テープで縦サポートと X サポートを入れる。
e. 前腕部と上腕部にアンカーテープを貼る。
f. ソフト伸縮テープを用いて全体をラッピングする。

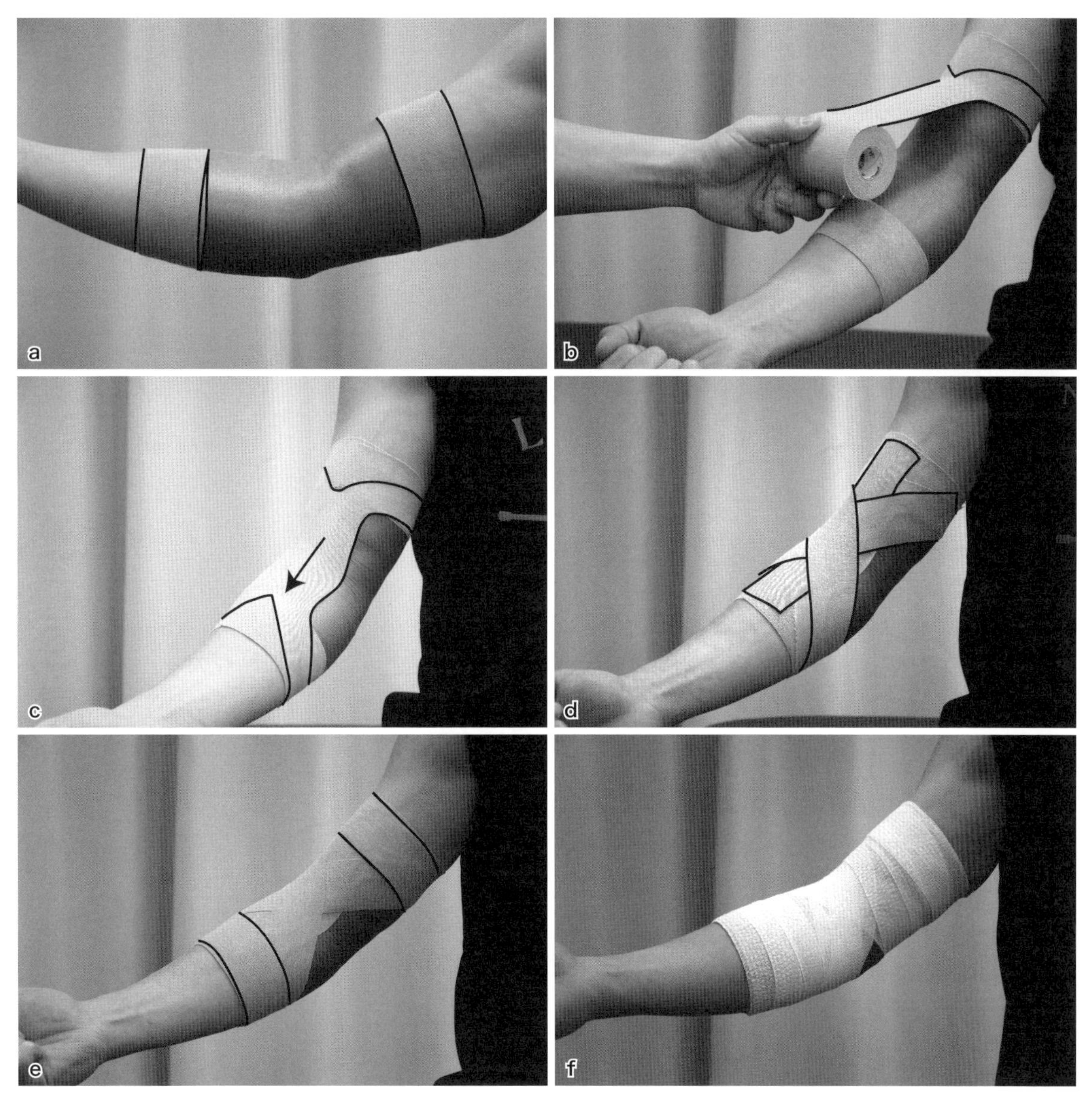

6-2-3　手関節・手指

6-2-3-1　手関節捻挫に対するテーピング（背屈制限）

使用テープ：25 mm 幅の非伸縮テープ

a. 手関節を掌背屈中間位とし，アンカーテープを手部に 1 本，前腕部に 2 本貼る。

b. 手部から前腕部アンカーに向けて掌側面に縦サポートテープを貼る。

c. 手関節中央で交差するように X サポートテープを貼る。b，c を必要に応じて 1 〜 3 セットくり返す。

d. 手部と前腕部にアンカーテープを貼る。

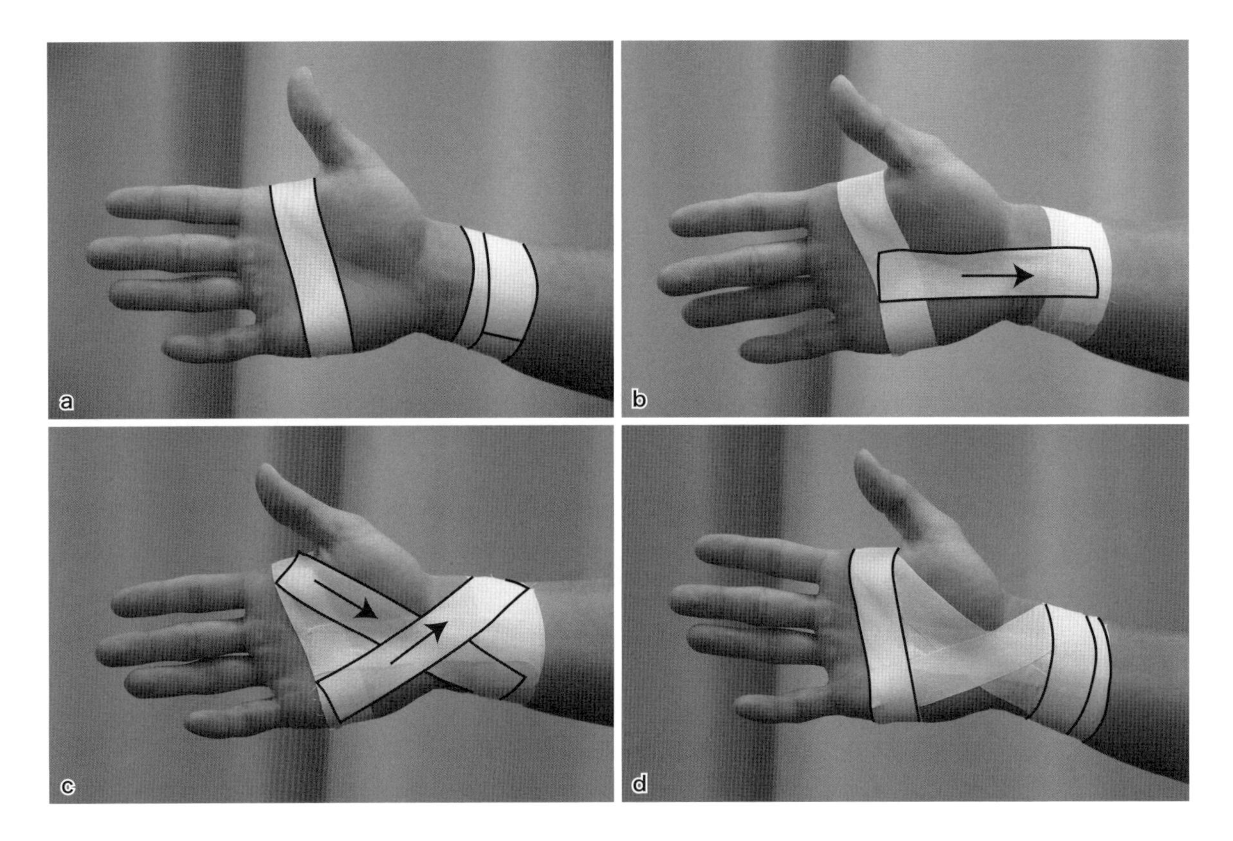

6-2-3-2　手関節捻挫に対するテーピング（掌屈制限）

使用テープ：25 mm 幅の非伸縮テープ

a. 背屈制限のテーピング（6-2-3-1）と同様の手順を手背側で行う。

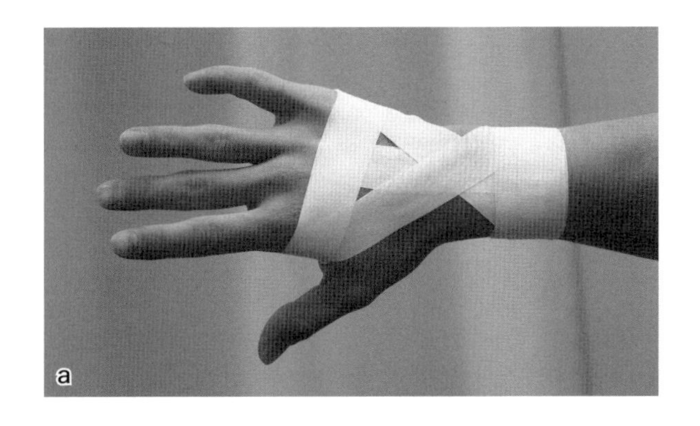

6-2-3-3　手関節捻挫に対するテーピング（サーキュラー）

使用テープ：25 mm 幅または 38 mm 幅の非伸縮テープ

a. 前腕回外位とし，尺骨茎状突起を圧迫するようにサーキュラーを巻く。

b. テープをずらしてサーキュラーをくり返し，適度な固定性が得られたら終了する。テーピング後，手指の循環障害の有無を観察する。

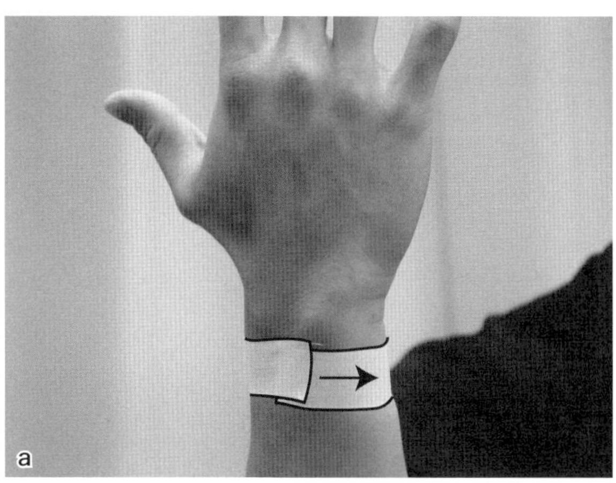

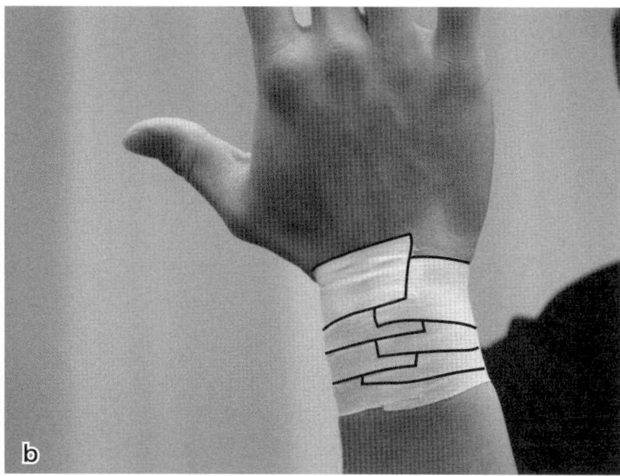

6-2-3-4　母指中手指節（MP）関節のテーピング（伸展制限）

使用テープ：25 mm 幅の非伸縮テープ

a. 母指基節部からテープを開始し，1 周巻いた後に手掌を通る。

b. 手掌から手背を通って基節部に戻る。

c. テープを切らずに 1 〜 3 セットくり返す。

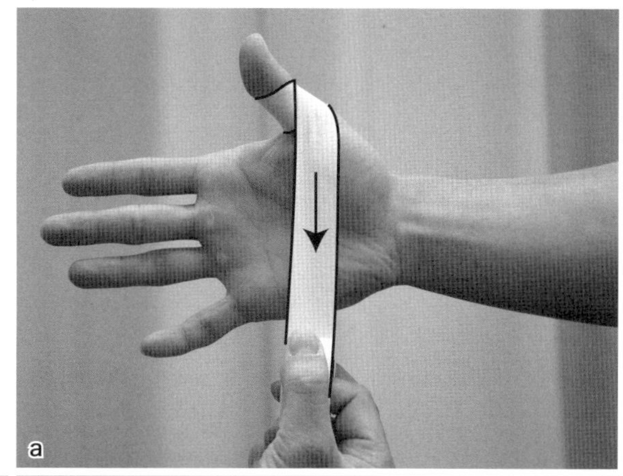

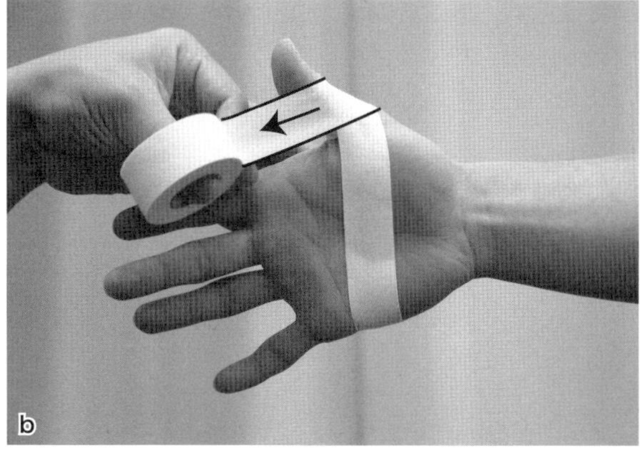

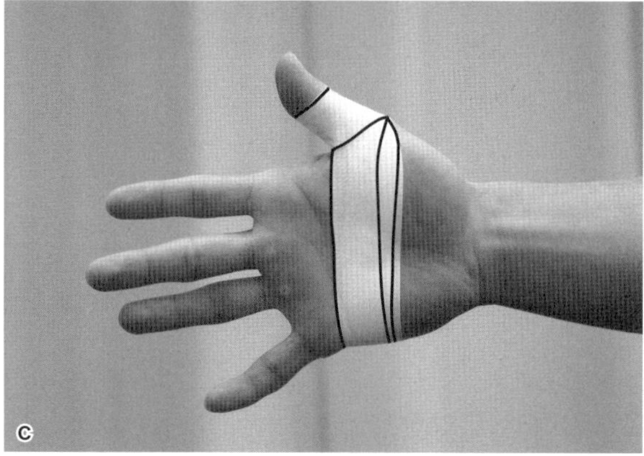

6-2-3-5　母指 MP 関節のテーピング（屈曲制限）

使用テープ：25 mm 幅の非伸縮テープ

a. 手関節上からテープを開始し，手背から母指 MP 関節へ向かう。
b. 基節部を 1 周し手関節尺側へ向かう。
c. テープを切らずに 1 ～ 3 セットくり返し，手関節上で終了する。

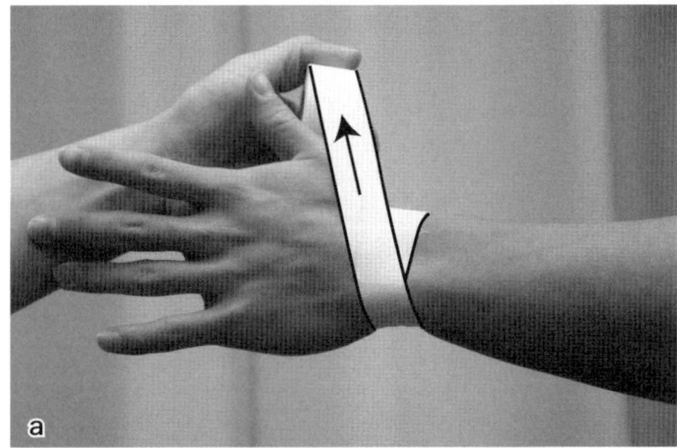

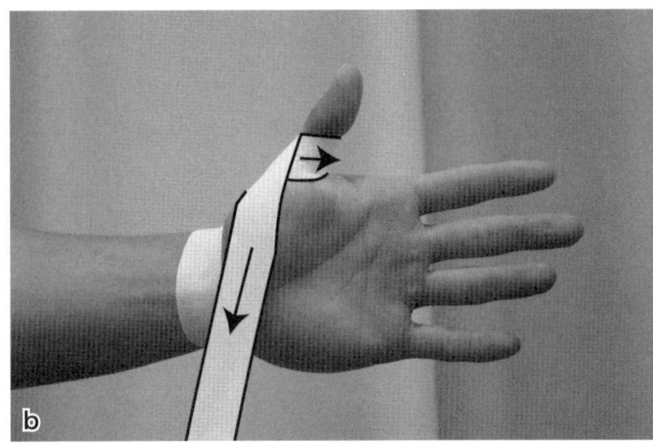

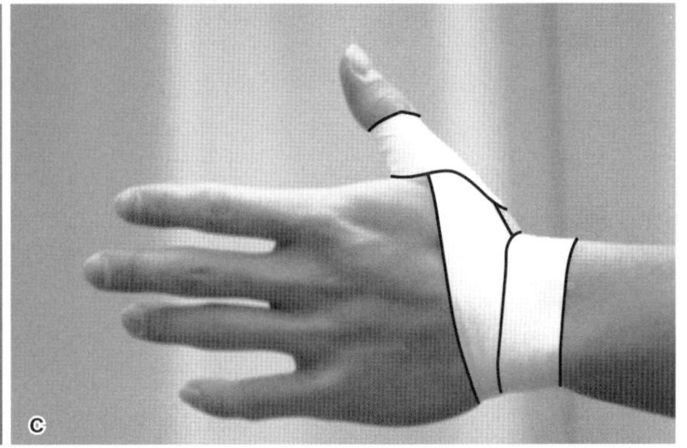

6-2-3-6　中指 MP 関節のテーピング（伸展制限）

使用テープ：13 mm 幅の非伸縮テープ

a. 前腕遠位の手関節上に 1 周巻き，橈側から手掌へ向かう。
b. 中指基節部を尺側から 1 周巻き，手掌を通って手関節尺側へ向かう。
c. テープを切らずに 1 ～ 3 回くり返し，手関節部で終了する。

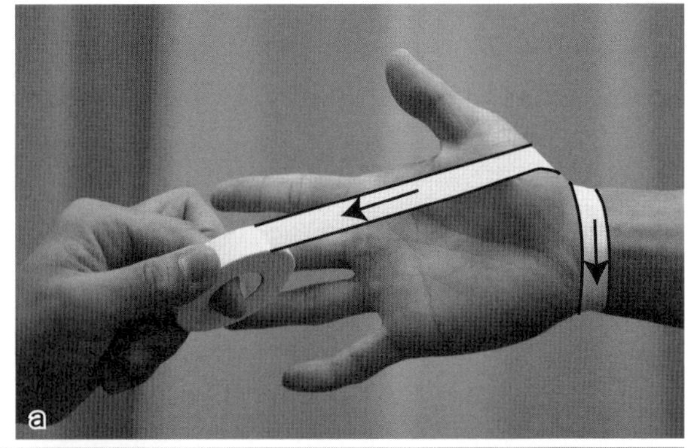

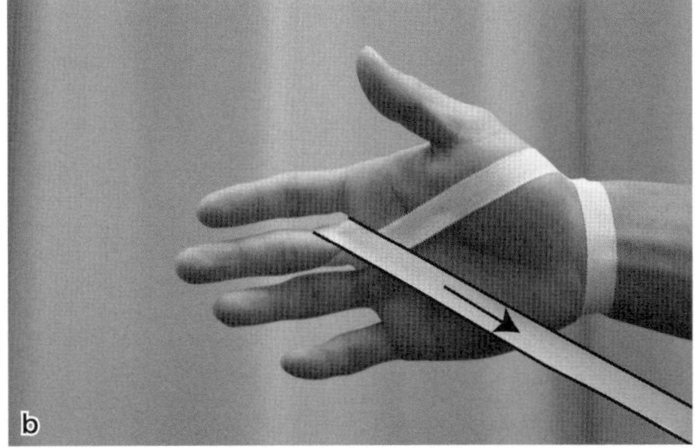

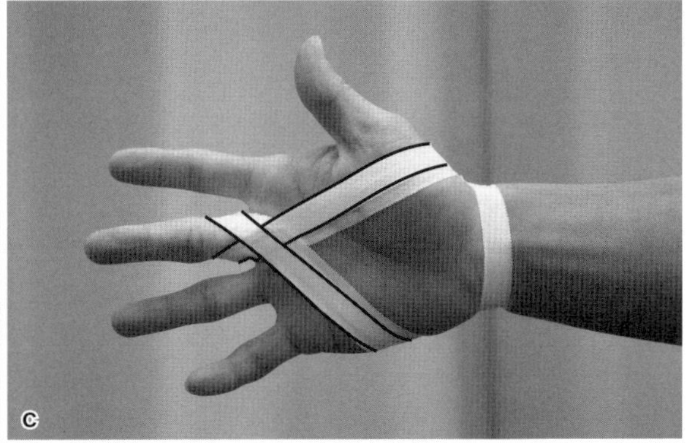

6-2-3-7　近位指節間（PIP）関節のテーピング（内・外反制動）

使用テープ：13 mm 幅の非伸縮テープ

a. 基節部と中節部にアンカーテープを貼る。

b. サポートする側副靱帯に沿って縦サポートテープを貼る。

c. PIP 関節上で交差するように X サポートテープを貼る。

d. 基節部と中節部にアンカーテープを貼る。

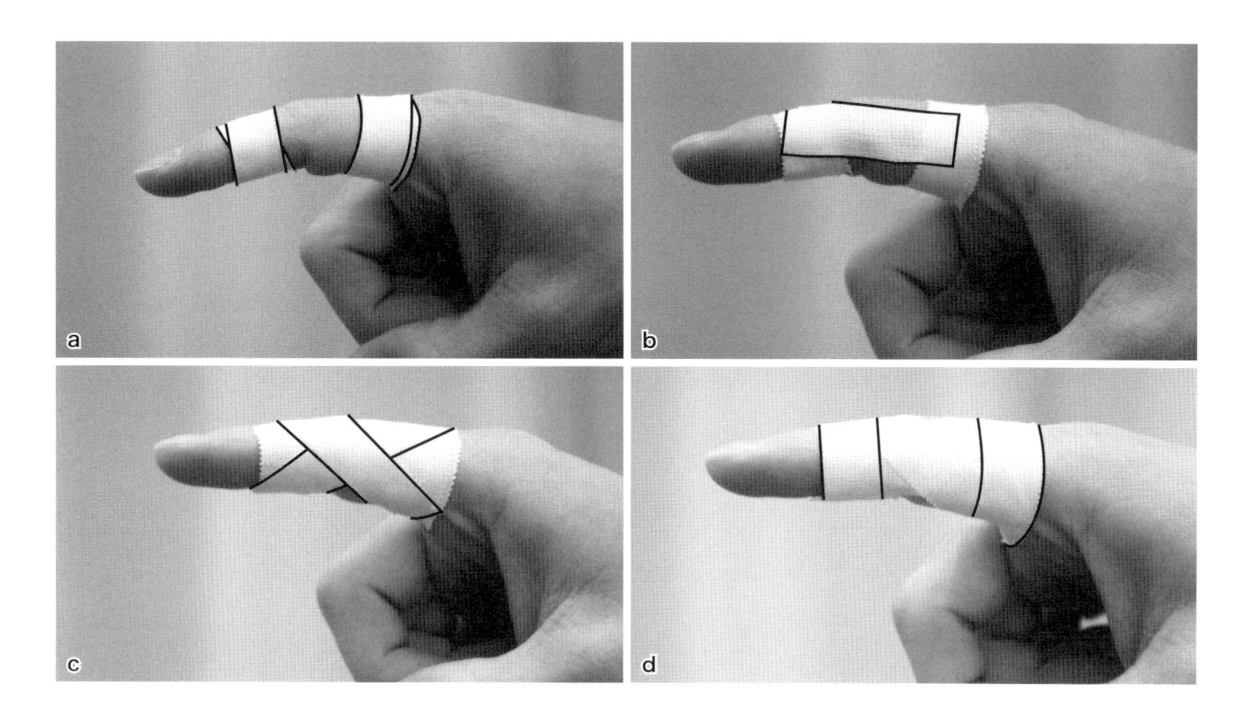

6-2-3-8　PIP 関節のテーピング（バディテープ 1）

使用テープ：13 mm 幅の非伸縮テープ

a. バディを組む指との間にガーゼをはさみ，基節部で 2 指を一緒にしテープを 1 周巻く。

b. 中節部で同様にテープを 1 周巻く。

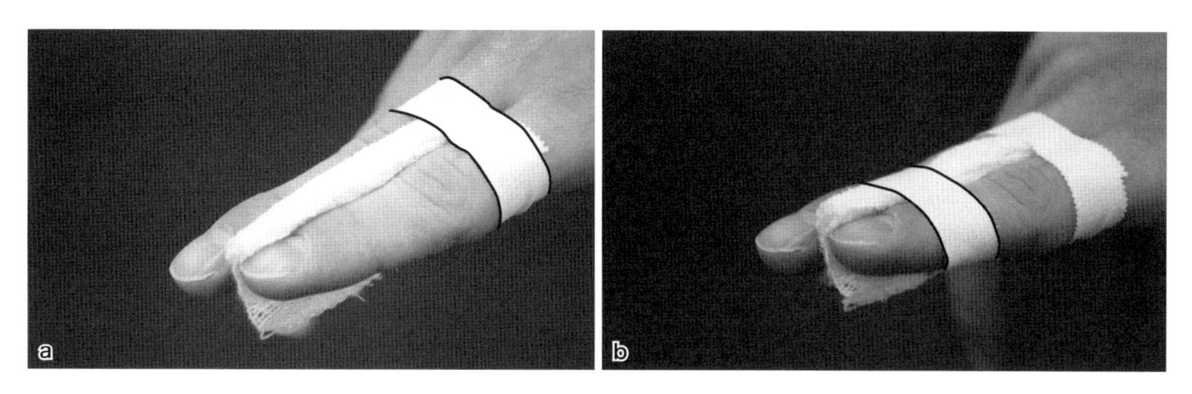

6-2-3-9　PIP 関節のテーピング（バディテープ 2）

使用テープ：13 mm 幅の非伸縮テープ

a. バディを組む指と 1 横指程度間をあけて，基節部でテープを 1 周巻く。

b. 中節部で同様にテープを 1 周巻く。

c. 指間のテープ同士をつけてテープで巻く。

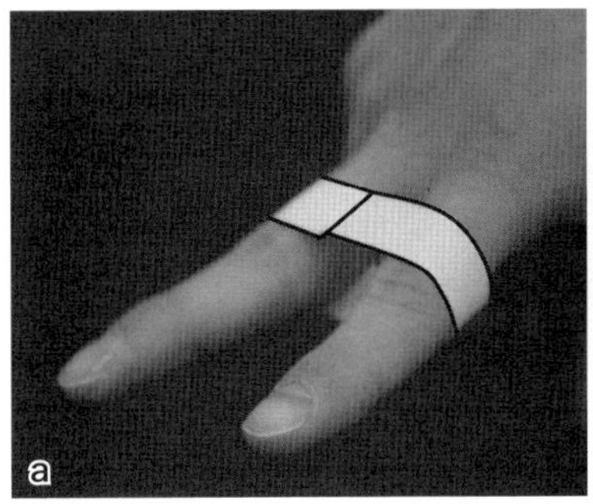
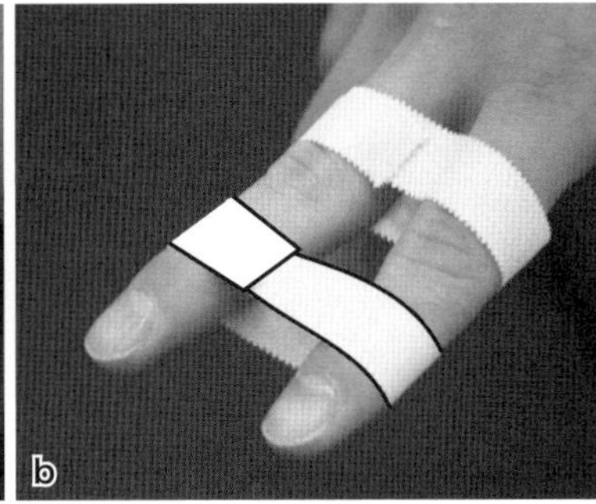
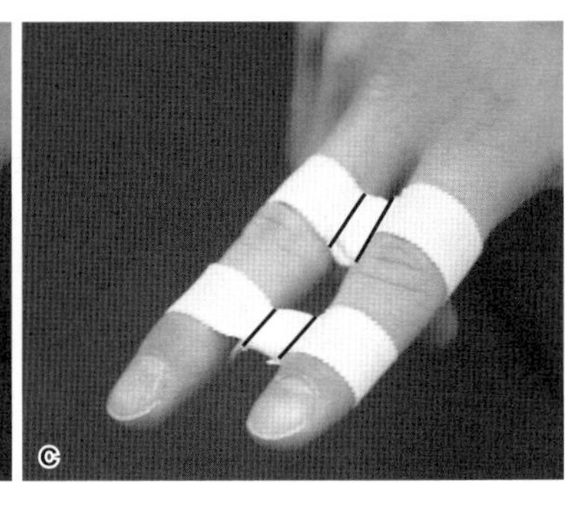

6-2-4　腰　部

6-2-4-1　腰部のテーピング（前屈・側屈・回旋制限）

使用テープ：50 mm 幅の伸縮または非伸縮テープ

a. 両側腹部にアンカーテープを貼る。

b. 一方のアンカーテープ下端から他方のアンカーテープへ斜めに上行するサポートテープを貼る。

c. 反対側から同様に斜めに上行し，中央で交差するテープ（X サポートテープ）を貼る。

d. 1/2 ずつ頭側にずらしながら，制限する部位を覆うように X サポートテープをくり返す。

e. アンカーテープの下端から水平テープを貼る

f. 1/2 ずつ頭側にずらし，開始アンカーを交互に変えながら水平テープをくり返す。

g. 両側腹部のアンカーテープを貼る。

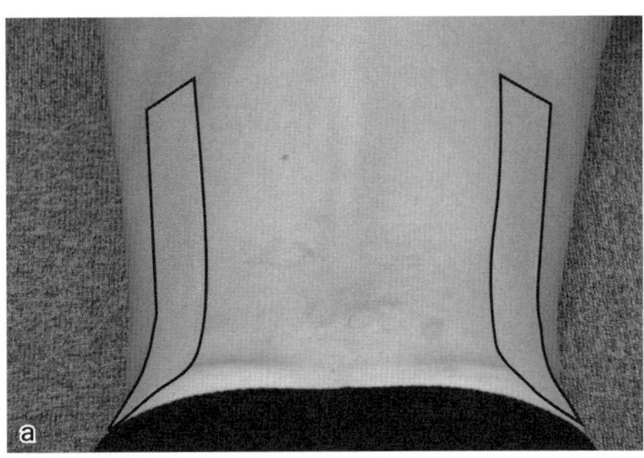
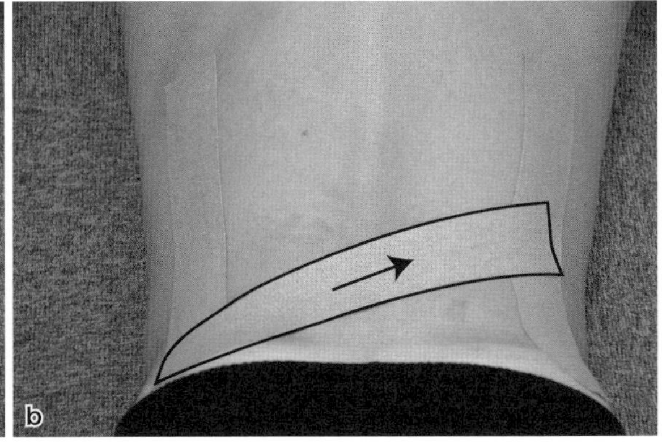

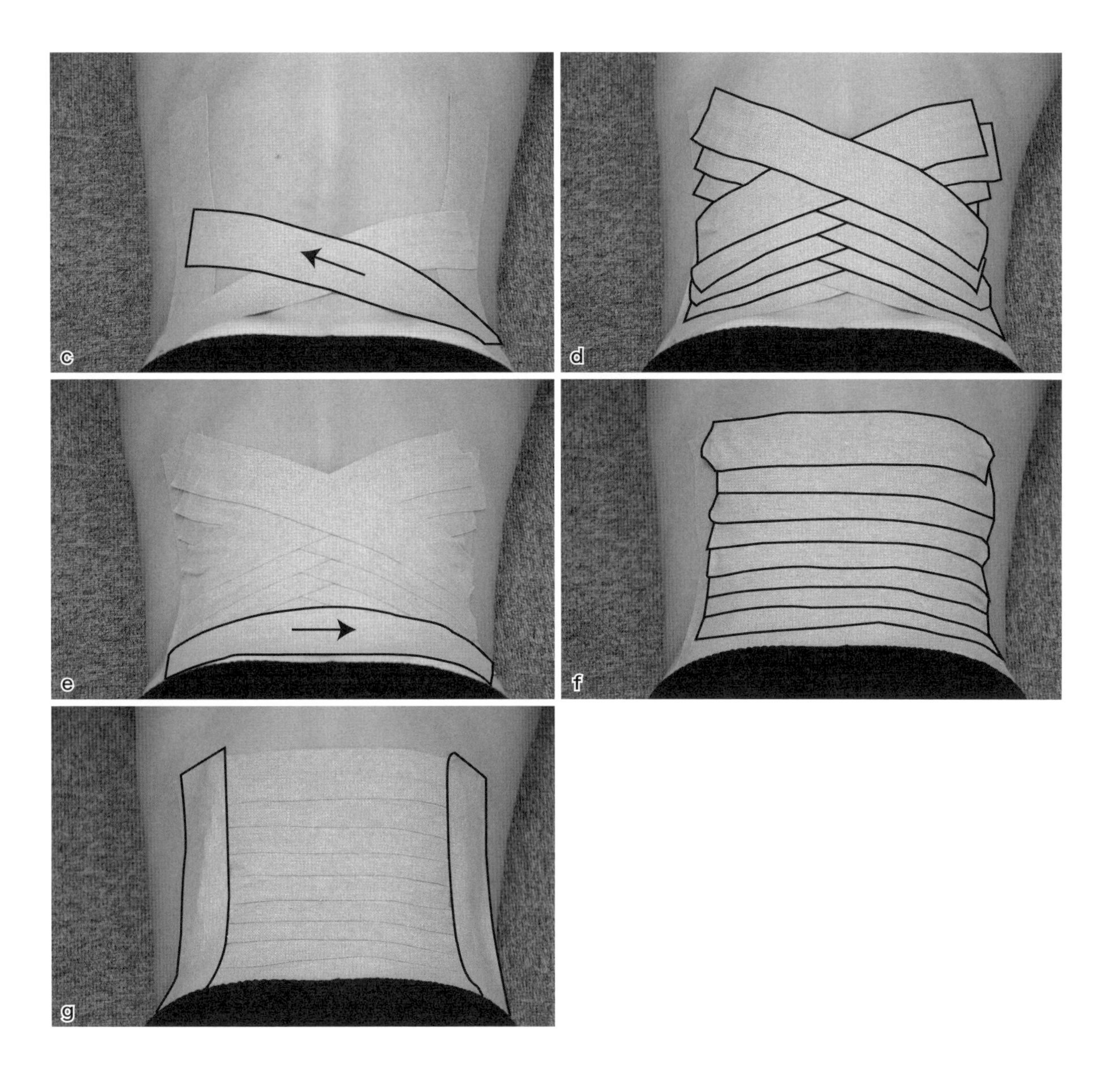

6-2-5 膝関節

6-2-5-1 内側側副靭帯（MCL）損傷に対するテーピング

使用テープ：アンダーラップ，75 mm 幅の伸縮テープ

a. 立位で実施側下肢を半歩前にし，踵台に踵を載せる。テープを貼る際は体重をかけておく。

b. MCL に対して等間隔となるようにアンダーラップを巻き，大腿部と下腿部にアンカーテープを貼る。

c. MCL の位置で交差するように X サポートテープを貼る。

d. MCL の位置を通るように縦サポートテープを貼る。X および縦サポートテープを 1 ～ 2 セット行う。

e-1. 回旋不安定性がある場合，下腿外側から膝内側，膝窩部を通り大腿前面内側へ向かうスパイラルテープを貼る。

e-2. 下腿内側から膝外側，膝窩部を通り大腿前面外側へ向かうスパイラルテープを貼る。

f-1. コンプレッションテープ：アンカー上で止められる程度の長さでテープを切り，中央を膝窩線に合わせて貼る。

f-2. コンプレッションテープ（続き）：テープ幅の中央に切れ目を入れる。切れ目からテープを裂き，膝蓋骨を囲むように大腿部および下腿部アンカーに貼る。

f-3. コンプレッションテープ（続き）：同様に外側からコンプレッションテープを貼る。

g. 大腿部と下腿部にアンカーテープを貼る。

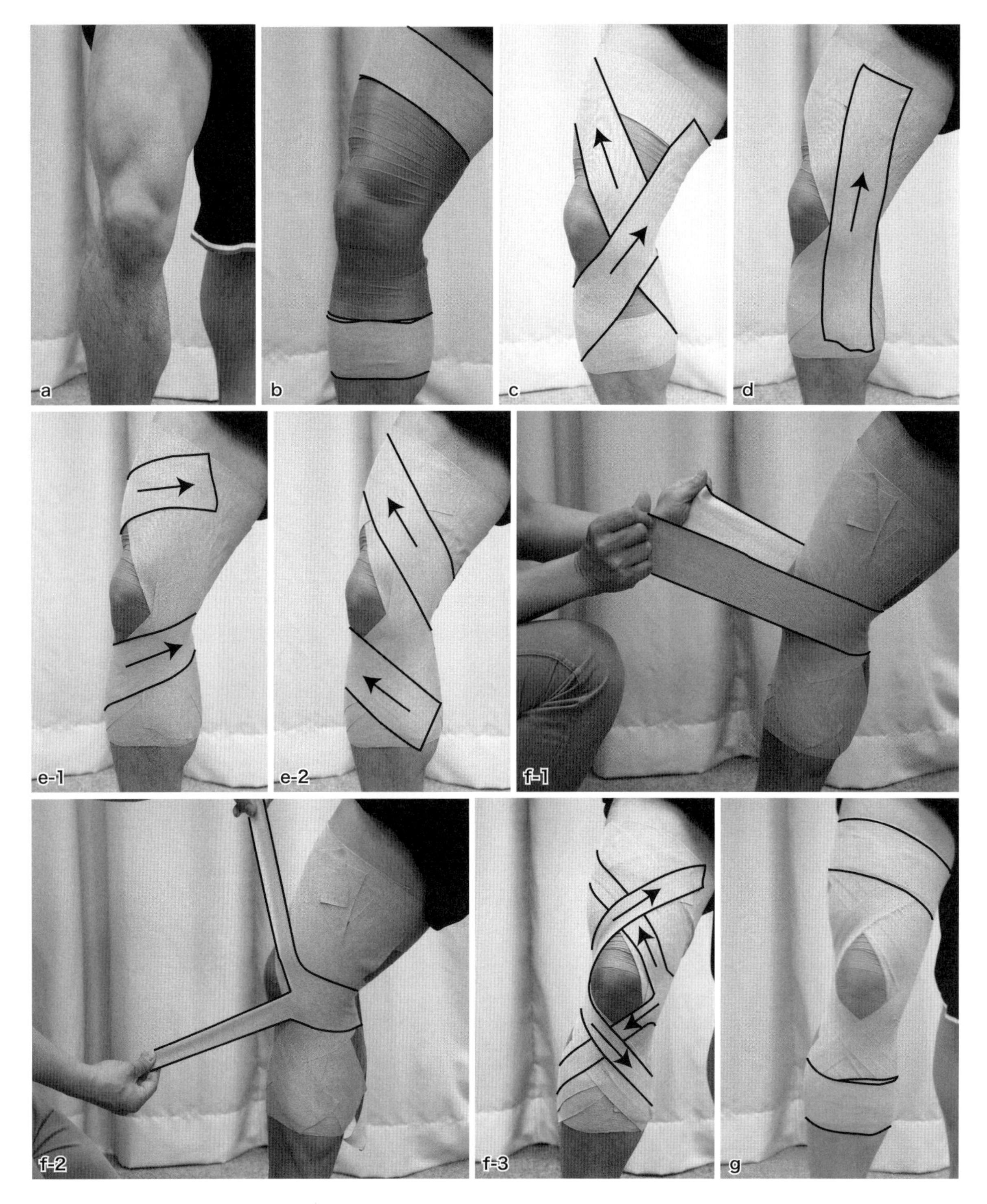

6-2-5-2　前十字靭帯（ACL）損傷に対するテーピング

使用テープ：アンダーラップ，75 mm 幅の伸縮テープ

a. MCL（6-2-5-1）と同様の開始姿勢でアンダーラップおよび大腿・下腿部のアンカーテープを貼る。

b. 下腿外側から膝内側，膝窩部を通り大腿前面内側へ向かうスパイラルテープを貼る。続いて下腿内側から膝外側，膝窩部を通り大腿前面外側へ向かうスパイラルテープを貼る。

c. 下腿内側から大腿外側へ向かい，脛骨を後方へ引くサポートテープを貼る。

d. 同様に，下腿外側から大腿内側へ向かうサポートテープを貼る。これを 1 ～ 2 セットくり返す。

e. MCL と同様にコンプレッションテープを貼る。

f. 大腿部と下腿部にアンカーテープを貼る。

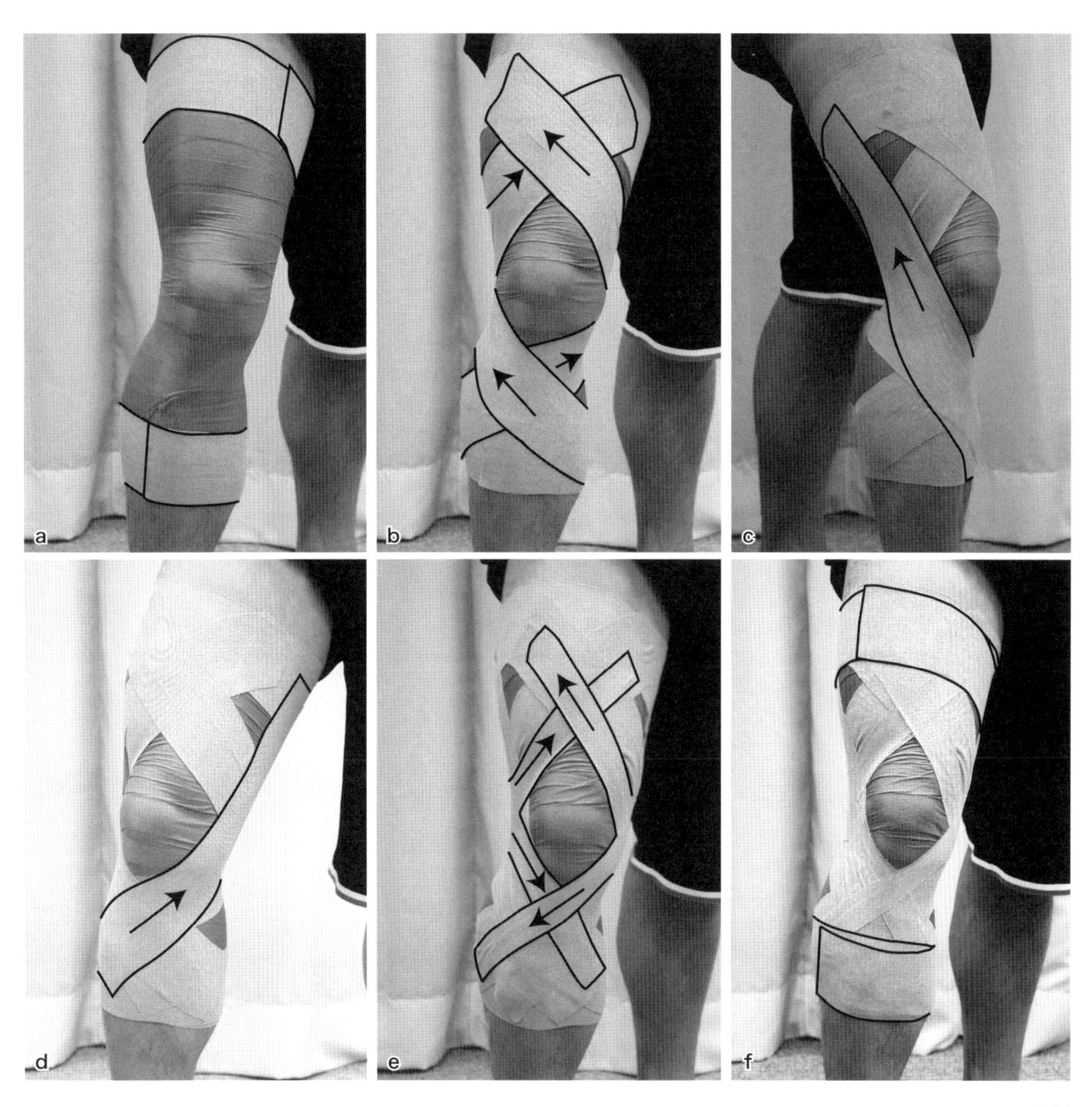

6-2-6　大腿部・下腿部

6-2-6-1　大腿部肉離れに対するテーピング

使用テープ：38 mm 幅または 50 mm 幅の非伸縮テープ，弾性包帯またはソフト伸縮テープ

a. 腹臥位で膝関節軽度屈曲位とし，患部を中心として大腿後面の内側と外側にアンカーテープを貼る。

b. 一方のアンカーテープ下端から他方のアンカーテープへ斜めに上行するサポートテープを貼る。サポートテープは強く圧迫するように貼る。

c. 反対側から同様に斜めに上行し，中央で交差するテープ（X サポートテープ）を貼る。

d. 1/2 ずつ頭側にずらしながら，制限する部位を覆うように X サポートテープをくり返す。

e. アンカーテープの下端から水平テープを貼る。

f. 1/2 ずつ頭側にずらし，開始アンカーを交互に変えながら水平テープをくり返す。

g. 大腿内側・外側のアンカーテープを貼る。

h. 弾性包帯またはソフト伸縮テープを用いてラッピングする。大腿前面や下腿後面の肉離れに対しても同様の手順でテーピングを行う。

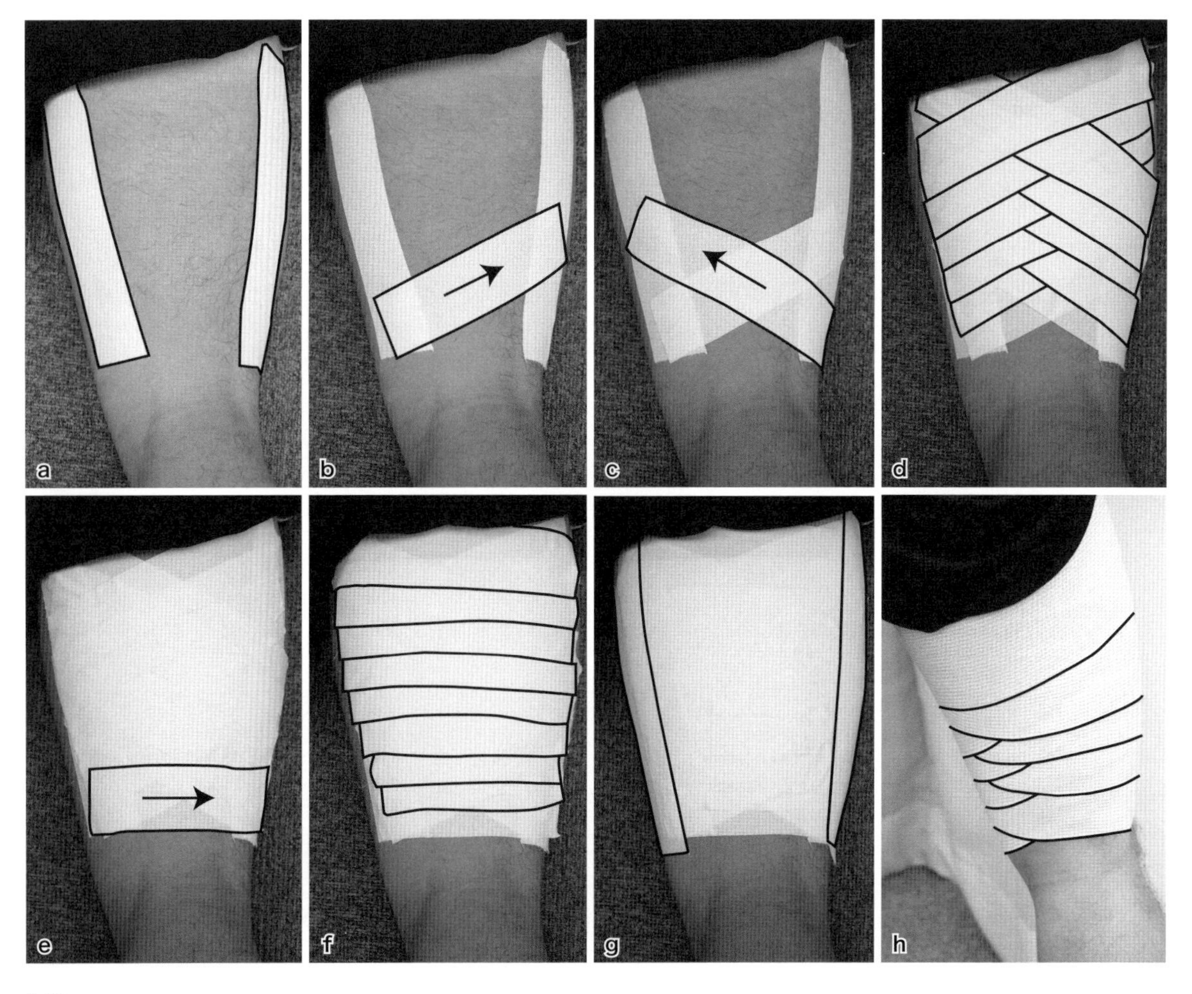

6-2-6-2　アキレス腱障害に対するテーピング

使用テープ：50 mm 幅の伸縮テープ，ソフト伸縮テープ

a. 腓腹筋筋腹よりやや遠位に下腿部アンカーテープを，足部にアンカーテープを貼る。

b. 足関節軽度底屈位とし，足部アンカーから下腿中央を通る縦サポートテープを貼る。

c. 足部アンカーから踵部内側・下腿後面を通り，下腿部アンカー外側へ向かう X サポートテープを貼る。

d. 足部アンカーから踵部外側・下腿後面を通り，下腿部アンカー内側へ向かう X サポートテープを貼る。縦サポートテープと X サポートテープはアキレス腱上で交差させる。

e. 下腿部および足部のアンカーテープを貼る。

f-1. ソフト伸縮テープを用いてラッピングを行う。足部内側から足底部，足部外側を通り内果へ向かう（フィギュアエイト）。

f-2. 外側ヒールロックを行い足底へ向かう。

f-3. 足部内側から外果を通り内側ヒールロックを行う。

f-4. 下腿部アンカーへ向かってサーキュラーを行う。

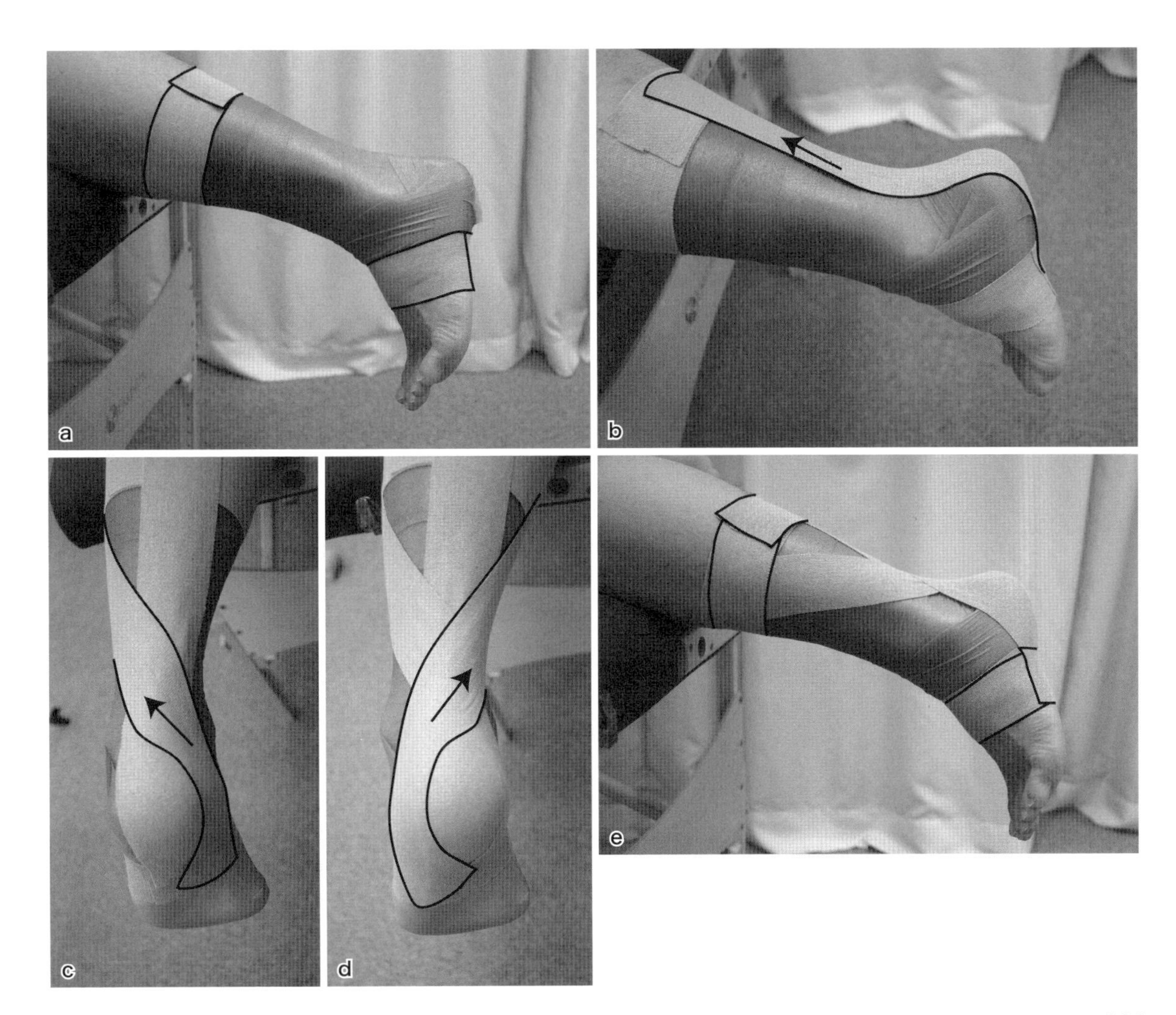

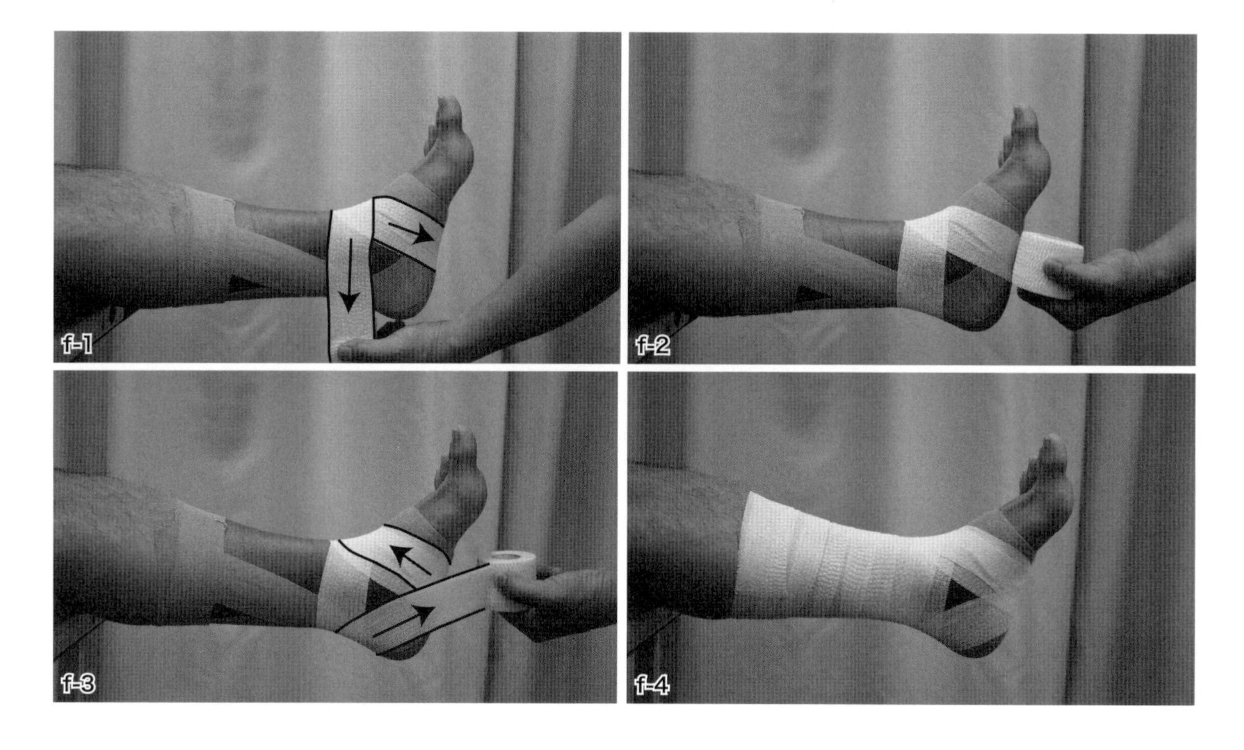

6-2-6-3　シンスプリントに対するテーピング

使用テープ：38 mm 幅の非伸縮テープ

a. 疼痛部位の遠位部からやや斜めに下行するサーキュラーテープを貼る。
b. 疼痛部位で交差するように，1/2 ずらしながらサーキュラーテープをくり返す。
c. 回内足を防ぐために外側ヒールロックやアーチのテーピングを併用してもよい。

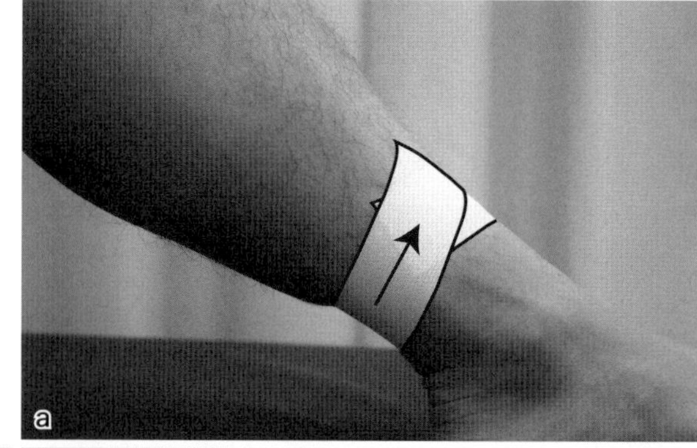

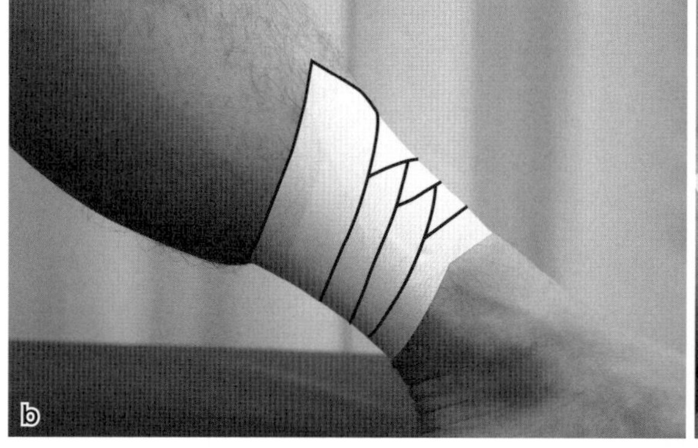

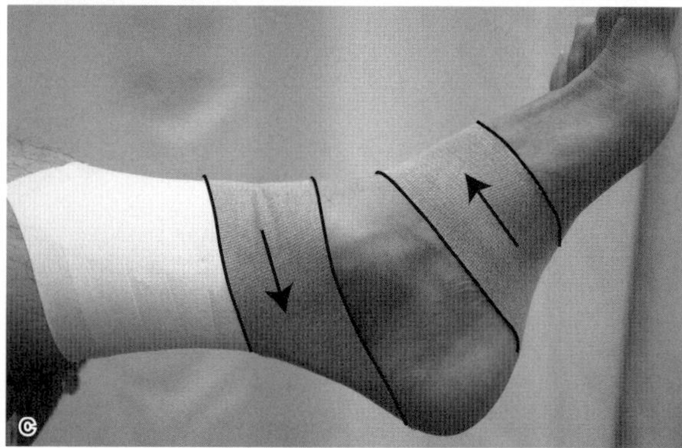

6-2-7　足関節・足部

6-2-7-1　足関節内反捻挫に対するテーピング 1

使用テープ：38 mm 幅の非伸縮テープ

a. 足部中央に 1 本, 下腿部に 3 本アンカーテープを貼る。下腿部テープは腓腹筋より遠位とする。テーピング施行中は足関節を底背屈中間位とする。

b-1. スターアップ 1：下腿部アンカーの内側から開始し内果中央を通り足底へ向かう。

b-2. スターアップ 1（続き）：外果中央を通りやや強めに引っ張り上げて下腿部アンカー外側に貼る。

b-3. スターアップ 2：開始位置を 1/2 前方にずらし，内果前 1/2, 外果後 1/2 を通って下腿部アンカーに貼る。

b-4. スターアップ 3：開始位置をスターアップ 1 から 1/2 後方にずらし，内果後 1/2，外果前 1/2 を通って下腿部アンカーに貼る。3 本のスターアップテープの張力は均一にする。

b-5. スターアップ終了

c. 下腿部にアンカーテープを 1 本貼る。

d-1. ホースシュー 1：足部アンカー外側から内果・外果の下端を通り足部アンカー内側に貼る。アキレス腱に強い圧迫が加わらないように注意する。

d-2. ホースシュー 2：同様に内果・外果中央を通るテープを貼る。開始・停止位置はホースシュー 1 よりも後ろに（短く）する。

d-3. ホースシュー 3：同様に内果・外果上端を通るテープを貼る。開始・停止位置はホースシュー 2 よりも後ろに（短く）する。

e-1. サーキュラー：ホースシューに続いて，サーキュラーテープを下腿部に 1 周巻く。サーキュラーの 1 本目が足背部にかかる場合，ホースシューの 4 本目を追加する。

e-2. サーキュラー（続き）：1/2 ずらしながら下腿部アンカーまで繰り返す。

f-1. 外側ヒールロック：下腿前面から内果直上を通り踵部外側へ向かう。

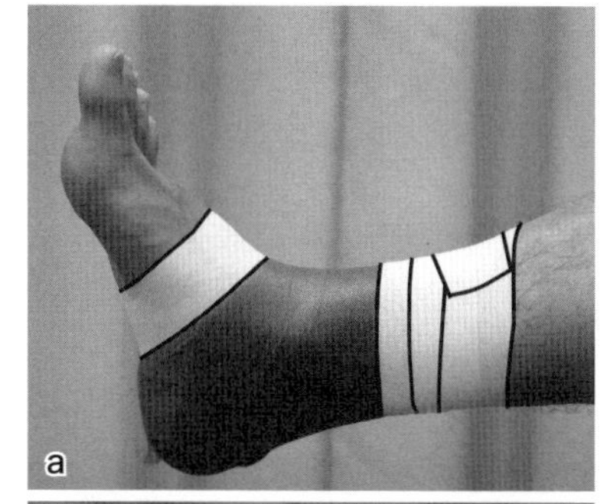

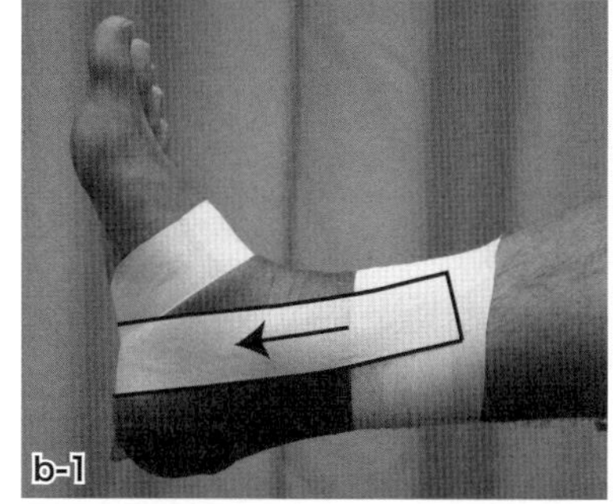

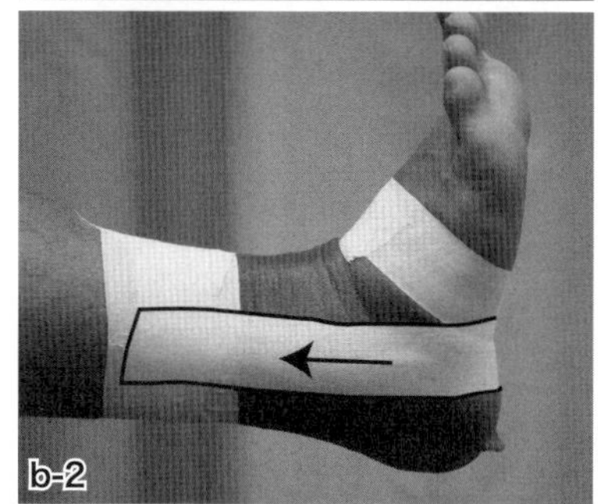

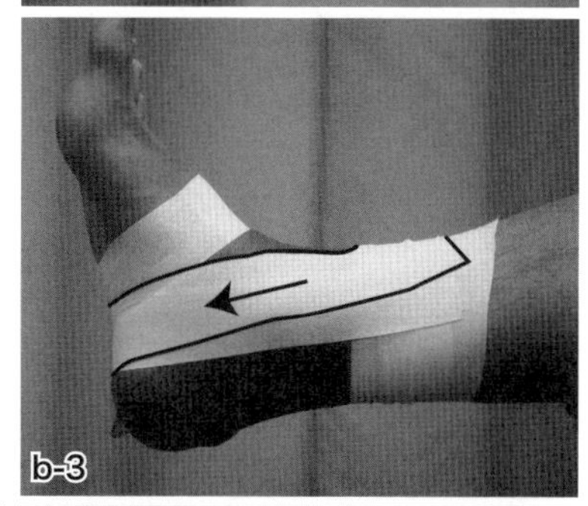

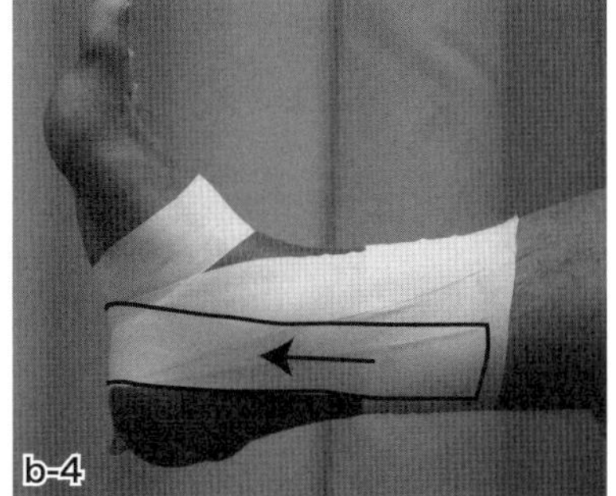

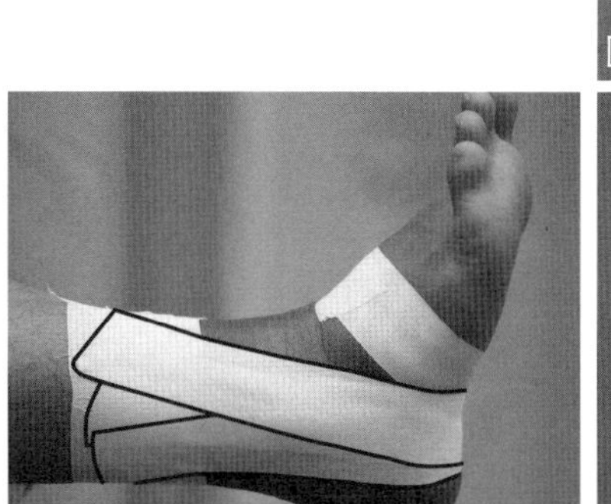

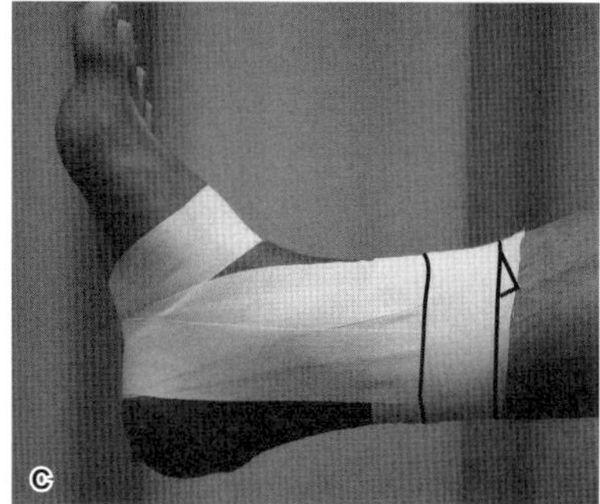

f-2．外側ヒールロック（続き）：足底を通り足背部に貼る。

g-1．内側ヒールロック：下腿前面から外果直上を通り踵部内側へ向かう。

g-2．内側ヒールロック（続き）：足底を通り足背部に貼る。

h-1．フィギュアエイト：下腿前面から足部内側へ向かい，足底を通る。

h-2．フィギュアエイト（続き）：足部外側から内果上端へ向かう。

h-3．フィギュアエイト（続き）：下腿部を1周巻き，前面に貼る。

i．足部にアンカーテープを1本貼る。

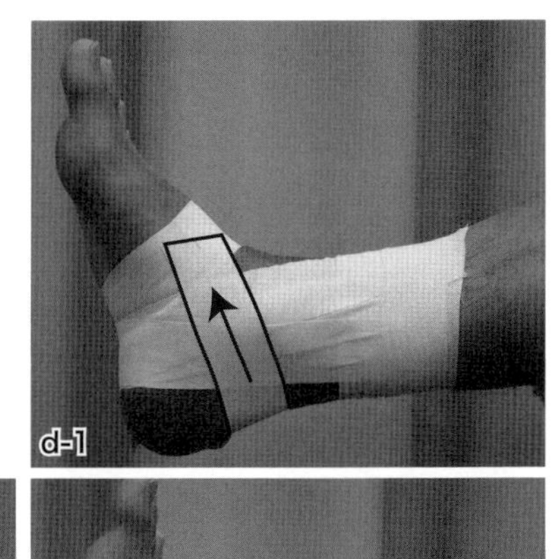

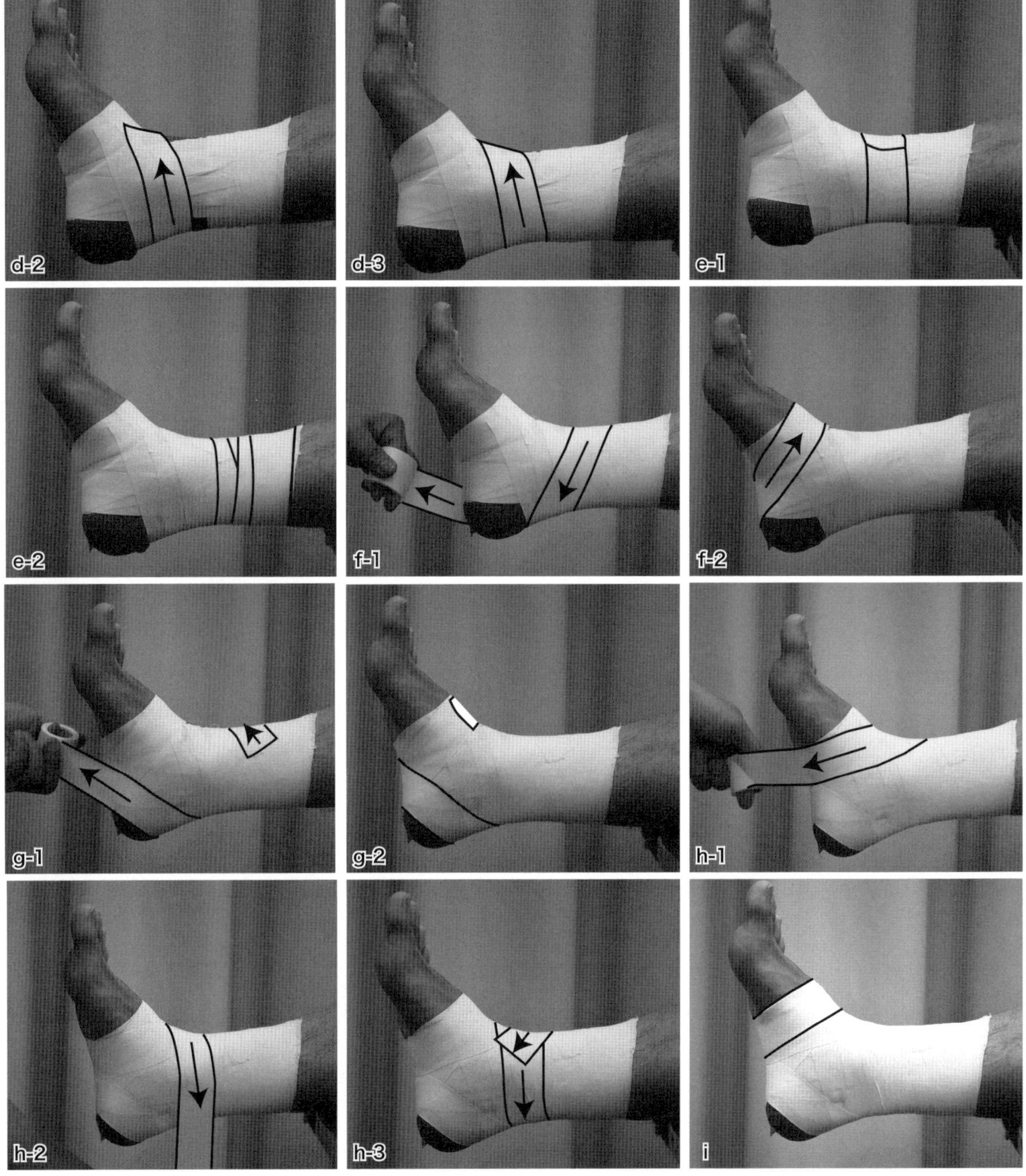

6-2-7-2　足関節内反捻挫に対するテーピング 2（クローズドバスケットウィーブ）

使用テープ：38 mm 幅の非伸縮テープ

a. 足部中央に 1 本，下腿部に 3 本アンカーテープを貼る。下腿部テープは腓腹筋より遠位とする。テーピング施行中は足関節を底背屈中間位とする。

b. スターアップ 1 本目の後にホースシューの 1 本目を貼る（6-2-7-1 を参照）。

c. スターアップとホースシューを交互に編むように，それぞれ 3 本ずつ貼る（バスケットウィーブ）。

d. サーキュラー：ホースシューに続いて，サーキュラーテープを下腿部アンカーまで 1/2 ずつずらしながら巻く。サーキュラーの 1 本目が足背部にかかる場合，ホースシューの 4 本目を追加する。

e. 外側ヒールロックを行う（6-2-7-1 を参照）。

f. 内側ヒールロックを行う（6-2-7-1 を参照）。

g. フィギュアエイトを行う（6-2-7-1 を参照）。

h. 足部にアンカーテープを 1 本貼る。

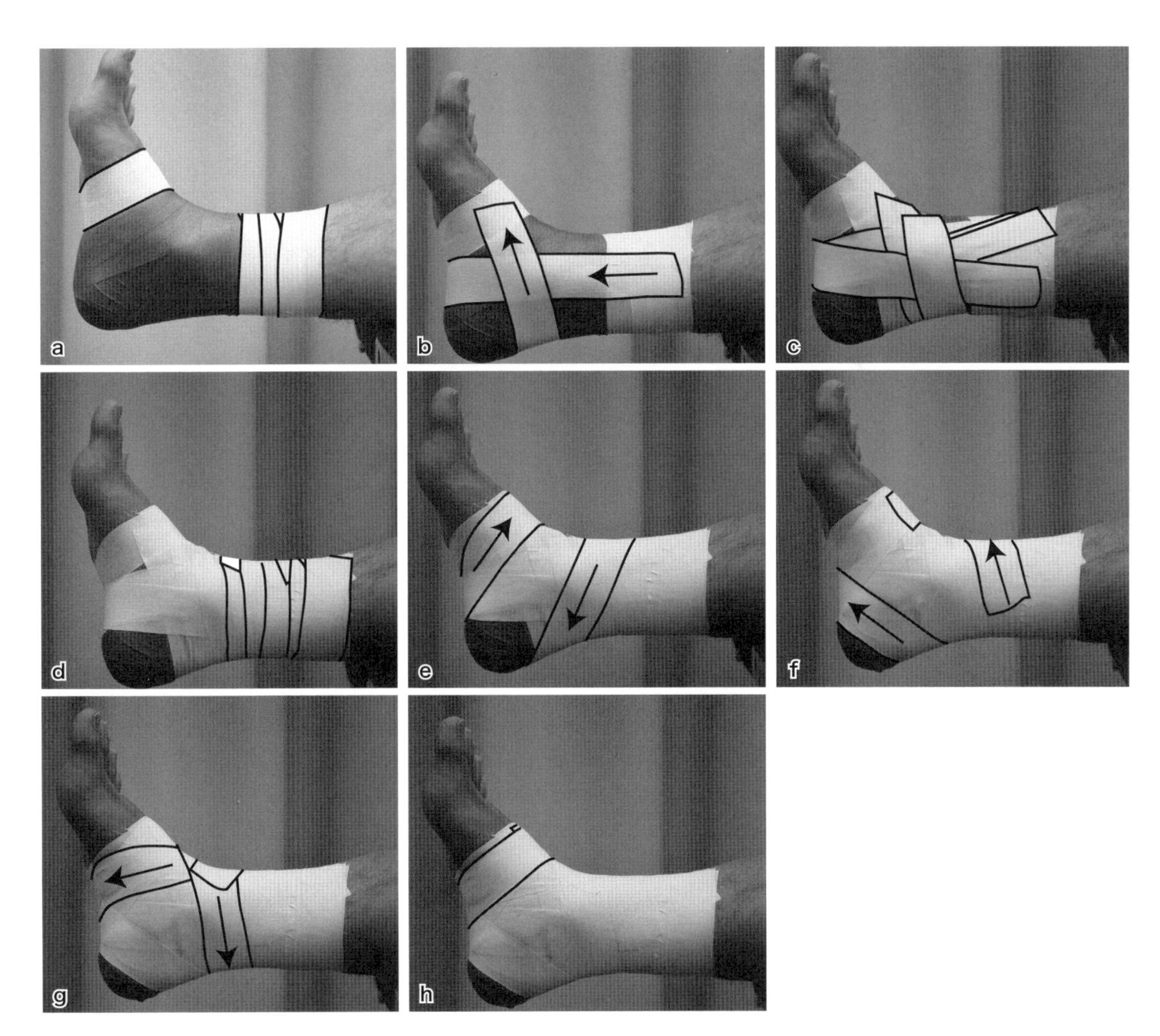

6-2-7-3　足関節内反捻挫に対するテーピング 3（底背屈を制限しない）

使用テープ：38 mm 幅の非伸縮テープ，50 mm 幅のソフトまたはハード伸縮テープ

a. 下腿部のみにアンカーテープを 3 本貼る。テーピング施行中は足関節を底背屈中間位とする。

b. スターアップを 3 本貼る（6-2-7-1 を参照）。

c. 下腿部にアンカーテープを 1 本貼る。

d. ホースシューを 3 ～ 4 本貼る（6-2-7-1 を参照）。

e. サーキュラーテープを下腿部アンカーまで貼る（6-2-7-1 を参照）。

f-1. 伸縮テープを用いてラッピングを行う。足部内側から足底部，足部外側を通り内果へ向かう（フィギュアエイト）。

f-2. 外側ヒールロックを行い足底へ向かう。

f-3. 足部内側から外果を通り内側ヒールロックを行う。

f-4. 下腿部アンカーへ向かってサーキュラーを行う。

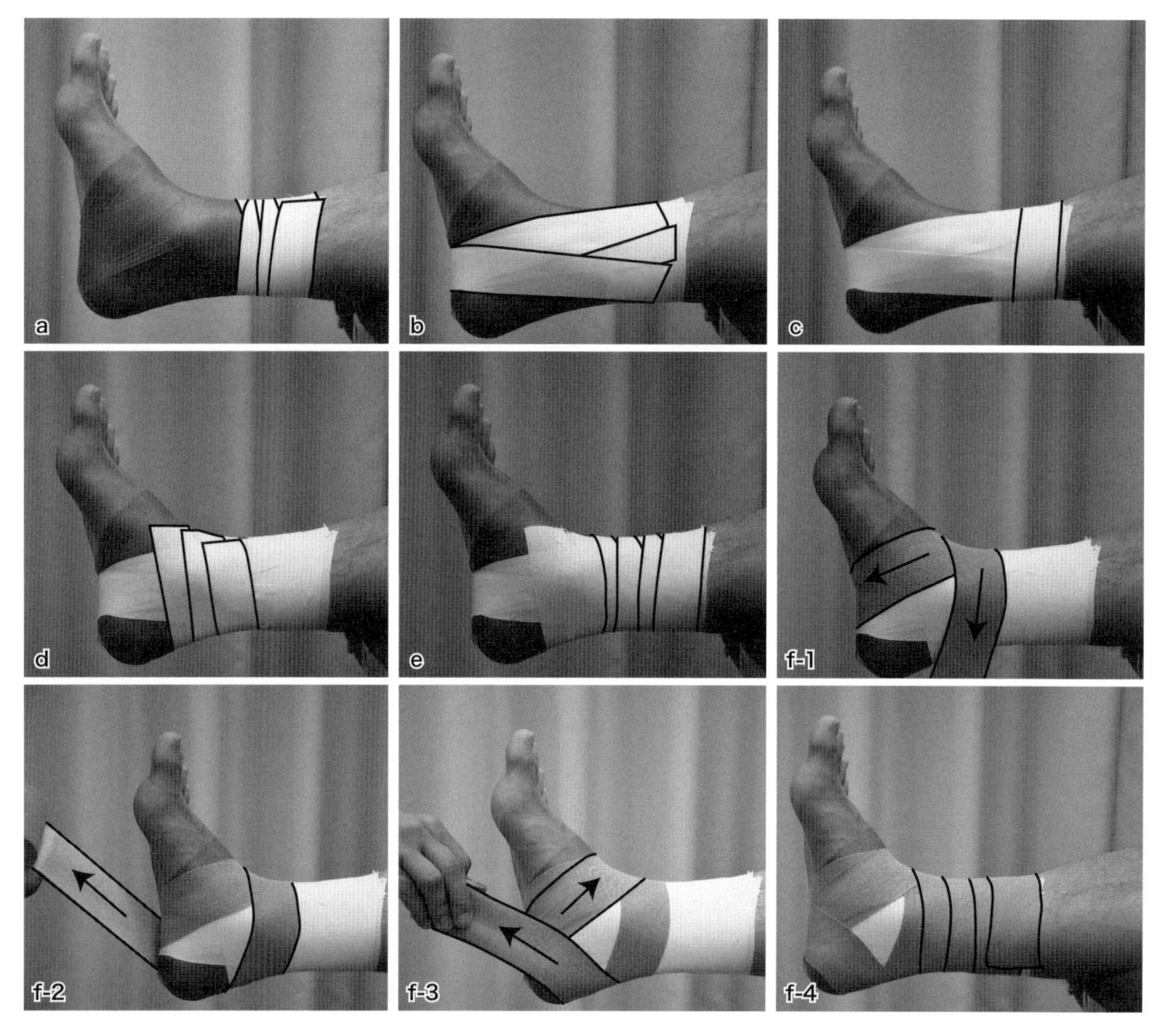

6-2-7-4　足関節内反捻挫に対するテーピング 4
（オープンバスケットウィーブ：応急手当のための固定）

使用テープ：38 mm 幅の非伸縮テープ

a. アンカーテープ：足背部および下腿前面を開けて足部に 1 本，下腿部に 3 本貼る。テープ施行中は足関節を底背屈中間位とする。

b. スターアップとホースシューを交互に編むように 3 本ずつ貼る (バスケットウィーブ) (6-2-7-2 を参照)。

c. 1/2 ずつずらしながら下腿アンカーまでホースシューをくり返す。サーキュラーのように 1 周巻かずに下腿前面を開けておく。

d. 足部アンカーテープを 1 本貼る。

e. テープ端に沿って足部と下腿にアンカーテープを貼る。

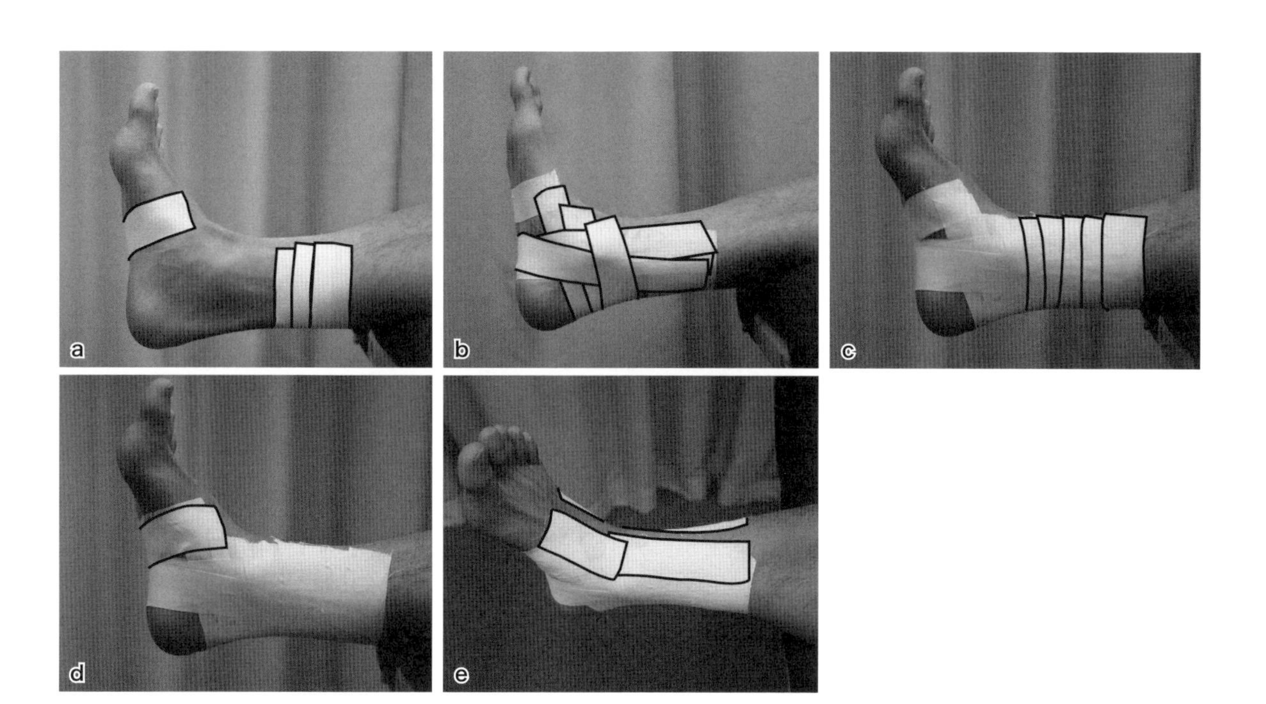

6-2-7-5　足関節底屈制限のテーピング

使用テープ：38 mm 幅の非伸縮テープ，50 mm 幅・75 mm 幅のハード伸縮テープ，50 mm 幅のソフト伸縮テープ

a. アンカーテープを足部に 1 本，下腿部に 3 本貼る。

b-1. スプリットテープ：75 mm 幅ハード伸縮テープの先端中央に切れ目を入れて裂く。

b-2. スプリットテープ（続き）：足部アンカーに裂いたテープを貼る。

b-3. スプリットテープ（続き）：もう一方の先端を同様に裂き，背屈方向に引っ張りながら下腿部アンカーに貼る。

c. サポートテープ 1：足背部から足部内側，足底，足部外側を通り，内果上端を回って下腿前面に貼る（50 mm 幅ハード伸縮テープ）。

d. サポートテープ 2：同様に，足背部から足部外側，足底，足部内側を通り，外果上端を回って下腿前面に貼る。足関節角度は制限の程度によって調節する。

e. 50 mm 幅ソフト伸縮テープを用いてラッピングする。

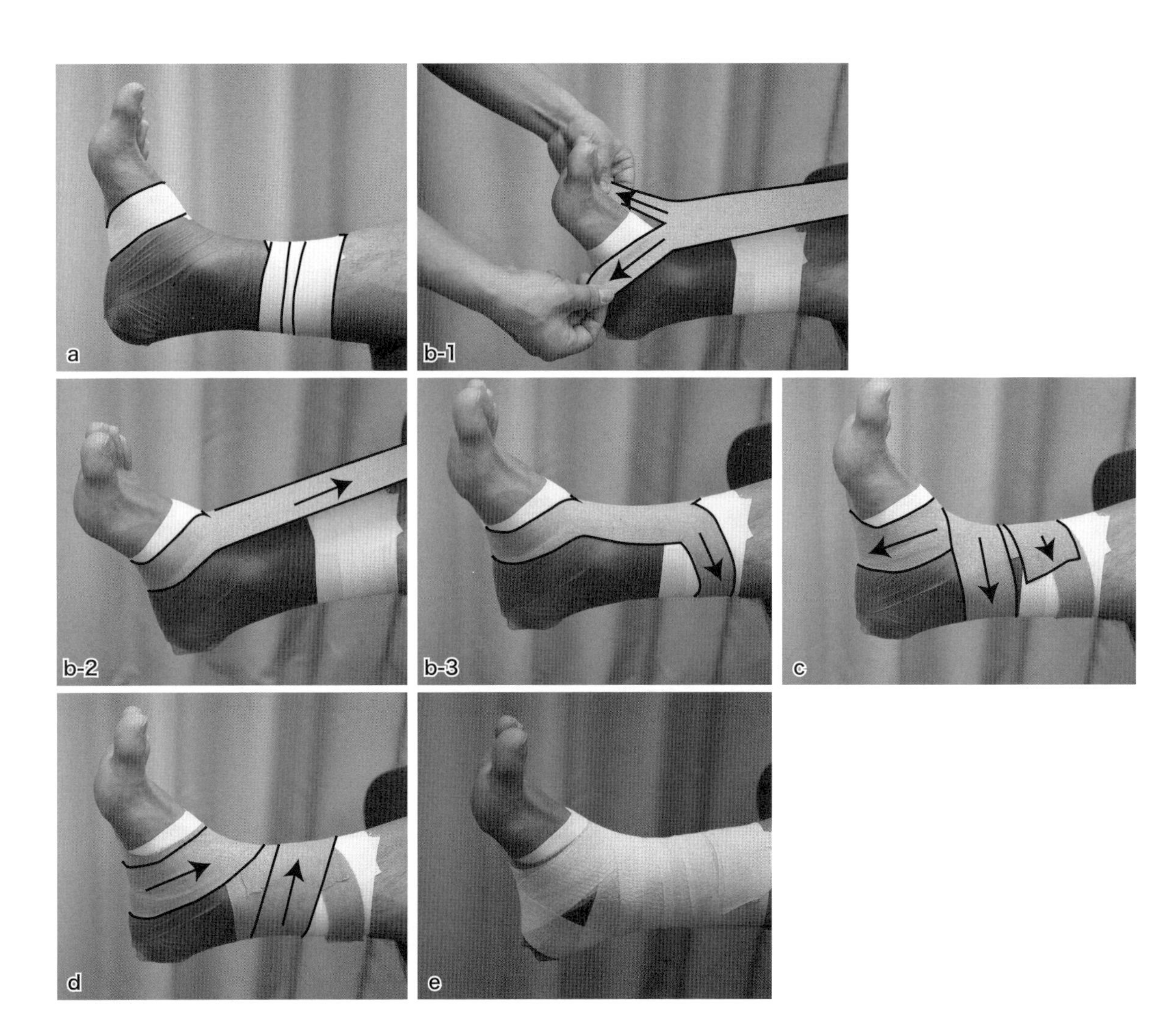

6-2-7-6　足関節背屈制限のテーピング

使用テープ：38 mm 幅の非伸縮テープ，50 mm 幅・75 mm 幅のハード伸縮テープ，50 mm 幅のソフト伸縮テープ

a. アンカーテープを足部に 1 本，下腿部に 3 本貼る。

b-1. スプリットテープ：75 mm 幅ハード伸縮テープの先端中央に切れ目を入れて裂き，足底から足部アンカーに貼る。

b-2. スプリットテープ（続き）：もう一方の先端を同様に裂き，底屈方向に引っ張りながら下腿部アンカーに貼る。足関節角度は制限の程度によって調節する。

c. サポートテープ 1：足背部から足部内側，足底を通り，踵部外側を回って下腿前面に貼る（50 mm 幅ハード伸縮テープ）。

d. サポートテープ 2：同様に，足背部から足部外側，足底を通り，踵部内側を回って下腿前面に貼る。

e. 50 mm 幅ソフト伸縮テープを用いてラッピングする。

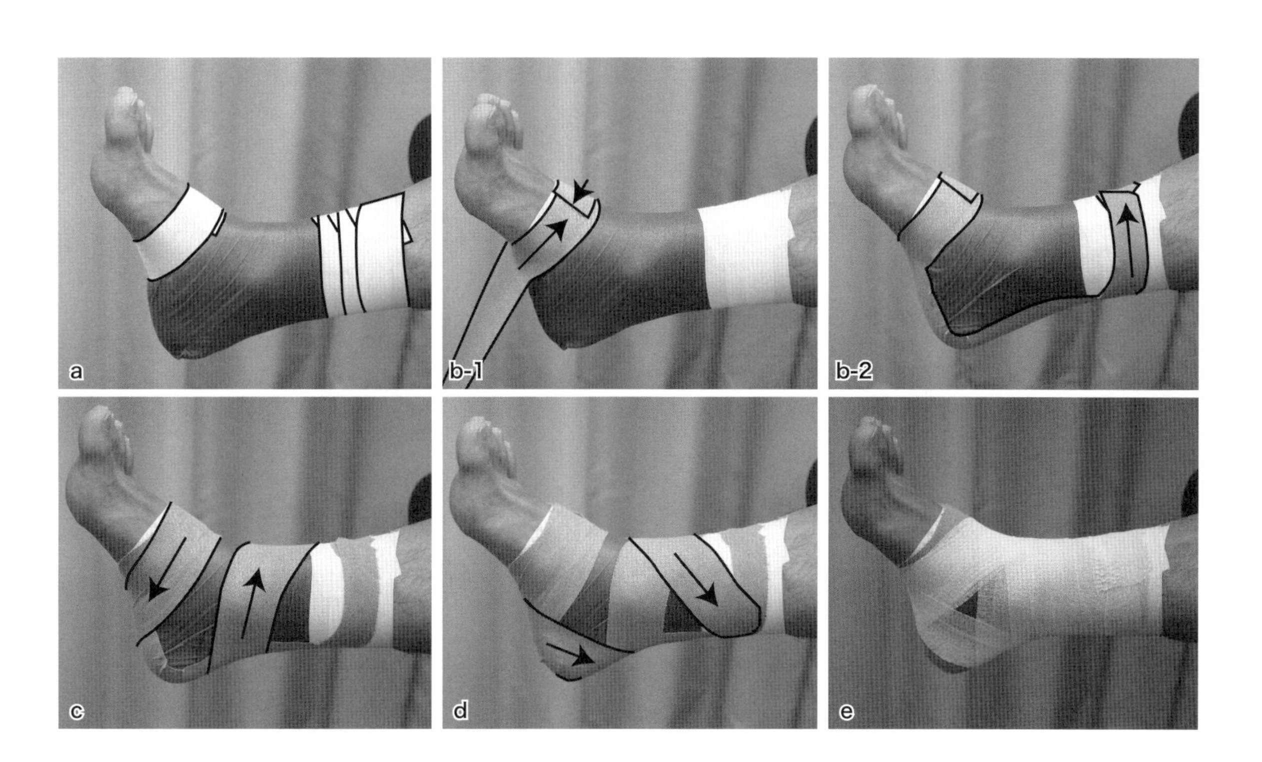

6-2-7-7　扁平足に対するテーピング（アーチサポート）

使用テープ：25 mm 幅の非伸縮テープ

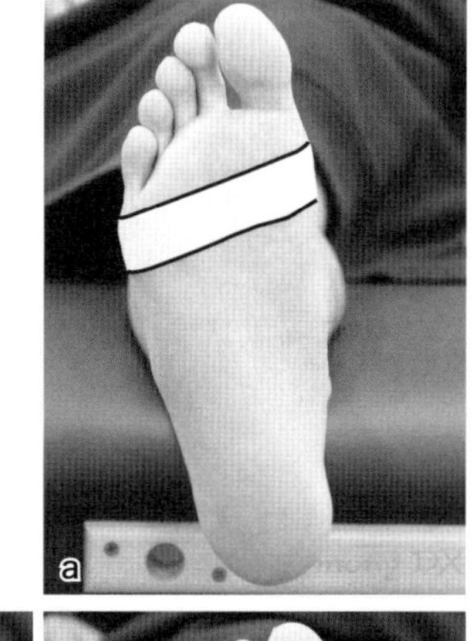

a. 足部遠位にアンカーテープを貼る。足背部は開けておく。

b. 足部アンカーの母趾列から開始し，踵部外側，後方を通り開始位置に貼る。

c. 小趾列から開始し，踵部内側，後方を通り開始位置に貼る。

d. 示指列から開始し，踵部外側，後方を通り開始位置に貼る。

e. 環趾列から開始し，踵部内側，後方を通り開始位置に貼る。

f. 中趾列から開始し，踵部外側，後方を通り開始位置に貼る。

g. 足部アンカーテープを貼る。

h. 足部アンカーテープに続けて，1/2 ずつずらしながら水平サポートテープを貼る。

i. 踵部の手前で水平サポートテープを終了する。

j. テープ先端を押さえるアンカーテープを内側・外側に貼る。

k. 荷重した状態で水平アンカーテープを 2 本貼る。

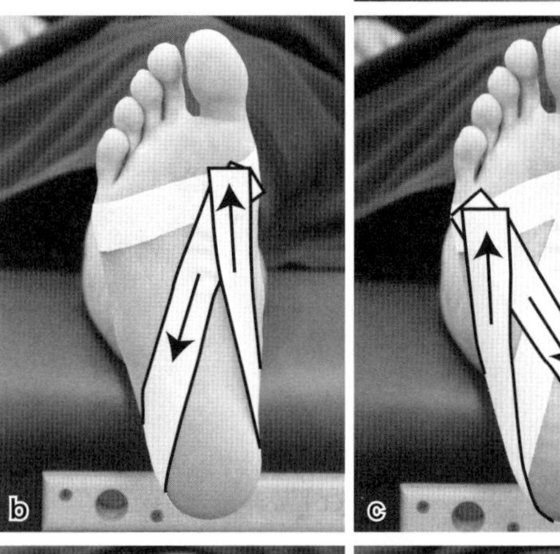

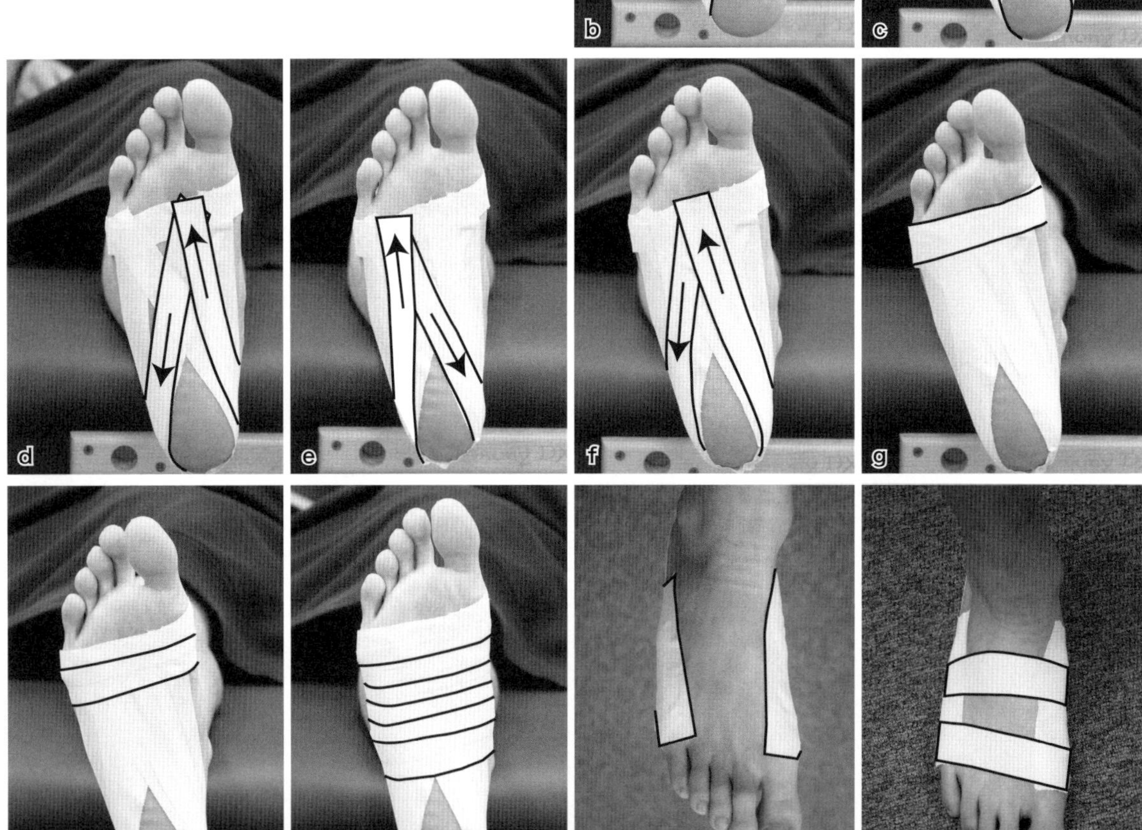

6-2-7-8　踵部挫傷に対するテーピング

使用テープ：25 mm 幅の非伸縮テープ

a. 踵部を覆うように後方と足底にアンカーテープを貼る。

b. 1/2 ずつずらしながら後方と足底のサポートテープを交互に貼る。

c. 後方と足底のサポートテープを編むようにくり返す。

d. 踵先端に斜めのサポートテープを 2 ～ 3 本貼る。

e. 後方と足底のアンカーテープを貼る。

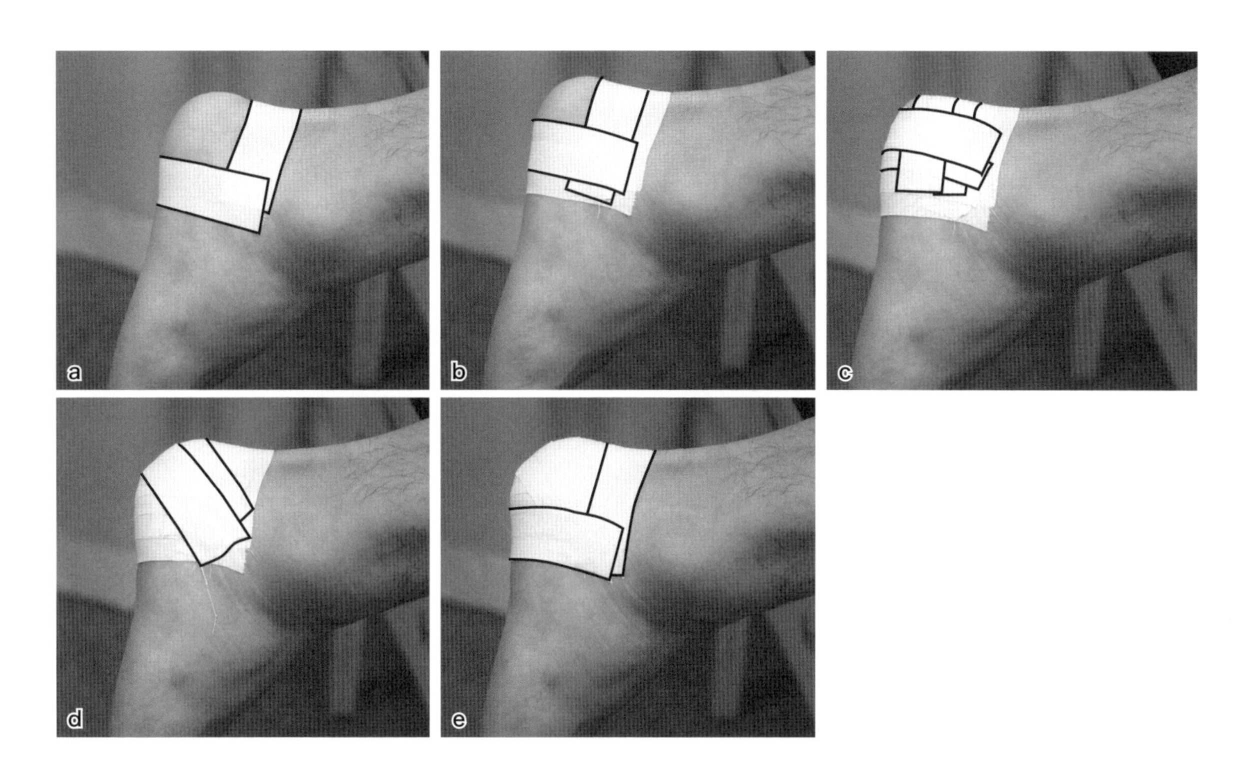

7 ストレッチングの実際

小山 貴之（日本大学文理学部体育学科）

7-1 ストレッチングの基礎知識

7-1-1 目 的

関節可動域を改善する方法の1つにストレッチングがある。ストレッチングは主に筋の短縮や緊張が関節可動域制限の原因となる場合に，柔軟性の改善を図る手法として用いられている。スポーツ傷害には直接あるいは間接的に柔軟性の低下が誘因となるものも少なくないため，使用頻度が極めて高く様々な場面で行われている。ストレッチングの目的として，コンディショニング，リハビリテーション，傷害予防が挙げられる。

①コンディショニング：競技者がパフォーマンスを最大に発揮するための調整法の1つとしてストレッチングが行われる。柔軟性を最適な状態に保つことが重要であり，筋の短縮や過緊張がある場合に適応となる。筋緊張が緩みすぎたり過度な柔軟性を得たりするほどのストレッチングは，パフォーマンスを低下させる可能性があるため注意が必要である。

②リハビリテーション：スポーツ傷害による患部の安静や固定の後，筋の短縮や過緊張，拘縮を招く場合がある。また筋柔軟性の低下が誘因となってスポーツ傷害を引き起こす場合がある。リハビリテーションでは，スポーツ傷害後の筋柔軟性低下に対して治療手段の1つとしてストレッチングを行う。

③傷害予防：特に筋柔軟性低下が原因となるスポーツ傷害の予防策として，ストレッチングを推奨する場合がある。大腿四頭筋の柔軟性低下とオスグッド–シュラッター病やジャンパー膝，ハムストリングスの柔軟性低下と腰痛症などはその代表例である。傷害予防に限ったことではないが，単にストレッチングのみを行っていればよいというわけではなく，様々なコンディショニング手法やリハビリテーション治療，傷害予防策の1つとしてストレッチングを導入するという点に留意すべきである。

7-1-2 効 果

運動の前後では筋の状態は大きく変化する。主運動の前にはその運動強度に応じて筋が適切に活動できる状態にする必要があり，主運動後には筋疲労を速やかに取り除く必要がある。このような運動前後の状態においてストレッチングがもたらす効果は，その種類によって機序は異なるが，筋緊張の緩和，関節可動域の改善，血液循環の促進が挙げられる。

7-1-3 種 類

ストレッチングの種類は，様々な呼称はあるが，大きくスタティックストレッチングとダイナミックストレッチングに分けられる。両者の大きな違いは筋収縮の有無にあり，前者は筋収縮を伴わないのに対して後者は筋収縮に伴う神経系の反応を利用している。また両者を組み合わせたストレッチングも存在する。

7-1-3-1　スタティックストレッチング

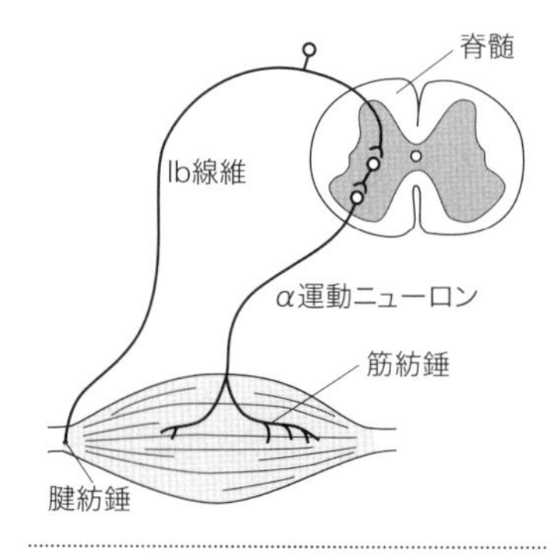

図 7-1　Ib 抑制の経路

スタティックストレッチング（static stretching）は静的ストレッチングとも呼ばれ，最も普及しているストレッチング方法である。筋長をその長軸方向に機械的に伸張することで柔軟性の改善を図る。その機序は，主にクリープ現象，履歴現象，Ib 抑制により説明される。

①**クリープ現象**：筋膠原（コラーゲン）線維には粘弾性（viscoelasticity）があり，一定の張力が加えられると徐々に伸びる特性がある。

②**履歴現象**：伸張を受けて伸びた膠原線維はその張力が取り除かれると元の長さに戻ろうとするが，それには相応のエネルギーが必要となるため，完全に元に戻るには時間を要する。この履歴現象によって，伸張を受けた筋の柔軟性は一時的に増加するが，その後伸張刺激を受けなければ元の筋長に戻る。

③ **Ib 抑制**：筋内に存在する筋紡錘は筋の長さを感知する受容器であり，筋が急激に伸張されると筋紡錘が興奮してインパルスの発射頻度を増加させ，筋収縮を引き起こす（伸張反射）。これに対して腱内に存在する腱紡錘（ゴルジ腱器官）は張力を感知する受容器であり，張力が増えると Ib 線維を通って脊髄を連絡し，介在ニューロンを介してα運動ニューロンの興奮を抑制し，筋を弛緩させる（図 7-1）。

このクリープ現象と履歴現象および Ib 抑制により，筋を機械的に伸張することで柔軟性の改善が得られる。そのため，スタティックストレッチングを効果的に行うには比較的長い時間（15 ～ 30 秒間），痛みを感じない程度の伸張強度でゆっくりと行う必要がある。ダイナミックストレッチングと比較して個々の筋に対して実施しやすく，簡便に行えて方法が理解しやすいが，関節可動域の改善効果としてはそれほど大きくない。

7-1-3-2　ダイナミックストレッチング

ここでは筋収縮を伴うストレッチングをダイナミックストレッチング（dynamic stretching）として扱う。筋収縮によって生じる神経生理学的反応を利用して柔軟性の改善を図る。その機序は主に以下によって説明される。

①**相反神経支配**：主動筋が収縮し関節運動を起こそうとしている間，拮抗筋は弛緩する（相反神経支配）。肘関節運動における上腕二頭筋と上腕三頭筋，膝関節運動における大腿四頭筋とハムストリングスのように，互いに拮抗し合う筋は一方が収縮しているときにもう一方は抑制を受けることでスムーズな関節運動を行うことができる。特に主動筋に最大収縮が求められる場合，拮抗筋は最大に弛緩する。ダイナミックストレッチングではこの相反神経支配を利用し，柔軟性を高めたい筋に拮抗する筋を収縮させるテクニックがある。

②**収縮後弛緩**：筋収縮が起こると，その後弛緩が生じる。筋収縮の間，求心性インパルスの増加によりα運動ニューロンの興奮性が高まるが，腱紡錘が伸張を受けることでスタティックストレッチングと同様に Ib 線維からの抑制の影響を受けて同名筋が弛緩する。さらに，筋収縮による熱産生が筋の粘弾性を低下させる。これらの神経生理学的反応により，柔軟性の改善が得られると考えられている。

③**伸張反射**：筋を急激に伸張させると筋紡錘からの求心性インパルスが一気に増加し，筋収縮を誘発する。筋が伸張された状態で収縮するため，筋線維の微細損傷を引き起こしやすく，注意が必要となる。ダイナミックストレッチングのなかで，強い伸張反射を引き起こさないように注意しながら反動性の運動を行うことで神経–筋系の反応を高める方法を，バリスティックストレッチングという。

これらの理論を用いたダイナミックストレッチングの実際を後述する。

7-1-4　ストレッチング施行時の注意点

7-1-4-1　体温・筋温

筋温が上昇すると筋の粘弾性は低下するため，筋温が高い状態でストレッチングを行うことで，より高い改善効果が得られる。一般的に体温の上昇には 15 分程度の運動が必要であり，体温・筋温を上げた状態で身体が冷える前にストレッチングを行うことが推奨される。

7-1-4-2　ストレッチングの種類

運動前には筋収縮を伴うダイナミックストレッチングを中心に行うことで，主運動前のウォーミングアップとして用いることができる。運動後には疲労した状態の筋に対して，硬結感を軽減したり血液の再分配を促したりする目的でスタティックストレッチングを中心に行う。目的に応じたこれらの選択を誤ると，適切な効果を得ることができないため，注意が必要である。

7-1-4-3　伸張反射

前述の通り，筋は急激に伸張されると筋収縮を誘発する伸張反射が起こる。過度な伸張は筋線維を損傷する可能性があるため，痛みを感じるような伸張刺激は行ってはいけない。

7-2　ストレッチングの実際

7-2-1　スタティックストレッチング

スタティックストレッチングでは，伸張させたい筋群の起始と停止を考慮し，筋長を伸ばす方向に姿勢をとる。競技者自身が１人で行えるセルフストレッチングと，トレーナーや競技者同士が行うパートナーストレッチングがある。

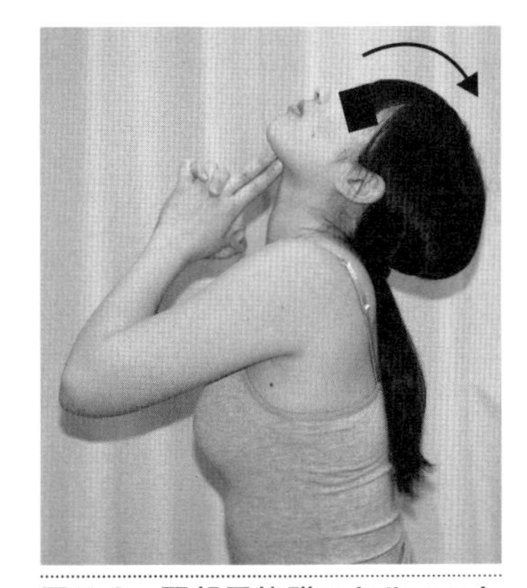

図 7-2　頸部屈筋群のセルフストレッチング

7-2-1-1　頸部のストレッチング

1）頸部屈筋群のセルフストレッチング（図 7-2）

- **目的とする筋：**頸長筋，頭長筋
- **方法：**両手の示指および中指で顎下を押すようにして，頭頸部を伸展させる。頸部前面に伸張感を感じた肢位で保持する。

2）胸鎖乳突筋のストレッチング

- **方法：**頸部を軽く伸展させた状態で，反対側への側屈と同側への回旋（右胸鎖乳突筋を伸張させたい場合は左側屈・右回旋）を行う。複合運動であるため，各運動方向ともゆっくりと行うように注意する。

  セルフ：自動運動で行う（図 7-3a）。

  パートナー：後方から頭部を把持して動かす（図 7-3b）。

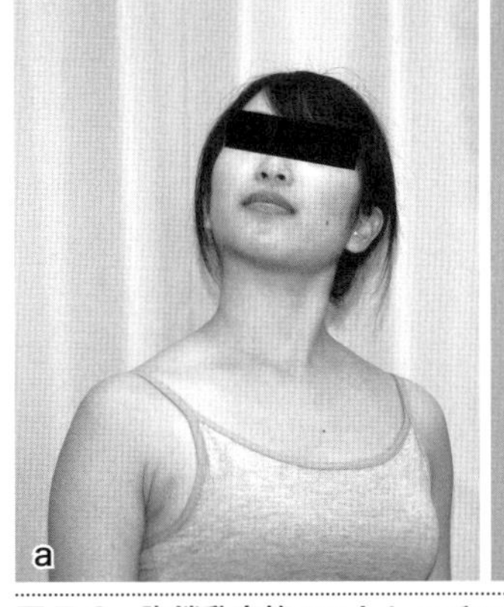

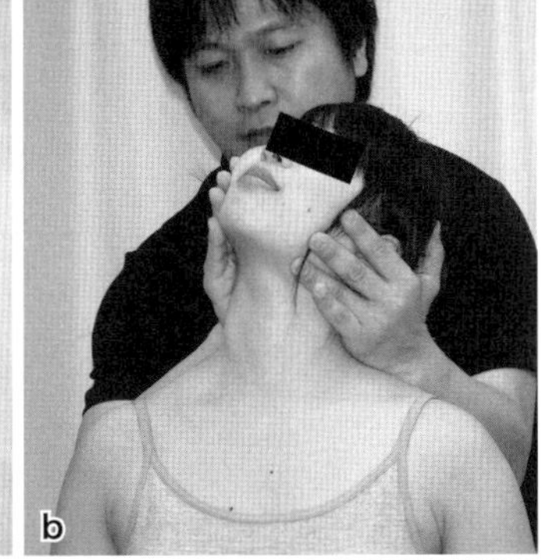

図 7-3　胸鎖乳突筋のストレッチング

図 7-4　頸部伸筋群のセルフストレッチング

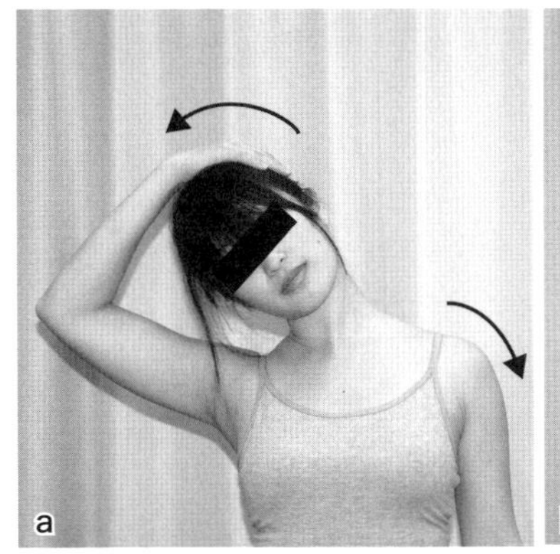

図 7-5　頸部側屈・肩甲帯下制のストレッチング

3）頸部伸筋群のセルフストレッチング（図 7-4）

・**目的とする筋：**板状筋群，半棘筋群，後頭下筋群

・**方法：**両手で後頭隆起を抱えこむようにし，顎を引いた状態で頸部全体を屈曲させる。両手で後頭隆起を上方に引くように屈曲させ，ゆっくりと動かすように注意する。

4）頸部側屈・肩甲帯下制のストレッチング

・**目的とする筋：**僧帽筋上部線維，肩甲挙筋

・**方法：**頸部を軽く屈曲させた状態で頸部の側屈と肩甲帯の下制を行う。

セルフ：反対側の手で頭部を側屈方向に引き，肩甲帯の下制は自動運動で行う（図 7-5a）。

パートナー：後方から両手で頭部と肩甲帯を引き離すようにゆっくりと押す（図 7-5b）。

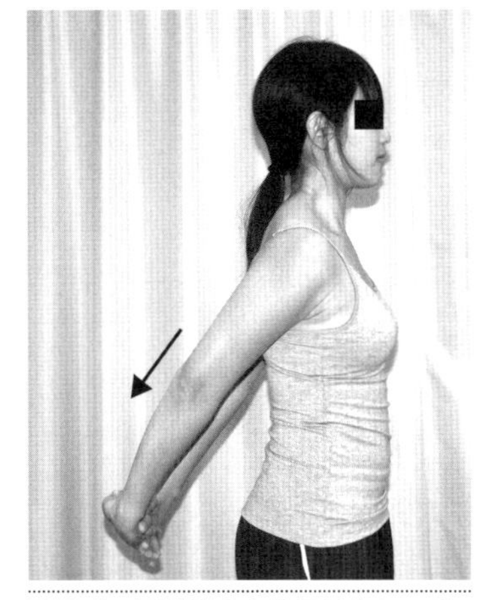

図 7-6　肩前部のセルフストレッチング

7-2-1-2　上肢のストレッチング

1）肩前部のセルフストレッチング（図 7-6）

・**目的とする筋：**三角筋前部線維，上腕二頭筋

・**方法:**後方で両手指を組み，前腕回外位，肘伸展位で肩を伸展させる。体幹が屈曲しないように注意し，胸椎を軽く伸展させた状態で行う。

2）肩後部のストレッチング

・**目的とする筋：**三角筋後部線維，広背筋，大円筋

・**方法：**上腕遠位を内側へ引くように肩を内転させる。肩甲帯の外転が生じないように注意する。

セルフ：上腕遠位部を押さえながら肘を反対側の肩へ向かうように内側へ引く（図 7-7）。

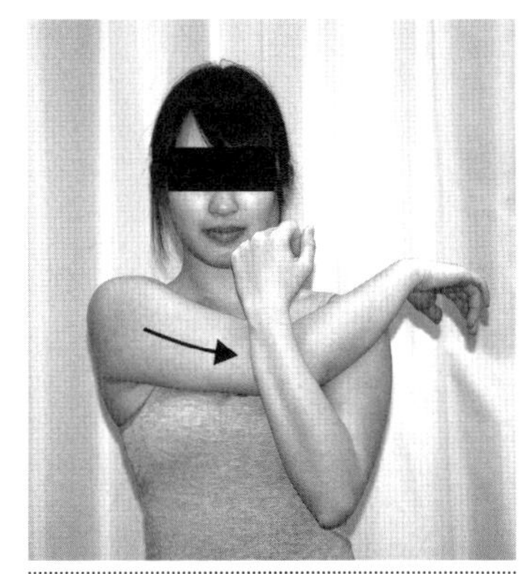

図 7-7　肩後部のセルフストレッチング

パートナー：後方から一方の手で上腕遠位を把持し，もう一方の手で肩甲帯の外転を押さえながら肩の内転を行う（図 7-8a）。背臥位では肩甲骨外側縁を押さえて肩甲骨が床面から離れないようにして行う（図 7-8b）。

3）肩外旋筋群のストレッチング

・**方法**

セルフ： ストレッチングを行う側を下にした側臥位となり，肩90°屈曲位，肘90°屈曲位，前腕回内位とする。上側の手で前腕遠位部を把持しながら肩内旋方向にゆっくりと押す。疼痛を生じやすいので，愛護的に行うように注意する（図7-9a）。

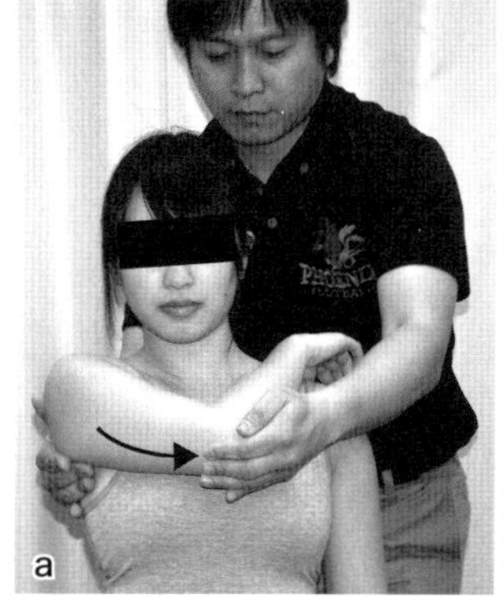
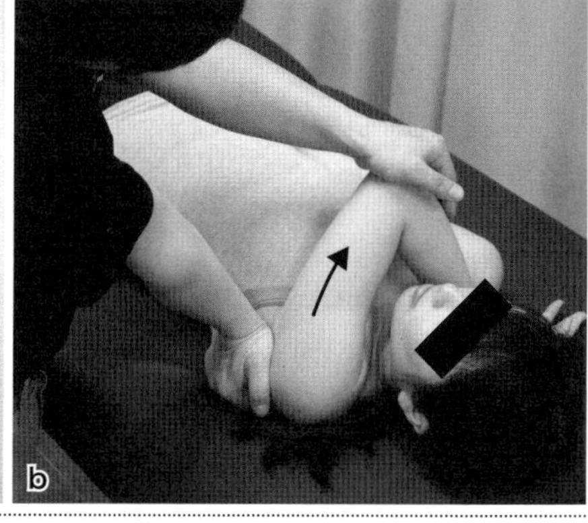

図7-8　肩後部のパートナーストレッチング

パートナー： 背臥位で肩90°外転位，肘90°屈曲位とする。パートナーは肘が動かないように押さえながら，前腕遠位部を把持して内旋方向にゆっくりと押す（図7-9b）。

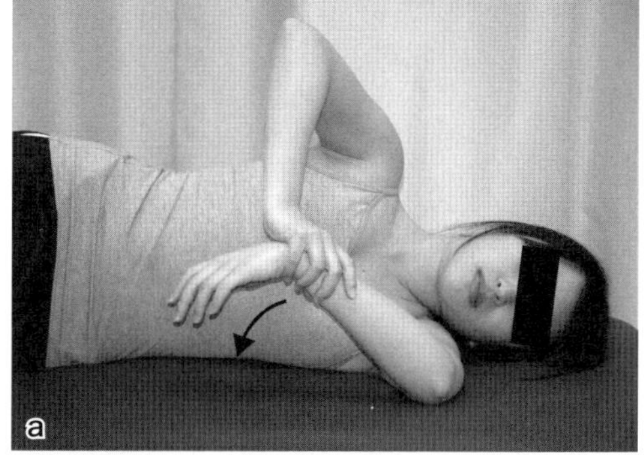
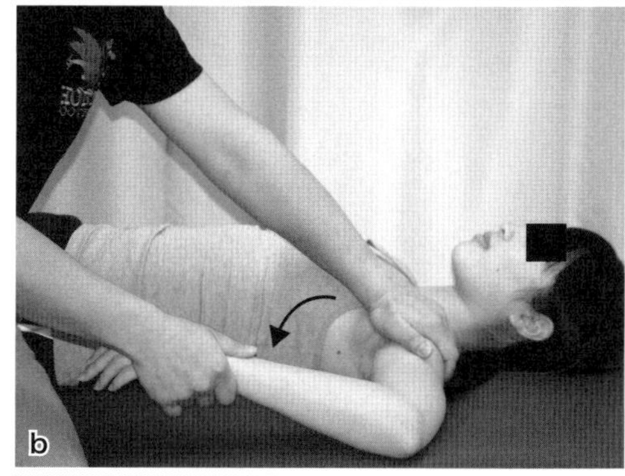

図7-9　肩外旋筋群のストレッチング

4）上腕後面のストレッチング

・**目的とする筋：** 上腕三頭筋，広背筋，大円筋

・**方法：** 肩・肘を屈曲させ，頭の後ろから肘を内側に引く。肘の屈曲角度を大きくすると，より上腕三頭筋が伸張される。

セルフ： 反対側の手で上腕遠位部を把持し内側へ引く（図7-10a）。

パートナー： 後方から肩甲骨外側縁を押さえ，肩甲帯の外転を制限しながら上腕遠位部を内側へゆっくりと押す（図7-10b）。

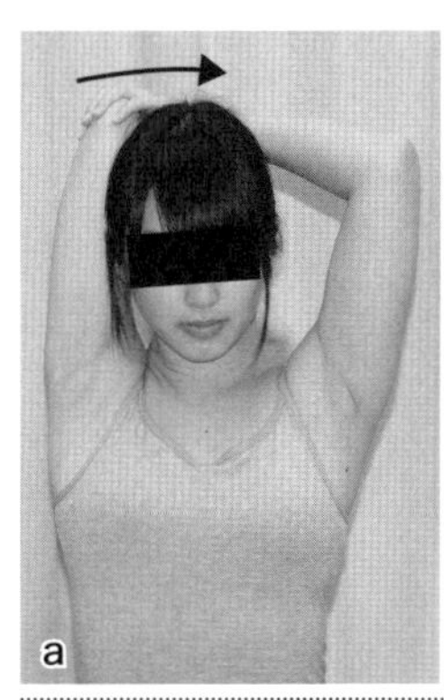
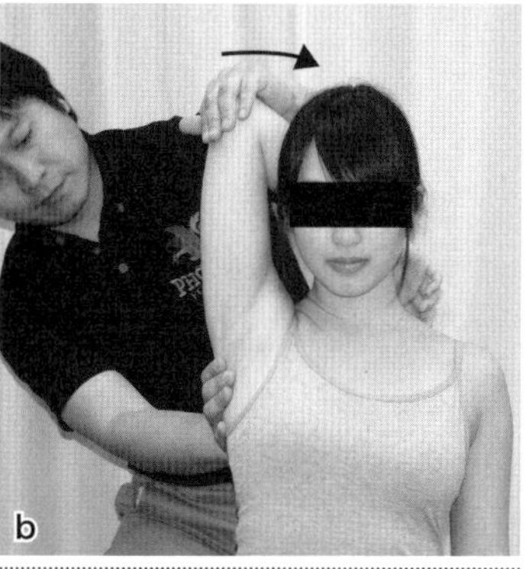

図7-10　上腕後面のストレッチング

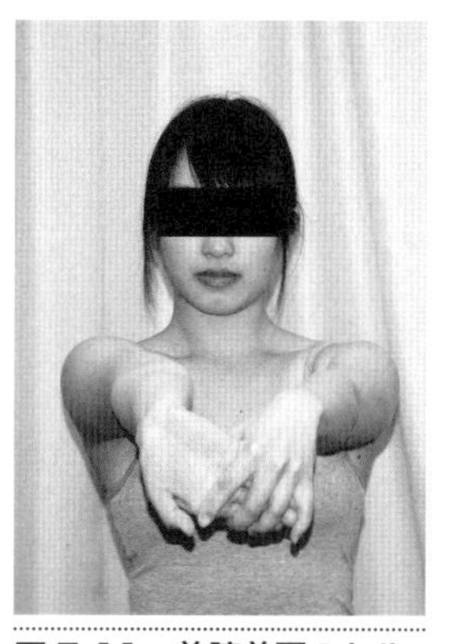

図7-11　前腕前面のセルフストレッチング

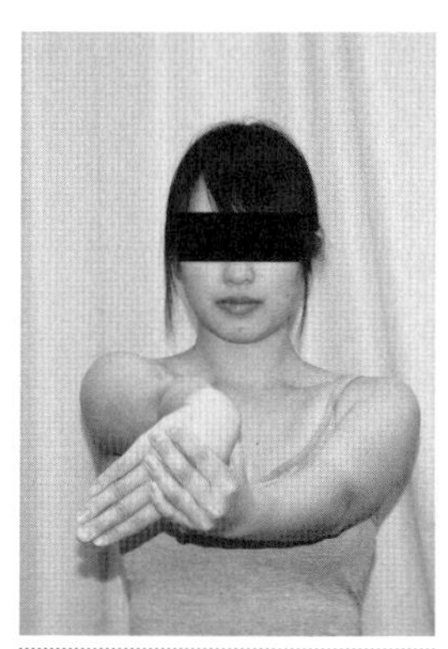

図7-12　前腕後面のセルフストレッチング

5）前腕前面のセルフストレッチング（図 7-11）

- **目的とする筋：** 前腕屈筋群
- **方法：** 肘伸展位，前腕回外位とする。上腕骨内側上顆から起始する前腕屈筋群は前腕を斜めに走行しているため，反対側の手で手掌を把持し，前腕の回外を強めながら手背屈を加える。

6）前腕後面のセルフストレッチング（図 7-12）

- **目的とする筋：** 前腕伸筋群
- **方法：** 肘伸展位，前腕回内位とする。上腕骨外側上顆から起始する前腕伸筋群は前腕を斜めに走行しているため，反対側の手で手背を把持し，前腕の回内を強めながら手掌屈を加える。

7-2-1-3　体幹のストレッチング

1）前胸部のストレッチング

- **目的とする筋：** 大胸筋，小胸筋
- **方法**

  セルフ： 壁または柱の横に立ち，肩外転位で手をつく。肩の過度な水平内転が生じないように注意して体幹を反対側へ回旋させ，前胸部に伸張感を感じた肢位で保持する（図 7-13a）。

  パートナー： 長座位で両手指を頭の後ろで組ませる。後方から片膝を胸背部に押し付け，両肘を開くように前胸部を伸ばす（図 7-13b）。

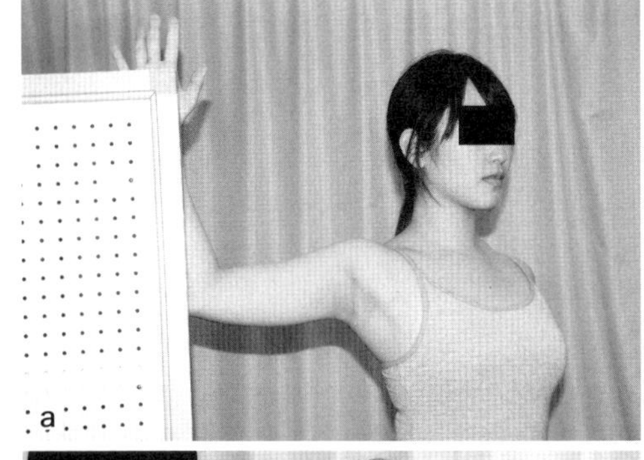

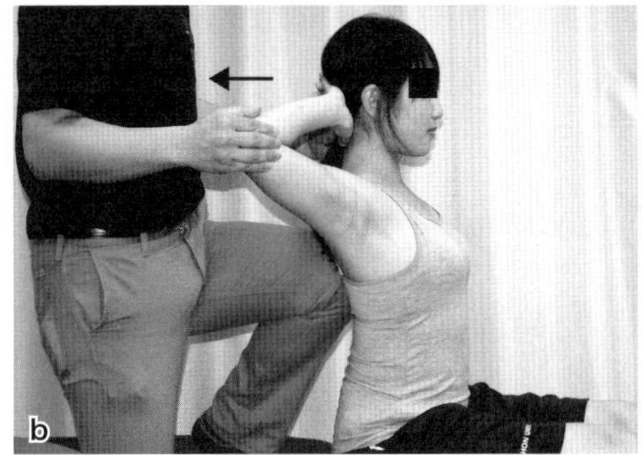

図 7-13　前胸部のストレッチング

2）前腹部のセルフストレッチング

- **目的とする筋：** 腹直筋，腹斜筋群
- **方法：** 腹臥位から両肩の近くに手を置き，上体を起こす。骨盤が床から離れないように注意し，背筋はリラックスさせて頭部と骨盤を引き離すように体幹を伸展させる（図 7-14）。

図 7-14　前腹部のセルフストレッチング

3）側腹部のストレッチング

- **目的とする筋：** 腹斜筋群，腰方形筋，広背筋
- **方法**

  セルフ： 一方の肩を 180° 外転させてもう一方の手で保持し，ゆっくりと側屈させる。骨盤が浮かないように注意する（図 7-15a）。

  パートナー： 後方から一方の手で大腿近位部を固定し，もう一方の手で体幹側屈をサポートする（図 7-15b）。

4）腰背部のストレッチング

- **目的とする筋：** 脊柱起立筋

図 7-15　側腹部のストレッチング

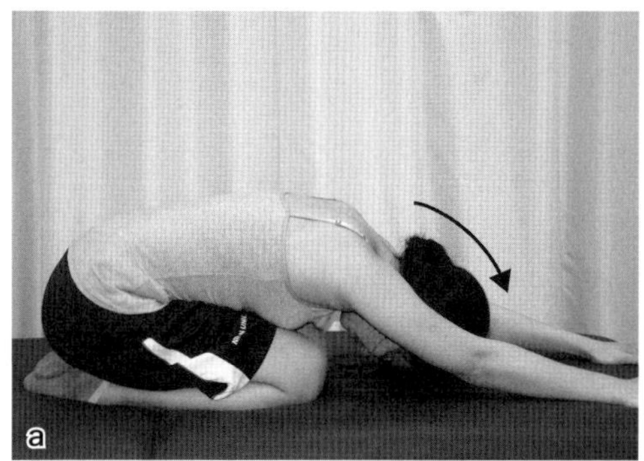
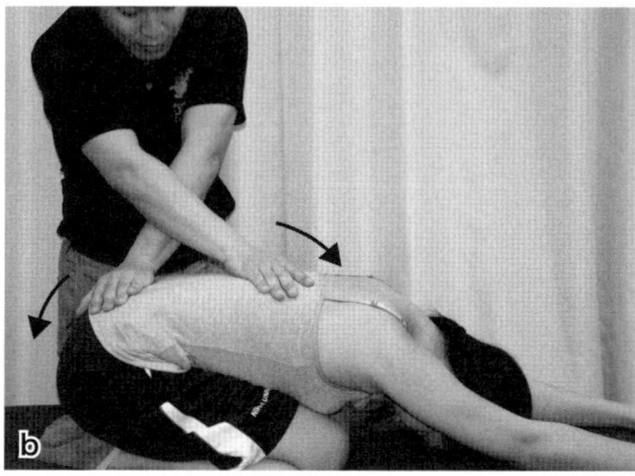

図 7-16　腰背部のストレッチング

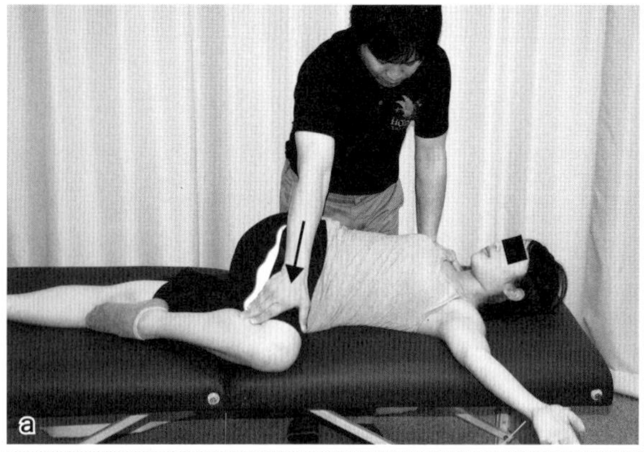
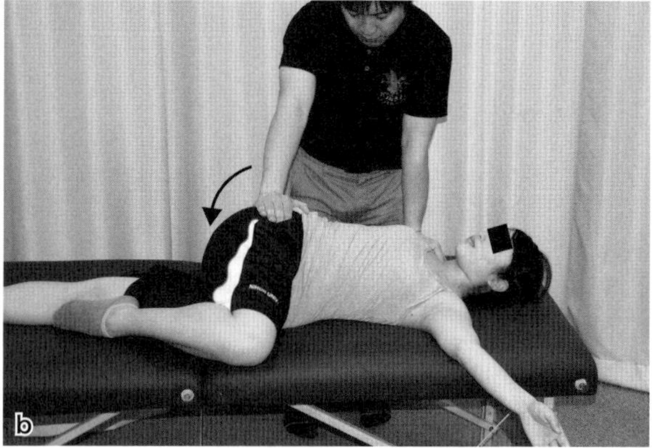

図 7-17　体幹捻転のパートナーストレッチング

・**方法**

セルフ：正座の状態から，骨盤と頭部を引き離すようにおじぎをする。骨盤が浮かないように注意する（図 7-16a）。

パートナー：骨盤を押さえながら，体幹屈曲をサポートする（図 7-16b）。

5）体幹捻転のパートナーストレッチング

・**目的とする筋：**腹斜筋群，大胸筋，広背筋

・**方法：**背臥位で両肩は 90° 外転位とし，片側の股・膝関節を 90° 屈曲させた状態で体幹を捻転させる。一方の手で捻転方向と反対の肩甲帯が床面から離れないように押さえ，もう一方の手で大腿部（図 7-17a）または骨盤（図 7-17b）から捻転運動を誘導する。

7-2-1-4　下肢のストレッチング

1）殿部のセルフストレッチング（図 7-18）

- **目的とする筋**：大殿筋，中殿筋，小殿筋
- **方法**：長座位から片脚を交差して組み，両手で膝を胸に引き付ける。手前から内側へ引き付ける方向をずらしながら行う。

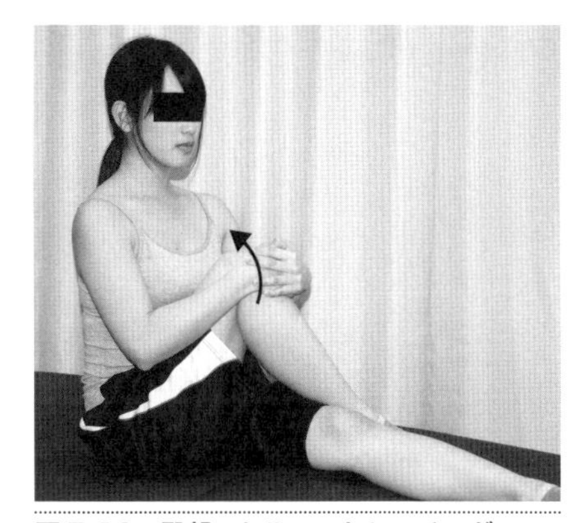

図 7-18　殿部のセルフストレッチング

2）股関節外旋筋群のストレッチング

- **方法**

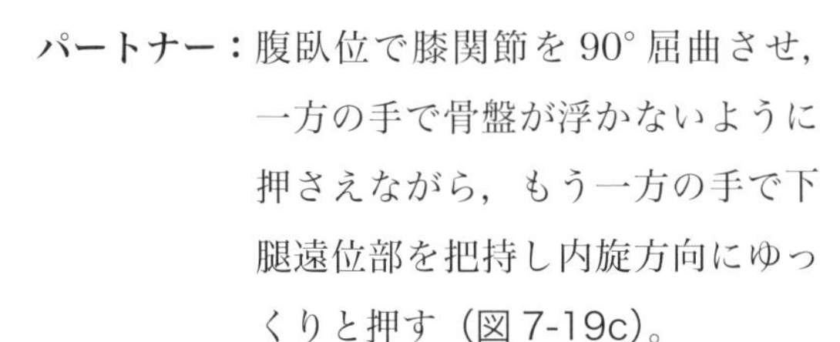

セルフ：膝関節を 90° 屈曲させ，大腿部と体軸が平行になるように最大内旋位をとる（図 7-19a）。次に反対側の踵部で内旋方向に押し，伸張感が感じられる位置を保持する（図 7-19b）。

パートナー：腹臥位で膝関節を 90° 屈曲させ，一方の手で骨盤が浮かないように押さえながら，もう一方の手で下腿遠位部を把持し内旋方向にゆっくりと押す（図 7-19c）。

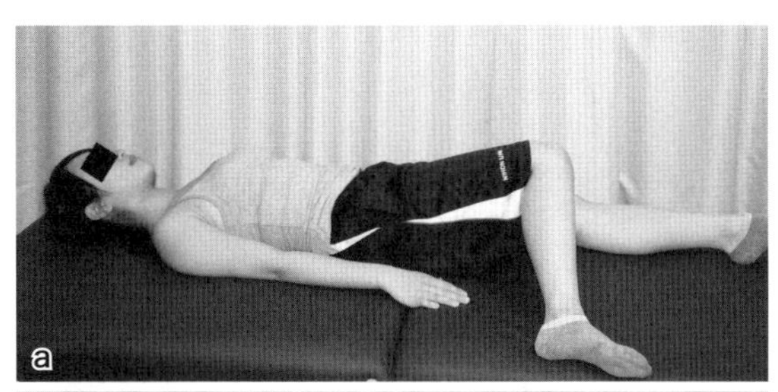

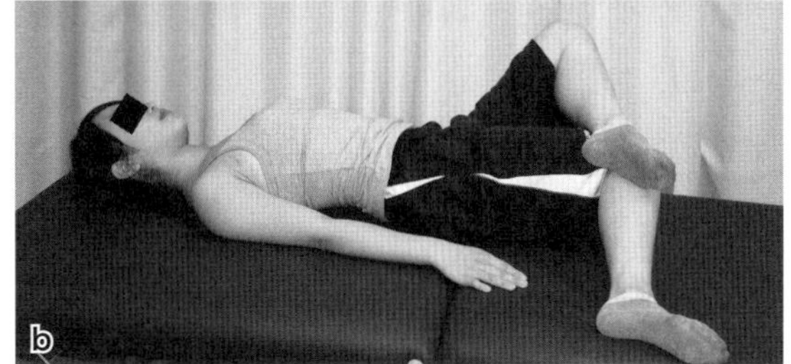

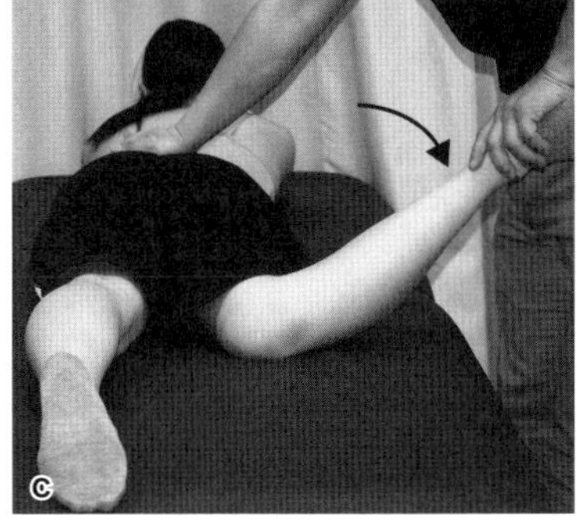

図 7-19　股関節外旋筋群のストレッチング

3）股関節内転筋群のストレッチング

- **方法**

セルフ：座位で開排位をとり，両肘で大腿遠位部を広げるように押す（図 7-20a）。

パートナー：背臥位で片脚を開排位とし，一方の手で骨盤が浮かないように押さえながら，もう一方の手で大腿部を床面につけるように押す（図 7-20b）。

4）腸腰筋のストレッチング

- **方法**

セルフ：片膝立ち位で前後幅を大きくとる（図 7-21a）。上体を起こしたまま股関節を

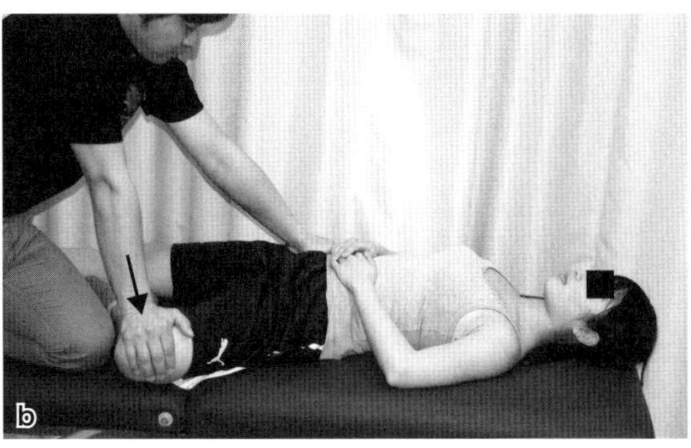

図 7-20　股関節内転筋群のストレッチング

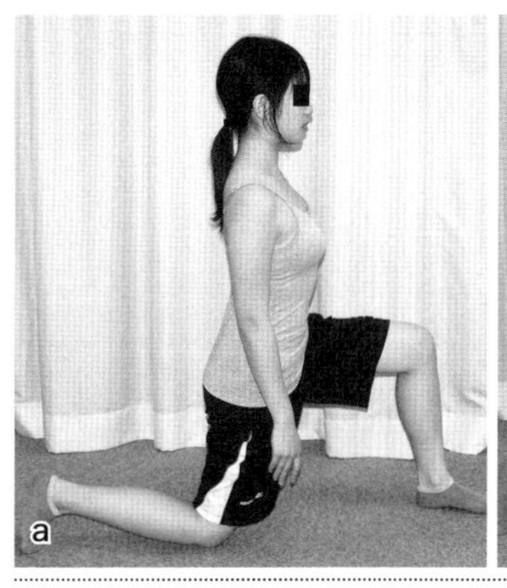

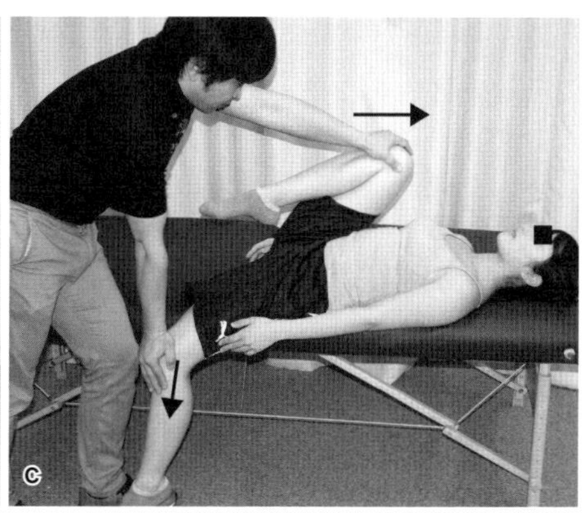

図 7-21　腸腰筋のストレッチング

図 7-22　大腿前面のストレッチング

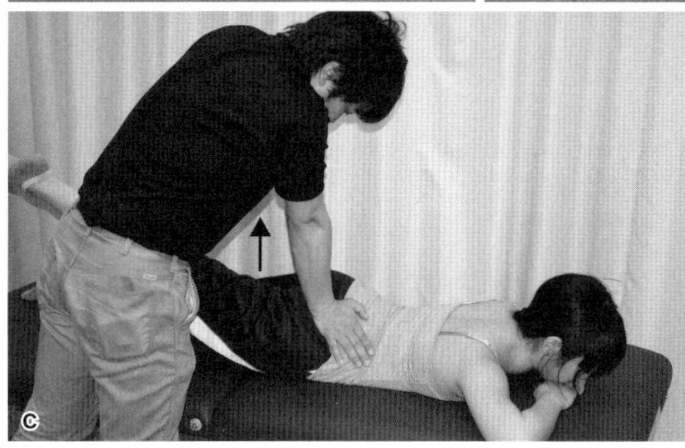
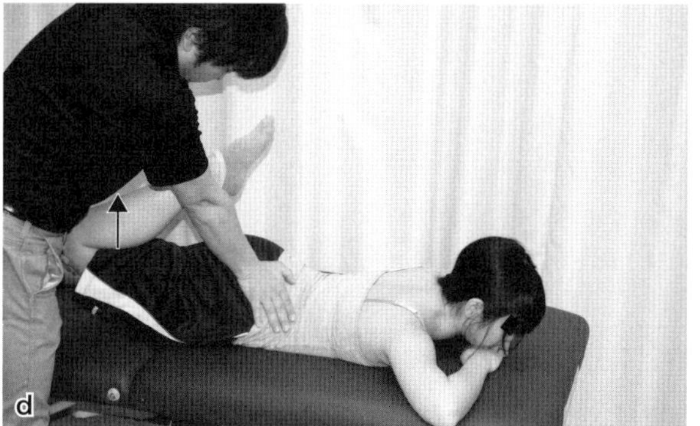

伸展させる（図 7-21b）。腰椎が過度に伸展しないように注意する。

パートナー：ベッド端に片脚を出し，もう一方の股関節を最大に屈曲させたまま，伸張させたい側の股関節を伸展させる（図 7-21c）。

5）大腿前面のストレッチング

- **目的とする筋：**大腿四頭筋，腸腰筋
- **方法**

セルフ：片膝立ち位で前後幅を大きくとる（図 7-22a）。後側の下腿遠位部を把持したまま上体を起こす（図 7-22b）。

パートナー：腹臥位で骨盤が浮かないように固定し，大腿遠位部を把持して股関節を伸展させる。膝伸展位（図 7-22c）で行うと腸腰筋，膝屈曲位（図 7-22d）で行うと大腿四頭筋（特に大

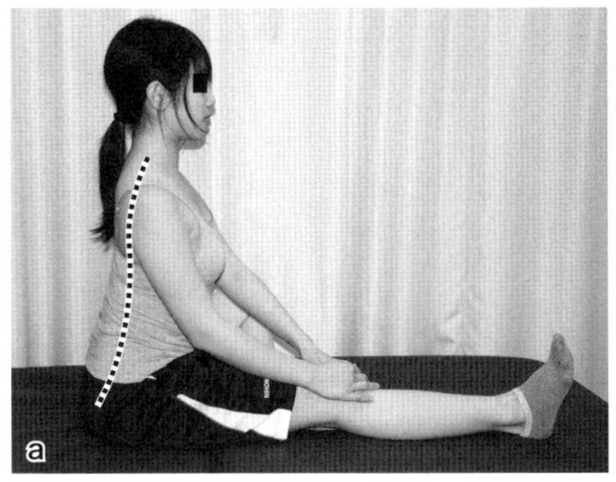
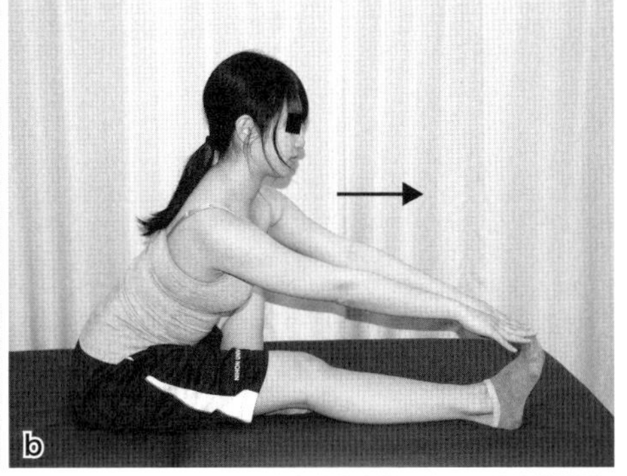
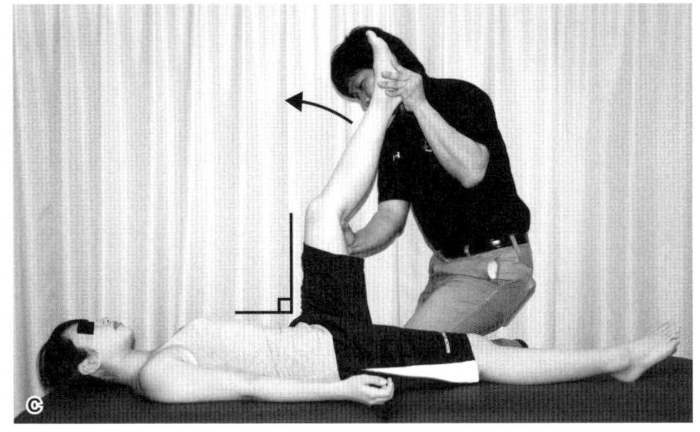

図 7-23　大腿後面のストレッチング

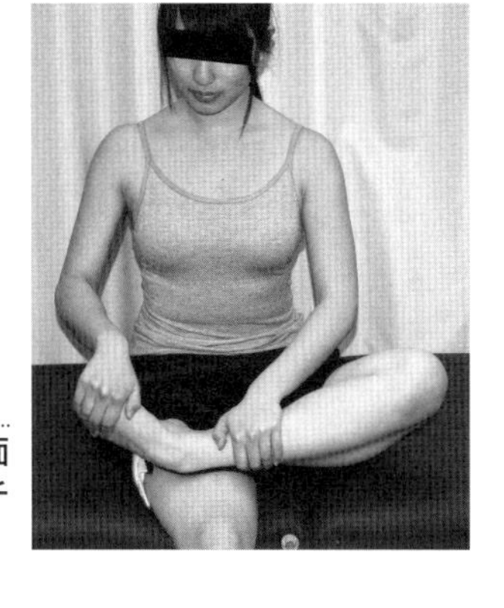

図 7-24　下腿前面のセルフストレッチング

腿直筋）の伸張が強調される。

6）大腿後面のストレッチング

・**目的とする筋：**ハムストリングス

セルフ：長座位で伸張させたい側の下肢のみ伸展位をとる（図 7-23a）。骨盤を前傾させながら上体を倒し，伸張感が感じられる位置で保持する（図 7-23b）。骨盤が後傾するとハムストリングスは緩んでしまうので注意する。

パートナー：背臥位で股関節を 90° に保持したまま，膝を伸展させる（図 7-23c）。

7）下腿前面のセルフストレッチング（図 7-24）

・**目的とする筋：**前脛骨筋，長趾伸筋

・**方法：**脚を組んだ状態で足背部を把持し，足底屈・回外方向へゆっくりと押す。

8）下腿後面のストレッチング

・**目的とする筋：**腓腹筋，ヒラメ筋

・**方法**

セルフ：立位で伸張させたい側を後ろにして脚を前後に開き，踵が床面から離れないように足背屈角度を強くする。膝伸展位（図 7-25a）では腓腹筋，膝屈曲位（図 7-25b）ではヒラメ筋が強調される。踏み台を利用して行うのも効果的である（図 7-25c，d）。

パートナー：腓腹筋の場合は背臥位で膝伸展位（図 7-25e），ヒラメ筋の場合は腹臥位で膝屈曲位（図 7-25f）とし，それぞれ足背屈を行う。

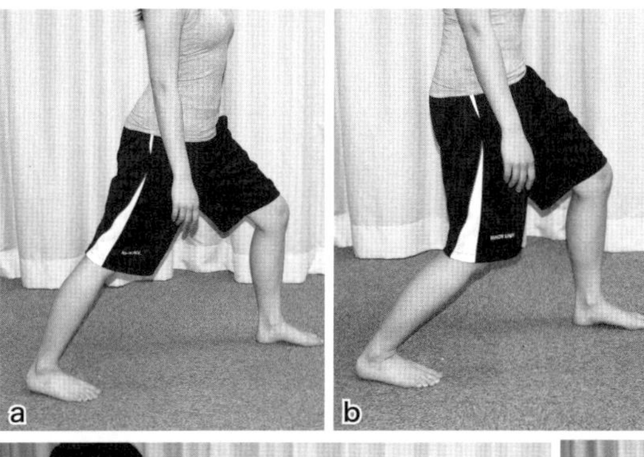

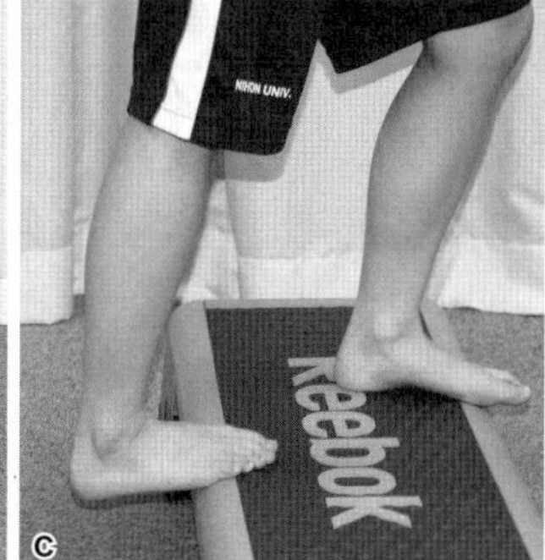

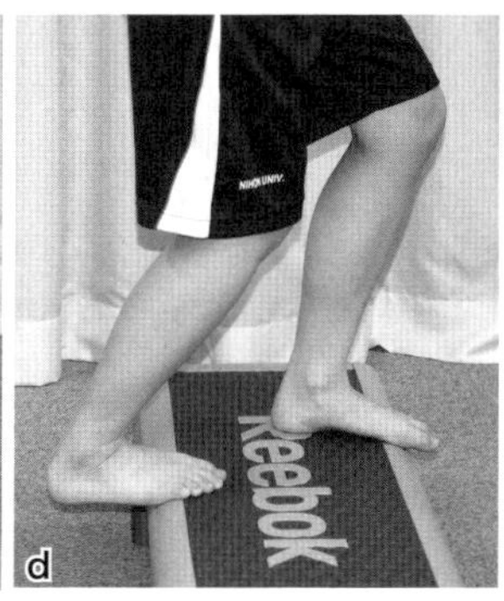

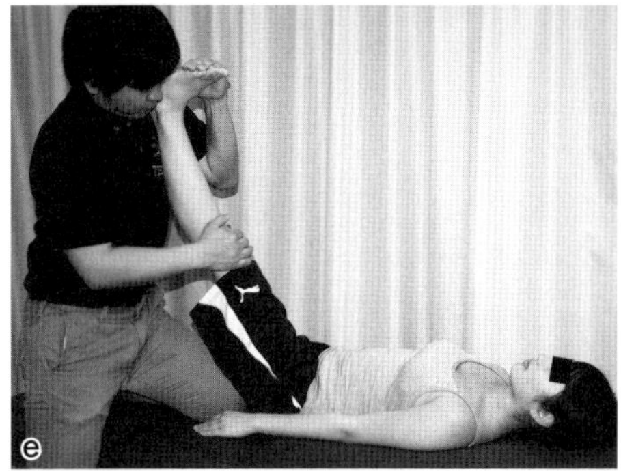

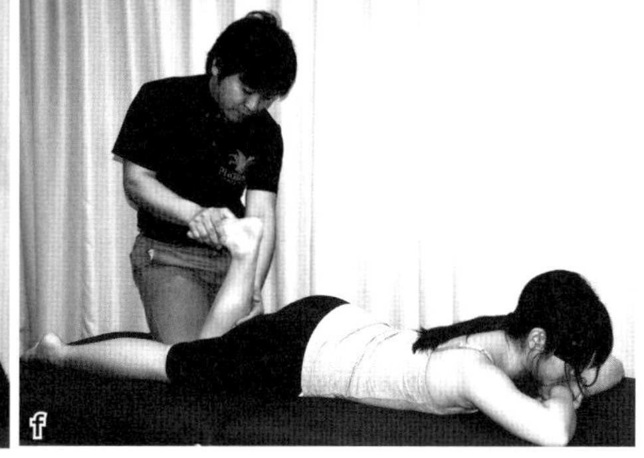

図 7-25　下腿後面のストレッチング

7-2-2　ダイナミックストレッチング

ウォーミングアップで用いられるような動きのなかでのダイナミックストレッチングと，神経生理学的反応を利用したリラクセーションテクニックに分けて紹介する。

7-2-2-1　ダイナミックストレッチング

1）ウォーキングランジ（図 7-26）

- **目的：**股関節屈曲・伸展の動的柔軟性を高める。
- **方法：**上体を起こしたまま大きく 1 歩踏み出し，前脚の股関節屈曲と後脚の伸展を十分に行う。前脚は正面から見て股関節・膝関節・足関節が一直線となり，体幹が左右に傾いていないことを確認する。

図 7-26　ウォーキングランジ

2）ローテーショナルウォーキングランジ（図 7-27）

- **目的：**股関節屈曲・伸展と体幹回旋の動的柔軟性を高める。
- **方法：**ウォーキングランジの際に，前脚側へ体幹を回旋させる。

図 7-27　ローテーショナルウォーキングランジ

3）エルボー・トゥ・ヒールランジ（図 7-28）

- **目的：**特に股関節屈曲と肩甲帯外転の動的柔軟性を高める。
- **方法：**ウォーキングランジの際に，前脚の踵に反対側の肘をつける。

4）ニー・トゥ・チェストランジ

- **目的：**ウォーキングランジに加えて股関節屈曲の柔軟性を

図 7-28　エルボー・トゥ・ヒールランジ

図 7-29　ニー・トゥ・チェストランジ

高めると同時に片脚バランス能力を改善する。

- **方法：**上体を起こしたまま膝を抱え込むように股関節を屈曲させる。そのままカーフレイズ（つま先立ち）を行い（図 7-29a），片脚立位を数秒保持した後，ウォーキングランジを行う（図 7-29b）。片脚立位の際の姿勢がまっすぐになるように注意する。

5）サイドランジ（図 7-30）

- **目的：**股関節内転筋群とハムストリングスの動的柔軟性を高める。
- **方法：**後脚の踵部は床面から離れないようにし，サイドランジを行う。前脚は身体の正面から見て股関節・膝関節・足関節が一直線となり，体幹が左右に傾いていないことを確認する。

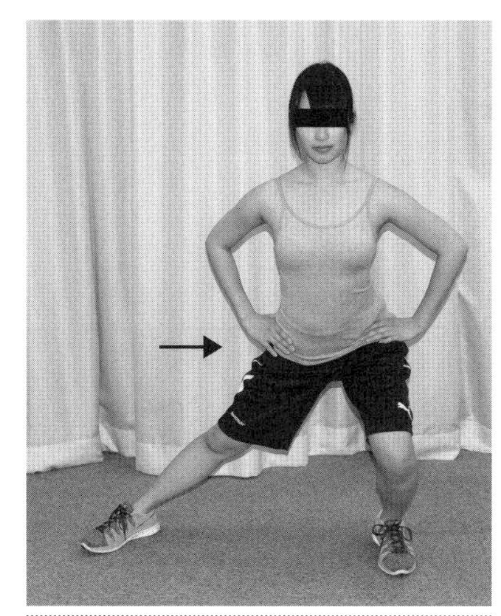

図 7-30　サイドランジ

6）ハイキック（図 7-31）

- **目的：**下肢後面筋の動的柔軟性を高める。
- **方法：**片側の手を挙げておき，反対側の脚を，膝を伸展させた状態で挙上した手に向かって高く振り上げる。上体は起こしておき，支持側の脚と体幹が一直線になるように注意する。

7）ヒップローテーション

- **目的：**股関節回旋の動的柔軟性を高める。
- **方法：**膝を引き上げながら，外側から内側へ（ヒップイン）（図 7-32a），内側から外側へ（ヒップアウト）（図 7-32b）分回し運動を行う。支持側の下肢や体幹が動揺しないように注意し，大きな弧を描くように行う。

8）ショルダーローテーション

- **目的：**肩周囲の動的柔軟性を高める。

図 7-31　ハイキック

・**方法**：両肩の分回し運動を行う。外側から内側へ回すショルダーイン（図7-33a），内側から外側へ回すショルダーアウト（図7-33b）を左右とも同様に行うか，右をショルダーイン，左をショルダーアウトといったように左右を変えて行う（図7-33c）。

図7-32　ヒップローテーション

9）アームローテーション

・**目的**：上肢帯の回旋の動的柔軟性を高める。

・**方法**：両肩を90°外転位，肘を90°屈曲位とする（図7-34a）。一方の上肢は肩内旋と前腕回内を同時に行い，もう一方の上肢は肩外旋と前腕回外を同時に行う（図7-34b）。引き続いて反対方向へ動かし（図7-34c），最大可動範囲でこれをくり返す。上肢の運動に伴って肩甲骨の十分な前傾・後傾が起こるのを確認する。

10）スキャプラスクイージング（図7-35）

・**目的**：肩甲帯の動的柔軟性を高める。

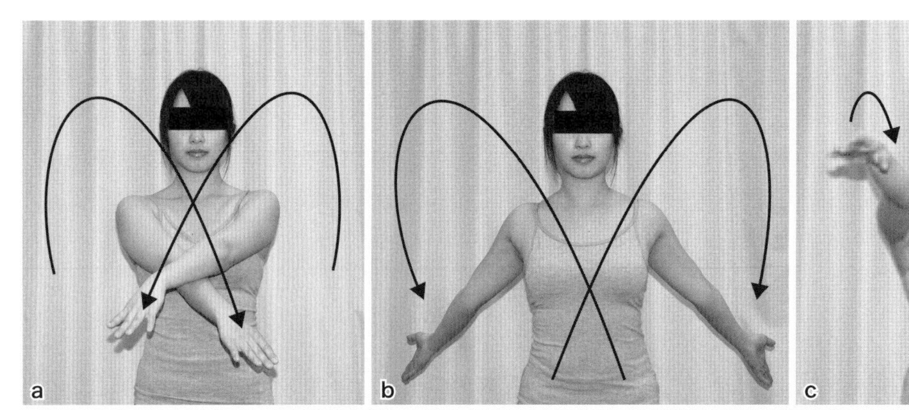

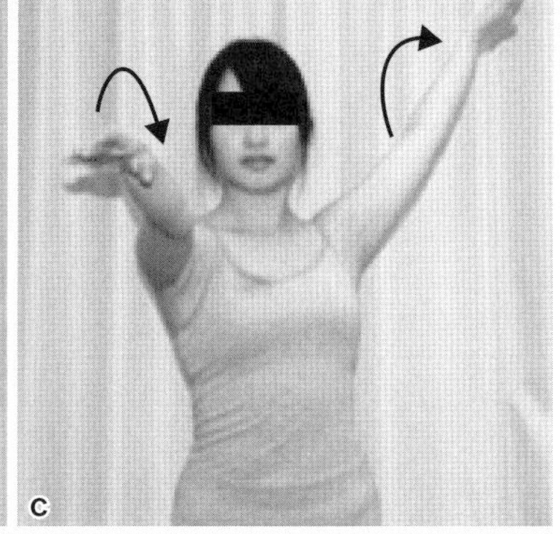

図7-33　ショルダーローテーション

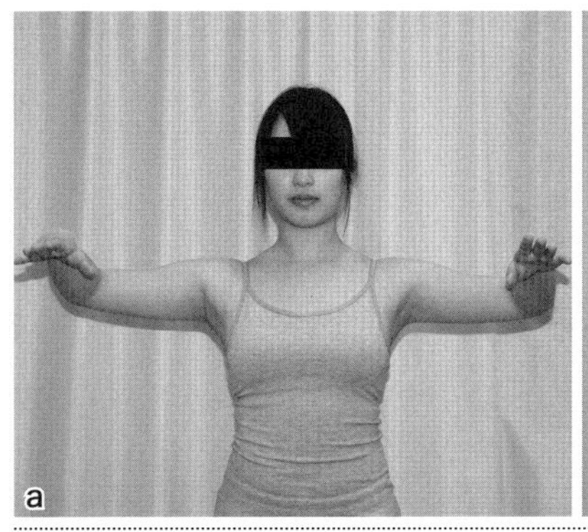

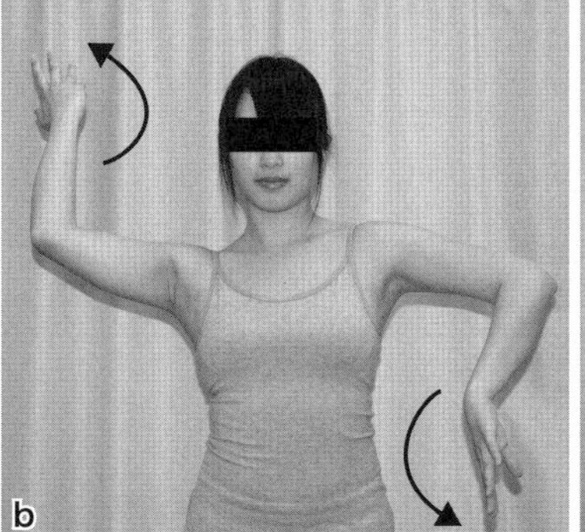

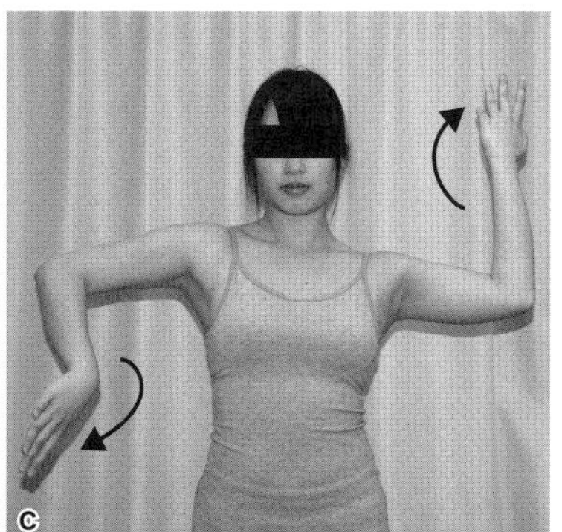

図7-34　アームローテーション

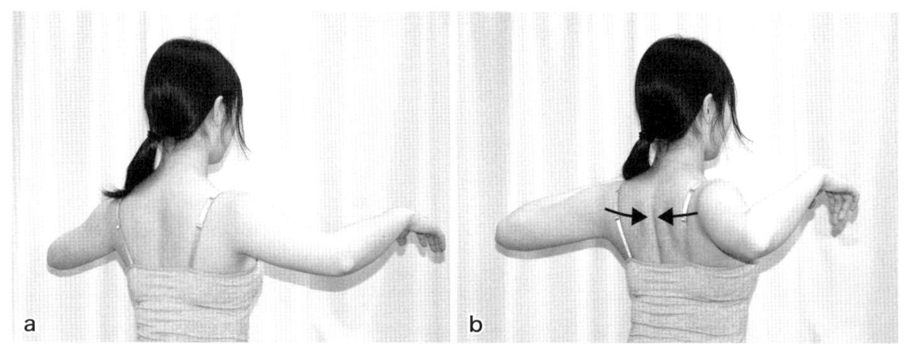

図 7-35　スキャプラスクイージング

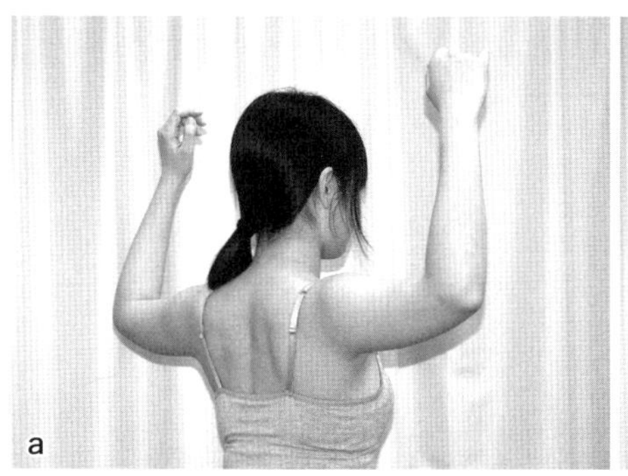

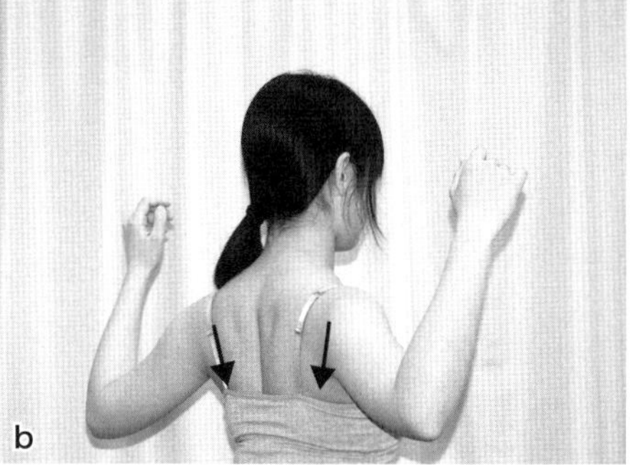

図 7-36　スキャプラプルダウン

・**方法：**両肩を 90° 外転位とし（図 7-35a），両肩甲骨を引き付けるようにして十分に胸を開き（図 7-35b），元に戻してくり返し行う。

11）スキャプラプルダウン

・**目的：**肩甲帯の動的柔軟性を高める。

・**方法：**両肩を 90° 外転・外旋位とし（図 7-36a），両肩甲骨を十分に引き下げて（図 7-36b）元に戻し，くり返し行う。

7-2-2-2　リラクセーションテクニック

1）相反神経支配を利用したストレッチング

図 7-37　相反神経支配を利用したストレッチング：ハムストリングス

・**目的：**リラックスさせたい筋の拮抗筋を最大収縮させることで，相反神経支配によるリラクセーションを図る。

・**方法（例 1：ハムストリングス）：**背臥位で股関節 90° 屈曲位とし，大腿遠位部を両手で保持して固定する（図 7-37a）。膝を伸展させて大腿四頭筋を強く収縮させる（図 7-37b）。3 〜 6 秒間の収縮の後，完全にリラックスさせ，一呼吸おいてこれをくり返す。

・**方法（例 2：ジャックナイフストレッチング）：**立位で胸を大腿部につけて両足関節を把持した状態から開始する（図 7-38a）。胸を大腿部から離さずに可能な限り膝を伸展させ，大腿四頭筋に十分な筋収縮が得られているのを確認する（図 7-38b）。

図7-38　相反神経支配を利用したストレッチング：ジャックナイフストレッチング

2）ホールド・リラックス（図7-39）

- **目的：**伸張位で等尺性収縮を行うことでIb抑制による筋のリラクセーションを図る。
- **方法（例：大胸筋）：**座位で両手指を頭の後ろで組ませる。後方から片膝を胸背部に押し付け，両肘を開くように前胸部を伸ばす。最大に胸を開いた状態（伸張位）で水平内転方向（肘を近づける）へ最大等尺性収縮を3～6秒間行わせる。収縮後は完全にリラックスさせ，スタティックストレッチングを加えて最大伸張位をとり，最大等尺性収縮を3～5回くり返す。

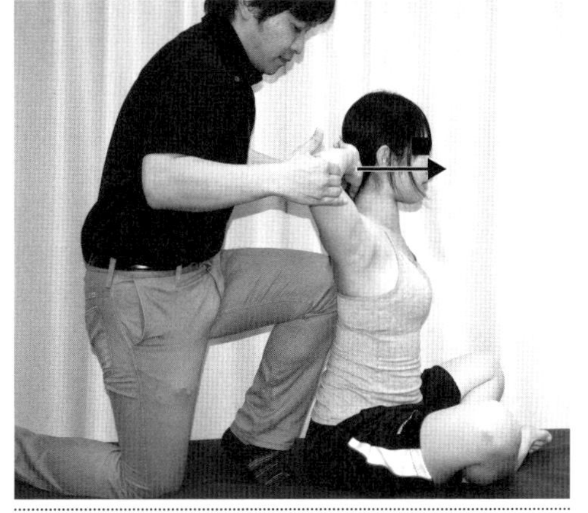

図7-39　ホールド・リラックス

3）コントラクト・リラックス（図7-40）

- **目的：**伸張位で等張性収縮を行うことでIb抑制による筋のリラクセーションを図る。
- **方法（例：股関節内転筋）：**座位で両足底をつけて開排位をとらせる。後方から両大腿遠位部を押して最大開排位（伸張位）とする。等張性運動が可能な強度の徒手抵抗を加えながら，内転運動を3～6秒間かけて行わせる。収縮後は完全にリラックスさせ，スタティックストレッチングを加えて最大伸張位をとり，等張性収縮を3～5回くり返す。

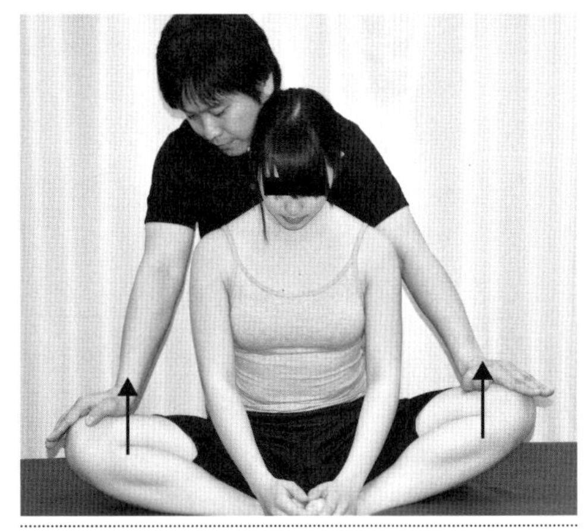

図7-40　コントラクト・リラックス

8 マッサージの実際

泉　重樹（法政大学スポーツ健康学部スポーツ健康学科）

8-1　マッサージの基礎知識

8-1-1　手技療法および「あん摩」「マッサージ」「指圧」の定義

マッサージは，日本においてはあん摩および指圧とあわせて1つの国家資格（あん摩マッサージ指圧師）である。あん摩は古代インドで発祥し中国で発展した後，日本に伝えられた[1]。マッサージは古代インドより起こりヨーロッパで発達し，西洋医学の後療法として日本に伝えられた[1]。指圧は日本で起こり発展した手技療法であり，歴史は新しく大正時代といわれている[1]。これらの手技療法は全体として，施術者の手指をもって，異常な生活現象を現わしている生体に対し，力学的刺激（押す，揉む，さする，叩く，震わせる，引っ張る）を与え，その刺激の強弱により生体の持つ恒常性維持機能を反応させて，生体の変調を整え，正常な生活すなわち健康状態を継続させ，さらに健康を増進させる刺激療法施術である，と定義されている[2]。

また，あん摩・マッサージ・指圧それぞれについても定義がある。それぞれの手技療法に関する定義は以下の通りである[2]。

① **「あん摩」の定義：**薄い衣服の上から，主として遠心性の手技を強弱の刺激として生体に加え，生体の変調を整え健康を保ち，さらに増進させる手技療法。

② **「マッサージ」の定義：**主として求心性の手技を，強弱の刺激として，生体の皮膚に直接加え，生体の変調を整え健康を保ち増進させる手技療法。求心性の手技により血液，リンパ液の循環はよくなり新陳代謝機能は盛んとなる。その結果組織の栄養は高まり機能は盛んとなり，抵抗力は強くなる。

③ **「指圧」の定義：**疾病の治療および予防を目的として，全身の体表に定められた部位を，徒手を用いて，原則として漸増，漸減の垂直圧の1点圧を主体とした，押圧操作を遠心性の方式で生体に加え，生体に備わっている自然治癒力の働きを促進し，疲労素を取り除き，健康を増進させる手技療法。

日本で最も多く行われているいわゆる「マッサージ」は，マッサージを基本にして，さらにあん摩と指圧を組み合わせた手技が主流であり，一般的には皮膚に直接行われるものよりも，その手軽さから薄い着衣の上からやタオルなどの上から施術が行われているものが多い。一方，欧米では滑剤（乾性のタルクや湿性のオイルなど）を用いて皮膚に直接行うマッサージが主流である。

8-1-2　スポーツマッサージとは

現在日本で多く行われているスポーツマッサージについて，溝口は表8-1のようにマッサージが用いられる分野を定義したうえで，以下のように解説している[3]。

- スポーツマッサージは，スポーツを行う際に起こりやすい心身の疲労の回復，外傷・障害の治療や予防の一手段として行われている。
- マッサージを行う際，温浴や各種物理療法，ストレッチングや運動療法などを併用することにより，マッサージ効果を高め，身体の柔軟性や運動機能を高め，よりよいパフォーマンスを獲得することができる。
- スポーツマッサージと保健マッサージとでは，基本的な手技の用い方に相違はない。しかしスポーツマッ

表 8-1　マッサージが用いられる分野

医療マッサージ	治療マッサージ	外傷・障害や循環系・神経系疾患などの治療の一方法として行う
	看護マッサージ	高齢者の介護や疾患の療養中の人などに行う
保健マッサージ		健康の保持・増進や心身の疲労回復を図る目的で行う
産業マッサージ		肩こりや眼性疲労など職場で起こりやすい諸症状や心身の疲労の回復を図り，労働能力の向上を目的に行う
美容マッサージ		健康な皮膚の保持や痩身などを目的に行う
スポーツマッサージ		（本文参照）

サージでは，スポーツ選手の疲労の程度や部位，外傷・障害の程度や復帰の時期などにより，マッサージを行う時間や部位，用いる手技や方法，テクニックの組み合わせ方などに相違がある。

8-1-3　スポーツマッサージの目的

スポーツマッサージを行う目的は，大きく分けると，①疲労回復，②外傷･障害の予防と治療，③コンディショニングの３つに分類できる[3]。以下それぞれについて紹介する。

①疲労回復：練習や競技の後に，特に疲労した部位や全身の疲労の回復やコンディショニングを目的に行われるマッサージである。

②外傷・障害の予防と治療：患部や全身の疲労回復や柔軟性を高めることにより，パフォーマンスの向上，外傷・障害の予防を目的とする。また，治療目的の場合は，外傷の回復状況や障害の程度に応じてマッサージを行う。

③コンディショニング：主に競技前後や競技中に，よりよいコンディションを得ることを目的として行う。

8-1-4　マッサージの禁忌[2, 3]

激しい痛みや感染症をはじめとする疾患がある場合，特に外傷・障害や疾病の急性期には，マッサージは行わずに，必ず医療機関を受診する。その他の禁忌症は，悪性腫瘍，急性中毒，急性炎症性疾患，出血性疾患，重度の内臓疾患，潰瘍性疾患，動脈瘤，結核症，化膿性疾患，感染性関節症である。また骨折，脱臼，捻挫の直後はマッサージを行ってはならない。

8-1-5　マッサージの注意事項

8-1-5-1　マッサージを受ける際の注意事項

- 練習や試合で受傷した外傷や障害がある場合には，事前にそのことを告げ，医師の診察などを受けることが先決である。
- 食事直後のマッサージは控える（食後 90 分程度は控える）。
- 入浴後などの身体が温まっているときや，温熱療法とマッサージを組み合わせると効果的である。ただし高血圧の持病がある場合には，入浴直後は注意が必要である。
- 全身のマッサージは，肩こり，腰痛といった運動器疾患だけでなく，慢性の機能的消化器症状や神経系症状にも効果がある。
- 全身のマッサージを受ける際，マッサージの時間が長すぎたり，強度が強すぎたりするといわゆる「揉みかえし」（施術後やその翌日に局所の痛み・だるさ，張り・違和感が増加すること）になることがあるので，注意が必要である。

- 全身のマッサージを受ける際，施術の際に感じる圧は「心地よいくらい」「いた気持ちいいくらい」がちょうどよい。感じる圧が自身の心地よさよりも少し強い(少し痛く感じられる)揉み方がよいわけではない。

8-1-5-2　マッサージを行う際の注意事項

- 施術者は手指の洗浄を心掛け，爪を短く切る。指輪・時計などの装飾品は，被術者（選手・患者）を傷つける可能性があるため，外しておく。
- 被術者に不快感を与えないように，手指の保温を心掛ける。
- マッサージの際，施術者自身が快適な姿勢で施術を行うことが望ましい。そのためには伸ばした腕の真下に施術部位がくるよう，ベッドの高さを調節するとよい。
- 一般的に強い手技は避ける。被術者に不快感を与えないようにするためには，施術者がその都度，強さを被術者に確認しながらマッサージを行っていくことが望ましい。
- マッサージを被術者の皮膚に直接行う場合には，摩擦を最小限にとどめ障害を避けるために，滑剤が用いられる。滑剤は乾性のもの（ベビーパウダーのような粉性のもの）と湿性のもの（スキンクリームやオイル状のもの）がある。マッサージオイルに香りによる効能を加えたアロマオイルもよく用いられている。

8-1-5-3　スポーツマッサージの注意事項

- 練習・競技の前には軽めにし，各種運動療法と組み合わせて行う。例としては，軽擦法や叩打法を中心に短時間で行う。
- 練習・競技の後には疲労回復，障害予防のために，静的ストレッチングと組み合わせて行われる場合が多い。圧迫法や揉捏法を中心に，ゆっくりと施術局所とともに全身がリラックスできるようにする。
- マッサージを行う時間として，1 部位 5 〜 10 分程度が適当である（自身で行うセルフマッサージの場合も同様である）。全身に行うマッサージは疲労の程度，年齢・体質，競技シーズンや競技日程などで異なる（60 〜 90 分程度を目安に考えるとよい）。

8-2　マッサージの実際

8-2-1　マッサージの基本手技[2〜4)]

マッサージは基本的に手部を用いて行う。その際，手のどの部分を用いて行うかによって，それぞれ手技の名称が異なる。手部の各部位の名称については図 8-1 を参照していただきたい。

基本手技には以下のものがある。①軽擦法（さする），②圧迫法（押す），③揉捏法（揉む），④強擦法（揉みこねる），⑤叩打法（叩く），⑥振せん法（震わせる），である。

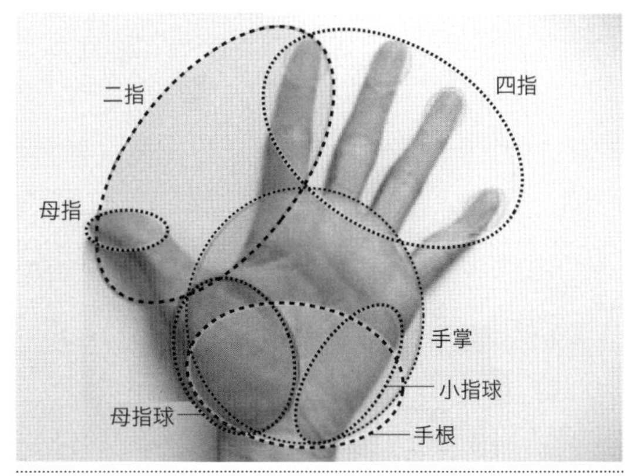

図 8-1　手部の各部位の名称

8-2-1-1　基本手技 1：軽擦法

施術者の手を施術部位に密着させ，これに適度な圧を加えながら，なで，さする方法である。身体の末梢から心臓に向かって繰り返し行う。この手技はマッサージにおいて最も基本的なものであり，一般的には施術の最初と最後に行われる。

①手掌軽擦：手掌を使い背部・腰部・大腿・下腿・上腕・前腕など広い部位に行う（図 8-2）。

②四指軽擦：母指を除いた 4 指で頸部や胸部に行う。

③二指軽擦：母指と示指の 2 指を用いて指や前腕・下腿の外側などに行う（図 8-3）。

④母指軽擦：両手の母指腹を用いて手背や足背，指などに行う。

8-2-1-2　基本手技 2：圧迫法

施術者の手指や手掌により軟部組織を深部に向かって圧迫する方法である。身体各部に応じて，手部の各部位を使い分けながら実施する。圧迫法のなかで，最も基本的で広く用いられている手技は母指圧迫法である。押圧は漸増漸減にて行い，特に力を抜くときに急激に抜かないように注意する必要がある。また 4 指と手掌の掌面全体を用い，筋を把握したままゆっくりと握るように圧を加えていく方法を把握圧迫法という。

圧の加え方として以下の 2 通りがある。①間欠圧迫法：施術者の手で施術部を圧迫し，次いで緩めることを間欠的に繰り返して圧迫していく方法，②持続圧迫法：施術者の母指などを用いて 1 点に圧を集中し一定深度に達したら 3 ～ 5 秒程度圧をとどめ，その後緩めていく方法である。

①母指圧迫：母指腹を用いて施術部に垂直に圧を漸増・漸減にて加えていく方法である。圧迫法の基本である（図 8-4）。両手の母指を重ねて 1 点に圧をかけて行うことを両母指圧迫という（図 8-5）。

②手掌圧迫：手掌面を施術部に当て圧迫していく方法である。背部や腹部など広い部分に用いる。

③手根圧迫：手掌の下端部（手根部）を用いて圧迫していく方法である。腰背部・殿部・大腿部など多くの部位で用いられる手技である（図 8-6）。

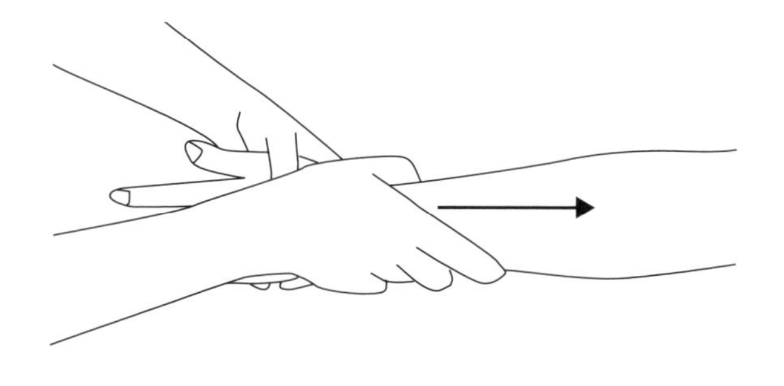

図 8-2　手掌軽擦
矢印は手技の方向を示す（他の図も同様）。

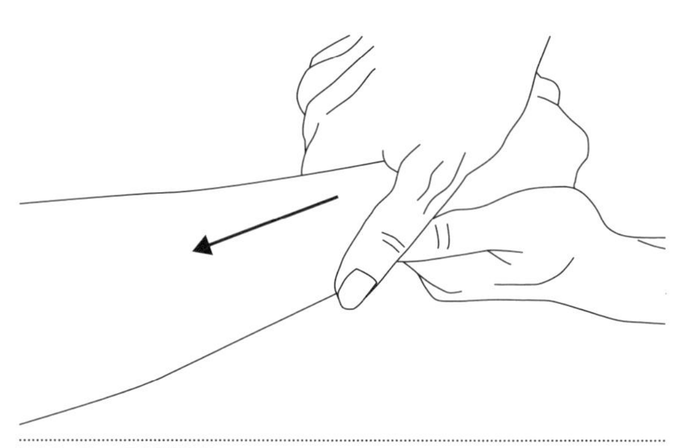

図 8-3　二指軽擦

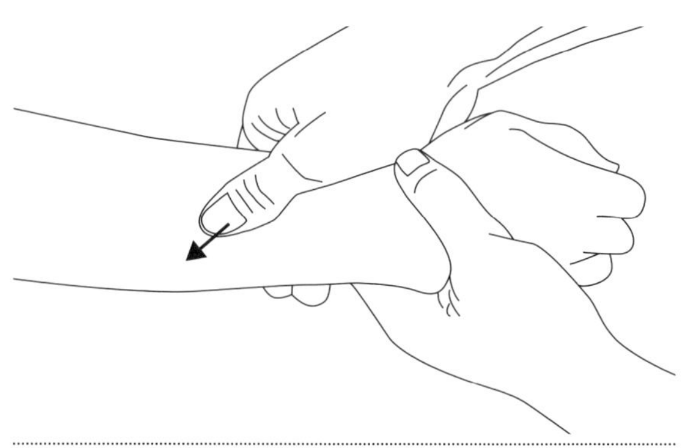

図 8-4　母指圧迫
筋に対して垂直方向に圧を加えている。

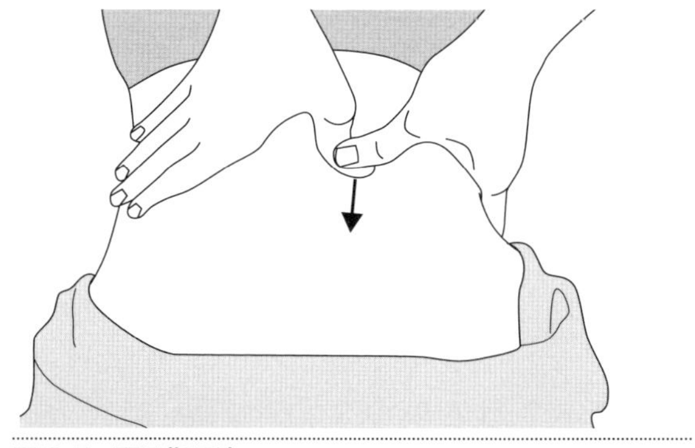

図 8-5　両母指圧迫
腰部など組織が固く力を入れる必要がある部位で多く用いられる。筋に対して垂直に圧を加えている。

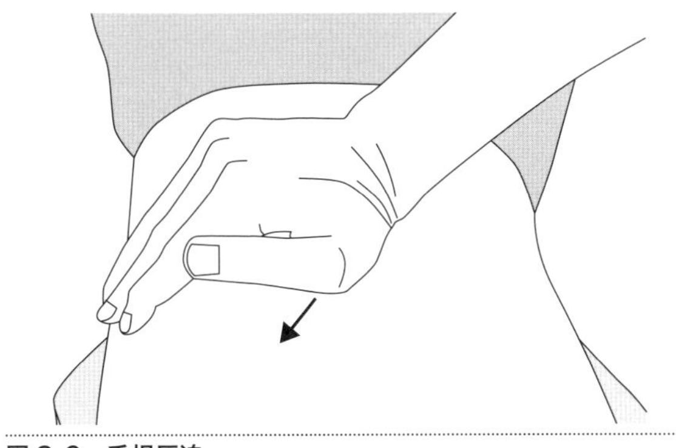

図 8-6　手根圧迫

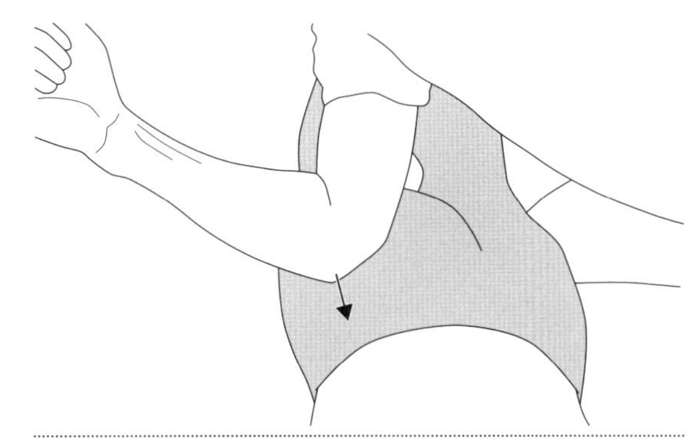

図 8-7　肘頭部を用いた圧迫法
図では殿部の筋に肘頭による圧迫法を施している。

④四指圧迫：母指を除いた 4 指の全体で圧迫する方法である。腹部や下腿部などに用いる。

⑤二指圧迫：母指と示指の 2 指で施術部をはさみながら圧迫する方法である。前腕外側・アキレス腱などに用いる。

その他の圧迫法として，肘頭部を用いる圧迫法（図 8-7）や前腕部を用いる圧迫法，膝部を用いる圧迫法などもある。

8-2-1-3　基本手技 3：揉捏法

施術者の手指をもって筋などの柔らかい組織を押し，こね，つまみ，搾るように揉む方法である。線状に手指を動かす場合を線状揉捏法，輪状に手指を動かす場合を輪状揉捏法という。4 指と手掌の掌面全体を用い，筋を把握したまま揉捏していく方法を把握揉捏法という。揉捏法も圧迫法と同様に，身体各部に応じて，手部の各部位を使い分けながら行う。

①母指揉捏：母指腹を用いて一定の圧をかけながら揉む方法である。揉捏法の基本的な手技であり全身に用いる（図 8-8）。両手の母指で施術部を挟みながら交互に揉んでいく方法を両母指揉捏法といい，脊柱起立筋部や前腕後面（指伸筋など），下腿前面（前脛骨筋など）などの筋の固い部位に用いる。

②手掌揉捏：施術部に手掌を密着させ一定の圧をかけた後に揉む方法である。背部・腹部・大腿・上腕など広い部分に用いられる。

③手根揉捏：手掌の下端部（手根部）を用いて一定の圧をかけた後に揉む方法である。腰背部など広い部分で手掌揉捏よりも強い圧をかけたい部位に用いる（図 8-9）。

④四指揉捏：母指を除いた 4 指の全体で揉む方法

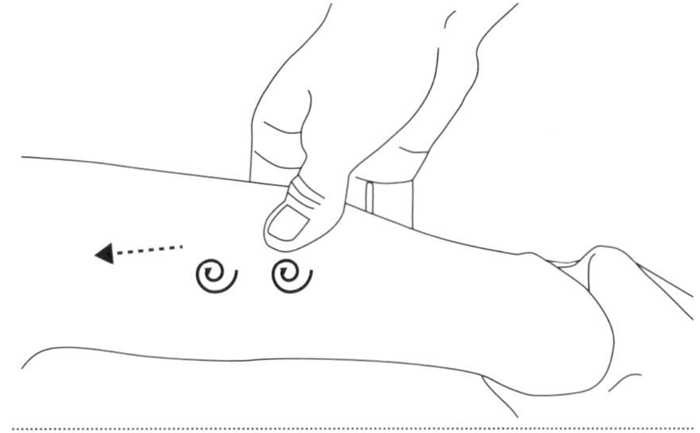

図 8-8　母指揉捏
一定の圧をかけながら線状もしくは輪状に揉む方法。図では輪状に揉捏している（実線は揉捏点の方向を，破線矢印は手技の進行方向を示す。以下も同様）。

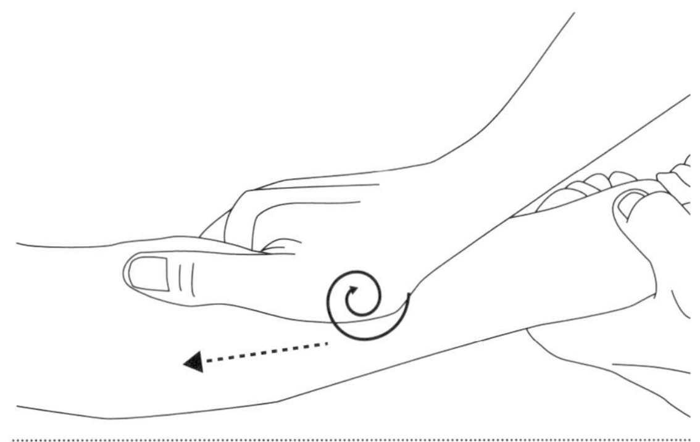

図 8-9　手根揉捏
一定の圧をかけながら線状もしくは輪状に揉む方法。図では輪状に揉捏している。

である。顔面部・背部・胸部・腹部などに用いる。

⑤**二指揉捏**：母指と示指の２指で施術部をはさみ揉む方法である。頸部・前腕外側・下腿外側などに用いる（図 8-10）。

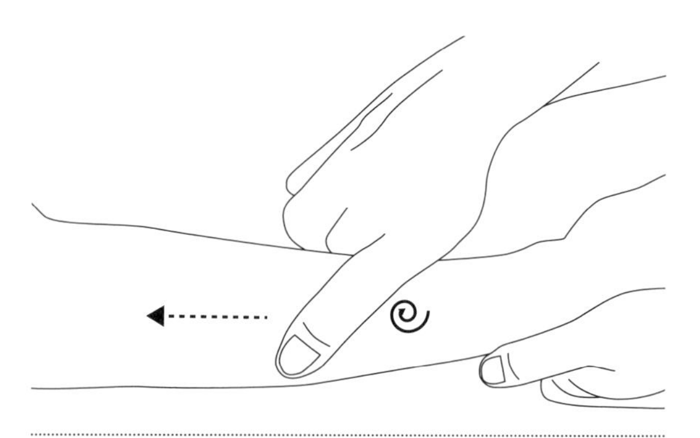

図 8-10　二指（輪状）揉捏
一定の圧をかけながら輪状に揉む方法。

8-2-1-4　基本手技４：強擦法

強擦法（按捏法とも呼ばれる）は軽擦法と揉捏法を合わせた手技で，マッサージ特有の手技である。この手技は関節部やその周辺の軟部組織である関節包・靭帯・腱などに障害がある場合に用いられる。強擦法には下記２つの方法がある。

①**うずまき状強擦（渦状強擦法）**：関節裂隙部や靭帯などに対し，母指尖を用いて施術部の周辺から中心部に向かって輪状に渦巻き状に揉みこんでいき，すぐその後に軽擦を加える方法である（図 8-11）。

②**らせん状強擦（屋根瓦状強擦法）**：関節の拘縮や癒着部に対して用いられる方法である。母指尖を用い輪状に動かしながら，らせんを描くように押し揉み進めていき，すぐ後に軽擦を加える方法である。

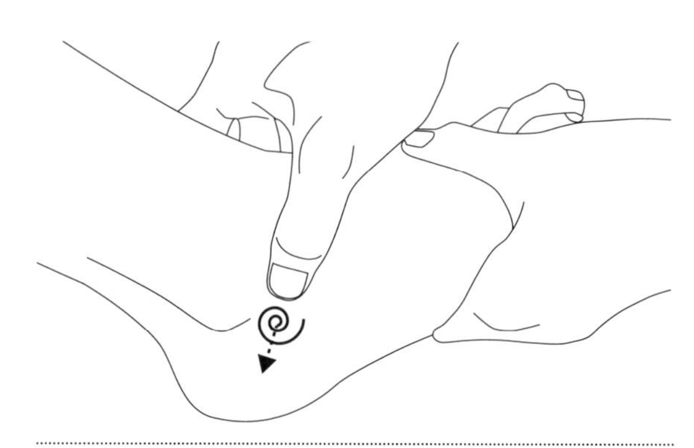

図 8-11　うずまき状強擦
関節部に対して圧迫をかけながら母指圧を渦を巻くように一点に集中させながら施術した後に（実線の渦で示す），その圧を弾くように軽擦を施し（破線矢印の方向へ），外部へ押し出すようにする。

8-2-1-5　基本手技５：叩打法

被術者の身体の表面を施術者の手指で打ち，叩く方法である。座位や腹臥位の場合に肩上部や背部に叩打法を施術するのが最も一般的である。この手技は施術の最後に行われることが多い。

①**手拳叩打**：軽く拳を握り，小指側面と小指球側で左右交互にリズミカルに叩く手技である（図 8-12）。
②**切打**：手を開いて指の間を開け，小指側で左右交互にリズミカルに叩く手技である（図 8-13）。
③**合掌打**：両手を開いて拝むように合わせ指の間を開け，小指側で叩く手技である（図 8-14）。

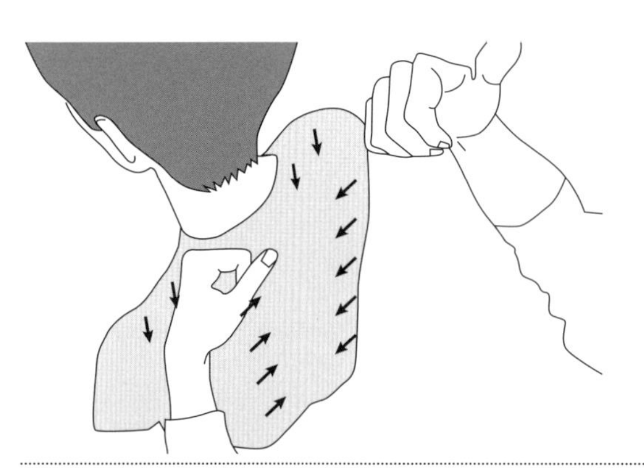

図 8-12　手拳叩打
図では左右交互に肩背部全体を叩打している。

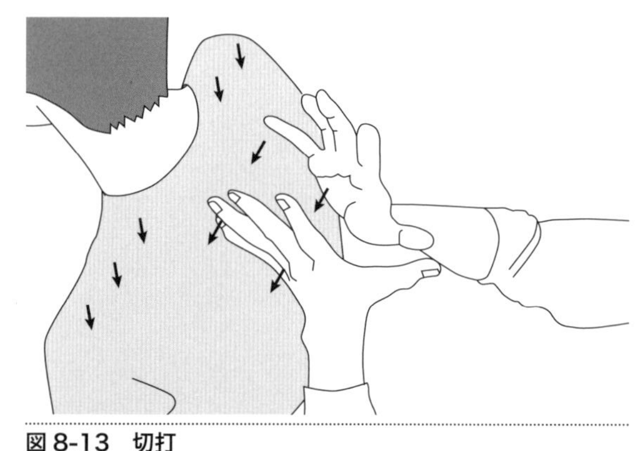

図 8-13　切打
図では左右交互に肩背部全体を叩打している。

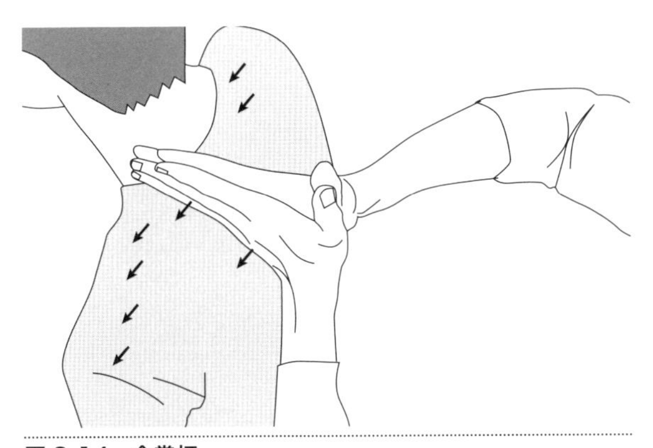

図 8-14　合掌打
図では肩背部全体を叩打している。

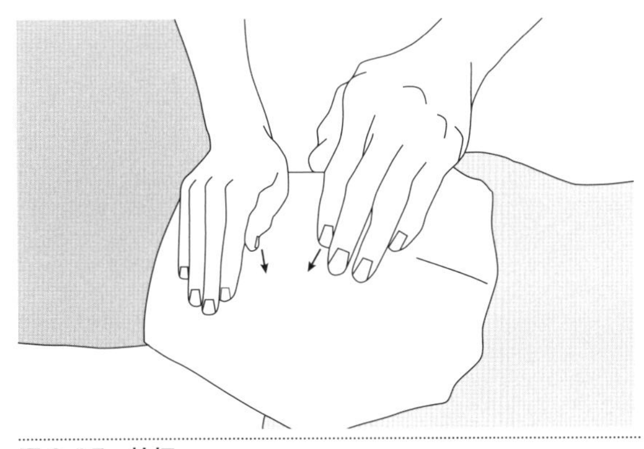

図 8-15　拍打
図では左右交互に背部全体を叩打している。

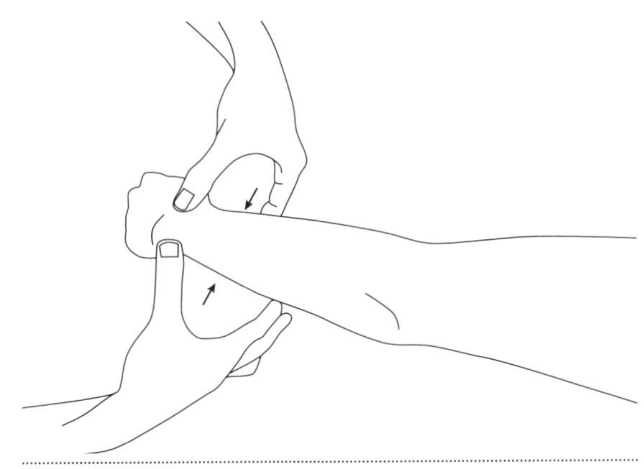

図 8-16　環状叩打
図では両手一緒に上肢全体を叩打している。

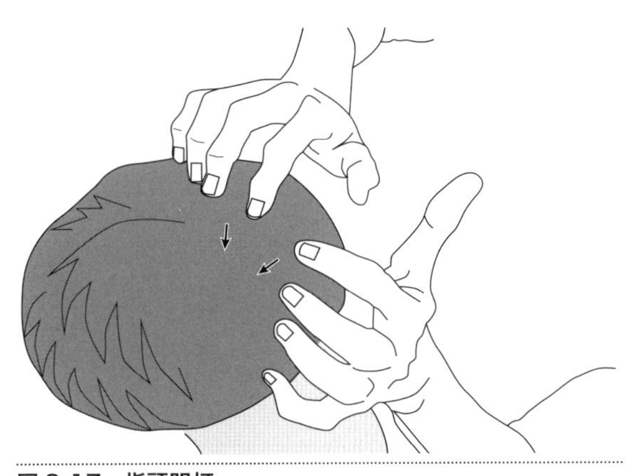

図 8-17　指頭叩打
図では左右交互に頭部全体を叩打している。

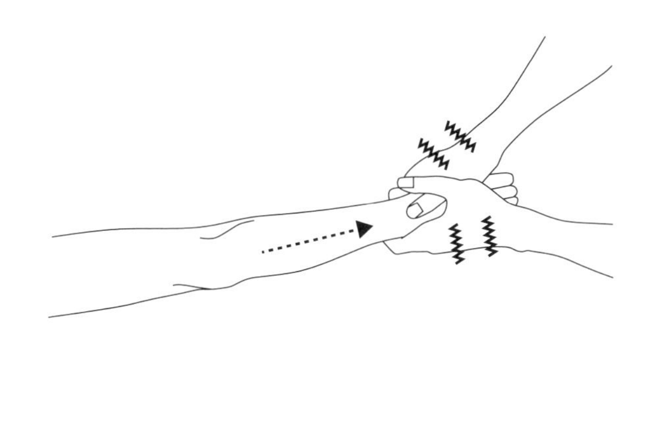

図 8-18　牽引振せん
図では破線矢印の方向に牽引しながら振せんを加えている。

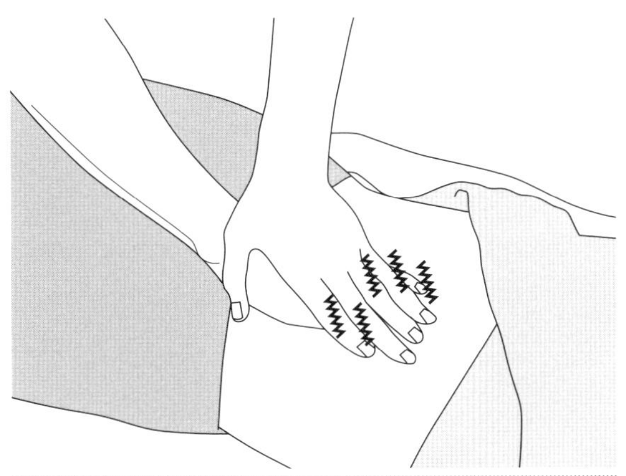

図 8-19　手掌振せん
図では腹部に手掌全体を密着させ，振せんを加えている。

④拍打：指を伸ばして手を開く際，軽く4指の中手指節関節を曲げておき，その手の形のまま左右交互にリズミカルに叩く手技である。主に背部に用いられる（図 8-15）。

⑤環状叩打：両手ともに母指と示指を開き，その間に施術部を挟み叩く手技である。上肢や下肢全体に用いられる（図 8-16）。

⑥指頭叩打：4指の指頭部で左右交互に叩く手技である。頭部や顔面部に用いられる（図 8-17）。

8-2-1-6　基本手技6：振せん法

振せん法は，施術者の手指を用いて文字通り施術部位を振るわせる方法である。以下の2種類がある。

①**牽引振せん：**被術者の手関節部や足関節部を持ち，脱力させたうえで軽く牽引を加えながら細かく振るわせる方法である（図8-18）。

②**手掌振せん：**手掌を施術部に密着させ軽く圧迫を加えながら細かく振るわせる方法である（図8-19）。同様に4指腹を用いて頭部などに振せんを加える方法を四頭振せん法という。

8-3　マッサージ各論

8-3-1　マッサージ手技の組み合わせ方法（マッサージのプログラミング）

患者や選手などにマッサージを行う場合，対象となる被術者の状態（筋や軟部組織の硬さや凝りなど）を判断しながら，前述の手技を組み合わせて一連のマッサージ手技全体を組み合わせていく。マッサージ手技を組み合わせていく際，刺激は弱いものから始め，被術者の状態を確認しながら徐々に強くしていき，最後は弱刺激で終了するとよい。具体的には，軽擦法から始め，状態に応じて圧迫法や揉捏法，特に関節部では強擦法を行うなど，施術部位への刺激量を多くしていき，最後は軽擦法，叩打法で終了するのがよい。

8-3-2　各部位のマッサージ

マッサージのプログラミングの一例を紹介する。以下の各部位のマッサージを組み合わせることにより，全身のマッサージとして実施することができる。

施術の際には，1つの手技につき最低2回は繰り返しながら行う。筋緊張が強い場合などで刺激量を多くしたい場合には，母指圧迫などを適宜追加するとよい。筋の特定の部位に筋緊張や凝りの強い部分がある場合，その部分に集中して圧迫や揉捏を繰り返さずに，その凝りのある筋（のライン）全体をほぐすように施術を行うようにする。施術者は利き手のみで施術を行わず，被術者の部位に合わせて左右の手部を同じように用いて施術するようにすると，マッサージを行うことによる施術者自身の疲れも少ない。

8-3-2-1　腹臥位

1）足底部

手掌軽擦，両母指圧迫（①内側縁，②中央，③外側縁に分けて行う），手掌軽擦（図8-20）

2）下腿後面（下腿三頭筋）

手掌軽擦，二指軽擦（アキレス腱部），手掌圧迫，二指揉捏（アキレス腱部），手掌揉捏，二指軽擦（アキレス腱部），手掌軽擦（図8-21）

3）大腿後面（ハムストリングス）

手掌軽擦，手根圧迫（①内側，②外側に分けて行う），母指揉捏（同様），手掌軽擦（図8-21）

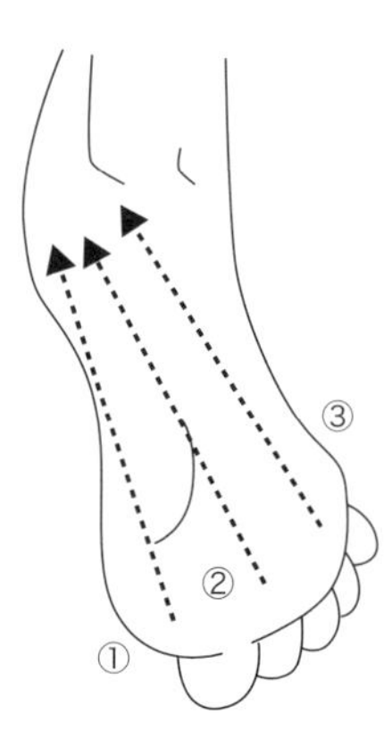

図8-20　足底部のマッサージの位置と方向
①内側縁，②中央，③外側縁

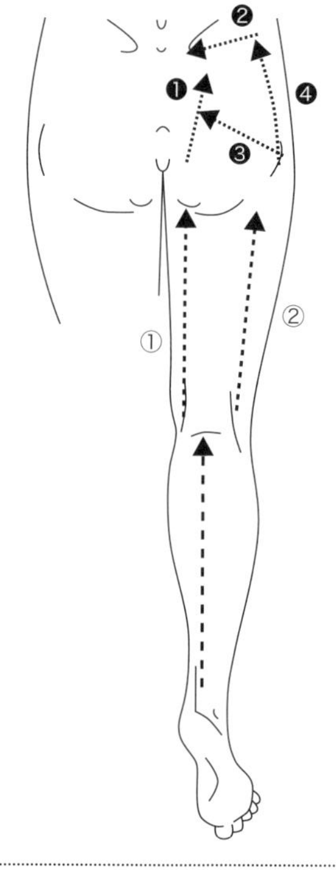

図8-21　下腿・大腿・殿部のマッサージの位置と方向
大腿後面：①内側，②外側。殿部：❶仙骨縁，❷腸骨稜，❸大転子から仙骨，❹大転子から腸骨稜

4）殿　部

手掌軽擦，手根揉捏（①仙骨縁，②腸骨稜，③大転子から仙骨，④大転子から腸骨稜に分けて行う），母指圧迫（同様），手掌軽擦，下肢全体の牽引振せん（図 8-21）

5）腰　部

手掌軽擦，手根圧迫，手根揉捏，両母指圧迫（脊柱起立筋の①内側縁，②外側縁に分けて行う），手掌軽擦，叩打法（図 8-22）

6）背　部

手掌軽擦，手根圧迫，手根揉捏，両母指揉捏，母指圧迫（肩甲骨内側縁），手掌軽擦，叩打法（図 8-22）

7）肩　部

手掌軽擦（①肩上部，②棘上筋部，③棘下筋部，④肩甲骨内側縁部に分けて行う），手根圧迫（同様），母指揉捏（同様），手掌軽擦（同様）（図 8-22）

8）頸　部

四指軽擦，母指圧迫（板状筋の①内側縁，②外側縁に分けて行う），両母指揉捏，母指圧迫（上項線部），母指揉捏（上項線部），四指軽擦（図 8-23）

8-3-2-2　背臥位

1）足背部

手掌軽擦，両母指軽擦，四指揉捏，両母指軽擦，手掌軽擦（図 8-24）

2）下腿前面（前脛骨筋など）

手掌軽擦，手掌圧迫，手根揉捏，両母指揉捏，手掌軽擦（図 8-25）

3）下腿外側面（腓骨筋群）

二指軽擦，二指圧迫，二指揉捏，二指軽擦（図 8-25）

4）大腿前面・内側面

手掌軽擦，手掌圧迫，手掌揉捏，手掌軽擦（大腿前面・内側面とも同様に行う）（図 8-25）

5）手掌部

手掌軽擦，両母指圧迫（①母指球側，②中央部，③小指球側に分けて行う），各指の二指揉捏，手掌

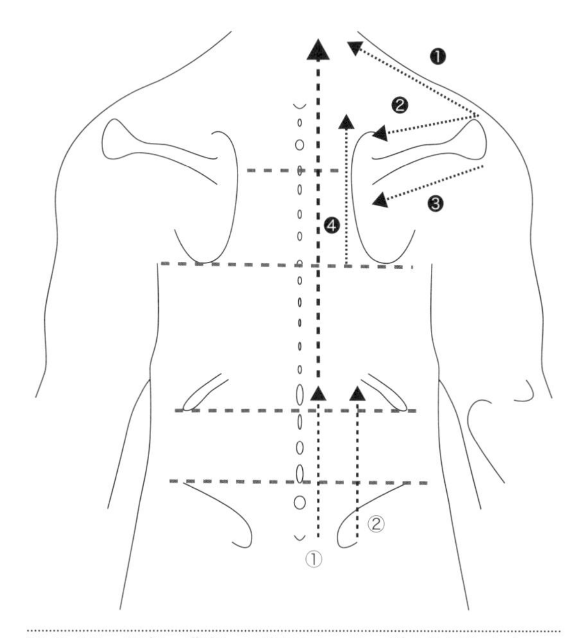

図 8-22　腰部・背部・肩部のマッサージの位置と方向
腰部：①脊柱起立筋内側縁・②外側縁。肩部：❶肩上部，❷棘上筋部，❸棘下筋部，❹肩甲骨内側縁部

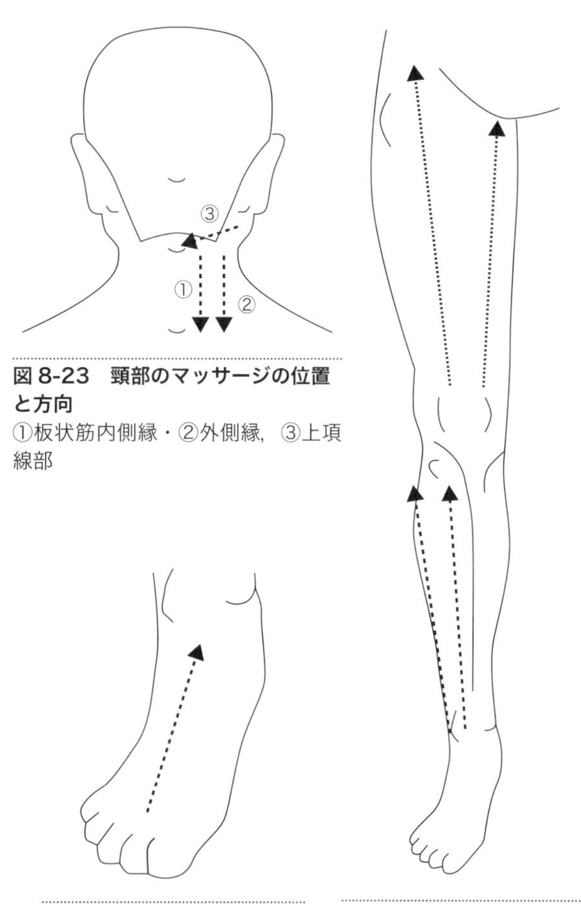

図 8-23　頸部のマッサージの位置と方向
①板状筋内側縁・②外側縁，③上項線部

図 8-24　足背部のマッサージの位置と方向

図 8-25　下腿部・大腿部のマッサージの位置と方向

軽擦（図 8-26）

6）手背部

手掌軽擦, 両母指軽擦, 四指揉捏（中手骨の骨間部に行う）, 両母指軽擦, 手掌軽擦（図 8-27）

7）前腕部

手掌軽擦（全体）, 手掌圧迫, 手掌揉捏（内側面）, 二指圧迫および二指揉捏（外側面）, 両母指揉捏（後面）, 手掌軽擦（全体）（図 8-28）

8）上腕部

手掌軽擦（全体）, 手掌把握圧迫および手掌把握揉捏（上腕二頭筋など）, 手掌圧迫および手掌揉捏（上腕三頭筋など）, 手掌軽擦（全体）（図 8-28）

9）腹　部

手掌軽擦, 四指圧迫, 四指揉捏, 手掌振せん, 手掌軽擦（図 8-29）

10）胸　部

手掌軽擦（①上部, ②中部, ③下部に分けて行う）, 手掌圧迫（同様）, 四指揉捏（同様）, 手掌軽擦（同様）, 上肢全体の牽引振せん（図 8-29）

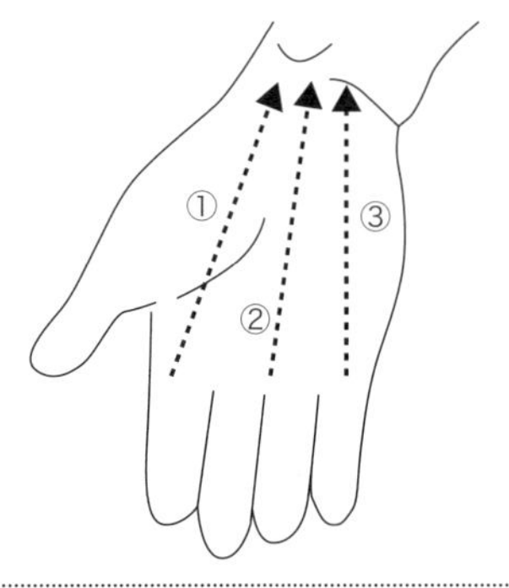

図 8-26　手掌部のマッサージの位置と方向
①母指球側, ②中央部, ③小指球側

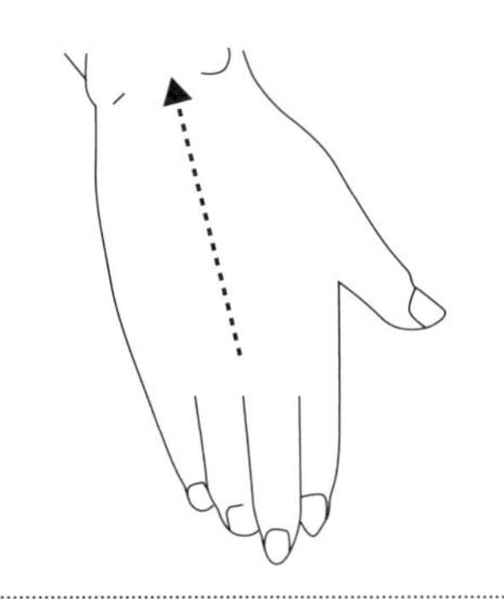

図 8-27　手背部のマッサージの位置と方向

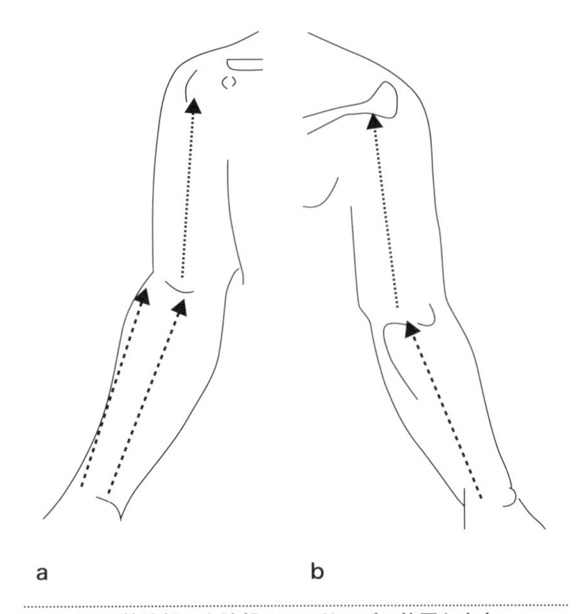

図 8-28　前腕部・上腕部のマッサージの位置と方向
a：上肢前面, b：上肢後面

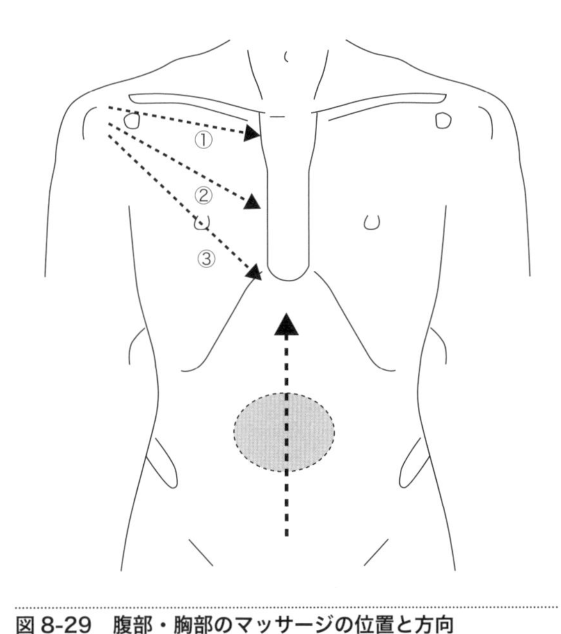

図 8-29　腹部・胸部のマッサージの位置と方向
胸部：①上部, ②中部, ③下部。腹部（臍部）の丸印は手掌振せんを行う位置を示している。

9 リカバリーの実際

笠原 政志（国際武道大学体育学部体育学科）

9-1 スポーツ現場におけるリカバリーの必要性

アスリートの疲労回復対応を近年ではリカバリーと称し，ハイパフォーマンスを発揮し続けるため，そしてトレーニング効果を最大限に高めるために，その重要性が高まっている。アスリートのリカバリーに関しては，2016年9月にベルリンにて行われたリカバリー＆パフォーマンスのシンポジウム内容をまとめたステートメントにおいて「リカバリーとは体系的に管理された運動後のリカバリーを実施することによってパフォーマンスを最大化させ，疲労回復不足および機能改善不足，オーバートレーニング症候群，スポーツ外傷・障害，疾病などのネガティブな展開になることを防ぐこと」と示された[1)]。つまりリカバリーは，パフォーマンス発揮のみならず，スポーツ外傷・障害と疾病の予防のためにも必要不可欠な行為であると考えることができる。

フィジカルトレーニングやスキルトレーニングなどの身体活動によって，パフォーマンスレベルは一時的には低下するが，一定の期間があれば元の状態に戻る。しかしアスリートは，休息を挟んで繰り返し行われる日々のハードワークを余儀なくされているため，安静にして元の状態に戻ることを待つのではなく，一刻も早い疲労回復に努める積極的なリカバリー対策が必須であるといえる(図9-1)[2)]。

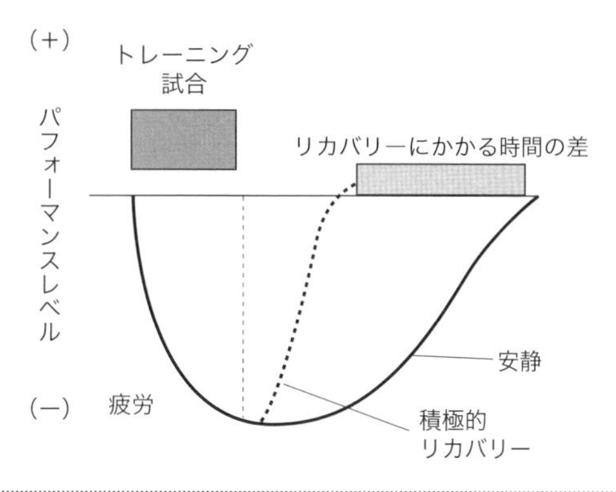

図9-1 アスリートにおける早期リカバリーの必要性
身体活動によってパフォーマンスレベルが一時的に低下しても，一定の期間があれば元の状態に戻る。しかしアスリートは休息を挟んでハードワークを繰り返し行うため，積極的なリカバリー対策が必須である。(文献2より引用)

9-2 生理学的要因からみたリカバリー対策

アスリートの疲労の原因を生理学的観点から考えると，エネルギーの枯渇，生体内の恒常性のアンバランス，組織損傷（筋損傷），疲労物質（代謝産物）の蓄積，脳（中枢性）の疲労が代表的に挙げられる[2)]。これらを車で例えると，エネルギーの枯渇は車が走行するために必要なガソリンの枯渇に，生体内の恒常性のアンバランスは常に一定の状態を保持するために必要なエンジンオイルやバッテリーの不足に，組織損傷（筋損傷）は車のボディの損傷に，疲労物質の蓄積は走行を続ける

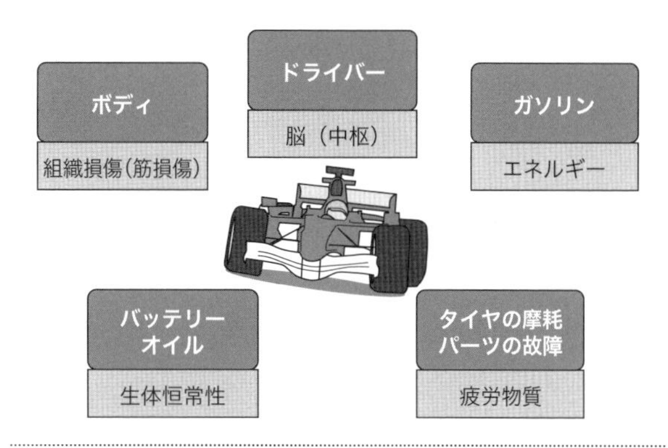

図9-2 各生理学的な疲労要因に対する対応を車に例えた図

ことによって摩耗していくタイヤに，そして脳（中枢性）の疲労は司令塔になる運転手（ドライバー）の能力の低下に該当する（図 9-2）。以上のように車が普段通りに走行しない（パフォーマンスが発揮されない）場合，原因がどこにあるかを分析し問題となる部分の改善を適切に図ると同時に，選手に対しても何が原因でパフォーマンスが低下しているのか，あるいはコンディション不良状態にあるのかを分析して，最適なリカバリー対応をするという考え方は同様であるといえる。

9-2-1　エネルギー枯渇に対するリカバリー

運動を継続することにより，身体に貯蔵されているエネルギーが枯渇すると，多くの場合は体重減少が生じる。このようにエネルギーが枯渇した状態でエネルギー摂取不足があると，体重減少はもとより，筋グリコーゲンと肝グリコーゲンの補充不足によってその後の運動パフォーマンスの低下を引き起こしてしまう。したがって，エネルギー枯渇に対するリカバリーは，運動によって消費したエネルギーを早期に回復し，エネルギーを元の状態まで補充することである。国際オリンピック委員会（IOC）はアスリートの炭水化物摂取ガイドラインを示し，運動後に摂取する炭水化物の必要量を体重や運動強度によって変えることを推奨している（表 9-1）[3)]。

また，１日に複数回の練習や試合がある場合には，次の試合や練習までの間に早期エネルギー摂取が必要になる。運動直後に糖質を摂取した場合と運動から２時間後に糖質を摂取した場合で比較すると，運動直後に糖質を摂取した方が，筋グリコーゲンの回復が明らかにみられている[4)]。したがって，練習や試合が複数回ある日には，練習や試合の後に早期にエネルギーを補給できるような対策が必要である。なお，たんぱく質も同時に摂取した方が筋グリコーゲンの回復が促進されるため，糖質を含むドリンクや食事の中にたんぱく質も含めて同時に摂取することも１案である[5)]。

9-2-2　生体内恒常性アンバランスに対するリカバリー

生体内の恒常性のアンバランスの観点からすると，脱水と過度な体温上昇がアスリートの疲労に深く影響する。脱水については，体内の水分の 2％以上の減少によって各種運動パフォーマンスが低下するため[6)]，その予防のためにも失った体水分量の早期リカバリーが必要になる。なお，失った体水分量の補充の際には，電解質も補充すること，失った体重以上の水分を摂取することが必要となる。発汗量と同量の水分を摂取し

表 9-1　IOC による炭水化物摂取ガイドライン

<table>
<tr><th colspan="2">状　況</th><th>炭水化物摂取量</th><th>炭水化物摂取のタイミングや種類の解説</th></tr>
<tr><td colspan="4">１日の消費量と必要な供給量
・高強度で激しくトレーニングする時，日々の炭水化物摂取はトレーニングによるエネルギー消費量とグリコーゲンの回復を同じにすることが重要である
・一般的に推奨されることは，個々の総エネルギー必要量やトレーニング内容，トレーニング状態を考慮して摂取する糖質の微調整が必要である
・スポーツの時期よってトレーニング内容が変化するため，アスリートの炭水化物摂取は様々であるべきである</td></tr>
<tr><td>低</td><td>低強度・スキル重視のトレーニング</td><td>3～5 g/kg/日</td><td rowspan="4">・その日のトレーニングに応じてエネルギーの摂取時間を計算する。総エネルギー消費量と同等のエネルギーが摂取されていれば，間食や軽食は容易に個々に合わせて選択できる
・たんぱく質や豊富な栄養素などと糖質を多く含む食事の組み合わせは，様々な場面でのスポーツ栄養の理想である</td></tr>
<tr><td>中</td><td>中等度プログラム（～1 時間/日）</td><td>5～7 g/kg/日</td></tr>
<tr><td>高</td><td>持久系プログラム（1～3 時間/日の中等度および高強度エクササイズ）</td><td>6～10 g/kg/日</td></tr>
<tr><td>極高</td><td>超高強度プログラム（>4～5 時間/日の中等度および高強度エクササイズ）</td><td>8～12 g/kg/日</td></tr>
</table>

（文献３より著者翻訳）

たとしても，元の体水分量までは回復しないため，失った体重 1 kg あたり 1 ～ 1.5 L の水分をこまめに摂取することや，食事からの水分摂取を含めて元の状態に戻すことが望ましい[7]。摂取する水分の温度は，「スポーツ活動中の熱中症予防ガイドブック」[5] では 5 ～ 15 ℃，『Clinical Sports Nutrition, 5th edition』[3] では 15℃程度の温度帯が，多量に摂取できると示されている。水分補給について抑えておきたいことは，水分の糖質濃度である。吸収速度には糖質濃度が関係しており，経口補水液のような低浸透圧の飲料の方が胃から腸への水分吸収性に優れる。一方で，6％を超えるような糖質濃度になると吸収に時間を要し，胃に水分が滞留することで不快に感じることがあるので，注意が必要である[8]（図 9-3，表 9-2）。

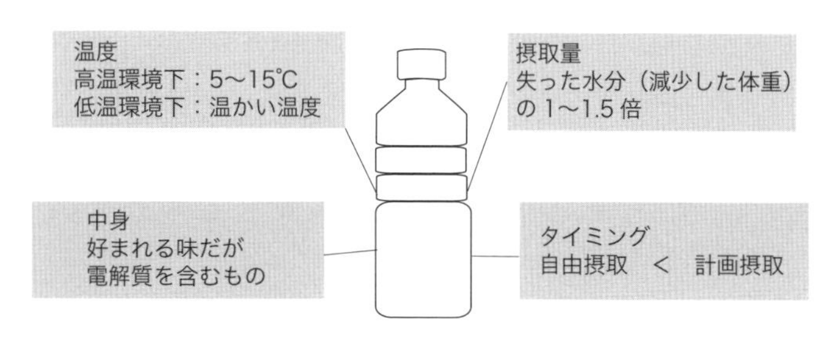

図 9-3　水分摂取の留意点

表 9-2　水分摂取の留意点

	スポーツドリンク		経口補水液
	アイソトニック飲料	ハイポトニック飲料	
ナトリウム（100 mL あたり）	40 ～ 55 mg		80 ～ 115 mg
糖 質	4 ～ 6%	2 ～ 3%	2% 前後
水分補給	○	◎	◎
エネルギー補給	○	△	△

表 9-3　運動前から運動後に実施する冷却方法とその留意点

	冷却方法	冷却効率		実用性				簡便性	運動能力	備 考
		核心温	皮膚温	運動前	運動中	休憩時	運動後			
外部冷却	アイスバス[注1)]	◎	◎	○	―	△	◎	△	○	冷却直後のスプリント運動や筋発揮に負の影響がある
外部冷却	アイスパック	△	◎	△	△	◎	◎	◎	△	冷却効率はアイスバスの 1/10 程度
外部冷却	クーリングベスト	△	◎	◎	○	◎	◎	◎	◎	運動中に着用できるが，重量が気になる場合がある
外部冷却	送風	△	○	△	―	◎	○	○	△	霧吹き・水噴射との組み合わせが可能。屋外でも使用可能
外部冷却	頭部・頸部冷却	△	◎	◎	○	◎	◎	◎	◎	運動中に使用できるが，核心まで冷えないので熱中症に注意
外部冷却	手掌・前腕冷却[注2)]	△	○	◎	―	◎	○	◎	○	温熱感覚に好影響。様々なスポーツ競技で実施可能
内部冷却	水分補給	○	△	◎	◎	◎	◎	◎	○	脱水予防やエネルギー補給が可能
内部冷却	アイススラリー[注3)]	◎	△	◎	△	◎	◎	◎	◎	電解質・糖質補給も同時に行える

[注1] アイスバス：15℃前後の冷水浴

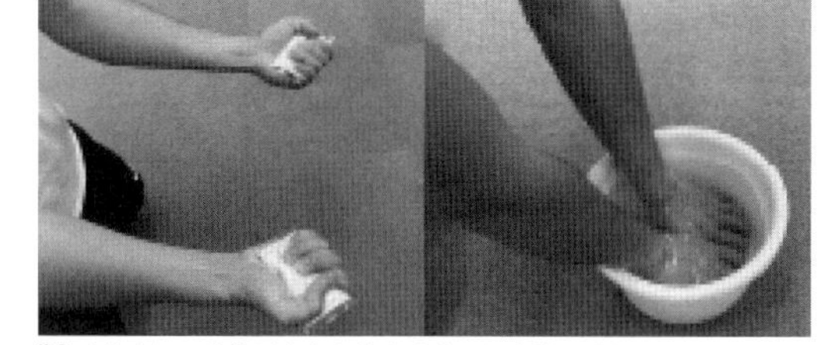

[注2] 手掌冷却：動静脈吻合血管を適度な温度帯で冷却し冷えた血液で身体を冷やす。写真は蓄冷剤（左）と冷水（右）を使用。

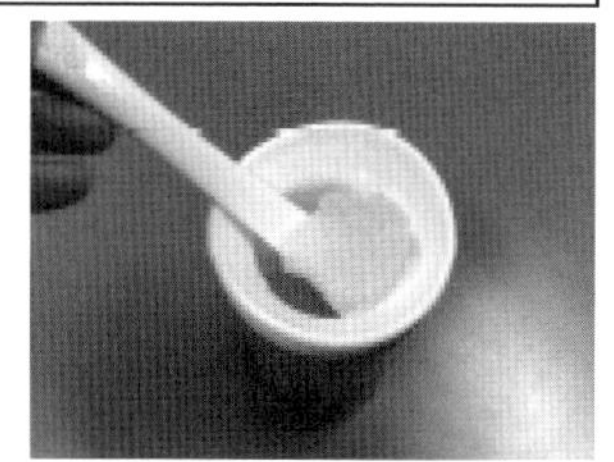

[注3] アイススラリー：液体に微細な氷の粒が混ざったもの

（文献 9 より一部改変）

脱水は体温上昇に伴って生じる生理的現象であり，特に暑熱環境では体温の過度な上昇は運動パフォーマンスを低下させる。通常深部体温は37℃であるが，運動すると40℃を超えることもあり，神経系が影響を受け，様々な体温調整機能を乱してしまう。したがって，体温調整も生体内恒常性アンバランスのリカバリー対策の１つである。過度な体温上昇を抑制および低下させるための身体冷却方法は表9-3[9]のとおりであり，それぞれの目的や使用用途および対象者に応じた選択をすることが望ましい。

9-2-3　筋損傷など組織の損傷に対するリカバリー

運動強度が高い競技や，相手とのコンタクトや繰り返しのエキセントリック収縮を伴う競技は，筋への負担が高いため，運動後の遅発性筋痛や筋損傷の程度が大きくなる。筋損傷が生じると組織自体の損傷，筋力，可動域，腫脹が回復するのに時間を要する[10]。したがって，筋損傷がある場合には，その回復を早期に図ることが必要となる。

筋などの組織の損傷があった場合には，修復するための材料としてたんぱく質が必要である。実際複数日のたんぱく質摂取によって，筋損傷や筋痛が軽減することが報告されている[11]。

筋損傷に伴う炎症症状を鎮静化する手段となるのが冷却である。筋痛や筋損傷の抑制および運動パフォーマンス改善のための冷水浴のプロトコルは，冷水浴温度10～20℃，実施時間10～15分である[12]。ただし，あくまで運動直後の対応であるため，継続した冷水浴の実施が必要かどうかについては，状態に合わせて判断することが必要になる。なお，体脂肪率が低く

表9-4　対象に応じた冷水浴の方法

	通常の冷水浴	低体脂肪率・高除脂肪体重	高体脂肪率・低除脂肪体重
実施温度	10～15℃	15～20℃	10～15℃
実施時間	10～15分	10分あるいは３分×3セット	15～20分
浸水部位	肩まで	最低腰部まで	肩まで
留意点	・出血がある場合は実施しない ・運動間はこのプロトコルで実施しない		

表9-5　代謝産物の早期除去と蓄積の抑制のために血液循環を促進する方法

	血液循環方法	有効性 全身	有効性 局所	実用性	簡便性	コスト	備考
受動的	コンプレッションウエア注1)	△	○	○	◎	○	遠征先など移動中に有用
受動的	コンプレッションブーツ注2)	△	◎	△	◎	△	下半身の血液循環には有用
受動的	アクアコンディショニング注3)	◎	○	○	△	△	大勢を一度に血液循環させることが可能
受動的	ホットウォーターバス（入浴）	◎	○	◎	○	○	自宅でも実施が可能
受動的	コントラストウォーターバス（交代浴）	◎	○	○	△	△	銭湯などで実施は可能。自宅ではシャワーを活用
受動的	マッサージ	△	◎	△	○	△	個々の疲労状況に合わせ対応が可能
受動的	フォームローラー	△	◎	○	◎	○	セルフコンディショニングとして有用
能動的	アクティブリカバリー（軽運動）	◎	△	◎	◎	◎	いつでもどこでも実施が可能
能動的	ストレッチング	△	◎	◎	◎	◎	疲労状況に合わせて局所に対する実施が可能

注1 コンプレッションウエア：段階式着圧ウエアで静脈灌流を促す

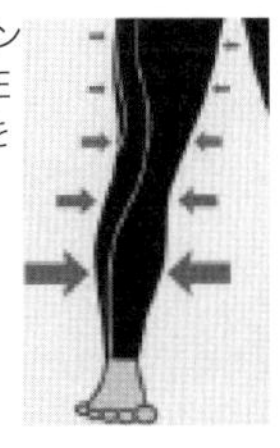

注2 コンプレッションブーツ：末梢から中枢に段階的に圧をかけて行うことで静脈灌流を促す

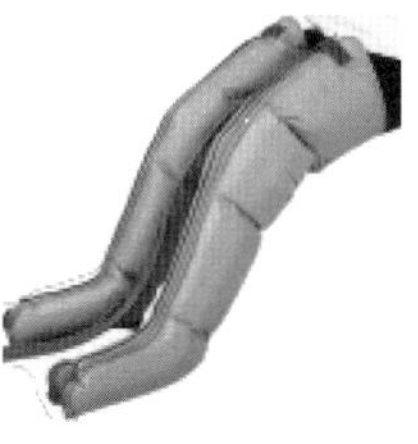

注3 アクアコンディショニング：プールなどの水中で全身を動かすことによって水圧を活用して全身の血液循環を促す

除脂肪体重量が少ない場合，体脂肪率が高く除脂肪体重量が多い場合よりも，冷水浴によって深部体温は有意に低くなるため[13]，対象アスリートの身体特性に応じて暴露時間や温度帯を調整することが必要である（表 9-4）。

9-2-4 疲労物質蓄積に対するリカバリー

高強度の運動もしくは長時間にわたる運動により体内には疲労物質として代謝産物が蓄積し，その結果としてエネルギー供給率の低下，筋の興奮収縮連関不全が起こり，筋収縮力の低下が起こる[14]。したがって，リカバリー方法の 1 つとして，運動による代謝産物の早期除去および蓄積の抑制を図るべきである。代表的なリカバリー方法としては，アクティブリカバリー（軽運動），ハイドロセラピー（交代浴，アクアコンディショニング），コンプレッションウエアなど，血液循環を促進させる方法がそれにあたる（表 9-5）。スポーツ現場で広く実施されており，その有効性の高さが多く示されているアクティブリカバリーは，PH 値の改善，代謝産物の除去，血液循環促進，免疫システム改善，筋痛の軽減を可能にする（図 9-4）[15]。運動負荷は最大酸素摂取量の 30 ～ 60％の強度，30 分以内が推奨される[15]。

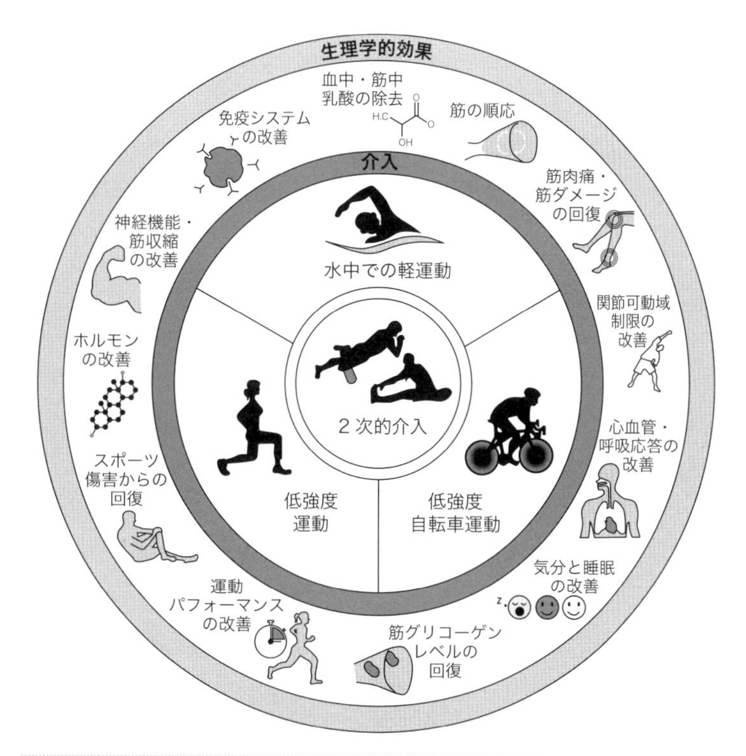

図 9-4 軽運動における生理的リカバリー反応
（文献 15 より一部改変）

9-2-5 脳（中枢性）疲労に対するリカバリー

脳には認知判断をする機能があるため，脳が疲労すると運動実施時の集中力や反応時間などの低下につながる[16]。運動直後には脳下垂体副腎皮質系ホルモンや交感神経ホルモンが顕著に上昇し，脳内の神経伝達物質の減少が起こることで自律神経の乱れが生じる[17]。そのような乱れを正常な状態に戻す手段の 1 つが睡眠である。しかしアスリートは複雑な活動，認知判断，緊張感などで，肉体的な負担だけでなく心理的な負担も多いため，特に試合があった日などは交感神経が強い状態のまま就寝時間を迎えてしまい，眠りたくても寝付けないことがある。そのようなことが続いた結果として，慢性疲労やオーバートレーニング症候群に繋がることは少なくない[16]。そこで，良好な睡眠を確保できるようにするために，入眠前に環境を整えることが有効である（表 9-6）。

自律神経を整える方法として取り組みやすいのが，呼吸法である。ゆっくりとした呼吸は呼吸数を調整し，横隔膜の動きを高めるように意識した深い呼吸は副交感神経の働きを高める。例えば，4 秒かけて鼻から息を吸い込み，7 秒止め，8 秒かけて口から息を吐くことを 4 回ほど繰り返す「4・7・8 呼吸法」を，座位あるいは仰臥位で目を閉じて実施する。このように横隔膜を介した意識的な腹式呼吸によって，身体の力を抜

表 9-6　睡眠の質・量を確保するための留意点

留意点	具体的な内容
季節の工夫（夏場）	室温：25～26℃，湿度：50～60%，頭部冷却や空調の活用
季節の工夫（冬場）	室温：22～23℃，湿度：50～60%，入浴後速やかな就寝
睡眠パターン	就寝前のルーティン，就寝時間と起床時間の統一
睡眠阻害刺激の除去	就寝前のカフェイン，スクリーンタイム，照明，ノイズ，食事
最適な寝具の選択	寝返りしやすい，吸湿性，体温調整に優れたもの

くことができ，自律神経を整えることになる。

また，ナイターゲームや暑熱環境下の試合や練習などの後に入眠困難になる選手が少なくない。冷水浴や交代浴は，身体的リカバリーに有効であるだけでなく，交感神経を鎮める効果もある[18]。

以上のように，認知判断能力を司る脳機能のリカバリーのためには，睡眠障害を引き起こさないように環境を整え，十分な睡眠を確保できるように努める必要がある(図9-5)。なお，十分な睡眠時間を確保できない場合は，睡眠負債を補うために昼寝を活用する。これをパワーナップと呼ぶ。ただし，パワーナップは補足の要素であるため，夜間睡眠に影響が出ないようにすること，また昼寝後に睡眠慣性が出現してパフォーマンスに影響しないよう，20分程度に留めることが望ましい[19]。

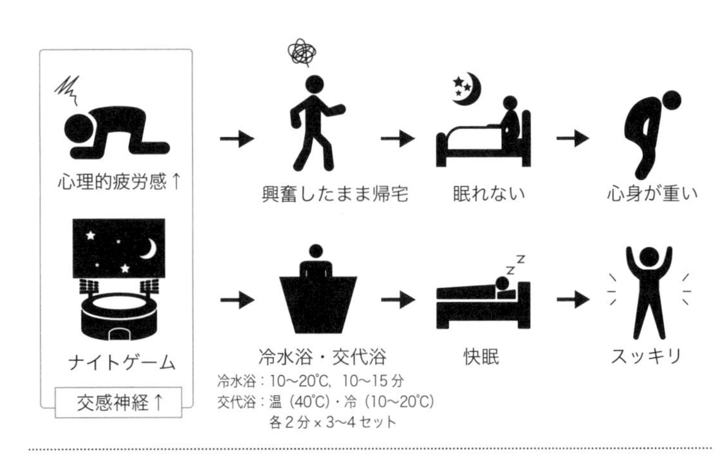

図 9-5　交感神経を鎮めるための冷水浴や交代浴の活用

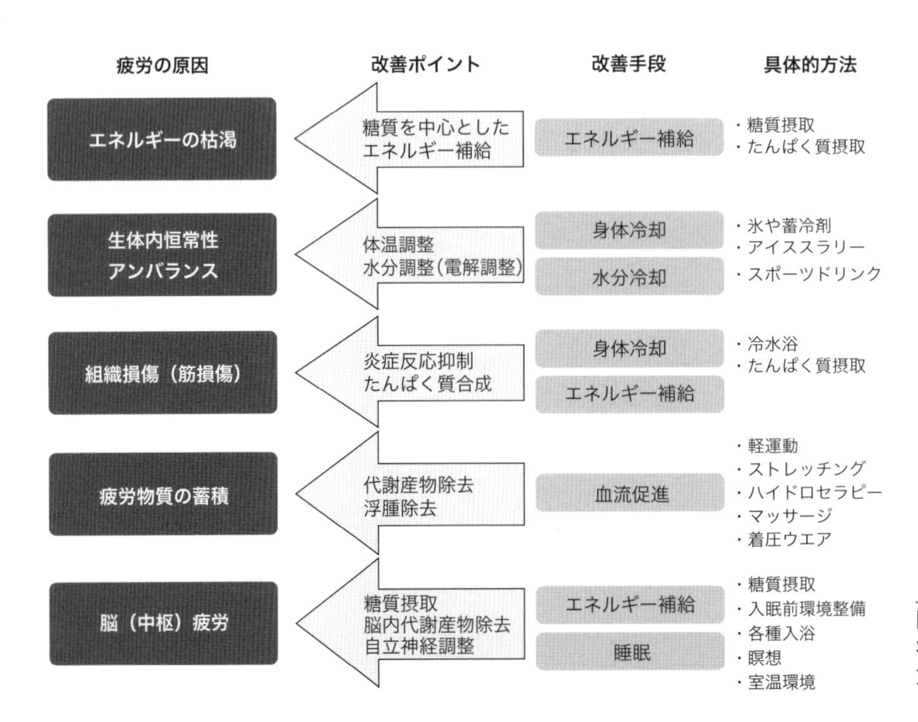

図 9-6　各種生理学的疲労症状とそれに応じたリカバリー方法

表 9-7　最適なリカバリーを戦略的に考えるための留意点

<table>
<tr><th colspan="2">考慮する点</th><th>リカバリー方法</th><th>具体的な留意点</th></tr>
<tr><td rowspan="3">対　象</td><td>身体組成</td><td>冷水浴</td><td>持久系競技の選手のように体脂肪率が低く除脂肪体重が少ない場合，入水時間を短くすること，水温が低くなりすぎないように調整することが必要</td></tr>
<tr><td>年齢</td><td>リカバリー全体</td><td>年齢が高い選手ほどリカバリーに時間をかける</td></tr>
<tr><td>練習・試合強度や負荷</td><td>リカバリー全体</td><td>練習強度が低い選手は強度が高い選手と同等のリカバリーをする必要性は低い</td></tr>
<tr><td rowspan="3">環　境</td><td>暑熱環境</td><td>睡眠</td><td>入眠時の室温環境を快適にするために空気調節を使用するが，タイマーをかけて途中で切るようにする</td></tr>
<tr><td>寒冷環境</td><td>睡眠</td><td>入眠前に入浴をして体温を上げた状態から下がるタイミングで就寝する</td></tr>
<tr><td>入浴環境</td><td>交代浴</td><td>自宅やホテルなど浴槽が 1 つしかない場所では，冷水浴を浴槽，温浴をホットシャワーで行う</td></tr>
<tr><td rowspan="4">タイミング</td><td>運動間</td><td>冷水浴</td><td>運動間の過度な冷水浴の実施はパフォーマンスを下げてしまう</td></tr>
<tr><td>シーズン</td><td>冷水浴</td><td>筋力トレーニング期の運動後の習慣的な冷水浴は筋力トレーニングの効果を妨げる</td></tr>
<tr><td>運動後</td><td>軽運動</td><td>運動直後に軽運動を長時間実施すると，エネルギーの枯渇とアミノ酸分解を促進してしまう</td></tr>
<tr><td>運動間</td><td>エネルギー補給</td><td>2 部練習や 1 日に複数試合がある場合は，運動後早期にエネルギー補給を行う</td></tr>
<tr><td rowspan="2">順　序</td><td>暑熱環境</td><td>エネルギー補給</td><td>暑熱環境で体温が高い状態だと食事摂取量が少なくなるので，体温を一度下げてから食事を摂取する</td></tr>
<tr><td>運動間，運動直後，運動数時間後</td><td>リカバリー全体</td><td>リカバリー方法は 1 つではないので，生理学的要因の中から優先順位を考えて行う</td></tr>
</table>

9-3　最適なリカバリーを実践するための留意点

これまでに紹介した各生理学的応答に対するリカバリー方法を整理したものが図 9-6 である。疲労の原因に対してこれらの改善ポイントがあり，そのための具体的な方法を整理することで，自信を持って実践していくことが可能になる。なお，より適切に実践するためには，競技特性に合わせ様々な点を考慮しながらリカバリー手段を選択していく必要がある。具体的な留意点は対象，環境，タイミング，順序などである（表 9-7）。

9-4　練習・試合後の戦略的リカバリーの一例

先述したように，アスリートのリカバリー対策は様々な条件によって実践方法が異なるが，一般的な練習・試合後から翌日に至るまでの代表的なリカバリー実践例は表 9-8 に示すとおりである。運動直後は蓄積した疲労物質の除去を狙いとした軽運動やストレッチングを実施し，その後は運動によって使用したエネルギーの早期リカバリーを目的に糖質とたんぱく質を摂取する。なお，時間短縮のため，軽運動やハイドロセラピーと同時に栄養・水分補給できるとよい。

スポーツフィールドから出た後は，着替えを兼ねてハイドロセラピーを実施できることが望ましい。コンタクト競技など筋損傷が疑われる場合には筋ダメージの抑制を狙いとした冷水浴を，コンタクトはなくとも高強度運動であった場合には血液循環を狙いとした交代浴を実施するなど，状況に応じてハイドロセラピー

表 9-8　運動後から翌日にかけてのリカバリー戦略の一例

運動後から	リカバリー内容	留意点	実践例
10 分以内	アクティブリカバリー	最大酸素摂取量の 30 ～ 60%の運動強度 スタティックストレッチング	軽運動，ストレッチング
20 分以内	栄養・水分補給	体重 1 kg あたり 1.2 g の糖質 分岐鎖アミノ酸（BCAA）の摂取	スポーツドリンク，スムージー，リカバリースナック
30 分以内	ハイドロセラピー *移動がある場合は代わりにコンプレッションウエア	筋損傷・筋痛を伴う場合：アイスバス 筋損傷・筋痛を伴わない場合：交代浴	上肢へのダメージがある場合肩まで浸かる バスタブを冷水浴にし，温水シャワー
60 分以内	栄養補給	個人に合わせた量の炭水化物の摂取 筋損傷がある場合はたんぱく質も多く含める	栄養フルコースの食事
60 分以降	コンプレッションウエア	夜の入浴まで着用 不快感があれば実施しない	リカバリー用のコンプレッションウエア 下肢全体のものや下腿のみ
就寝前	睡眠	入眠を妨げることをしない 筋損傷がある場合は就寝前の温浴はしない	温浴しない場合はシャワーのみとする 炭酸泉あるいは交代浴
翌日	アクティブリカバリー *筋損傷がある場合はアイスバス	試合翌日の場合，リザーブの選手と分ける	アクティブリカバリー，軽運動，マッサージ

方法を変更する。ただし，遠征などで試合後すぐに移動が必要な場合には，ハイドロセラピーの代わりにコンプレッションウエアで下肢に適度な圧迫を加える。

時間がある程度経過した後に，フルコース型の食事を摂取し，体重あたり必要な糖質の摂取を心がける。特に暑熱環境下であれば，体温が高い状態だと消化吸収の妨げになるので，身体冷却をして体温を下げてから食事を摂取するようにするとよい。

最後は，質的にも量的にも適した睡眠を確保するために，入浴（炭酸泉，交代浴など）を実施して就寝前の環境を整える。なお，翌日も積極的なリカバリー対策が必要なのか，それとも通常練習もしくは試合に向けた準備（プレパレーション）をするのかについて，前日の練習・試合における身体負荷の状況を考慮して実施する内容を決定する。

機能的スクリーニングとコレクティブエクササイズ

倉持 梨恵子（中京大学スポーツ科学部トレーナー学科）

10-1　はじめに

ファンクショナルムーブメントスクリーン（Functional Movement Screen：FMS®）とは，米国の理学療法士 Gray Cook らが提唱した「functional movement ＝機能的動作」を評価できる身体の機能的スクリーニング・ツールであり，7つの「基本動作パターン」を評価するテストから成り立っている[1)]。

FMS® は痛みや怪我のない選手を対象に潜在的なリスクをスクリーニングする目的で提唱されたシステムであるが，Cook らが動作によって起こる痛みや怪我の解決策を考えるにあたり，単に問題のある部位の損傷として捉えるのではなく，そこに「歪み」を起こしている原因を探る必要があるとする考え方そのものが重要である。多くの場合，痛みや怪我がある部位そのものが悪い（原因である）のではなく，患部とは別の部位の硬さや弱さ（機能不全）の被害を受けた結果が痛みや怪我として現れる，としている。スポーツ外傷・障害の原因となる硬さや弱さそのものは身体のどこかに潜んでおり，それらの不具合も含めて「動きの質」としている。

通常，我々が選手や患者の状態を捉えようとする場合，初めに主訴を聞き出し，問題を把握しようと努力する。問題解決の手がかりとして選手や患者本人の訴えは非常に重要な情報であることは間違いない。しかし，「動きの質」については，本人が痛みや不具合として認識できない潜在的な問題であることが多く，いくら注意深く質問をしても，本人からは引き出せない答えである可能性が高い。

特に，慢性的なストレスによって起こるスポーツ障害を解決するための方策として，単に安静期間を設けたり，痛みのある部位のみにアプローチしたりするのでは根本的な解決に至らず，痛みを引き起こしている原因を取り除かずに運動を再開すれば，また痛みを生じることになる。様々なスポーツ外傷・障害において，それらを引き起こす危険因子は「既往歴」，つまり以前にその怪我を起こしたことがあるかどうかである，とされる根拠はここにあり，過去に起こした怪我を繰り返さないためにも，その原因を捉えるための評価が必要となる。

そこで「動きの質」，そして「基本動作パターン」とは具体的に何なのか，またそれらを評価するための方法として，Cook らが提案した FMS® について紹介し，FMS® をもとに導き出される問題点の捉え方，それを解決する「動きの質の修正＝コレクティブアプローチ」の概念について概説する。

10-2　ファンクショナルムーブメントスクリーン（FMS®）

スポーツ現場や臨床でアスリートの怪我を評価する標準的な方法は，傷害別，部位別に整理され，確立されてきている。外傷や障害を負った選手に向き合った時，アスレティックトレーナーは痛みのある部位を特定し，どのような症状があるかを確認し，医療機関にて必要な画像検査や徒手的検査を受け，診断を受けてくるよう指示するであろう。さらにリハビリテーションを担当するスタッフは，その部位の受傷後の経過を把握し，関節可動域や周囲の筋力などを詳細に評価し，どのような問題があるかを洗い出す作業を行う。正しい評価なくして，問題の解決には繋がらないからである。

例えば膝の手術後に可動域制限が残り，健側との筋力差がある，などの評価結果に対しては，膝の可動域訓練を行い，膝周囲筋の筋力強化のために膝伸展や屈曲の筋力トレーニングを指示するであろう。しかし，直達外力による受傷（ボールが当たって打撲や骨折をした，関節の上に直接乗られたなど）を除くスポーツ外傷・障害のほとんどが「歪み」によって起こっており，そのことに着目すると，我々が「痛みの根本的な原因」を特定する視点や方法は必然的に変化する。

10-2-1　パフォーマンスを構成する要素：パフォーマンスピラミッド

Cook らは，パフォーマンス向上に必要な要素を，パフォーマンスピラミッドとして模式化し説明している。パフォーマンスピラミッドは異なる 3 つの要素からなり，下段から機能的動作（functional movement），機能的パフォーマンス（functional performance），機能的スキル（functional skill）とされる（図 10-1）[1]。

それぞれの要素が具体的に示す内容として，ピラミッド最上部の「機能的スキル」は競技特有の専門技術のことを指す。野球に例えると投球能力，打撃能力，守備能力といった競技に特化した技術がこれに当てはまる。これらの能力が優れているかどうかを評価するには，球の速さやコントロール，飛距離や選球眼，打球への反応や素早い送球などが指標とされ，その種目やポジションにおいて優れた選手か否かを判断する直接的な材料となりうる。つまり一般的に選手や指導者が着目するのはこの機能的スキルの優劣であり，練習の量，質ともに最も時間が割かれていると思われる。

次に，中段部の「機能的パフォーマンス」とは，スポーツの基本動作のことを指す。特にスポーツ動作の

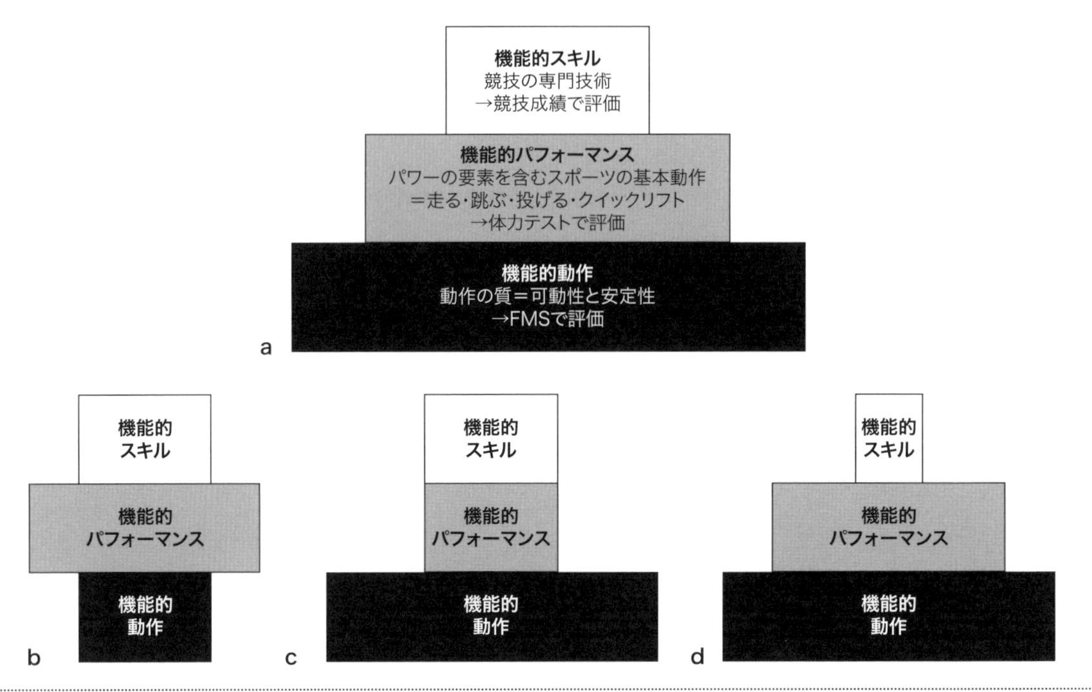

図 10-1　パフォーマンスピラミッド
a：最適なパフォーマンスピラミッド，b：パワー過剰のパフォーマンスピラミッド，c：パワー不足のパフォーマンスピラミッド，d：スキル不足のパフォーマンスピラミッド
（文献 1 より改変）

効率を検討するには，パワーの要素を含む動作が重要になる。下肢中心のパワーの指標はジャンプ能力やランニング能力，上肢や体幹では腕立て伏せやシットアップに加えメディシンボール投げなどによっても評価される。また，全身のパワーを必要とするクイックリフトなどのトレーニング種目も，この要素の能力を評価するのに優れている。つまり，種目によらず，一般的な体力テストによって評価される多くの項目がこれに当てはまる。機能的パフォーマンスは過去の多くのデータから基準となる目安が提示されていることが多く，種目，年齢，性別などによって必要とされる基準は多岐にわたる。この上段に位置する機能的スキルを十分に発揮するためには,素早く,力強く動く,という土台が必要であり,パワー不足は十分な機能的スキルを発揮できないことにつながる。

表 10-1　関節別アプローチに基づく各関節の主な役割

関　節	主な役割
肩関節	可動性
肩甲骨	安定性
胸　椎	可動性
腰　椎	安定性
股関節	可動性（多平面）
膝関節	安定性
足関節	可動性（矢状面）

（文献 1 より改変）

そして,最下段に位置づけられ,ピラミッドの土台となる「機能的動作」とは,身体の基本的な動作パターン,例えば，しゃがむ，腕を挙げる，などの基本動作を行う能力を指し，「動作の質」にのみ焦点を当てて評価される。ここで強調されている「動作の質」とは身体の可動関節の主な役割を「安定性」と「可動性」に整理して定義づけた考え方,「関節別アプローチ（joint-by-joint approach）」であり，結果として隣り合う主要な関節は安定性と可動性が交互に配置される（表 10-1）[1]。

最適なパフォーマンスピラミッドは最下段が広く安定した形である。そして各要素の性質を踏まえて評価を行うことで，個人によってどの要素が不足し，制限となっているかを把握でき，パフォーマンス向上に必要なトレーニングが明確になる（図 10-1）。その際，機能的スキルに先行して機能的パフォーマンスが,機能的パフォーマンスに先行して機能的動作が整っていることが，怪我なく安全に競技力の向上を図るために重要である。

機能的動作の評価について具体的な例で考えてみる。一般的に「腰椎の安定性 ≒ 腹壁筋群の強さ」と「股関節の可動性」を評価しようと考えた時，評価法を学んだ経験がある専門家であれば，体力測定の基準にしたがって 30 秒で「上体起こし」が何回できるかを数え，角度計を用いて股関節の関節可動域を計測するという計画を立てるかもしれない。しかし，両者の評価方法は個別の関節の役割を切り離して評価する，という点において「動きの質」を評価するには不十分であると考える。表 10-1 より「腰椎」は「安定性」が,「股関節」は「可動性」が主な役割であるとされ，動作のなかで「腰椎が安定」した状態で「股関節を可動」させられるかどうかが重要なポイントとなる。

FMS® の７つのテスト項目の１つであるハードルステップでは,被験者は片脚立ちの状態で膝の高さのハードルをまたいで戻るという動作を行う。この時に評価される「動きの質」が良い状態とは，「姿勢を崩さずに動作を完了」できる状態を指し，そのためには腰椎の安定性と股関節の可動性が同時に確保されている必要がある。腰椎と股関節の両者もしくはいずれかに機能不全が潜んでいる場合，正しい動作を行うことができなくなる。さらにいうと，個々の関節では機能不全がなかったとしても，正しい動作につながらない場合も考えられる。この場合，機能不全の存在する場所は関節というハードウェアではなく，脳・神経系からの指令そのものや，受容器などのソフトウェアの問題である可能性が高くなる。そこで，我々評価者は，結果として基本動作パターンを遂行できているかどうかを一定の基準で評価する（図 10-2）。

仮に股関節の可動性が悪い状態で全力疾走をしようとすると，その分の歪みは隣接する腰椎もしくは膝関節に波及し，腰椎の安定性を犠牲にしながらパフォーマンスを遂行しなければならない。隣り合う関節への

図 10-2　ハードルステップ実施時の腰椎と股関節の動作パターン
正面（前額面）からの評価における正しい動作パターン（a）と，股関節および腰椎の代償を伴う動作パターン（b）。側方（矢状面）からの評価における正しい動作パターン（c）と，腰椎の代償を伴う動作パターン（d）

歪みがあると，本来の効率的な運動が妨げられるだけでなく，歪みが生じた場所にスポーツ外傷・障害が起こる危険性が高くなる。このように各関節の役割が整わない状態で，パフォーマンストレーニング，さらにはスキルトレーニングを行ったとしても，動作の効率が向上しないばかりか，怪我に繋がり，選手生命を縮めることになる。

このように「股関節の可動性に問題」があり，その代償動作として「腰椎の安定性が阻害」されている場合でも，選手が訴えるのはあくまで「腰の痛み」であり，股関節に問題を抱えていることには気がつかない。もちろん，痛みのある場所の評価は非常に重要である。その部位にどのような問題が起こっているかを明らかにするため，医療機関を受診し，医学的検査を受けることは必須である。しかし，そこに歪みを与えている元の原因を解決しない限り，痛みのある患部への一時的な安静や治療では根本的な解決は得られず，再び運動強度を上げれば症状が出現することになるのである。

したがって，Cook らは最適なパフォーマンスピラミッドの土台となる機能的動作の改善がパフォーマンスの向上，あるいはスポーツ傷害の予防にとって非常に重要であるとしている。そして，全身の機能的動作を効率的に評価する方法として開発されたのが FMS® である。これらは各関節の持つ本来の「動きの質」を評価するためのスクリーニング・ツールであり，7 つの「基本動作パターン」から評価される。

FMS® はスポーツ外傷・障害のリスクを予測するために行われ，スポーツ活動，エクササイズ，活動量が増加し，身体に負荷がかかった状態における動作のリスクをスクリーニングするのに適している[2,3]。そして FMS® の結果によって導かれる，「動きの質の修正＝コレクティブアプローチ」のために行うコレクティブエクササイズの方向性を示してくれる。FMS® はあくまで痛みや怪我のない選手を対象としたスクリーニングであるとされており，怪我の原因を突き止めそれを解決するためには，Selective Functional Movement Assessment（SFMA）と呼ばれるシステムを用いて分析的に評価する必要がある。しかし，慢性的な不具合による痛みやパフォーマンスの制限に対しては，FMS による全身のスクリーニングが解決の糸口となる場面も多く経験する。

10-2-2 FMS® の実際

具体的な「基本動作パターン」は①ディープスクワット，②ハードルステップ，③インラインランジ，④ショルダーモビリティリーチング，⑤アクティブ・ストレートレッグレイズ，⑥トランクスタビリティプッシュアップ，⑦ロータリースタビリティの７項目である。

各テストにおいて「基本動作パターン」を正しく行うことができれば満点の３点，代償動作を伴っての実施や基準に満たない動作の場合は２点，動作ができなければ１点，クリアリングテストと呼ばれる疼痛誘発テスト，もしくは動作中に痛みを訴えた場合は０点をつけ，合計21点満点で評価される。評価基準の詳細については原書『Cook, G: Movement: Functional Movement Systems: Screening, Assessment, Corrective Strategies, On Target Publications, Aptos, 2010（日本語版：中丸宏二 他監訳：ムーブメント：ファンクショナルムーブメントシステム：動作のスクリーニング，アセスメント，修正ストラテジー，ナップ, 東京，2014)』[1] を参照されたい。また, 実際に評価を実施するにあたっては, 詳細を原書や公式セミナーにて学習することを薦める。

FMS® はスコアをつけるにあたって４つの基準を用いて評価される。最初の基準は「痛み」である。３つのクリアリングテスト，あるいはすべての動作中に痛みを訴えた場合は，例え動作を遂行できたとしても０点，つまりテストのスコアは無効となり医療の専門家に評価を依頼する。「痛みは動作のすべてを変えてしまう」ことから,「痛みが動作の問題を引き起こすのか？　動作の問題が痛みを引き起こすのか？」という問いへの答えは，痛みのある状況で得ることができない。むしろ「痛みは問題を知らせる信号であり，根本的な問題ではない可能性が高い」と捉え，そこに「歪みを与えてきた原因を探る」という視点を持つことが重要である。痛みが解決された後であっても，トレーニングを再開する前にFMS® による評価によって痛みを引き起こした歪みの原因を探り，歪みを修正することによって初めて根本的な傷害の予防が達成できる。

２つ目の基準は動作に伴う著明な「制限」である。各テストで必要とされる関節運動は，医療分野において角度計で計測される測定基準と同等か，若干少ない程度に設定されている。個別の関節可動域測定と異なる最大の視点は,「複数の関節を正常な範囲内で同時に動かすことが求められる」点である。これによって代償動作を検出できる。つまり，ある関節が「基本動作パターン」に貢献していないと，その他の関節がそれを代償し，全体として質の低い動作になってしまうのである。単一の関節可動域が正常であっても，基本動作パターン全体にわたってその関節が正常に機能できるとは限らない。そのため，スクリーニングの時点で各関節を個別に評価することは，効率が悪く，本質を見抜けない可能性があるとしている。一方で，FMS® で評価される動作の制限は,「何が原因か」という分析までは行うことができない。そこでFMS® において著しい制限があった場合や痛みを伴う動作があった場合には，Selective Functional Movement Assessment（SFMA）と呼ばれるシステムを用いて分析的な評価を行い，その原因を探る必要がある。

３つ目の基準は基本動作パターンの「非対称性」，つまり左右差である。FMS® では，７つのうち５つのテストで左右別々に評価を行い，それぞれでスコアをつける。非対称的な動作パターンの背景には，構造的問題と機能的問題の両者が含まれる。構造的な問題による非対称性とは，脚長差や脊椎の異常弯曲，発達異常，関節症変化，手術による解剖学的変化などである。機能的な非対称性は，筋の柔軟性や動員の仕方などが主な原因となる。機能的な左右差は構造的問題よりも修正の効果を得やすく，時には構造的非対称性の進行を遅らせることもできるため, エクササイズによる修正の対象となる。具体的に「右のスコアが３点で左が２点」の場合と，「左右とも２点」だった場合，どちらをより大きなリスクを抱えている動作パターンと捉えるだろうか。一見すると合計５点の前者の方が良いと考えてしまいがちだが，FMS® では左右の著しい非対称性をリスクと捉えるため，左右とも2点の後者より，片方が3点の前者の動作パターンにより大きなリスクが潜んでいると分析する。もちろん，片方が3点で反対側が1点であれば，傷害のリスクはより大きくなる。

4つ目の基準は「意図的な反復」である。これは，7つのテストの際に，基本動作を異なるパターンで繰り返し評価していることを指す。例えば肩関節の可動性に注目して7つの評価項目を考えると，直接的には④ショルダーモビリティリーチングで評価される。それに加えて，①ディープスクワット，②ハードルステップ，③インラインランジ，⑦ロータリースタビリティにおいても，肩の可動性に制限があれば，腰椎の安定性など他の関節が犠牲となり，基本動作パターンが崩れる原因となりうる。このように7つのテストはそれぞれが関連しあっていて，すべてのスクリーニングテストを通して行うことで，最も問題のある「動きの質」が浮き彫りにされるシステムになっている。したがって，7つのテストは省略せずにすべてを行うことが重要であり，省略したテストに問題のある動作パターンを強調したり特定したりするものが含まれていた場合，根本的な問題点にはアプローチすることができず，機能的動作の修正は不可能となってしまう。

10-2-3 FMS® のスコアから導き出される改善すべき基本動作パターンの優先順位

このようにFMS® によって基本動作パターンの評価をした後，最も改善すべき問題点にアプローチし，積極的に改善させていくことで，より良い機能的動作を獲得していく。これは，リービッヒの最小律，ドベネックの樽（桶）理論でよく説明される。リービッヒの最小律とは，植物の成長速度や収穫量は，必要とされる栄養素のうち，与えられた量の最も少ないものに影響されるとする説である。そして，植物の成長を桶の中に張られる水に見立て，桶を作っている板を養分・要因と見立てたのがドベネックの樽（桶）理論である。たとえ1枚の板のみがどれだけ長くとも，最も短い部分から水は溢れ出し，結局水位は最も短い板の高さまでとなる。これらを基本動作パターンに当てはめると，最も大きな制限となっている動作が他の動作にも悪い影響を及ぼし，スポーツ外傷・障害のリスクやパフォーマンス向上の制限になっていると捉えられる。桶に入る水の量をトレーニングの許容量と捉えるならば，桶の板を修復し，質の高い練習を多く積むことができる身体づくりをすれば，その結果，高いトレーニング効果を得ることができるようになる（図10-3）。

FMS® の結果から，桶の板の長さ，つまり修正する優先順位をどのようにして判断するのか。まずは7つのテスト結果をスコアによって並べ替え，低いものから積極的に改善していくという手順で評価する。

まず，0点は痛みがあることを示すため，いずれかの項目に0点がついた時点で，他のスコアの評価の優先順位を考える前に医療機関への受診を促す。

次に左右の比較の有無によるスコアのつけ方を整理する。FMS® の7つのテストのうち，①ディープスクワットと⑥トランクスタビリティプッシュアップはストレートパターンとされ，

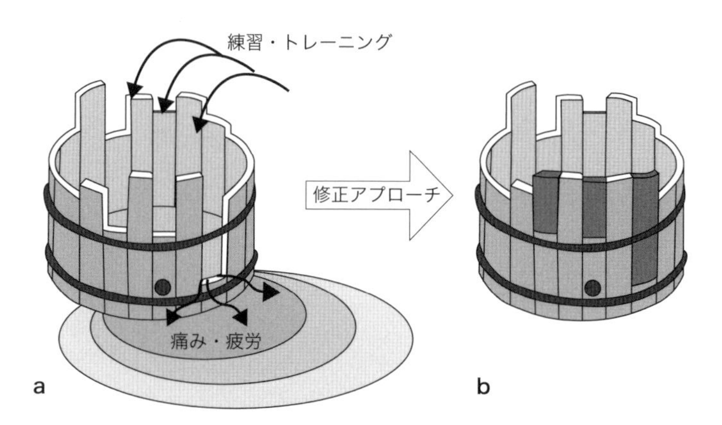

図10-3　リービッヒの最小律，ドベネックの樽（桶）理論と修正（コレクティブ）アプローチ
壊れた状態の桶（身体）に大量の水（トレーニング）を入れても，水は溜まらず，漏れた水が疲労や痛みとなることもある（a）。トレーニングの許容量を増やすためには身体の最も弱い部分から優先的に修正する必要がある（b）。

表 10-2　評価スコアによる修正の優先順位

優先順位	ストレートパターン	スプリットパターン
1（悪）	0 点（痛みあり，医療機関受診）	
2		1 点と 3 点
3		1 点と 2 点
4	1 点	1 点と 1 点
5		2 点と 3 点
6	2 点	2 点と 2 点
7（良）	3 点	3 点と 3 点

表 10-3　評価項目による修正の優先順位

優先順位	評価項目
1（高）	アクティブ・ストレートレッグレイズ ショルダーモビリティリーチング
2	ロータリースタビリティ
3	トランクスタビリティプッシュアップ
4	ハードルステップ
5（低）	インラインランジ ディープスクワット

左右同時に運動するため 1 ～ 3 の範囲で単一のスコアがつく。

その他の 5 項目はスプリットパターンと呼ばれ，左右別々に評価が行われるため，スコアに左右差がある場合には優先順位が細かく設定される。左右で同じスコアがついた場合には，そのスコアを項目の点数として採用する。一方，左右で異なるスコアがついた場合には，低い方の点数をその項目の点数として採用する。つまり，右が 3 点，左が 1 点であれば，その項目の点数は 1 点と評価される。そして，先に説明した通り，Cook が提唱する理想的な機能的動作においては，著しい非対称性がないということが重要な評価ポイントとなっている。つまり，左右差が大きい方が改善すべき優先順位がより高いということになる。

これらの手順をまとめると，修正が必要となるスコアの優先順位は表 10-2 のようになる。

さらに，評価された 7 つのテスト項目において改善すべき基本動作パターンの優先順位が，動きの複雑さによって定められている。つまり，全く同じスコアがついた場合，同じスコアの中でさらに優先すべき動作パターンが決められることになる。

7 つのテストにおいて，より単純な単関節の動きの不良ほど，より複雑な動作に影響を及ぼすため，優先的に改善していく必要性があるとされている。①ディープスクワット，②ハードルステップ，③インラインランジは基本動作パターンの「ビッグ 3」と呼ばれ，立位姿勢，足部支持での評価で，可動性と安定性の両者を必要とする複雑な動作パターンである。さらに①ディープスクワットはストレートパターン，②ハードルステップ，③インラインランジはスプリットパターンに区分される。また，②ハードルステップは片脚支持での体幹の安定性を確保したうえでの股関節の可動性が評価され，③インラインランジは両脚支持場面で体幹の安定性を確保したうえでの股関節の可動性が評価されているテストである。

一方，④ショルダーモビリティリーチング，⑤アクティブ・ストレートレッグレイズ，⑥トランクスタビリティプッシュアップ，⑦ロータリースタビリティは「リトル 4」と呼ばれ，より基本的な機能を反映している。なかでも④ショルダーモビリティリーチング，⑤アクティブ・ストレートレッグレイズは肩関節周囲，股関節周囲の可動性を，⑥トランクスタビリティプッシュアップは体幹部を中心とした最大下の安定性を，⑦ロータリースタビリティは上肢・下肢の高閾値での安定性を強調した基礎的評価である。関節の機能は大きく安定性と可動性に分けられるが，それらの修正手順は可動性が優先される。

これらを整理すると，修正が必要となる評価項目の優先順位は表 10-3 のようになる。

表 10-2 によって同じスコアに評価された項目があった場合，表 10-3 の順位にしたがって，より基礎的な項目ほど改善すべき優先順位を高くする。このように FMS® で評価されたスコアと評価項目の優先順位を組み合わせることによって，各個人の弱点が浮き彫りになり，修正アプローチに必要なコレクティブエクササイズ選択の判断材料となる。

10-2-4　FMS®はスポーツ傷害の「予測システム」である

FMS®はあくまで機能的動作の「スクリーニング」ツールとして位置づけられ，アスレティックトレーナーや理学療法士による「アセスメント（評価）」のように身体の不具合の「原因」を特定するものではない。FMS®の合計スコアが著しく低い（著者らの施設では先行研究を参照し，14点以下を基準としている[2,3]），あるいは痛みを伴う0点がつくような場合には，身体の不具合を改善するための詳細な評価を受け，リハビリテーションを行う必要があるとされている。実際にアスレティックトレーナーがかかわる多くの事例では，何かしらの痛みや不具合を抱えている選手がほとんどであり，痛みのある局所の評価が必須となる。

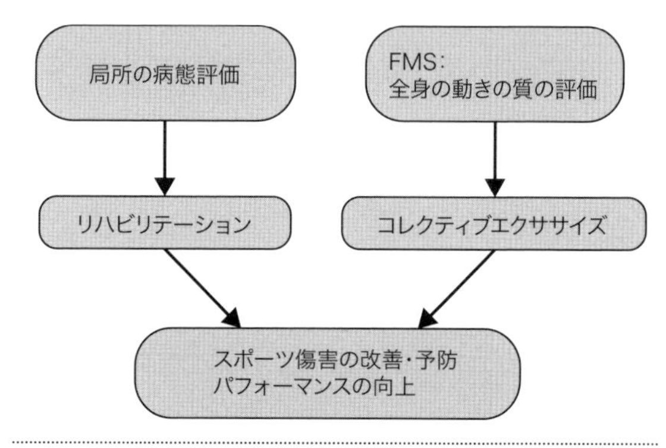

図10-4　スポーツ傷害の改善・予防への評価とアプローチ

一方，これまで述べてきた通り，特に慢性的な障害においては，痛みのある局所のみならず，そこに歪みを生じさせているその他の関節や筋の機能を整え，動きを改善しない限り，根本的な解決にはつながりづらい。したがって，スポーツ障害を改善するためには局所の不具合を全身の所見と関連づけて評価することが必要となる。しかし，これらを的確に評価するにはかなりの経験と能力が必要である。そこで，局所の評価に併せてFMS®を実施することで，全身の動きの質の問題点を一定レベルで洗い出すことが可能となり，トレーナーの経験や能力を補って,一定の成果を上げられる可能性が高くなる。このようなFMS®の活用によって選手を評価し，局所へのアプローチに加え，弱点に見合ったコレクティブエクササイズを実施することによって，全身レベルで動きの質が向上し，局所の障害が改善されることが期待される[4]（図10-4）。

10-3　コレクティブエクササイズ—コレクティブアプローチの概念

スポーツ外傷・障害を予防・改善し，パフォーマンスの向上を目指すにあたり，先に説明したパフォーマンスピラミッド（図10-1）において，その人の問題点がどこに存在するのかを評価する必要がある。優先順位としては,機能的動作に問題があるかないかをFMS®によって評価し,FMS®のスコアに0点が存在する,もしくは合計点が著しく低いようであれば，動作に関連したリスクを取り除くため，医療の専門家による評価とリハビリテーションを必要とする[2,3]。一方,FMS®で痛みがなく,基準以上のスコアが得られた場合には,機能的動作の問題がクリアされていると判断し，体力やパフォーマンスを向上させるためのトレーニングを実施する。そして，両者がクリアされていれば，技術を向上させるためのトレーニングを実施する，という手順である。

しかし，FMS®によって一定の基準をクリアしたとしても，改善すべき動作が残存している場合には，それらを修正（correct）するエクササイズを実施し，より良い機能的動作の獲得や維持を図る必要がある。それによってパフォーマンスピラミッドの土台が拡大し，パフォーマンスの向上につながるのである。

実際のコレクティブエクササイズに当たるものは，筋の柔軟性改善のためのストレッチング，可動性改善のための関節モビライゼーション,安定性改善のためのスタビライゼーショントレーニングなど,既にスポーツ現場でリハビリテーションやコンディショニングとして実践されているものである。つまり，修正の優先順位を決め，その内容や目的を明確化することがこのシステムの最大のポイントであり，目標が定まったら，それらを改善するためのコレクティブエクササイズの選択は個々のアスレティックトレーナーやセラピストの裁量に委ねられる。

10-3-1　問題の本質の見極め―可動性の問題か，安定性の問題か

コレクティブエクササイズを実施するうえで，いくつかの法則と配慮すべき点について押さえておく必要がある。身体の各関節は互いに可動性，安定性を保ちながら，全身の基本的な動作パターンを成立させている（表 10-1）。各関節が担うべき役割には一定の法則があり，それが崩れると隣接する関節には本来の役割とは逸脱した機能が強いられ，その部分に歪みが起こり障害につながる。

そして，FMS® によって抽出された基本動作パターンの乱れが，各関節の「可動性の問題」なのか，「安定性の問題」なのか，あるいは「動作パターンが崩れている」のかを見極めたうえで，コレクティブエクササイズの内容を決定する必要がある。

前述した股関節の可動性と腰椎の安定性の関連を例にとると，「股関節の可動性に問題があり腰椎の安定性が阻害されている場合」と，「股関節の可動性には問題がなく腰椎の安定性が不十分な場合」，どちらも同じ動作パターンを呈する可能性がある，つまり表出する動作パターンからはどちらの関節機能に問題があるかを明らかにすることはできない。

例えば，①ディープスクワットの評価で股関節の屈曲が不十分だった選手に対し，背臥位になって姿勢を安定させ「他動的には股関節屈曲の肢位がとれる」という確認ができれば（図 10-5），ディープスクワットにおける動作不良は股関節の可動性の問題ではなく，その他の問題，例えば腰椎の安定性の欠如による動作パターンの不良などを推測し，評価を進める。

同様に，⑤アクティブ・ストレートレッグレイズでの股関節屈曲は，自動運動での関節可動域である。一般的にはハムストリングスの柔軟性欠如を想定し，ハムストリングスのストレッチングをコレクティブエクササイズとして処方するかもしれない。しかし，他動的に動かして可動域が拡大する場合には，筋の柔軟性の問題ではなく，拮抗筋の収縮機能不全，あるいは体幹の安定性低下によって股関節の自動運動が制限されている可能性が高まる。その場合は体幹の安定性の機能はもちろん，運動パターンの乱れを想定し，体幹を安定させた状態で股関節屈曲を行わせるような工夫を取り入れたコレクティブエクササイズを提案する（図 10-6）。拮抗筋の収縮や体幹の安定性の問題でアクティブ・ストレートレッグレイズが制限されているのだとしたら，単に下肢後面のマッサージやストレッチングをしても改善されることはなく，アスレティックトレーナーや選手の努力が「動きの質」の改善にはつながらない結果となってしまう。

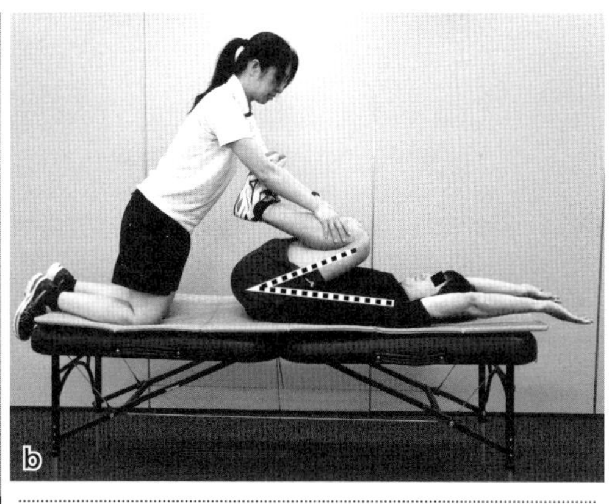

図 10-5　ディープスクワットにおける股関節屈曲不全（a），他動的な股関節の屈曲可動域の確認（b）

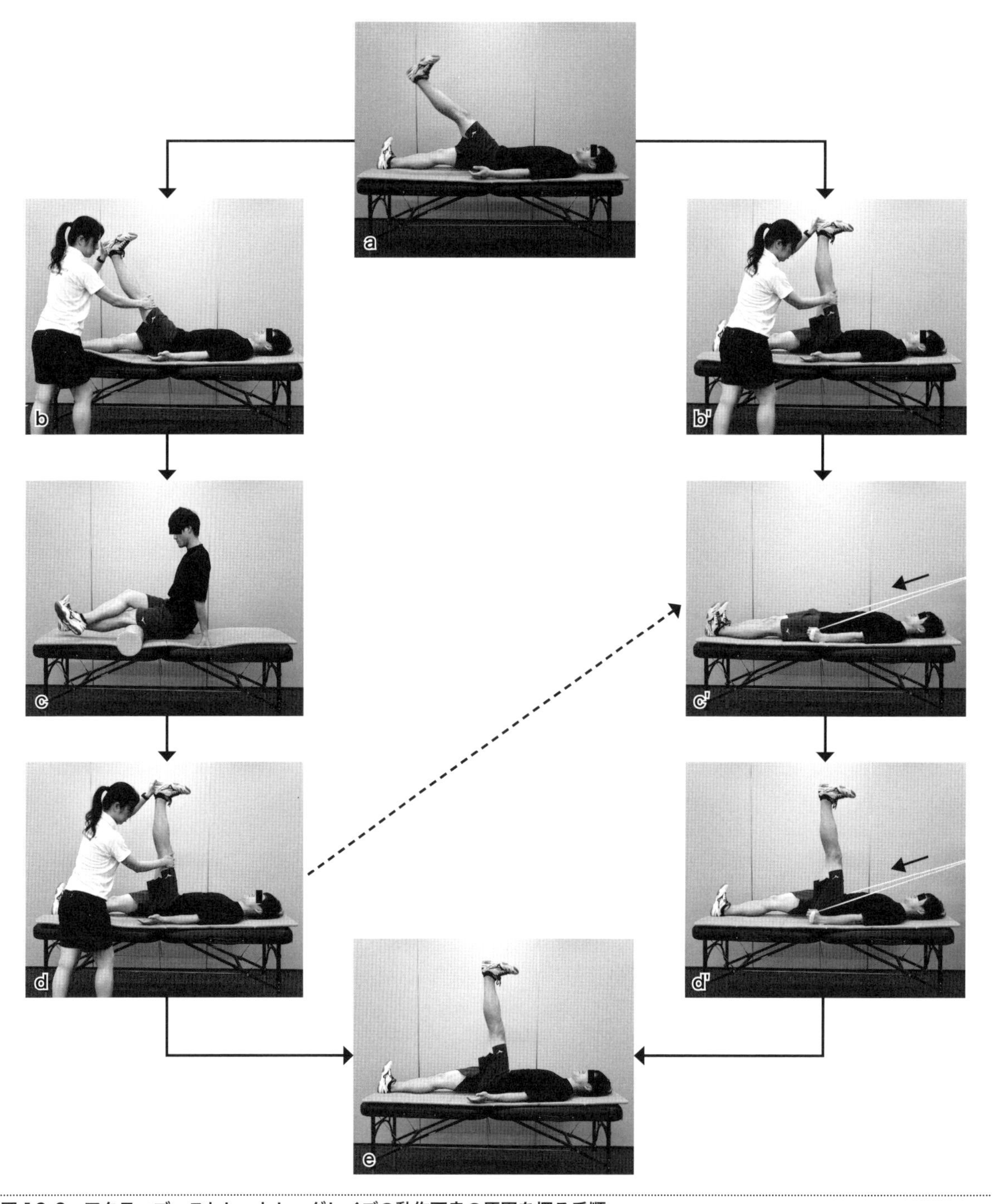

図 10-6　アクティブ・ストレートレッグレイズの動作不良の原因を探る手順
左：a：自動 SLR（straight leg raising：伸展下肢挙上）で制限あり→ **b：**他動 SLR で不変＝可動性に問題あり，安定性は不明→ **c：**関節や軟部組織などへのコレクティブアプローチ（写真はフォームローラーによるハムストリングスの筋膜リリース）→ **d：**他動 SLR が改善→ **e：**安定性に問題がなければ自動 SLR も改善，改善しない場合は c' へ。**右：a：**自動 SLR で制限あり→ **b'：**他動 SLR で改善＝可動性に問題なし，安定性に問題あり→ **c'：**SLR の前に両手でチューブを引くことで腰椎の安定性を高めた状態を強制的につくる→ **d'：**自動 SLR が改善＝腰椎の安定性を高めるためのコレクティブエクササイズが必要。→ **e：**腰椎の安定性が向上し，正しい運動パターンを学習すると，自動 SLR が改善する。

10-3-2 コレクティブエクササイズの実際

このようにFMS®の結果が何に起因するかについては常に分析的な視点を持つことが重要であるが，一般的な問題点を想定したFMS®の項目に対応するコレクティブエクササイズを紹介する[5,6]（図10-7～20）。

これらの種目は主に自重負荷を使って実施されるが，効果的に動きの質を改善させるためには，負荷の大きさや量よりも，「正しい姿勢」，「正しい身体の使い方」で実施されているかが重要である。なかでも骨盤から腰椎部までの安定性の確保は最優先にすべきであり，四肢を動かすにあたり，姿勢を崩さず，常に骨盤から腰椎部までの安定性を犠牲にしないという感覚を身につけることが重要である。

FMS®によって導き出された選手個別の弱点に対して，該当するコレクティブエクササイズを選択的に実施し，重点的にアプローチすることが，動きの質の改善のためのポイントである。ここで紹介するコレクティブエクササイズは限られた例であるが，このように優先すべき項目に対応させた効果的なエクササイズをあらかじめ決めておき，機械的に選定・実施できるようなシステムをつくっておくと，FMS®からエクササイズ実施まで効率良く進められると思われる。

図10-7 ディープスクワットに対するコレクティブエクササイズの例①
a，a'：踵を5 cmほどの高さの台に乗せ，膝上にチューブを巻き，棒やタオルなどを両手に持ち，両腕を頭上に伸ばす。**b，b'**：上半身の姿勢を保ったまま，深くスクワット動作を行う。その際に，膝とつま先の方向が一致するように（特に膝が内側に入らないように）気をつける。

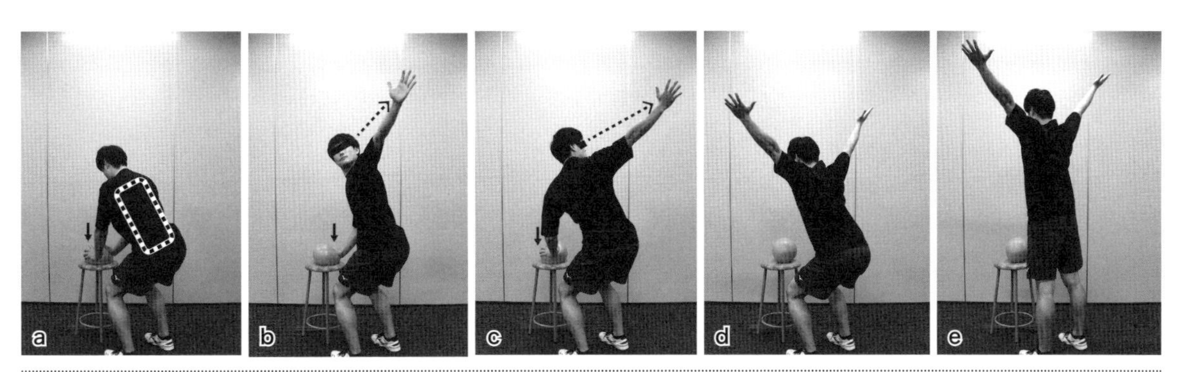

図10-8 ディープスクワットに対するコレクティブエクササイズの例②
a：肩幅程度の足幅でスクワット姿勢をとる。手でボールや台などを押し，体幹の安定を意識する。**b**：片手でボールを押しながら反対の手を後方に広げて回旋動作を行う。目線は手先を追う。**C**：反対も同様に行う。肩甲骨を下制させるよう意識する。**d**：スクワット姿勢を保ったまま両腕をY字に広げる。この際にも肩甲骨の下制を意識する。**e**：腕を広げたまま立ち上がる。

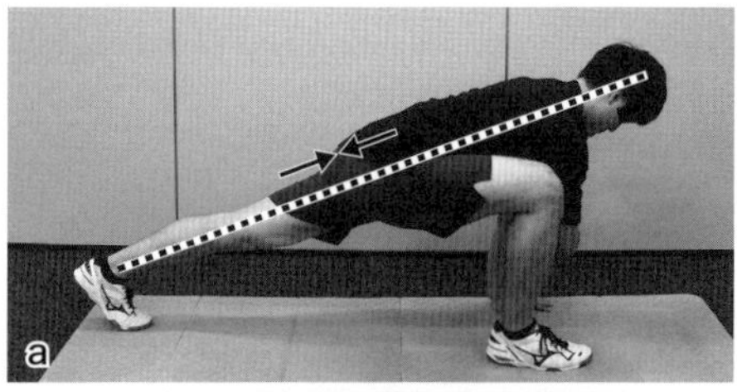

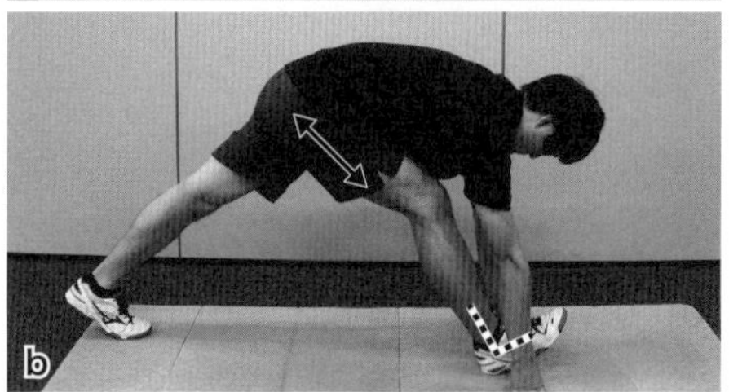

図 10-9　ハードルステップに対するコレクティブエクササイズの例①
a：前後に大きく開脚して前側の膝は 90° とし，膝の内側に肘をつける。後ろ側の脚から体幹，頭までを一直線に保ち，殿部の筋を収縮させる。b：両手を床につき，前側の膝を伸ばして腰とつま先を持ち上げ，太ももの裏を伸ばす。

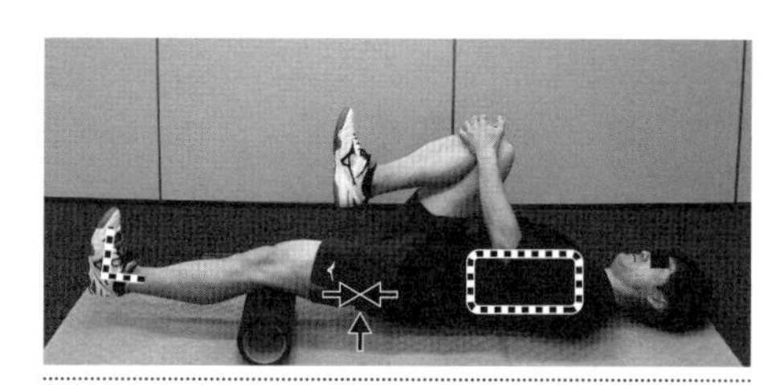

図 10-10　ハードルステップに対するコレクティブエクササイズの例②
背臥位になり，片膝を抱え，反対側の脚は伸ばして膝よりやや近位の部分を 15 cm ほどの台に乗せる（写真はフォームローラー）。腹圧を高め，殿部の筋をあらかじめ収縮させて身体を持ち上げる。腹圧が抜けて腰が反らないように注意する。両足首は背屈し，身体を持ち上げた時に股関節の中間位を保持する。

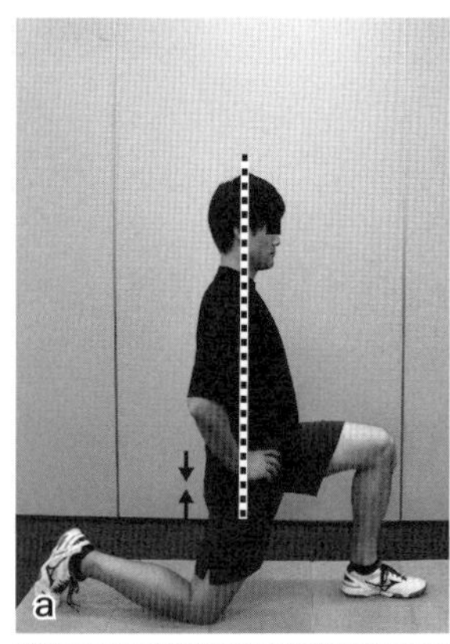

図 10-11　インラインランジに対するコレクティブエクササイズの例①
a：左脚を前に踏み出し，両膝が 90° になるような姿勢をつくる。右殿筋を収縮させた状態で，体幹の姿勢が崩れないように保つ。b：a の姿勢を保ちながら右腕を天井に向かって挙げる。c：b の姿勢を保ちながら，左膝を曲げて重心を前方に移動させる。右の股関節前面を伸ばす。d：応用：股関節前面の伸張感を強調したい場合には，腰椎の固定を保ったまま，左側屈・右回旋する。左右実施する。

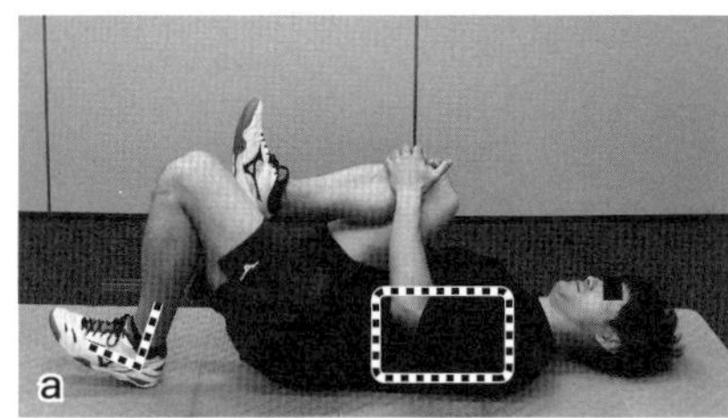

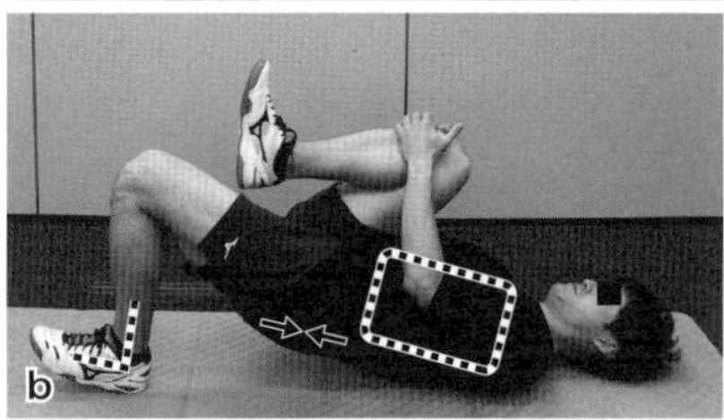

図 10-12　インラインランジに対するコレクティブエクササイズの例②
a：背臥位で片膝を抱え，反対側の脚は深く曲げて踵をつく（つま先は挙げる）。b：腹圧を高め，殿部の筋を収縮させて身体を持ち上げ，体幹と大腿部を一直線にする。腹圧が抜けて腰が反らないように注意する。

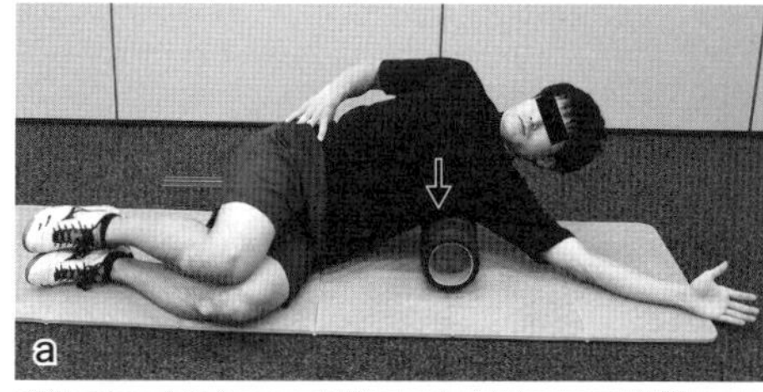

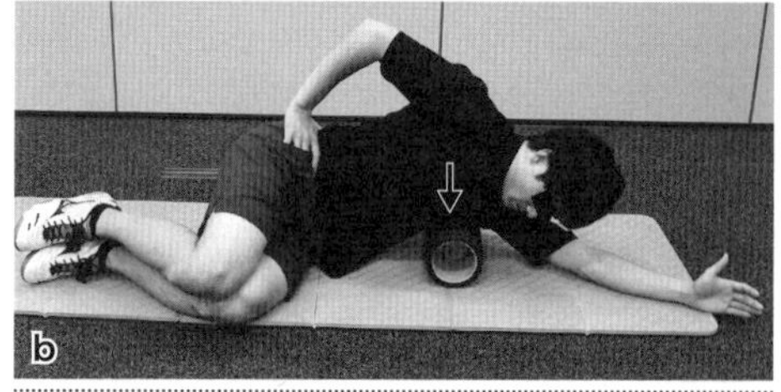

図 10-13　ショルダーモビリティリーチングに対するコレクティブエクササイズの例①
a：フォームローラーを使用し，体側後面（広背筋や肩後面の筋など）に圧をかけてほぐす。b：体側前面（胸部の筋など）に圧をかけてほぐす。

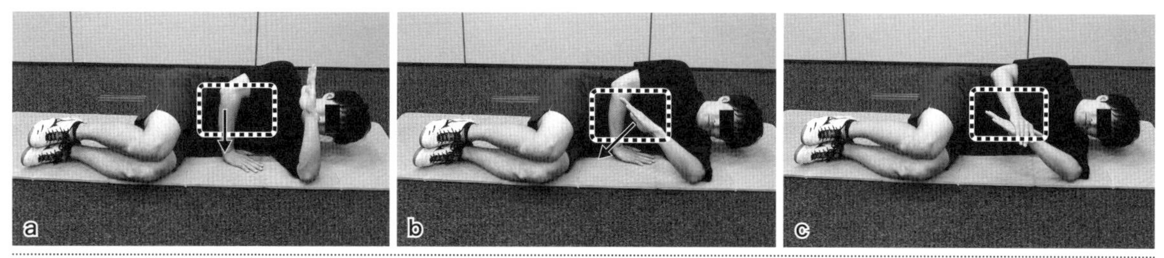

図10-14　ショルダーモビリティリーチングに対するコレクティブエクササイズの例②
a：側臥位になり，上側の手で床を押し，腹圧を高める。**b**：下側の腕を内旋方向に倒す。**c**：限界に達したら反対の手でさらに押す。

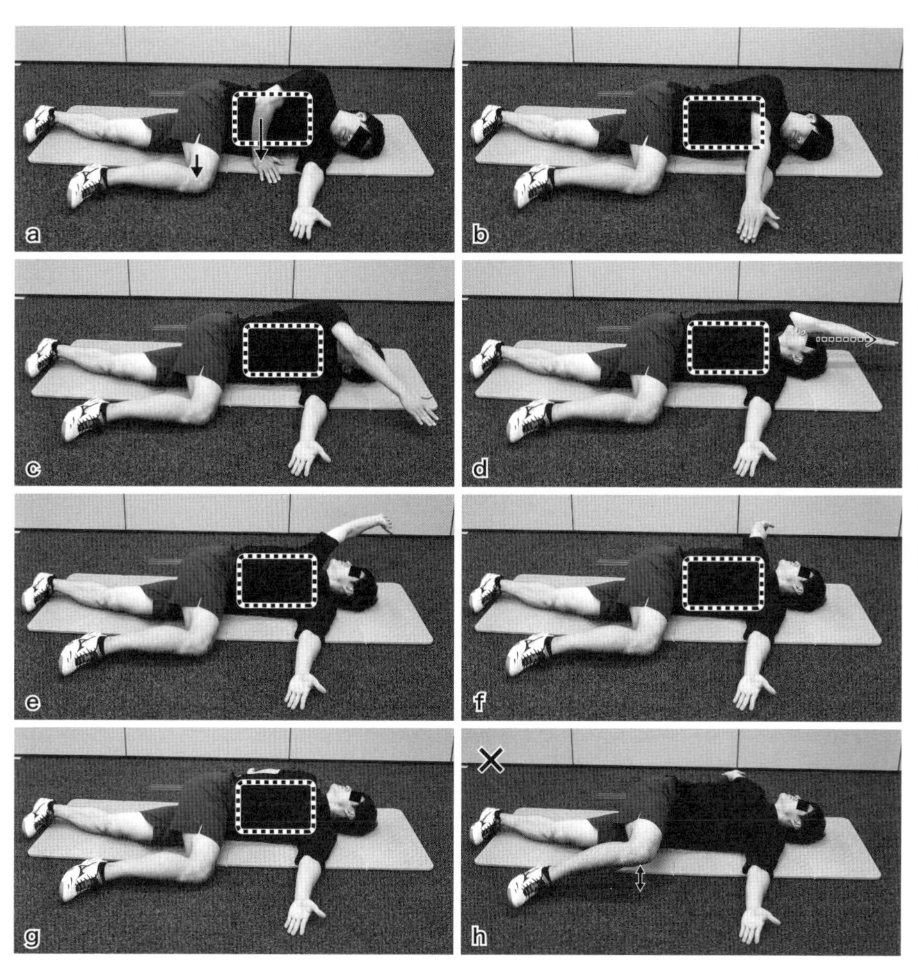

図10-15　ショルダーモビリティリーチングに対するコレクティブエクササイズの例③
a：側臥位になり，上側の膝を曲げ床につける。上側の手で床を押し，腹圧を高める。**b**：両腕を伸ばして顔の前で合わせる。**c**：上側の腕を頭上まで回す。できるだけ床と平行に保つ。**d**：手のひらを返す。手先に視線を向ける。**e, f**：そのまま180°まで回す。**g**：肩が最大に開いた状態を保ったまま，肘を曲げて指先で背中を触る。その後，元の軌道で**b**の姿勢まで戻る。**h**：動作中，常に上側の膝が浮かないようにする。

コレクティブエクササイズを実施するタイミングとしては，練習前の疲労していない状態で行うことが望ましく，エクササイズの実施により練習や試合などでの本運動の動きを改善することが主な目的である。

一定期間エクササイズを実施した後は再度FMS®による評価を行い，修正すべき基本動作パターンが改善されたかを確認する。全く効果がなければ修正すべき原因の分析が不適切で，エクササイズの目的が合致していない，正しい動作でエクササイズできていない，などの問題点が考えられる。そして，動きの質が改善され，当初の優先順位に変更が生じた場合には，それに合わせてコレクティブエクササイズの内容を変更するか，もしくはエクササイズの難易度を段階的に上げていき，より機能的な動作の獲得を目指していく。

図 10-16　アクティブストレートレッグレイズに対するコレクティブエクササイズの例①
a：片脚で立ち，支持脚の膝を曲げておき，エクササイズの間その角度を保つ。**b**：反対側の脚を伸展した状態で，上体と脚を一直線に，骨盤は水平に保ったまま，股関節を中心に身体を水平になるまで倒す。支持脚の大腿部後面を伸長する。**c**：上体だけが突っ込む，骨盤が平行を保てなくなる，支持脚が屈曲するなどの代償を起こさない範囲で身体を倒すようにする。**d**：挙げた脚の側の手でダンベルを持つと，骨盤の回旋が起きづらくなる。**e**：支持脚の側の手でダンベルを持つと，骨盤の回旋を助長するので，難易度が高くなる。

図 10-17　アクティブストレートレッグレイズに対するコレクティブエクササイズの例②
a：背臥位で，両脚を床と垂直になるまで挙げる。足関節を背屈し，大腿部前面の筋を収縮させる。**b**：片脚を伸展したままゆっくり降ろし，床につく直前で止める。挙げたままの脚は自分で最初の位置を保持し，大腿部後面がストレッチされるのを確認する。難しい場合には，胸の前でウエイトを持ちながら同じ動作を行う（**c**，**d**）。体幹へのサポートが増えて難易度が下がる。

10-4　まとめ

近年注目されている FMS® について，その活用法を紹介した。FMS® 自体はあくまで評価ツールであり，選手の弱点に見合ったエクササイズを的確に選択，実施することによって大きな成果が得られるものである。コレクティブエクササイズの実施によって，怪我のリスクを小さくしつつも選手のパフォーマンスを向上することが期待され，特に慢性障害を負った選手では，全身の機能的動作の改善が痛みの解決の糸口になるケー

図 10-18　トランクスタビリティプッシュアップ，ロータリースタビリティに対するコレクティブエクササイズの例①
a，a'：手を肩の下につき，つま先で身体を支える。足幅が狭いほど難易度が高い。b，b'：脚から頭までを一直線に保ったまま，手を交互に挙げる。c，c'：手を挙げた際に骨盤が傾いたり移動したりしないように行う。

図 10-19　トランクスタビリティプッシュアップ，ロータリースタビリティに対するコレクティブエクササイズの例②
a：手を肩の下につき，つま先で身体を支える。足幅が広いほど難易度が高い。b：脚から頭までを一直線に保ったまま，つま先を交互に挙げる。

図 10-20　ロータリースタビリティに対するコレクティブエクササイズの例
a：四つ這いで，肩の下に手，股関節の下に膝をつく。b：腹圧を高め，体幹部を動かさずに腕を挙げる。c：同様に脚を挙げる。この際，脚は体幹と同じ高さとし，股関節の回旋や内外転が起きないよう，まっすぐに伸ばす。d：同様に，片側の腕と反対側の脚を同時に挙げる。

スも多く，有効かつ効率的なシステムであると考えられる。

謝　辞

本稿の執筆にあたり，米国 EXOS 社と提携を結んでいた中京大学 CISP（Chukyo Institute of Sports Performance）プロジェクト（2011 ～ 2016）における指導内容を一部紹介した。EXOS 社からの指導に対し，この場をお借りして感謝の意を表します。

文　献

第 1 章　コンディショニングの基礎知識

1) Wathen D 他：ピリオダイゼーション．In: ストレングストレーニング＆コンディショニング，第 3 版，Baechle T 他編（金久博昭 監），ブックハウス・エイチディ，東京，pp.558-559, 2010.
2) Zatsiorsky V et al: Science and Practice of Strength Training, 2nd ed. Human Kinetics, Champaign, pp.10-15, 2006.
3) 小笠原理紀 他：筋力トレーニングにおけるディトレーニングとリトレーニングの効果．ストレングス＆コンディショニングジャーナル，17: 2-9, 2010.
4) Hortobágyi T et al: The effects of detraining on power athletes. Med Sci Sports Exerc, 25: 929-935, 1993.
5) Houmard JA et al: Effect of short-term training cessation on performance measures in distance runners. *Int J Sports Med*, 13: 572-576, 1992.
6) Fardy PS: Effects of soccer training and detraining upon selected cardiac and metabolic measures. *Res Q*, 40: 502-508, 1996.
7) Booth F: Effects of endurance exercise on cytochrome C turnover in skeletal muscle. *Ann N Y Acad Sci*, 301: 431-439, 1997.
8) 広瀬統一：アスリートのコンディショニングにおけるディトレーニング．体育の科学，64: 707-712，2014.
9) 猪飼道夫：運動生理学入門，第 5 版，杏林書院，東京，p.144，1969.
10) 福永哲夫：ヒトの絶対筋力，杏林書院，東京，1978.
11) Moritani T et al: Neural factors versus hypertrophy in the time course of muscle strength gain. *Am J Phys Med*, 58: 115-130, 1979.
12) Baechle T 他：レジスタンストレーニング．In: ストレングストレーニング＆コンディショニング，第 3 版，Baechle T 他編（金久博昭 監），ブックハウス・エイチディ，東京，pp.417-450，2010.
13) Gerhammer J: Weight lifting and training. In: Biomechanics of Sport, Vaughan C ed, CRC press, Boca Raton, p.187, 1989.
14) 平山邦明：筋力・体力からみた競技特性 . In: 競技種目特性からみたリハビリテーションとリコンディショニング，山本利春 編，文光堂，東京，p.16，2014.
15) Seiler S: What is best practice for training intensity and duration distribution in endurance athletes? *International Journal of Sports Physiology & Performance*, 5: 276-291, 2010.
16) Helgerud J et al: Aerobic high-intensity intervals improve VO_2max more than moderate training. *Med Sci Sports Exerc*, 39: 665-671, 2007.
17) Davis JA: Anaerobic threshold: review of the concept and direction for future research. *Med Sci Sports Exerc*, 17: 6-18, 1985.
18) Helgerud J et al: Aerobic high-intensity intervals improve VO_2max more than moderate training. *Med Sci Sports Exerc*, 39: 665-671, 2007.
19) Plisk S: スピード，アジリティ，スピード持久力の向上．In: ストレングストレーニング＆コンディショニング，第 3 版，Baechle T 他編（金久博昭 監），ブックハウス・エイチディ，東京，p.501，2010.
20) Kubo T et al: Influence of different loads on force-time characteristics during back squats. *J Sports Sci Med*, 17: 617-622, 2018.
21) Marcovic G et al: Neuro-musculoskeletal and performance adaptations to lower-extremity plyometric training. *Sports Med,* 40: 859-895, 2010.

第 2 章　リハビリテーションの基礎知識

1) Bahr R et al: Understanding injury mechanisms: a key component of preventing injuries in sport. *Br J Sports Med*, 39: 324-329, 2005.

第 3 章　スポーツ栄養の基礎知識

1) 厚生労働省：日本人の食事摂取基準 2020．https://www.mhlw.go.jp/stf/newpage_08517.html
2) 小林修平，樋口　満 編（日本体育協会スポーツ医・科学専門委員会 監）：アスリートのための栄養・食事ガイド，第一出版，p.88，2006.
3) Burke LM et al: International Association of Athletics Federations Consensus Statement 2019: Nutrition for Athletics. *Int J Sport Nutr Exerc Metab*, 29: 73-84, 2019.
4) Stellingwerff T, Morton JP, Burke LM: A framework for periodized nutrition for athletics. *International Journal of Sport Nutrition and Exercise Metabolism*, 29(2): 141-151, 2019. doi: https://doi.org/10.1123/ijsnem.2018-0305
5) Maughun RJ, Burke ML: Sports Nutrition-Handbook of Sports Medicine and Science, Blackwell Publishing, New Jersey, p.30, 2002.
6) Williams MH: Nutrition for Health, Fitness, & Sport, 7th edition, McGraw-Hill, New York, p. 221, 2005.
7) Lehmann MJ, Lormes W, Opitz-Gress A, et al: Training and overtraining: an overview and experimental results

in endurance sports. *J Sports Med Phys Fitness*, 37: 7-17, 1997.
8) Gleeson M, Pyne, DB: Respiratory inflammation and infections in high-performance athletes. *Immunol Cell Biol*, 94: 124-131, 2016.
9) Butterfield GE: Nutrient requirements at high altitude. *Clinics in Sports Medicine*, 18: 607-621, 1999.
10) Slater GJ, Sygo J, Jorgensen M: SPRINTING...Dietary approaches to optimize training adaptation and performance. *Int J Sport Nutr Exerc Metab*, 29: 85-94, 2019.
11) Stokes T, Hector AJ, Morton RW, et al: Recent perspectives regarding the role of dietary protein for the promotion of muscle hypertrophy with resistance exercise training. *Nutrients*, 10: E180, 2018.
12) Witard OC, Garthe I, Phillips SM: Dietary Protein for Training Adaptation and Body Composition Manipulation in Track and Field Athletes. *Int J Sport Nutr Exerc Metab*, 29: 165-174, 2019.
13) Wilber RL: Altitude Training and Athletic Performance, 2nd ed, Human Kinetics, Champaign, IL, 2007.
14) Mawson JT, Braun B, Rock PB, et al: Women at altitude: energy requirement at 4,300 m. *Journal of Applied Physiology*, 88: 272-281, 2000.
15) Forbes GB: Deliberate overfeeding in women and men: energy cost and composirion of the weight gain. *Br J Nutr*, 56: 1-9, 1986.
16) Franchini E, Brito CJ, Artioli GG: Weight loss in combat sports: physiological, psychological and performance effects. *J Int Soc Sports Nutr*, 9: 52, 2012. doi: 10.1186/1550-2783-9-52.
17) American College of Sports Medicine position stand on weight loss in wrestler. Med Sci Sports, 8: xi-xii, 1976.
18) Rankin JW: Weight loss and gain in athletes. *Cur Sports Med Rep*, 1: 208-213, 2002.
19) 永澤貴昭 他：競技者の増量に適した食事方法の検討．臨スポ会誌，21：1-9，2013.
20) 科学技術・学術審議会資源調査分科会：日本食品標準成分表 2010.
21) Mancini LA, et al: Celiac disease and the athlete. *Curr Sports Med Rep*, 10: 105, 2011.
22) Steinbicker AU, et al: Out of balance -systemic iron homeostasis in iron-related disorders. *Nutrients*, 5: 3034-3061, 2013.
23) Akabas SR, et al: Micronutrient requirements of physically active women: what can we learn from iron? *Am J Clin Nutr*, 81: 1246S-1251S, 2005.
24) Hegazy AA, et al: Relation between anemia and blood levels of lead, copper, zinc and iron among children. *BMC Res Notes*, 12: 3: 133. 2010. DOI: 10.1186/1756-0500-3-133
25) Hallberg L: Bioavailability of dietary iron in man. *Annu Rev Nutr*, 1: 123-147, 1981.
26) Lukaski HC: Vitamin and mineral status: effects on physical performance. *Nutrition*, 20: 632-644, 2004.
27) Weight LM, et al: Dietary iron deficiency and sports anaemia. *Br J Nutr*, 68: 253-260, 1992.
28) Hoogenboom BJ, Morris J, Morris C, et al: Nutritional knowledge and eating behaviors of female, collegiate swimmers. *N Am J Sports Phy Ther*, 4: 139, 2009.
29) Lee N, Kim J: A review of the effect of swim training and nutrition on bone mineral density in female athletes. *J Exerc Nutrition Biochem*, 19: 273-279, 2015.
30) American Dietetic Association, Dietitians of Canada, American College of Sports Medicine, et al: American College of Sports Medicine position stand. Nutrition and athletic performance. *Med Sci Sports Exerc*, 41: 709-731, 2009.
31) Maughum RJ, Burke ML, Williams MH: Vitamin supplementation and athletic performance. *Int J Vitam Nutr Res Suppl*, 30: 163-191, 1989.
32) IOC consensus statement on sports nutrition 2010: J Sports Sci, 29: S3-S4, 2011.
33) 内閣府：平成 27 年版子ども・若者白書，p.11. http://www8.cao.go.jp/youth/whitepaper/h27honpen/pdf/b1_02_03.pdf
34) Nancy I et al: Female athlete triad: future directions for energy availability and eating disorder research and practice. *Clin Sports Med*, 36: 671-686, 2017.
35) Kathryn EA, Madhusmita M: Bone health in adolescent athletes with a focus on female athlete triad. *Phys Sportsmed*, 39: 131-141, 2011.
36) Burkitt DP, et al: Effect of dietary fiber on stools transit times, and its role in the causation of disease. *Lancet*, 30: 1408-1411, 1972.
37) 鬼澤秀典，松本　恵：陸上長距離種目における走行中の下腹部トラブルについて．陸上競技研究，93: 38-41, 2013.
38) Hagio M, Matsumoto M, Yajima T, et al: Voluntary wheel running exercise and dietary lactose concomitantly reduce proportion of secondary bile acids in rat feces. *J Appl Physiol*, 109: 663-668, 2010.

第 4 章　救急対応

1) Andersen JC et al: National Athletic Trainers' Association position statement: emergency planning in athletics. *J Athl Train*, 37: 99-104, 2002.
2) Casa DJ et al: National Athletic Trainers' Association position statement: preventing sudden death in sports. *J Athl Train*, 47: 96-118, 2012.
3) Heck JF et al: National Athletic Trainers' Association position statement: head-down contact and spearing in tackle football. *J Athl Train*, 39: 101-111, 2004.
4) Swartz EE et al: National Athletic Trainers' Association position statement: acute management of the cervical spine-injured athlete. *J Athl Train*, 44: 306-331, 2009.
5) Turocy PS et al: National Athletic Trainers' Association position statement: safe weight loss and maintenance practices in sport and exercise. *J Athl Train*, 46: 322-336, 2011.

6) Walsh KM et al: National Athletic Trainers' Association position statement: lightning safety for athletics and recreation. *J Athl Train*, 35: 471-477, 2000.
7) Field JM et al: 2010 American Heart Association guidelines for cardiopulmonary resuscitation and emergency cardiovascular care, part 1: executive summary. *Circulation*, 122: S640-S656, 2010.
8) Travers AH et al: 2010 American Heart Association guidelines for cardiopulmonary resuscitation and emergency cardiovascular care, part 4: CPR overview. *Circulation*, 122: S676-S684, 2010.
9) Berg RA et al: 2010 American Heart Association guidelines for cardiopulmonary resuscitation and emergency cardiovascular care, part 5: adult basic life support. *Circulation*, 122: S685-S705, 2010.
10) Link MS et al: 2010 American Heart Association guidelines for cardiopulmonary resuscitation and emergency cardiovascular care, part 6: electrical therapies automated external defibrillators, defibrillation, cardioversion, and pacing. *Circulation*, 122: S706-719, 2010.
11) Markenson D et al: 2010 American Heart Association and American Red Cross guidelines for first aid, part 17: first aid. *Circulation*, 122: S934-S946, 2010.
12) Knight KL（田渕健一 監）：クライオセラピー，ブックハウス・エイチディ，東京，pp.99-114, pp.169-193, 1997.
13) 菅原洋輔：C 外傷時の救急処置 , 1. 皮膚などに傷のないけがの処置 . 公認アスレティックトレーナー専門科目テキスト 8 救急処置，文光堂 , 東京 , pp.12-23, 2007.
14) McCrory P et al: Consensus statement on concussion in sport-the 5th international conference on concussion in sport held in Berlin, October 2016. *Br J Sports Med*, 51: 838-847, 2017.
15) 荻野雅宏 他：スポーツにおける脳振盪に関する共同声明：第 5 回国際スポーツ脳振盪会議（ベルリン，2016）－ 解説と翻訳．神経外傷，42: 1-34, 2019.
16) Mucha A et al: A brief vestibular/ocular motor screening (VOMS) assessment to evaluate concussions: preliminary findings. *Am J Sports Med*, 42: 2479-2486, 2014.
17) Purcell LK et al: What factors must be considered in 'return to school' following concussion and what strategies or accommodations should be followed? A systematic review. *Br J Sports Med*, 53: 250-265, 2019.

第 5 章　部位別スポーツ外傷・障害のリハビリテーション

第 1 節　頸　部

1) Guzman et al: A new conceptual model of neck pain: linking on set, course, and care: the bone and joint decade 2000-2010 task force on neck pain and its associated disorders. *J Manipulative Physiol Ther*, 32: S17-S28, 2009.
2) 齋藤　宏：リハビリテーション医学講座 3 運動学，医歯薬出版，東京，1995.
3) 嶋田智明　他監訳：筋骨格系のキネシオロジー，医歯薬出版，東京，2005.
4) 新田　收 他：頸部痛・肩こりのエクササイズとセルフケア，ナップ，東京，2011.
5) 中村隆一 他：基礎運動学，第 4 版，医歯薬出版，東京，1992.
6) Schünke M et al（坂井建雄 他監訳）：プロメテウス解剖学アトラス 解剖学総論 運動器系，第 2 版，医学書院，東京，2011.
7) Jull G et al（新田　收 他監訳）：頸部障害の理学療法マネージメント，ナップ，東京，2009.
8) Zmurko MG et al: Cervical sprains, disc herniations, minor fractures, and other cervical injuries in the athlete. *Clin Sports Med*, 22: 513-521, 2003.
9) Borghouts J et al: The clinical course and prognostic factors of non-specific neck pain: systematic review. *Pain*, 77: 1-13, 1998.
10) 籾山日出樹：臨床スポーツ医学．医学映像教育センター，東京，2009.
11) Childs JD et al: Neck pain: clinical practice guidelines linked to the international classification of functioning, disability, and health from the orthopedic section of the American Physical Therapy Association. *J Orthop Sports Phys Ther*, 38: A1-A34, 2008.
12) O'Leary S et al: Craniocervical flexor muscle impairment at maximal, moderate, and low loads is a feature of neck pain. *Man Ther*, 12: 34-39, 2007.
13) Jull G et al: Impairment in the cervical flexors: a comparison of whiplash and insidious onset neck pain patients. *Man Ther*, 9: 89-94, 2004.
14) Zmurko MG et al: Cervical sprains, disc herniations, minor fractures, and other cervical injuries in the athlete. *Clin Sports Med*, 22: 513-521, 2003.
15) 佐藤友紀：パリス・アプローチ 実践編，文光堂，東京，158，2012.
16) 室田景久 他：最新スポーツ障害・外傷診察マニュアル．*MB Othop*, 9(10): 1-8，1996.
17) Skovrlj B et al: Management of cervical injuries in athletes: timing of treatment. *Oper Tech Sports Med*, 21: 164-169, 2013.
18) Chang D et al: Cervical spine injuries in the athlete. *Bulle Hnof NYU Hospital for Joint Diseases*, 64(3&4): 124, 2006.
19) Ylinen J et al: Stretching exercises vs manual therapy in treatment of chronic neck pain: a randomized, controlled cross-over trial. *J Rehabil Med*, 39: 126-132, 2007.
20) Gross AR et al: A Cochran review of manipulation and mobilization for mechanical neck disorders. *Spine*, 29: 1541-1548, 2004.
21) Sterling M et al: Cervical mobilization: concurrent effects on pain, sympathetic nervous system activity and motor activity. *Man Ther*, 6: 72-81, 2001.
22) Raymond YWL et al: Dynamic response of the cervical spine to posteroanterior mobilization. *Clin Biomech*, 20: 228-231, 2005.

23) Nakamaru K et al: Crosscultural adaptation, reliability, and validity of the Japanese version of the Neck Disability Index. *Spine*, 37: E1343-E1347, 2012.
24) Wainner R et al: Reliability and diagnostic accuracy of the clinical examination and patient self-report measures for cervical radiculopathy. *Spine*, 28: 52-62, 2003.
25) Page P et al: *Assessment and Treatment of Muscle Imbalance*, Human Kinetics, Champaign, 2010.
26) Sahrman S et al: *Movement System Impairment Syndromes of the Extremities, Cervical Spine and Thoracic Spines*. Elsevier, 2011.
27) Elliot J et al: MRI study of the cross sectional area for the cervical extensor musculature in patients with persistent whiplash associated disorders(WAD). *Man Ther*, 13: 258-265, 2008.
28) Revel M et al: Cervicocephalic kinesthetic sensibility in patients with cervical pain. *Arch Phys Med Rehabil*, 72: 288-291, 1991.
29) Cook G（中丸宏二 他監訳）：ムーブメント：ファンクショナルムーブメントシステム：動作のスクリーニング，アセスメント，修正ストラテジー，ナップ，東京，2014.
30) Johnson KD et al: Thoracic region self-mobilization: a clinical suggestion. *IJSPT*, 7: 252-256, 2012.
31) 神野哲也：ビジュアル実践リハ　整形外科リハビリテーション，羊土社，東京，2012.

第２節　体幹・骨盤帯

1) Bergmark A: Stability of the lumbar spine. A study in mechanical engineering. *Acta Orthop Scand*, 230: 1-54, 1989.
2) Stanton T et al: The effect of abdominal stabilization contractions on posteroanterior spinal stiffness. *Spine*, 33: 694-701, 2008.
3) Jacob H et al: The mobility of the sacroiliac joints in healthy volunteers between 20 and 50 years of age. *Clin Biomech*, 10: 352-361, 1995.
4) Vleeming A et al: Relation between form and function in the sacroiliac joint. *Spine*, 15: 130-132, 1990.
5) Hangai M et al: Lumbar intervertebral disk degeneration in athletes. *Am J sports Med*, 37: 149-155, 2009.
6) Hickey DS et al. : Relation between the structure of the annulus fibrosus and the function and failure of the intervertebral disc. *Spine*, 5:106-116, 1980.
7) Freemont AJ et al. Nerve ingrowth into diseased intervertebral disc in chronic back pain. *Lancet*, 19: 350(9072):178-181, 1997.
8) Adams　MA et al: Healing of a painful intervertebral disc should not be confused with reversing disc degeneration: implications for physical therapies for discogenic back pain. *Clinical Biomechanics*, 25: 961-971, 2010.
9) Peng B et al: A randomized placebo-controlled trial of intradiscal methylene blue injection for the treatment of chronic discogenic low back pain. *Pain*, 149: 124-129, 2010.
10) Snook SH et al: The reduction of chronic, nonspecific low back pain through the control of early morning lumbar flexion: 3-year followup. *J Occup Rehabil*, 12: 13-19, 2002.
11) Potvin JR et al: Reduction in anterior shear forces on the L 4L 5 disc by the lumbar musculature. *Clin Biomech*, 6: 88-96, 1991.
12) 成田崇矢：椎間板性腰痛に対するモーターコントロール．臨床スポーツ医学，39: 314-317, 2022.
13) Sairyo k et al: Spondylolysis fracture angle in children and adolescents on CT indicates the facture producing force vector: a biomechanical rationale. *Internet J Spine Surg*, 1: 2, 2005.
14) Sairyo k et al.: Conservative treatment of lumbar spondylolysis in childhood and adolescence; the radiological signs which predict healing. J *Bone Joint Surg*, 91-B: 206-209, 2009.
15) 成田崇矢：第４章 アスリートの腰痛に対するリハビリテーション．In: 長引く腰痛はこうして治せ―患者の痛みから見えてくる腰痛の見極め方，村上栄一 編，日本医事新報社，東京，pp.215-220, 2020.
16) Murakami E, Tanaka Y, Aizawa T et al: Effect of periarticular and intraarticular lidocaine injections for sacroiliac joint pain: prospective comparative study. *J Orthop Sci*, 12: 274-280, 2007.
17) 成田崇矢，和泉俊平，今井咲来 他：仙腸関節障害に対する新たな検査方法―インフレアテスト，アウトフレアテスト．整形外科，73: 725-731, 2022.
18) 金岡恒治，成田崇矢：徒手療法を用いた評価．In: 腰痛のプライマリ・ケア―腰痛者と向き合う時の必携書，金岡恒治，成田崇矢 著，文光堂，東京，pp.19-25, 2018.
19) van Wingerden JP et al: Stabilization of the sacroiliac joint in vivo: verification of muscular contribution to force closure of pelvis. *Eur Spine J*, 13: 199-205, 2004.

第３節　肩関節

1) Schünke M et al（坂井建雄 他監訳）：プロメテウス解剖学アトラス 解剖学総論 運動器系，医学書院，東京，2007.
2) Moseley HF: The clavicle: its anatomy and function. *Clin Orthop Relat Res*, 58: 17-27, 1968.
3) Ludewig PM et al: Motion of the shoulder complex during multiplanar humeral elevation. *J Bone Joint Surg*, 91-A: 378-389, 2009.
4) Inman VT et al: Observations of the function of the shoulder joint. 1944. *Clin Orthop Relat Res*, 330: 3-12, 1996.
5) Crichton J, Jones DR, Funk L: Mechanisms of traumatic shoulder injury in elite rugby players. *B JSM*, 46: 538-542, 2012.
6) Boileau P et al: Risk factors for recurrence of shoulder instability after arthroscopic Bankart repair. *Arthroscopy*, 88 :1755-1763, 2006.

7) Milano G et al: Analysis of risk factors for glenoid bone defect in anterior shoulder instability. *Am J sports Med*, 39: 1870-1876, 2011.
8) Jensen J, Kristensen MT, Bak L et al: MR arthrography of the shoulder; correlation with arthroscopy. *Acta Radiologica Open*, 10(12): 20584601211062059, 2021. doi: 10.1177/20584601211062059.
9) Larrain MV, Botto GJ, Montenegro HJ et al: Arthroscopic repair of acute traumatic anterior shoulder dislocation in young atheletes. *Arthroscopy*, 17: 373-377, 2001.
10) Yoneda M, Hayashida K, Wakitani S et al: Bankart procedure augmented by coracoids transfer for contact athletes with traumatic anterior shoulder instability. *Am J Sports Med*, 27: 21-26, 1999.
11) Provencher MT, Midtgaard KS, Owens BD et al: Diagnosis and management of traumatic anterior shoulder instability. *JAAOS*, 29(2): e51-e61, 2021.
12) Matsen III FA, Chebli C, Lippitt S: Principles for the evaluation and management of shoulder instability. *JBJS*, 88: 647-659, 2006.
13) Blasier R, Carpenter J, Huston L: Shoulder proprioception: effect of joint laxity, joint position, and direction of motion. *Orthop Rev*, 23, 45-50: 1994.
14) Lephart SM, Warner JJ, Borsa PA et al: Proprioception of the shoulder joint in healthy, unstable, and surgically repaired shoulders. *J Shoulder Elbow Surg*, 3: 371-380: 1994.
15) 望月智之：アスリートの反復性肩関節脱臼に対する後療法および再発予防. 臨床スポーツ医学, 27: 1369-1374, 2010.
16) Tossy JD,Mead NC, Sigmond HM et al: Acromioclavicular separations: useful and practical classification for treatment. *Clin Orthop*, 28: 111-119, 1963.
17) Rockwood CA et al: Disorders of the acromioclavicular joint. In: The Shoulder, Rockwood CA et al eds, WB Saunders, Philadelphia, PA, pp.422-425, 1990.
18) Phillips A, Smart C, Groom A: Acromioclacicular dislocation conservative or surgical therapy. *Clin Orthop Relat Res*, 353: 10-17,1998.
19) Smith TO, Chester R, Pearse EO et al: Operative versus non-operative management following Rockwood grade III acromioclavicular separation: a meta-analysis of the current evidence base. *J Orthop Traumatol*, 12: 19-27, 2011.
20) Miniaci A, Mascia AT, Salonen DC et al: Magnetic resonance imaging of the shoulder in asymptomatic professional baseball pitchers. *Am J Sports Med*, 30: 66-73, 2002.
21) Connor PM, Banks DM, Tyson AB et al: Magnetic resonance imaging of the asymptomatic shoulder of overhead athletes: a 5-year follow-up study. *Am J Sports Med*, 31: 724-727, 2003.
22) Snyder S, Kanzel R, Friedman M eds : SLAP lesion of the shoulder (lesions of the superior labrum anterior and posterior). Annual Meeting of the Arthroscopy Association of North America; 1989.
23) Huffman GR, Tibone JE, Mcgarry MH et al: Path of glenohumeral articulation throughout the rotational range of motion in a thrower's shoulder model. *Am J Sports Med*, 34:1662-1669, 2006.
24) Mihata T, Gates J, McGarry MH et al: Effect of posterior shoulder tightness on internal impingement in a cadaveric model of throwing. *Knee Surg Sports Traumatol Arthrosc*, 23: 548-554, 2015.
25) Fleisig GS, Barrentine SW, Zheng N et al: Kinematic and kinetic comparison of baseball pitching among various levels of development. *J Biomech*, 32: 1371-1375,1999.
26) Walch G, Boileau P, Noel E et al: Impingement of the deep surface of the supraspinatus tendon on the posterosuperior glenoid rim; an arthroscopic study. *J Shoulder Elbow Surg*, 1: 238-245, 1992.
27) Burkhart SS, Morgan CD: The peel back mechanism: its role in producing and extending posterior type II SLAP lesions and its effect on SLAP repair rehabilitation. *Arthroscopy*, 14: 637-640, 1998.
28) Yeh ML, Lintner D, Luo Z-P: Stress distribution in the superior labrum during throwing motion. *Am J Sports Med*, 33: 395-401, 2005.
29) Powell SE, Nord KD, Ryu RK: The diagnosis, classification, and treatment of SLAP lesions. *Operative Techniques in Sports Medicine*, 20: 46-56, 2012.
30) Johannsen AM, Costouros JG: A treatment-based algorithm for the management of type-II SLAP tears. *The Open Orthopaedics Journal*, 12: 282, 2018.
31) Takagi Y, Oi T, Tanaka H et al: Increased horizontal shoulder abduction is associated with an increase in shoulder joint load in baseball pitching. *J Shoulder Elbow Surg*, 23: 1757-1762, 2014.
32) Tanaka H, Hayashi T, Inui H et al: Estimation of shoulder behavior from the viewpoint of minimized shoulder joint load among adolescent baseball pitchers. *Am J Sports Med*, 46: 3007-3013, 2018.

第４節　肘関節

1) Van Roy P et al: Arthro-kinematics of the elbow: study of the carrying angle. *Ergonomics*, 48: 1645-1656, 2005.
2) Goto A et al: In vivo elbow biomechanical analysis during flexion: three-dimensional motion analysis using magnetic resonance imaging. *J Shoulder Elbow Surg*, 13: 441-447, 2004.
3) Nakamura T et al: Functional anatomy of the interosseous membrane of the forearm–dynamic changes during rotation. *Hand Surg*, 4: 67-73, 1999.
4) Baeyens JP et al: In vivo 3D arthrokinematics of the proximal and distal radioulnar joints during active pronation and supination. *Clin Biomech*, 21: S9-12, 2006.
5) Kasten P et al: Kinematics of the ulna during pronation and supination in a cadaver study: implications for elbow arthroplasty. *Clin Biomech*, 19: 31-35, 2004.

6) Park MC et al: Dynamic contributions of the flexor-pronator mass to elbow valgus stability. *J Bone Joint Surg*, 86-A: 2268-2274, 2004.
7) Fleisig GS et al: Kinetics of baseball pitching with implications about injury mechanisms. *Am J Sports Med*, 23: 233, 1995.
8) Nissen CW et al: Adolescent baseball pitching technique: a detailed three-dimensional biomechanical analysis. Med Sci Sports Exerc, 39: 1347-1357, 2007.
9) Aguinaldo AL et al: Effects of upper trunk rotation on shoulder joint torque among baseball pitchers of various levels. *J Appl Biomech*, 23: 42-51, 2007.
10) Solomito MJ et al: Lateral trunk lean in pitchers affects both ball velocity and upper extremity joint moments. *Am J Sports Med*, 43: 1235-1240, 2015.
11) Oyama S et al: Effect of excessive contralateral trunk tilt on pitching biomechanics and performance in high school baseball pitchers. *Am J Sports Med*, 41: 2430-2438, 2013.
12) Miyashita K et al: Glenohumeral, scapular, and thoracic angles at maximum shoulder external rotation in throwing. *Am J Sports Med*, 38: 363-368, 2010.
13) Chow JW et al: Pre- and post-impact muscle activation in the tennis volley: effects of ball speed, ball size and side of the body. *Br J Sports Med*, 41: 754-759, 2007.
14) Kelley JD et al: Electromyographic and cinematographic analysis of elbow function in tennis players with lateral epicondylitis. *Am J Sports Med*, 22: 359-363, 1994.
15) O'Driscoll SW et al: Elbow subluxation and dislocation. a spectrum of instability. *Clin Orthop Relat Res*, 280: 186-197, 1992.
16) Maripuri SN et al: Simple elbow dislocation among adults: a comparative study of two different methods of treatment. *Injury*, 38: 1254-1258, 2007.
17) Ross G et al: Treatment of simple elbow dislocation using an immediate motion protocol. *Am J Sports Med*, 27: 308-311, 1999.
18) Schippinger G et al: Management of simple elbow dislocations: does the period of immobilization affect the eventual results? *Langenbecks Arch Surg*, 384: 294-297, 1999.
19) 坂田　淳 他：内側型野球肘患者の疼痛出現相における投球フォームの違いと理学所見について．整スポ会誌，32: 259-266, 2012.
20) 坂田　淳 他：投球フォームからみた上腕骨小頭離断性骨軟骨炎の危険因子の検討．整スポ会誌，34: 173-178, 2014.
21) O'Driscoll SW et al: The "moving valgus stress test" for medial collateral ligament tears of the elbow. *Am J Sports Med*, 33: 231-239, 2005.
22) Sakata J et al: Return-to-play outcomes in high school baseball players after ulnar collateral ligament injuries: dynamic contributions of flexor digitorum superficialis function. *J Shoulder Elbow Surg*, 30: 1329-1335, 2021.
23) Bunata RE et al: Anatomic factors related to the cause of tennis elbow. *J Bone Joint Surg*, 89-A: 1955-1963, 2007.

第５節　手関節・手部

1) Taleisnik J: The ligaments of the wrist. *J Hand Surg*, 1-A: 110-118, 1976.
2) 上羽康夫：手―その機能と解剖，第５版，金芳堂，京都，pp.114-140, 2012.
3) Bergh TH et al: A new definition of wrist sprain necessary after findings in a prospective MRI study. *Injury*, 43: 1732-1742, 2012.
4) 荻野利彦：見て学ぶ機能解剖 basic II 上肢編．整形外科看護，5(6): 39-61, 2000.
5) Ringler MD: MRI of wrist ligaments. *J Hand Surg*, 38-A: 2034-2046, 2013.
6) Leard JS et al: Reliability and concurrent validity of the figure-of-eight method of measuring hand size in patients with hand pathology. *J Orthop Sports Phys Ther*, 34: 335-340, 2004.
7) 坪田貞子：臨床ハンドセラピィ，文光堂，東京，pp.19-23，2013.
8) Palmer AK et al: The triangular fibrocartilage complex of the wrist–anatomy and function. *J Hand Surg*, 6-A: 153-162, 1981.
9) 笹尾三郎 他：TFCC のバイオメカニクス TFCC の解剖と尺骨短縮骨切り術の効果．*J MIOS*, 30: 12-17, 2004.
10) Moritomo H et al: Open repair of foveal avulsion of the triangular fibrocartilage complex and comparison by types of injury mechanism. *J Hand Surg*, 35-A: 1955-1963, 2010.
11) Xu J et al: In vivo changes in lengths of the ligaments stabilizing the distal radioulnar joint. *J Hand Surg*, 34: 40-45, 2009.
12) Shionoya K et al: Arthrography is superior to magnetic resonance imaging for diagnosing injuries of the triangular fibrocartilage. *J Hand Surg*, 23-B: 402-405, 1998.
13) Palmar AK: Triangular fibrocartilage complex lesions: a classification. J Hand Surg, 14: 594-606, 1989.
14) Sachar K: Ulnar-side wrist pain: evaluation and treatment of TFCC tears, ulnocarpal impingement syndrome, and lunotriquetral ligament tears. *J Hand Surg*, 37-A: 1489-1500, 2012.
15) 中村俊康 他：MRI による TFCC 損傷の診断．NEW MOOK 整形外科，12: 155-160，2002.
16) Tay SC et al: The "ulnar fovea sign" for defining ulnar wrist pain: an analysis of sensitivity and specificity. *J Hand Surg*, 32-A: 438-444, 2007.
17) Ko JH et al: Triangular fibrocartilage complex injuries in the elite athlete. *Hand Clin*, 28(3): 30-21, 2012.
18) 水関隆也：TFCC 損傷に対する保存療法（自然経過）と尺骨短縮術．*J MIOS*, 30: 56-62, 2004.
19) Jung HY et al: Effect of wrist joint restriction on forearm and shoulder movement during upper extremity functional activities. *J Phys Ther Sci*, 1411-1414, 2013.

20) Hagert E: Proprioception of the wrist joint: a review of current concepts and possible implications on the rehabilitation of the wrist. *J Hand Ther*, 23: 2-16, 2010.
21) Waizenegger M et al: Clinical signs in scaphoid fractures. *J Hand Surg*, 19-B: 743-747, 1994.
22) Scott W: Fractures of the carpus: scaphoid fractures. In: *Hand Fracture* 1, Berger RA eds, Lippincott Williams & Wilkins, Philadelphia, pp. 381-408, 2004.
23) 辻原隆是 他：スポーツ選手における舟状骨骨折の治療. 関節外科, 31(8): 64-68, 2012.
24) Tischler BT et al: Scapholunate advanced collapse: a pictorial review. *Insights Imaging*, 5: 407-417, 2014.
25) 草野　望：舟状骨骨折の画像診断. 関節外科, 31(8): 26-35, 2012.
26) Herbert TJ et al: Management of the fractured scaphoid using a new bone screw. *J Bone Joint Surg*, 66-B: 114-123, 1984.
27) Parvizi J et al: Combining the clinical signs improves diagnosis of scaphoid fractures: a prospective study with follow-up. *J Hand Surg*, 23-B: 324-327, 1998.
28) Rhemrer SJ et al: Non-operative treatment of non-displaced scaphoid fractures may be preferred. *Injury*, 40: 638-641, 2009.
29) McQueen MM et al: Percutaneous screw fixation versus conservative treatment for fractures of the waist of the scaphoid. *J Bone Joint Surg*, 90-B: 66-71, 2008.
30) Helen B et al: Rehabilitation and return to sport after scaphoid fracture. *Strength Cond J*, 34(5): 24-33, 2012.

第６節　股関節・大腿部

1) 嶋田智明 訳：筋骨格系のキネシオロジー, 医歯薬出版, 東京, 2005.
2) Akiyama K et al: Evaluation of translation in the normal and dysplastic hip using three-dimensional magnetic resonance imaging and voxel-based registration. *Osteoarthritis Cartilage*, 19: 700-710, 2011.
3) Ferguson SJ et al: An in vitro investigation of the acetabular labral seal in hip joint mechanics. *J Biomech*, 36: 171-178, 2003.
4) Crawford MJ et al: The biomechanics of the hip labrum and the stability of the hip. *Clin Orthop Relat Res*, 465: 16-22, 2007.
5) Hewitt JD et al: The mechanical properties of the human hip capsule ligaments. *J Arthroplasty*, 17: 82-89, 2002.
6) Myers CA et al: Role of the acetabular labrum and the iliofemoral ligament in hip stability: an in vitro biplane fluoroscopy study. *Am J Sports Med*, 39: S85-S91. 2011.
7) Lewis CL et al: Anterior hip joint force increases with hip extension, decreased gluteal force, or decreased iliopsoas force. *J Biomech*, 40: 3725-3731, 2007.
8) 相澤純也 他：片脚外側ジャンプ - 着地動作における着地時期の矢状面関節角度と垂直床反力の関連 . 整スポ会誌, 34: 509, 2014.
9) Woodley SJ et al: Hamstring muscles: architecture and innervation. *Cells Tissues Organs*, 179: 125-141, 2005.
10) Kellis E et al: Muscle architecture variations along the human semitendinosus and biceps femoris(long head) length. *J Electromyogr Kinesiol*, 20: 1237-1243, 2010.
11) Ekstrand J et al: Hamstring muscle injuries in professional football: the correlation of MRI findings with return to play. *Br J Sports Med*, 46: 112-117, 2012.
12) Eirale C et al: Epidemiology of football injuries in Asia: a prospective study in Qatar. *J Sci Med Sport*, 16:113-117, 2013.
13) Elliott MC et al: Hamstring muscle strains in professional football players: a 10-year review. *Am J Sports Med*, 39: 843-850, 2011.
14) Orchard JW et al: Results of 2 decades of injury surveillance and public release of data in the Australian Football League. *Am J Sports Med*, 41: 734-741, 2013.
15) Jacobsson J et al: Prevalence of musculoskeletal injuries in Swedish elite track and field athletes. *Am J Sports Med*, 40: 163-169, 2012.
16) Malliaropoulos NI et al: Posterior thigh muscle injuries in elite track and field athletes. *Am J Sports Med*, 38: 1813-1819, 2010.
17) Ekstrand J et al: Epidemiology of muscle injuries in professional football(soccer). *Am J Sports Med*, 39: 1226-1232, 2011.
18) Chakravarthy J et al: Surgical repair of complete proximal hamstring tendon ruptures in water skiers and bull riders: a report of four cases and review of the literature. *Br J Sports Med*, 39: 569-572, 2005.
19) Orchard JW: Hamstrings are most susceptible to injury during the early stance phase of sprinting. *Br J Sports Med*, 46: 88-89, 2012.
20) Askling CM et al: Acute first-time hamstring strains during high-speed running: a longitudinal study including clinical and magnetic resonance imaging findings. *Am J Sports Med*, 35: 197-206, 2007.
21) Schache AGI et al: Biomechanical response to hamstring muscle strain injury. Gait Posture, 29: 332-338, 2009.
22) Askling CM et al: High-speed running type or stretching-type of hamstring injuries makes a difference to treatment and prognosis. *Br J Sports Med*, 46: 86-87, 2012.
23) Mueller-Wohlfahrt HW et al: Terminology and classification of muscle injuries in sport: the Munich consensus statement. *Br J Sports Med*, 47: 342-350, 2013.
24) Koulouris G et al: Hamstring muscle complex: an imaging review. *Radiographics*, 25: 571-586, 2005.
25) Verrall GMI et al: Assessment of physical examination and magnetic resonance imaging findings of hamstring injury as predictors for recurrent injury. *J Orthop Sports Phys Ther*, 36: 215-224, 2006.

26) Comin J et al: Return to competitive play after hamstring injuries involving disruption of the central tendon. *Am J Sports Med*, 41: 111-115, 2013.
27) Connell DA et al: Longitudinal study comparing sonographic and MRI assessments of acute and healing hamstring injuries. *AJR Am J Roentgenol*, 183: 975-984, 2004.
28) Askling CM et al: Acute first-time hamstring strains during high-speed running: a longitudinal study including clinical and magnetic resonance imaging findings. *Am J Sports Med*, 35: 197-206, 2007.
29) Verrall GM et al: Assessment of physical examination and magnetic resonance imaging findings of hamstring injury as predictors for recurrent injury. *J Orthop Sports Phys Ther*, 36: 215-224, 2006.
30) Zeren B et al: A new self-diagnostic test for biceps femoris muscle strains. Clin J Sport Med, 16: 166-169, 2006.
31) Birmingham P et al: Functional outcome after repair of proximal hamstring avulsions. *J Bone Joint Surg*, 93-A: 1819-1826, 2011.
32) Brooks JH et al: Incidence, risk, and prevention of hamstring muscle injuries in professional rugby union. *Am J Sports Med*, 34: 1297-1306, 2006.
33) Ekstrand J et al: Injury incidence and injury patterns in professional football: the UEFA injury study. *Br J Sports Med*, 45: 553-558, 2011.
34) Askling CM et al: Acute first-time hamstring strains during slow-speed stretching: clinical, magnetic resonance imaging, and recovery characteristics. *Am J Sports Med*, 35: 1716-1724, 2007.
35) Askling C et al: Type of acute hamstring strain affects flexibility, strength, and time to return to pre-injury level. *Br J Sports Med*, 40: 40-44, 2006.
36) Prior M et al: An evidence-based approach to hamstring strain injury: a systematic review of the literature. *Sports Health*, 1: 154-164, 2009.
37) Silder A et al: Clinical and morphological changes following 2 rehabilitation programs for acute hamstring strain injuries: a randomized clinical trial. *J Orthop Sports Phys Ther*, 43: 284-299, 2013.
38) Abrams GD et al: Epidemiology of musculoskeletal injury in the tennis player. *Br J Sports Med*, 46: 492-498, 2012.
39) Smith CD et al: A biomechanical basis for tears of the human acetabular labrum. *Br J Sports Med*. 43: 574-578, 2009.
40) Safran MR et al: Strains across the acetabular labrum during hip motion: a cadaveric model. *Am J Sports Med*, 39: S92-S102, 2011.
41) Dy CJ et al: Tensile strain in the anterior part of the acetabular labrum during provocative maneuvering of the normal hip. *J Bone Joint Surg*, 90-A: 1464-1472, 2008.
42) Martin RL et al: Acetabular labral tears of the hip: examination and diagnostic challenges. *J Orthop Sports Phys Ther*, 36: 503-515, 2006.
43) Binningsley D: Tear of the acetabular labrum in an elite athlete. *Br J Sports Med*, 37: 84-88, 2003.
44) Wang WG et al: Clinical diagnosis and arthroscopic treatment of acetabular labral tears. *Orthop Surg*, 3: 28-34, 2011.
45) Smith MV et al: Effect of acetabular labrum tears on hip stability and labral strain in a joint compression model. *Am J Sports Med*, 39: S103-S110, 2011.
46) Greaves LL et al: Effect of acetabular labral tears, repair and resection on hip cartilage strain: a 7T MR study. *J Biomech*, 43: 858-863, 2010.
47) Tannast M et al: Femoroacetabular impingement: radiographic diagnosis–what the radiologist should know. *AJR Am J Roentgenol*, 188: 1540-1552, 2007.
48) Austin AB et al: Identification of abnormal hip motion associated with acetabular labral pathology. *J Orthop Sports Phys Ther*, 38: 558-565, 2008.
49) Alpert JM et al: Cross-sectional analysis of the iliopsoas tendon and its relationship to the acetabular labrum: an anatomic study. *Am J Sports Med*, 37: 1594-1598, 2009.
50) Birnbaum K et al: Hip centralizing forces of the iliotibial tract within various femoral neck angles. *J Pediatr Orthop B*, 19:140-149, 2010.
51) Kennedy MJ et al: Femoroacetabular impingement alters hip and pelvic biomechanics during gait. Walking biomechanics of FAI. *Gait Posture*, 30: 41-44, 2009.

第 7 節　膝関節

1) Mossberg KA, Smith LK: Axial rotation of the knee in women. *J Orthop Sports Phys Ther*, 4: 236-240, 1983.
2) Otsubo H, Shino K, Suzuki D et al: The arrangement and the attachment areas of three ACL bundles. *Knee Surg Sports Traumatol Arthrosc*, 20: 127-134, 2012.
3) Takahashi S, Okuwaki T: Epidemiological survey of anterior cruciate ligament injury in Japanese junior high school and high school athletes: cross-sectional study. *Res Sports Med*, 25: 266-276, 2017.
4) Prodromos CC, Han Y, Rogowski J, et al: A meta-analysis of the incidence of anterior cruciate ligament tears as a function of gender, sport, and a knee injury-reduction regimen. *Arthroscopy*, 23: 1320-1325. e6, 2007.
5) Shea KG, PfeifferR, Wang JH, et al: Anterior cruciate ligament injury in pediatric and adolescent soccer players: an analysis of insurance data. *J Pediatr Orthop*, 24: 623-628, 2004.
6) Agel J, Arendt EA, Bershadsky B: Anterior cruciate ligament injury in National Collegiate Athletic Association basketball and soccer: a 13-year review. *Am J Sports Med*, 33: 524-531, 2005.
7) Benjaminse A, Gokeler A, van der Schans CP: Clinical diagnosis of an anterior cruciate ligament rupture: a

meta-analysis. *J Orthop Sports Phys Ther*, 36: 267-288, 2006.
8) Torg JS, Conrad W, Kalen V: Clinical diagnosis of anterior cruciate ligament instability in the athlete. *Am J Sports Med*, 4: 84-93, 1976.
9) Galway HR, MacIntosh DL: The lateral pivot shift: a symptom and sign of anterior cruciate ligament insufficiency. *Clin Orthop Relat Res*, 147: 45-50, 1980.
10) McMurray TP: The semilunar cartilages. Br J Surg, 29: 407-414, 1942.
11) Mann G, Finsterbush A, Frankl U, et al: A method of diagnosing small amounts of fluid in the knee. *J Bone Joint Surg*, 73-B: 346-347, 1991.
12) Escamilla RF, Macleod TD, Wilk KE, et al: Anterior cruciate ligament strain and tensile forces for weight-bearing and non-weight-bearing exercises: a guide to exercise selection. *J Orthop Sports Phys Ther*, 42: 208-220,2012.
13) Ehrenborg G: The Osgood-Schlatter lesion: a clinical study of 170 cases. Acta Chir Scand, 124: 89-105, 1962.
14) 木村雅史：膝を診る目—診断・治療のエッセンス，南江堂，東京，19-36，95，2010.
15) 塩田真史：Osgood-Schlatter病に対する私の治療．In: 膝関節疾患のリハビリテーションの科学的基礎．福林　徹 他監，ナップ，東京，2016.
16) Lavagnino M, Arnoczky SP, Elvin N, et al: Patellar tendon strain is increased at the site of the jumper's knee lesion during knee flexion and tendon loading: results and cadaveric testing of a computational model. *Am J Sports Med*, 36: 2110-2118, 2008.
17) 塩田真史：Osgood-Schlatter病の病態と治療発症から復帰までの現状と今後の課題．日本アスレティックトレーニング学会誌，4: 29-34, 2018.
18) Noehren B, Davis I, Hamill J: ASB Clinical Biomechanics Award Winner 2006: Prospective study of the biomechanical factors associated with iliotibial band syndrome. *Clin Biomech*, 22: 951-956, 2007.
19) Noble CA: The treatment of iliotibial band friction syndrome. *Br J Sports Med*, 13: 51-54, 1979.
20) Ober F: The role of iliotibial band and fascia lata as a factor in the causation of low-back disabilites and sciatica. *J Bone Joint Surg Am*, 18: 105-110, 1936.

第８節　足関節・足部・下腿部

1) Bahr R et al: Mechanics of the anterior drawer and talar tilt tests: a cadaveric study of lateral ligament injuries of the ankle. *Acta Orthop Scand*, 68: 435-441, 1997.
2) Bulucu C et al: Biomechanical evaluation of the anterior drawer test: the contribution of the lateral ankle ligaments. *Foot Ankle*, 11: 389-393, 1991.
3) Grace DL: Lateral ankle ligament injuries: inversion and anterior stress radiography. *Clin Orthop Relat Res*, 183: 153-159, 1984.
4) Kjaersgaard-Andersen P et al: Instability of the hindfoot after lesion of the lateral ankle ligaments: investigations of the anterior drawer and adduction maneuvers in autopsy specimens. *Clin Orthop Relat Res*, 266: 170-179, 1991.
5) Rasmussen O: Stability of the ankle joint. Analysis of the function and traumatology of the ankle ligaments. *Acta Orthop Scand*, 211: S1-S75, 1985.
6) Rosenbaum D et al: Tenodeses destroy the kinematic coupling of the ankle joint complex: a three-dimensional in vitro analysis of joint movement. *J Bone Joint Surg*, 80-B: 162-168, 1998.
7) Rasmussen O et al: Deltoid ligament: functional analysis of the medial collateral ligamentous apparatus of the ankle joint. *Acta Orthop Scand*, 54: 36-44, 1983.
8) Michelson J et al: The effect of ankle injury on subtalar motion. *Foot Ankle Int*, 25: 639-646, 2004.
9) Beumer A et al: Effects of ligament sectioning on the kinematics of the distal tibiofibular syndesmosis: a radiostereometric study of 10 cadaveric specimens based on presumed trauma mechanisms with suggestions for treatment. *Acta Orthop*, 77: 531-540, 2006.
10) Teramoto A et al: Three-dimensional analysis of ankle instability after tibiofibular syndesmosis injuries: a biomechanical experimental study. *Am J Sports Med*, 36: 348-352, 2008.
11) Xenos JS et al: The tibiofibular syndesmosis: evaluation of the ligamentous structures, methods of fixation, and radiographic assessment. *J bone Joint Surg*, 77-A: 847-856, 1995.
12) Khamis S et al: Effect of feet hyperpronation on pelvic alignment in a standing position. *Gait Posture*, 25: 127-134, 2007.
13) de Asla RJ et al: Six DOF in vivo kinematics of the ankle joint complex: application of a combined dual-orthogonal fluoroscopic and magnetic resonance imaging technique. *J Orthop Res*, 24: 1019-1027, 2006.
14) Dicharry JM et al: Differences in static and dynamic measures in evaluation of talonavicular mobility in gait. *J Orthop Sport Phys*, 39: 628-634, 2009.
15) Leardini A et al: Rear-foot, mid-foot and fore-foot motion during the stance phase of gait. *Gait Posture*, 25: 453-462, 2007.
16) Pohl MB et al: Forefoot, rearfoot and shank coupling: effect of variations in speed and mode of gait. *Gait Posture*, 25: 295-302, 2007.
17) Bouche RT et al: Medial tibial stress syndrome (tibial fasciitis): a proposed pathomechanical model involving fascial traction. *J Am Podiatr Med Assoc*, 97: 31-36, 2007.
18) Beck BR: Tibial stress injuries: an aetiological review for the purposes of guiding management. *Sports Med*, 26: 265-279, 1998.
19) Plisky MS et al: Medial tibial stress syndrome in high school cross-country runners: incidence and risk factors. *J*

Orthop Sport Phys, 37: 40-47, 2007.
20) Yagi S et al: Incidence and risk factors for medial tibial stress syndrome and tibial stress fracture in high school runners: *Knee Surg Sports Traumatol Arthrosc*, 21: 556-563, 2013.
21) Burne SG et al: Risk factors associated with exertional medial tibial pain: a 12 month prospective clinical study. *Br J Sports Med*, 38: 441-445, 2004.
22) Bennett JE et al: Factors contributing to the development of medial tibial stress syndrome in high school runners. *J Orthop Sport Phys*, 31: 504-510, 2001.
23) Moen MH et al: Risk factors and prognostic indicators for medial tibial stress syndrome. *Scand J Med Sci Sports*, 22: 34-39, 2012.
24) Raissi GR et al: The relationship between lower extremity alignment and Medial Tibial Stress Syndrome among non-professional athletes. *Sports Med Arthrosc Rehabil Ther Technol*, 1: 11, 2009.
25) Yates B et al: The incidence and risk factors in the development of medial tibial stress syndrome among naval recruits. *Am J Sports Med*, 32: 772-780, 2004.
26) 持田　尚 他：床反力からみた中学陸上競技者のシンスプリント発症に関する前方視的研究．学校教育学研究論集，23: 97-106, 2011.
27) Yates B et al: Outcome of surgical treatment of medial tibial stress syndrome. *J Bone Joint Surg*, 85-A: 1974-1980, 2003.
28) Moen MH et al: Shockwave treatment for medial tibial stress syndrome in athletes: a prospective controlled study. *Br J Sports Med*, 46: 253-257, 2012.
29) Rompe JD et al: Low-energy extracorporeal shock wave therapy as a treatment for medial tibial stress syndrome. *Am J Sports Med*, 38: 125-132, 2010.
30) Karlsson J et al: The effect of external ankle support in chronic lateral ankle joint instability: an electromyographic study. *Am J Sports Med*, 20: 257-261, 1992.
31) Konradsen L et al: Ankle sensorimotor control and eversion strength after acute ankle inversion injuries. *Am J Sports Med*, 26: 72-77, 1998.
32) Evans T et al: Bilateral deficits in postural control following lateral ankle sprain. *Foot Ankle Int*, 25: 833-839, 2004.
33) Hertel J et al: Serial testing of postural control after acute lateral ankle sprain. *J Athl Train*, 36: 363-368, 2001.
34) Holme E et al: The effect of supervised rehabilitation on strength, postural sway, position sense and re-injury risk after acute ankle ligament sprain. *Scand J Med Sci Sports*, 9: 104-109, 1999.
35) 楢原知啓 他：新鮮足関節外側側副靱帯損傷軽度背屈位短下肢ギプス包帯法による保存的治療．日臨整外会誌，37: 192-199, 2012.
36) Riddle DL et al: Risk factors for Plantar fasciitis: a matched case-control study. *J Bone Joint Surg*, 85-A: 872-877, 2003.
37) Lemont H et al: Plantar fasciitis: a degenerative process (fasciosis) without inflammation. *J Am Podiatr Med Assoc*, 93: 234-237, 2003.
38) Kumai T et al: Heel spur formation and the subcalcaneal enthesis of the plantar fascia. *J Rheumatol*, 29: 1957-1964, 2002.
39) Brown C: A review of subcalcaneal heel pain and plantar fasciitis. *Aust Fam Physician*, 25: 875-881; 884-885, 1996.
40) De Garceau D et al: The association between diagnosis of plantar fasciitis and windlass test results. *Foot Ankle Int*, 24: 251-255, 2003.
41) Crawford F et al: WITHDRAWN: interventions for treating plantar heel pain. Cochrane Database of Systematic Reviews, 1: CD000416, 2010.
42) Auesperg VL et al: DIGEST Guidelines for Extracorporeal Shock Wave Therapy. International Society for Medical Shockwave Therapy, 2019.
43) Eid J: Consensus Statement on ESWT Indications and Contraindications. International Society for Medical Shockwave Treatment, 2016.
44) Landorf KB et al: Effectiveness of foot orthoses to treat plantar fasciitis: a randomized trial. *Arch Intern Med*, 166: 1305-1310, 2006.

第８章　マッサージの実際

1) 木村喜三郎：未病治の世界—あん摩マッサージ指圧の各分野における役割．医学のあゆみ，216: 915-919，2006.
2) 東洋療法学校協会：あんまマッサージ指圧理論，医道の日本社，神奈川，1985.
3) 福林　徹 監（溝口秀雪 編）：スポーツマッサージ，文光堂，東京，2006.
4) 泉　重樹：ランナーのためのセルフマッサージ．ランニング学研究，22: 45-49，2010.

第９章　リカバリーの実際

1) Kellmann M et al: Recovery and performance in sport: consensus statement. *Int J Sports Physiol Perform*, 13: 240-245, 2018.
2) 笠原政志，山本利春：スポーツ選手における戦略的リカバリー．トレーニング科学，28: 167-174，2017.
3) Burk L: Burke L, Deakin V: Nutrition for recovery after training and competition. In: *Clinical Sports Nutrition*, 5th edition, Burke L, Deakin V eds, McGraw-Hill Education, NewYork, pp.420-462, 2015.
4) Ivy JL et al: Muscle glycogen synthesis after exercise: effects of time of carbohydrate ingestion. *J Appl Physiol*,

64: 1480-1485, 1988.
5) Van Loon LJ et al: Maximizing postexercise muscle glycogen synthesis: carbohydrate supplementation and the application of amino acid or protein hydrolysate mixtures, *Am J Clin Nutr*, 72: 106-111, 2000.
6) Walsh RM, Noakes TD, Hawley JA et al: Impaired high-intensity cycling performance at low levels of dehydration. *Int J Sports Med*, 15: 392-398, 1994.
7) Grandjean AC, Grandjean NR: Dehydration and cognitive performance. *J Am Coll Nutr*, 26: 554s-557s, 2007.
8) 石原健吾：水分補給．In: エッセンシャルスポーツ栄養学，日本スポーツ栄養学会 監，市村出版，東京，pp.121-127, 2020.
9) 長谷川博：身体冷却．In: スポーツ現場における暑さ対策，長谷川博，中村大輔 編，ナップ，東京，pp.90-103, 2021.
10) Clarkson PM, Nosaka K, Braun B: Muscle function after exercise-induced muscle damage and rapid adaptation. *Med Sci Sports Exerc*, 24: 512-320, 1992.
11) Pasiakos SM et al: Effects of protein supplements on muscle damage, soreness and recovery of muscle function and physical performance-a systematic review. *Sports Med*, 44: 655-670, 2014.
12) Machado AF, Ferreira PH, Micheletti JK et al: Can water temperature and immersion time influence the effects of cold water immersion on muscle soreness? A systematic review and meta-analysis. *Sports Med*, 46: 503-514, 2016.
13) Stephens JM, Halson SL, Miller J et al: Influence of body composition on physiological responses to post-exercise hydrotherapy. *J Sports Sci*, 36: 1044-1053, 2018.
14) 森谷敏夫：筋疲労．呼吸，9: 965-972, 1990.
15) Hooren BV, Peake JM: Do we need a cool-down after exercise? A narrative review of the psychophysiological effects on performance, injuries nap the long-term adaptation response. *Sports Med*, 48: 1575-1595, 2018.
16) Juliff LE, Halson SL, Peiffer JJ: Understanding sleep disturbances in athletes prior to important competitions. *J Sci Med Sport*, 18: 13-18, 2015.
17) 下光輝一：長時間持久運動選手における心身医学的研究．心身医療，9: 304-311, 1997.
18) Ihsan M, Watoson G, Abbiss CR: What are the physiological mechanisms for post-exercise cold water immersion in the recovery from prolonged endurance and intermittent exercise? *Sports Med*, 46: 1095-1109, 2016.
19) Hayashi M, Watanabe M, Hori T: The effects of a 20 min nap in the mid-afternoon on mood, performance and EEG activity. *Clin Neurophysiol*, 110: 272-279, 1999.

第 10 章　機能的スクリーニングとコレクティブエクササイズ

1) Cook G: *Movement: Functional Movement Systems: Screening, Assessment, Corrective Strategies*. On Target Publications, Aptos, 2010（日本語版：中丸宏二 他監訳：ムーブメント：ファンクショナルムーブメントシステム：動作のスクリーニング，アセスメント，修正ストラテジー，ナップ，東京，2014）.
2) Kiesel K et al: Can serious injury in professional football be predicted by a preseason functional movement screen? *N Am J Sports Phys Ther*, 2: 147-158, 2007.
3) Garrison M et al: Association between the functional movement screen and injury development in college athletes. *Int J Sports Phys Ther*, 10: 21-28, 2015.
4) Kiesel K et al: Functional movement test scores improve following a standardized off-season intervention program in professional football players. *Scand J Med Sci Sports*, 21: 287-292, 2011.
5) Cook G: *Athletic Body in Balance*, Human Kinetics, Champaign, 2003（日本語版：石塚 利光 他監：アスレティックボディ・イン・バランス，ブックハウス・エイチディ，東京，2011）.
6) マーク・バーステーゲン（咲花正弥 監訳）：コアパフォーマンス・トレーニング，大修館書店，東京，2008.

索　引

●さ行

●な行

●は行

●ま行

●や行

●ら行

●わ行

●欧文

■**編者略歴**

小山　貴之（こやま　たかゆき）

1999年　東京都立医療技術短期大学理学療法学科卒業
　　　　駿河台日本大学病院理学療法室勤務
2006年　東京都立保健科学大学大学院保健科学研究科修士課程修了
2009年　首都大学東京大学院人間健康科学研究科博士後期課程修了
2010年　日本大学文理学部体育学科 専任講師
　　　　日本大学アメリカンフットボール部フェニックス トレーナー
2014年　日本大学文理学部体育学科 准教授
2015年　Dept. of Kinesiology and Nutrition Sciences, University of Nevada, Las Vegas 客員研究員
2020年　日本大学文理学部体育学科 教授（現職）

資格：博士（理学療法学），理学療法士，日本理学療法士協会認定理学療法士（スポーツ），日本スポーツ協会公認アスレティックトレーナー，EXOS Certified Performance Specialist

アスレティックケア―リハビリテーションとコンディショニング―【第2版】

2016年5月26日　第1版　第1刷
2020年2月16日　　同　　第2刷
2023年3月25日　第2版　第1刷

編　者　小山　貴之　Takayuki Koyama
発行者　腰塚　雄壽
発行所　有限会社ナップ
〒111-0056　東京都台東区小島1-7-13 NKビル
TEL 03-5820-7522／FAX 03-5820-7523
ホームページ　http://www.nap-ltd.co.jp/
印　刷　三報社印刷株式会社

ISBN 978-4-905168-75-1